JN258283

PT・OTビジュアルテキスト

エビデンスから身につける

物理療法

編集
庄本康治

第2版

正誤表・更新情報

本書中に訂正・更新箇所等がございました。お手数をお掛けしますが、下記ご参照頂けますようお願い申しあげます（2023年7月28日）

■第2版　第1刷（2023年3月1日発行）の修正・更新箇所

頁	場所	修正前	修正後	補足	掲載
第Ⅰ章-2 痛みの生理学と病理学					
25	表1の脚注	文献2と3より引用.	文献1と3より引用.		23/03/03
27	上から7行目	膀脱痛症候群	膀胱痛症候群		23/04/21
27	図2			※1 参照. 大脳周辺の神経回路に変更あり	23/04/21
第Ⅰ章-5 温熱療法に必要な物理学と生理学					
78	上から4行目	あるいはK（華氏, 絶対温度, ケルビン）	あるいは℉（華氏）, K（絶対温度, ケルビン）		23/07/21
78	上から8行目と9行目の間	−	＊華氏（℉）は大気圧で水が凍る温度を32℉, 水が沸騰する温度を212℉として, その間を180に等分して定義した.	上から8行目と9行目の間に文章を追加	23/07/21
78	上から9行目	華氏（K）は	絶対温度（K, ケルビン）は		23/07/21
78	上から11行目	したがって0K（絶対零度）は	0K（絶対零度）は	「したがって」を削除	23/07/21
78	上から11行目	華氏を	華氏（℉）を		23/07/21
第Ⅱ章-4 超短波療法					
115	上から11行目	頸部通	頸部痛		23/05/12
第Ⅱ章-8 光線療法					
172	図3の説明	短波長成分（赤色）は屈折率が小さく, 長波長成分（紫色）は屈折率が大きい.	長波長成分（赤色）は屈折率が小さく, 短波長成分（紫色）は屈折率が大きい.		23/07/28

図表

※1

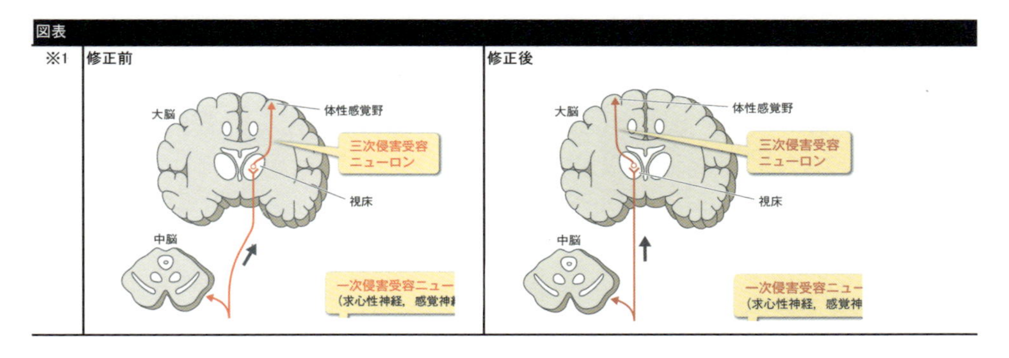

第2版の序

2017年8月に第1版を出版してから5年経過したが，物理療法においても日進月歩の進化が起こっている．なかでも，超音波や電気刺激による迷走神経刺激に代表されるbioelectric medicine，電気刺激療法，体外衝撃波療法などの基礎・臨床研究が顕著に増加している．さらに，国際疼痛学会による疼痛の定義が改変され，新たな疼痛評価方法なども数多く報告されている．

そこで，第2版では，新たな物理療法として「体外衝撃波療法」を追加し，そのなかでもセラピストが実施可能な拡散型圧力波療法について，最新の理論はもちろん，技術的解説も含めて論述している．拡散型圧力波療法は，さまざまな疾患や障害に対する効果が報告されていて，新たな物理療法として学修，臨床実践してほしいと考えている．また第2版では，2020年に国際疼痛学会が発表した新たな疼痛の定義を反映させ，さらに，「リハビリテーション現場における痛みの評価」を加え，単なる痛みの強弱のみならず，多次元的評価を学修可能にしている．加えて第2版から，本書を教科書として採用してくれた養成校の教員に，知識定着のための穴埋め問題，国試に慣れるための選択問題を配布することにしている．

第1版から論述している物理療法については，よい点はそのままに，新たな研究報告や最新情報を追加している．さらに，臨床場面や健常人によるデモンストレーションなどの新たな画像，動画を加え，学習効果を上げやすいように工夫している．

本書によって，エビデンスに基づいて物理療法を適切に実施可能な臨床家や物理療法の研究者が増加し，機器開発メーカーを含めた協働活動がさかんになり，結果的にさまざまなクライエントによい影響があることを祈念しています．

2023年1月

畿央大学健康科学部理学療法学科
庄本康治

第1版の序

日本の物理療法教育には問題がある．筆者は大学と大学院で物理療法の講義を10年以上担当しているが，熱心に聴講し，興味をもつ学生も多い．しかし，最終学年の臨床実習では，ホットパック，アイスバッグ，牽引療法などの古い一部の物理療法の体験に留まり，その結果，臨床実習終了時には物理療法そのものの必要性を低く考える学生を散見する．新たな多くの研究が報告され，欧米では頻回に使用されている物理療法に関して，“エビデンスに基づいて慎重に選択，実践する過程”を臨床実習で経験していない学生が大半であり，そのまま最終的に臨床家として勤務していることが問題であると筆者は感じている．

したがって，本書では，新たな基礎・臨床研究結果をできる限り取り入れ，物理療法に関係した痛みの生理学と病理学，物理学，関節可動域制限についても図表，動画を使用してわかりやすく解説した．これらにより，エビデンスを伴った体系的な学びができるだろう．また，治療技術の解説，実習方法，運動療法との組合わせも詳細に記述し，選択，実践する過程をできるだけリアルにシミュレートできるようにした．新たな物理療法として近年多くの現場で導入されている振動刺激を加えている．理学療法士をめざす学生のためには，理学療法士国家試験問題に関係した領域を黄色のアンダーラインでわかりやすく示している．

さらに，臨床でエビデンスに基づく物理療法を積極的に実践している理学療法士，物理療法の研究に卓越している若手研究者に執筆していただき，わかりやすい内容，構成になっていると考えている．この①エビデンス，②実践感，③現場感に基づく構成の3点は，学生の方々はもちろん，これから物理療法を新たに勉強しようと考えている現場のセラピストにとっても，根拠と自信をもって治療にあたれるレベルまで引き上げてくれるものであり，深さも満足できる書籍になったと感じている．

本書によって，エビデンスに基づいて物理療法を適切に実施可能な臨床家や物理療法の研究者が増加し，機器開発メーカーを含めた協働活動がさかんになり，結果的にさまざまなクライエントによい影響があることを祈念しています．

2017年6月

畿央大学健康科学部理学療法学科
庄本康治

PT・OTビジュアルテキスト

エビデンスから身につける

物理療法

第2版

目次概略

第Ⅰ章 総論

第Ⅱ章 治療法各論

PT・OT ビジュアルテキスト
エビデンスから身につける

物理療法 第2版

contents

■正誤表・更新情報

https://www.yodosha.co.jp/textbook/book/7023/index.html

本書発行後に変更，更新，追加された情報や，訂正箇所のある場合は，上記のページ中ほどの「正誤表・更新情報」からご確認いただけます．

■お問い合わせ

https://www.yodosha.co.jp/textbook/inquiry/index.html

本書に関するご意見・ご感想や，弊社の教科書に関するお問い合わせは上記のリンク先からお願いします．

本書の使い方

1 動画について

- 本書では，物理療法の実際がイメージできるストリーミング動画をご用意いたしました．
- 動画は本文中の **QRコード**を読み込むことによって，お手持ちの端末でご覧いただけます（一度に集中いたしますとサーバに負荷がかかる恐れがございますため，講義などでご使用の際はスライドで上映するなどご注意ください）．
  ※QRコードのご利用には「QRコードリーダー」が必要となります．お手数ですが，各端末に対応したアプリケーションをご用意ください．
  ※QRコードは株式会社デンソーウェーブの登録商標です．
- また，羊土社ホームページの**本書特典ページ**からも動画をご覧いただけます（アクセス方法は以下をご参照ください）．

1 **羊土社ホームページ**（www.yodosha.co.jp/）にアクセス（URL入力または「羊土社」で検索）
2 羊土社ホームページのトップページ右上の **書籍・雑誌付録特典**（スマートフォンの場合は **付録特典**）をクリック
3 **コード入力欄**に下記をご入力ください
コード：eua - auoj - dikr　※すべて半角アルファベット小文字
4 本書特典ページへのリンクが表示されます
※羊土社会員の登録が必要です．2回目以降のご利用の際はコード入力は不要です
※羊土社会員の詳細につきましては，羊土社ホームページをご覧ください
※付録特典サービスは，予告なく休止または中止することがございます．
本サービスの提供情報は羊土社ホームページをご参照ください

2 アンダーラインについて

- 本書では，理学療法士の国家試験において出題頻度の高い内容を，黄色のアンダーラインで示しています．学習・教育にお役立てください．

※上記の紙面はイメージです

第 I 章

総論

第Ⅰ章 総論

1 物理療法とは

学習のポイント

- 物理療法の定義と歴史を理解する
- 理学療法における物理療法の位置づけと特異的問題点を理解する

1 日本の物理療法の定義

- 本邦の理学療法士・作業療法士法では「理学療法」とは，『身体に障害のある者に対し，主としてその基本的動作能力の回復を図るため，治療体操その他の運動を行なわせ，及び電気刺激，マッサージ，温熱その他の物理的手段を加えること』と定義されている．
- したがって，電気刺激療法，マッサージ，温熱療法，その他の物理的刺激による治療全体が「物理療法」になる（図1）．

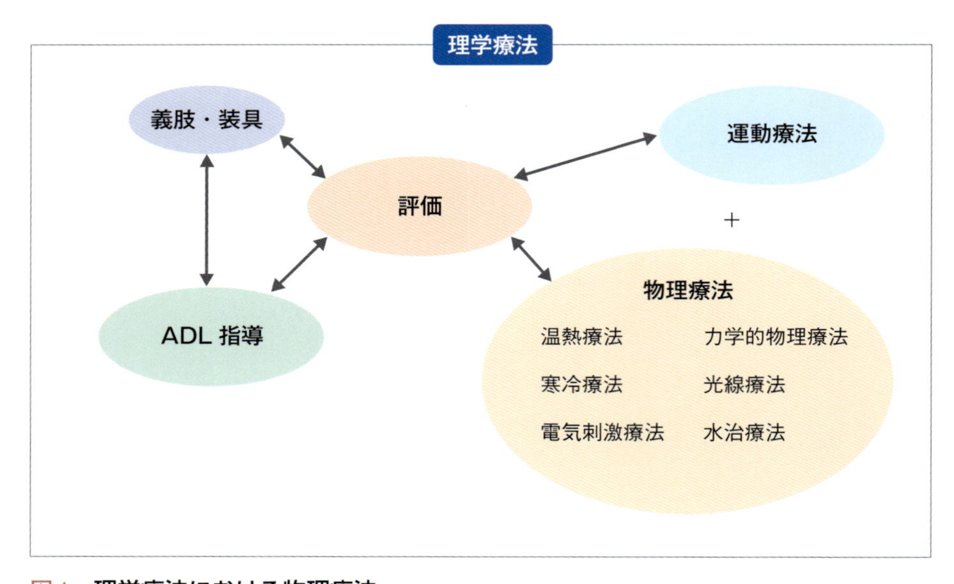

図1　理学療法における物理療法

2 米国理学療法士協会（APTA）の定義[1)]

- 米国理学療法士協会（American Physical Therapy Association：APTA）では，電気刺激療法的物理療法（electrotherapeutic modalities），狭義の物理療法（physical agents），力学的物理療法（mechanical modalities）の3分野に分類している．
- 電気刺激療法的物理療法とは，電気を使用する物理療法で，機能的運動の補助，筋収縮の誘発や筋収縮の補助，筋弛緩，創傷治癒促進，術後や組織損傷後の筋力維持や増強，鎮痛，腫脹・炎症の軽減，関節可動域（range of motion：ROM）制限の軽減などを目的としている．
- 具体的な電気刺激療法的物理療法には，バイオフィードバック治療（図2），一般的電気刺激療法，創傷治癒のための電気刺激療法，機能的電気刺激（functional electrical stimulation：FES）（図3），高電圧パルス療法（high voltage pulsed current：HVPC），神経筋電

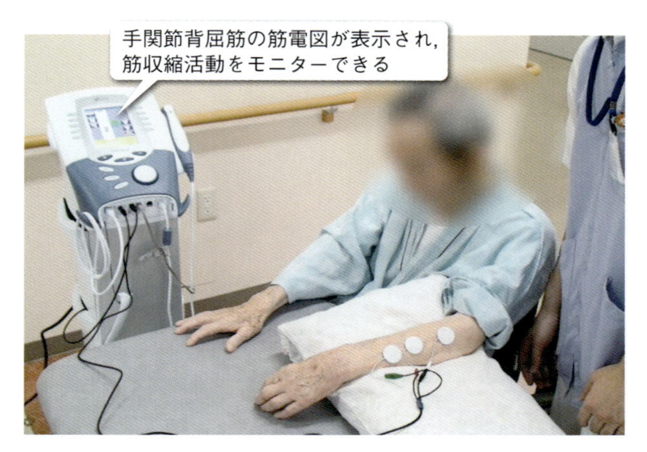

図2 筋電図（EMG）バイオフィードバック治療

左片麻痺を呈する症例の手関節背屈筋に実施．第Ⅱ章-9-E参照．

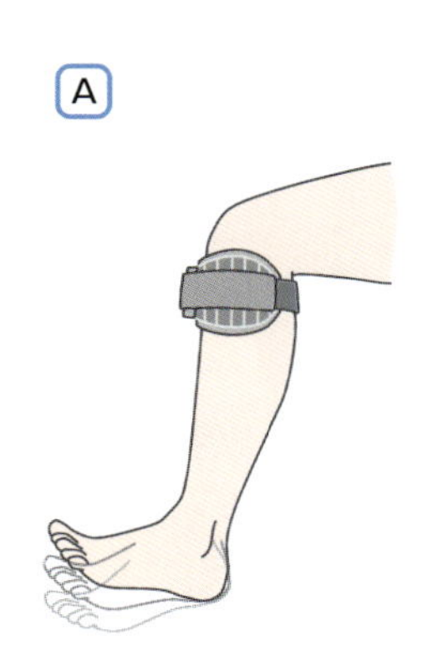

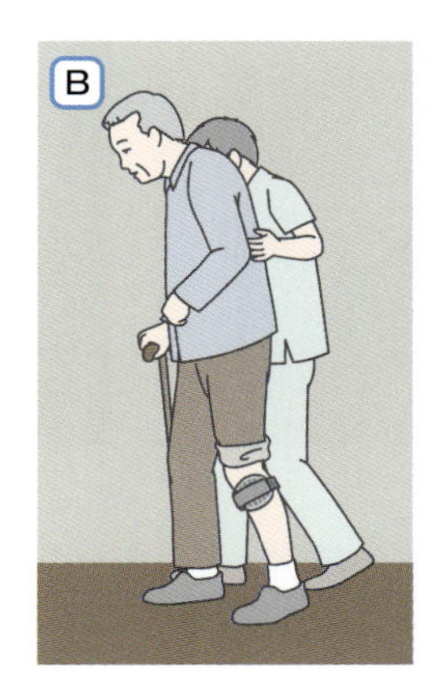

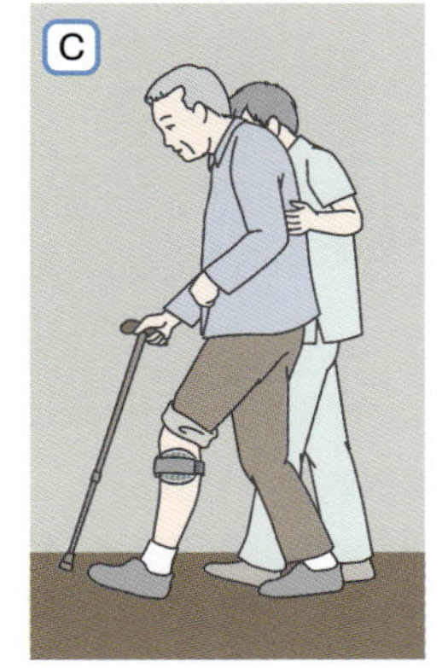

図3 代表的な機能的電気刺激（FES）

A）腓骨神経と前脛骨筋を電気刺激可能なFES．B）左片麻痺側立脚後期．C）左片麻痺側遊脚後期．総腓骨神経と前脛骨筋にタイミングよく電気刺激を実施し，自動的に前脛骨筋を収縮させて歩行を改善（関連動画①）．

関連動画①

気刺激（neuromuscular electrical stimulation：NMES）（図4），経皮的電気刺激（transcutaneous electrical nerve stimulation：TENS）（図5），電気による薬物の経皮的浸透（イオントフォーレーシス；iontophoresis）（図6）がある（第Ⅱ章-9参照）．

- 整理すると，大部分の電気刺激療法的物理療法は主として疾患や機能障害（impairments）レベルに対する治療であるが，FESは活動制限（activity limitation）や参加制約（participation restriction）に対する代償的アプローチと原則的には考えることができる（図3）．
- 物理療法全体を示す英語表記は，electrophysical agents（EPA），physical agents，physical modalities，therapeutic modalitiesが使用されているが，APTAは2014年にbiophysical agentsという用語が望ましいと報告[2]している．

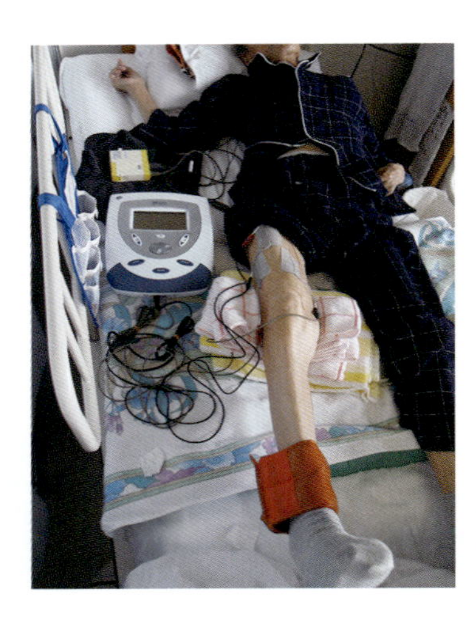

図4　神経筋電気刺激（NMES）

重度心不全症例に対する大腿四頭筋の筋力増強．**第Ⅱ章-9-C**参照．

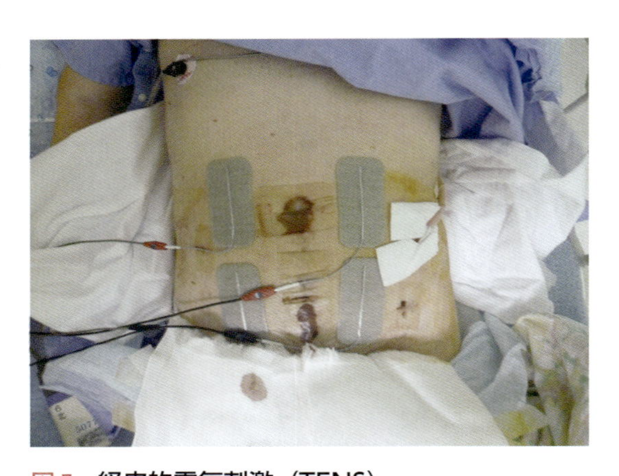

図5　経皮的電気刺激（TENS）

腹部外科手術直後の症例に対する鎮痛．**第Ⅱ章-9-B**参照．

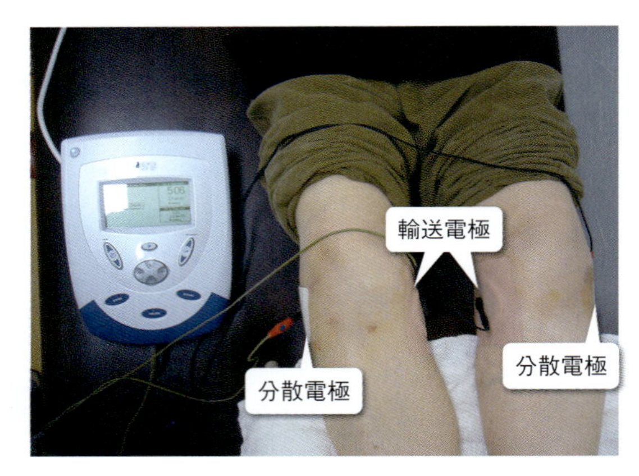

図6　電気による薬物の経皮的浸透（イオントフォーレーシス）

変形性膝関節症例の内側関節部に消炎鎮痛剤のジクロフェナクナトリウムを浸透させている．**第Ⅱ章-9-D**参照．

3 世界理学療法連盟（World Physiotherapy）の定義[3)]

- 世界理学療法連盟（World Physiotherapy）のサブグループであるISEAPT（International Society for Electrophysical Agents in Physical Therapy）が2009年に発足した.
- ISEAPTでは，物理療法の目的を，評価，治療，そして，機能障害，活動制限，参加制約を予防するために電気生理学的，生体物理学的エネルギーを使用することとしている.
- 物理療法の評価には，理学療法診断の補助，治療のガイド，治療効果の評価を実施可能な超音波イメージング，電気神経生理学的テストを含むとされていて，APTAや本邦とは異なっている.
- 物理療法の治療としては，健康を維持して最適な状態にするという生理学的，臨床的効果獲得のために細胞，組織，臓器，身体全体レベルで生体物理学的効果を発生させるような電磁場，音響，力学的エネルギーを使用するとしている.
- 治療分野は，温熱療法と寒冷療法，電気刺激療法，光線療法，力学的物理療法の4分野としている.

4 物理療法の歴史[4) 5)]

1）電気刺激療法（第Ⅱ章-9参照）

- 鎮痛のために電気を使用したのは紀元前からであり，有痛性疾患に対してデンキナマズやシビレエイが発する電気刺激（300～400 V発生）を使用していたことが紀元前2500年ごろの石材彫刻に記述されている.
- 紀元前400年ごろには，ヒポクラテスが頭痛と関節炎の症例に対して，魚の発する電気を利用して治療を実施している.
- ヒポクラテスはその他にも，さまざまな物理的エネルギーを治療目的で使用したと記録されている.
- 1941年には米国食品医薬品局（Food and Drug Administration：FDA）が電気刺激療法の鎮痛効果を否定した.
- それ以降もロシアを中心に疼痛，うつや不安などに対する研究がさかんに行われ，電気刺激療法はヨーロッパでも多く使用されることになった．さらに，米国でも1965年にMelzack（メルザック）とWall（ウォール）がゲートコントロール理論（**第Ⅱ章-9-B参照**）を報告し，バッテリーの小型化と並行して，基礎・臨床研究，臨床使用が再びさかんになった.
- 現在も電気刺激療法はさまざまな分野で使用されており，物理療法のなかでは最も研究が進んでいる分野の1つである.

2）光線療法（第Ⅱ章-8参照）

- 古代ギリシアでは，てんかん，関節炎，喘息などに太陽光照射が推奨されていた.
- 19世紀後半には，赤外線療法が開放創を乾燥させるために使用されていたが，現在の治癒理論からは受け入れられない考え方であり，この目的では使用されていない.

- 20世紀初頭には紫外線療法がビタミンD生成を目的にくる病に，太陽光照射が結核患者（図7）に実施されていたが，現在ではこの目的では使用されていない．
- レーザー光線は1954年に機器が作製され，高出力レーザーは眼科の手術などで切開や凝固に使用された．
- 低出力レーザーは1960年代後半から1970年代にMester（メスター）らによって開発され，低出力ヘリウムネオンレーザーが組織修復を促進させると報告している．
- 2002年にFDAによって手根管症候群の症例に対するレーザー治療が認可され，その後さらに筋や関節痛，関節炎の痛み，筋スパズム，頸部痛と腰痛に対しても認可されている（図8）．

3）極超短波・超短波療法（図9）（第Ⅱ章-4，5参照）

- 1930年代前後から感染治療目的で使用されていたが，Krusen（クルーゼン）らが1947年に極超短波療法機器を開発し，温熱療法として使用されている．
- 超短波療法機器は1922年にフランスのGaiffe（ゲフ）らによって作製され，温熱療法として使用されているが，本邦では極超短波療法よりも使用されていない．

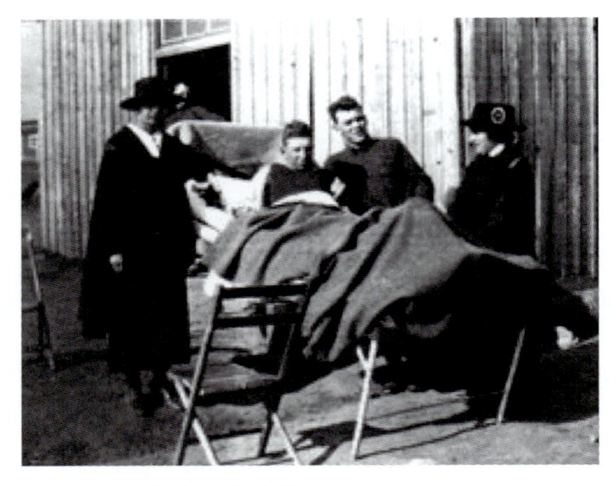

図7　結核患者の日光浴
文献6より引用．

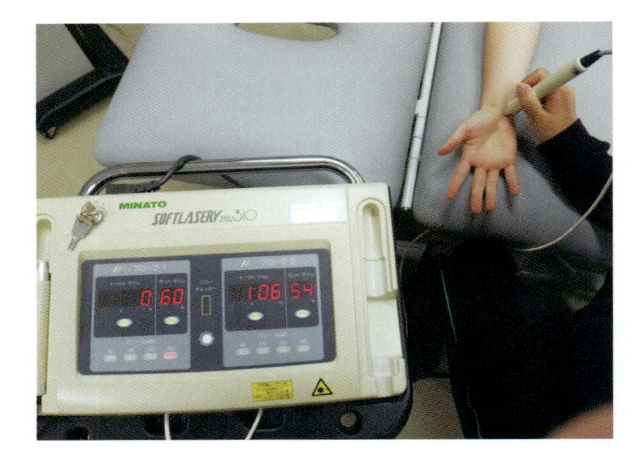

図8　手根管症候群に対するレーザー治療
第Ⅱ章-8参照．

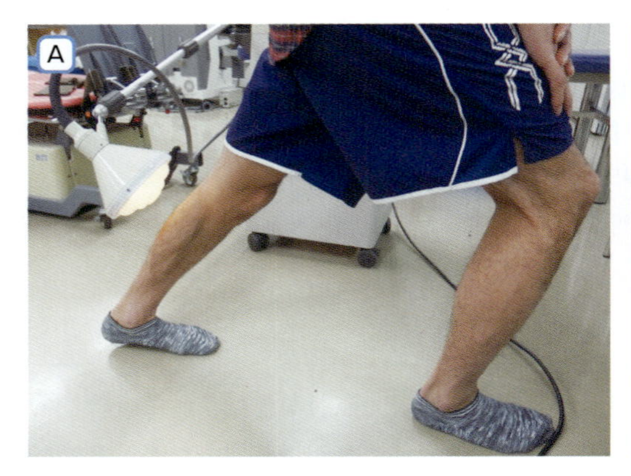

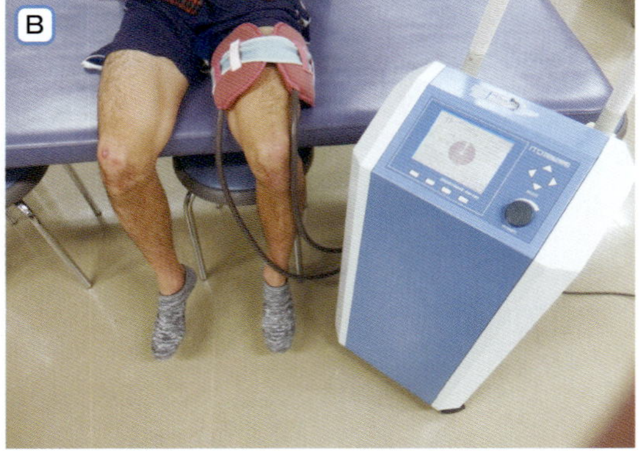

図9　極超短波・超短波療法
A）下腿三頭筋への極超短波療法＋伸張運動．第Ⅱ章-5参照．B）大腿四頭筋への超短波療法．第Ⅱ章-4参照．

4）水治療法（第Ⅱ章-3参照）

- 古代ローマなどの大都市では，温泉治療などの水治療法が利用されてきた．
- 現在も使用されているが，管理面での問題もあり，本邦リハビリテーション科での使用頻度は少ない．

5）牽引療法（第Ⅱ章-11参照）

- ヒポクラテスは図10のような機器を使用して，脊椎の歪みや骨折を治療していたとのことであるが，現在の牽引療法と基本的原理は似ている．
- 現在でも頸椎と腰椎に対する牽引療法（図11）は実施されているが，その効果についてはさまざまな議論がある．

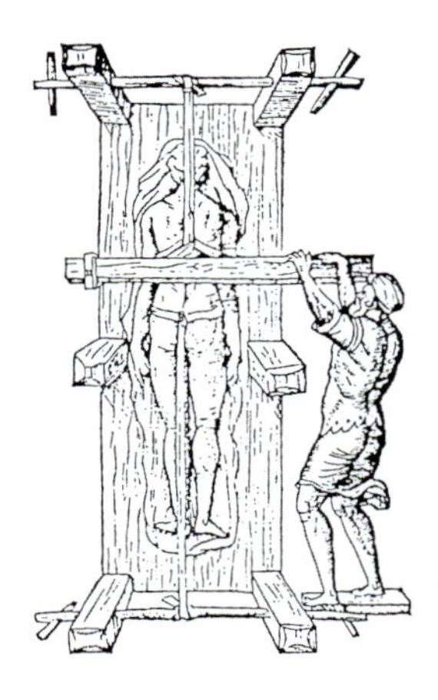

図10　ヒポクラテスの使用した牽引台
文献5より引用．

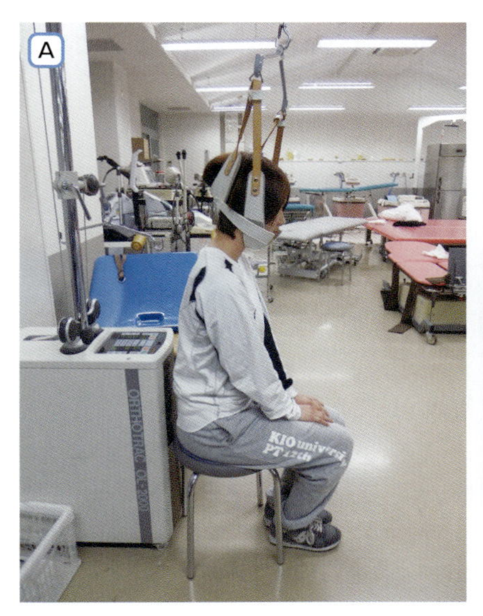

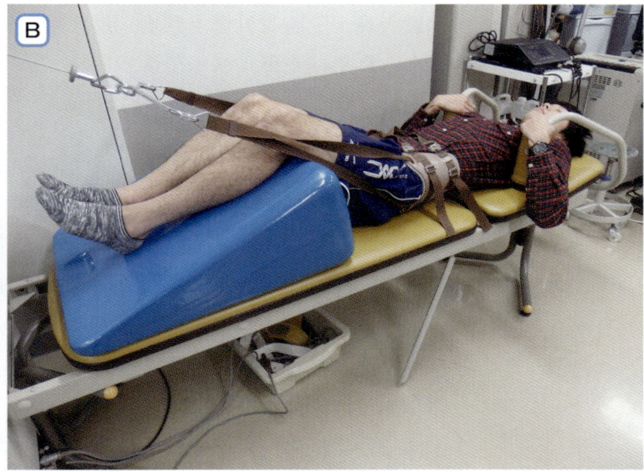

図11　牽引療法
A）頸椎牽引療法．B）腰椎牽引療法．第Ⅱ章-11参照．

6）その他の物理療法

1 ホットパック（第Ⅱ章-1参照）

- ホットパックは欧米では1950年代半ばから使用されていて，現在では家庭用のホットパックも販売されている．

2 パラフィン浴（第Ⅱ章-2参照）

- パラフィン浴は欧米では1910年代から経験的に使用されているが，本邦での使用頻度はきわめて低い．

3 超音波療法（第Ⅱ章-6参照）

- 超音波は1880年フランスのCurie（キュリー）兄弟が圧電効果（piezoelectric effect）を発見し，はじめて発生可能になった．医学に超音波が応用されたのは，1942年Dussik（デュシック）が脳の超音波検査を行ってからである．現在では診断，治療のさまざまな分野で使用されている．理学療法領域では1930年代後半～1940年代に坐骨神経痛や関節炎に対しての実施が最初である．

4 寒冷療法（第Ⅱ章-7参照）

- 紀元前ギリシアではさまざまな疾患に使用されてきたと報告されているが，本格的に使用されてきたのは1950年代半ばからである．

5 圧迫療法（第Ⅱ章-10参照）

- 紀元前500年ごろから使用されているが，18世紀には下肢潰瘍に対する治療として弾性包帯が使用されている．19世紀前半には深部静脈血栓予防目的で使用されている．

6 振動刺激療法（第Ⅱ章-12参照）

- 1968年のHagbarth（ハグバース）らの緊張性振動反射の報告以降，片麻痺筋に対する促通方法として利用されてきている．全身振動トレーニングが1960年代から開始され，筋力低下を呈する症例やパーキンソン病などに対して実施されている．

7 体外衝撃波療法（第Ⅱ章-13参照）

- 体外衝撃波療法は1980年代に腎結石の治療に使用され，1990年代からは偽関節や石灰沈着性腱板炎，上腕骨外側上顆炎，足底腱膜炎などの整形外科疾患に対して欧米で実施されてきた．近年は中枢神経疾患後の痙性，種々の痛みなどにも実施されている．

5 物理療法の実施者

- 本来ならば医学的知識のある専門家が実施すべきであるが，クリニックなどでは助手やその他の専門家が実施している場合も多い．
- 高度な治療技術が求められる場合も多く，知識，技術が不十分な実施者が行った場合の治療効果は疑問である．
- 米国では，医師，理学療法士以外では作業療法士，アスレチックトレーナーも専門的教育を受けて実施している．

6 物理療法の位置づけと特異的問題点

- 本来ならば一定期間，物理療法を実施して再評価を行い，効果がなければ中止すべきであるが，そのようなPDCAサイクルが作用していない場合も多い．

＊PDCAサイクル：plan（計画）→do（実行）→check（評価）→action（改善）をくり返すことで，効率化を図る方法．

- 結果的に他動的な物理療法のみを長期間にわたって実施している場合も多い．
- APTAは，他動的な物理療法中心の治療に対して注意していて，運動療法などのアクティブな治療につなげていくべきであると2015年に報告している[7]．
- 物理療法を実施すると短期的には鎮痛する場合が多いが，これだけで治療が終わると効果的でない．特に運動療法に代表されるようなアクティブな治療を実施することで疼痛が軽減すると考えられる症例では，他動的物理療法に依存しないような注意が必要である[7]．
- APTAでは，物理療法は運動療法などの他の治療と組合わせるべきであり，物理療法だけによる治療が明らかによいという証拠がなければ単独で使用すべきでないとしている[1]．
- 物理療法機器は高価であるが，診療報酬が低く，各施設での機器購入が滞っている．
- 令和3年12月時点での日本理学療法士協会会員数は129,875人であり，認定理学療法士取得者数は11,745人であるが，このなかで物理療法に関する認定理学療法士（物理療法，褥瘡・創傷ケアー，疼痛管理）数は合計で71人である．一方，専門理学療法士取得者数は1,836人であり，物理療法の専門理学療法士は36人である．理学療法士免許取得者数が192,327人であり，物理療法に関する認定，専門理学療法士数がきわめて少ない状況である．
- 臨床実習でもホットパックなどの古典的物理療法を体験するレベルで終わっていて，学生時代から専門的教育を受ける機会が少なく，結果として臨床家になってからも興味を失っている現状があると予想する．

7 日本物理療法学会

- 物理療法学全般の発展のために日本物理療法学会[8]があり，医師，歯科医師，理学療法士，作業療法士，柔道整復師，その他の専門職が参加している．
- 専門の機関誌「物理療法科学Japanese Journal of Electrophysical Agents」を発刊している．
- 物理療法機器メーカーも参加し，産学連携で研究，機器開発などを進めている．

文献

1）「Guide to Physical Therapist Practice Revised 2nd Edition」（American Physical Therapy Association/ed），American Physical Therapy Association, 2003
2）「Guide to Physical Therapist Practice 3.0」（American Physical Therapy Association/ed），American Physical Therapy Association, 2014
3）International Society for Electrophysical Agents in Physical Therapy（ISEAPT）（https://world.physio/subgroups/electrophysical），World Physiotherapy
4）「Michlovitz's Modalities for Therapeutic Intervention 6th Edition」（Bellew JW, et al/eds），F.A.Davis, 2016
5）「Krusen's Handbook of Physical Medicine and Rehabilitation 4th Edition」（Kottke FJ & Lehmann JF/eds），Saunders, 1990
6）APTA History（https://www.apta.org/apta-history），American Physical Therapy Association
7）APTA Integrity in Practice Initiative, Federation of State Boards of Physical Therapy Fall 2015 Forum, American Physical Therapy Association, 2015
8）日本物理療法学会（https://www.jseapt.com/）

第Ⅰ章 総論

2 痛みの生理学と病理学

学習のポイント

- ヒトの痛みの定義と分類について学ぶ
- ヒトが痛みを感じる生理学的機序を学ぶ
- ヒトの痛みが抑制（調整）される生理学的機序について学ぶ
- 末梢・中枢性感作とよばれる現象とその機序について学ぶ
- CRPS（複合性局所疼痛症候群）を通して慢性疼痛の病態・メカニズムを学ぶ

1 痛みの定義と分類

1）痛みの定義[1)]

- 痛みの定義については，1979年に国際疼痛学会（IASP）が提唱したものが広く世界中で受け入れられ，世界保健機関をはじめ多くの組織で採用されてきた．
- 一方で当時の痛みの定義では，精神と身体の相互作用の多様性を軽視していた点，乳児・高齢者・精神疾患などの痛みを明確に言語化できない人を考慮できていなかった点が問題視され，2020年に国際疼痛学会が痛みの定義を表1のように改定した．
- その付記を読むと，さらに詳細が理解でき，特に痛みは生理的な現象であるだけでなく，行動的，社会的，認知的な現象であることが強調されている．

2）時期による分類

- 慢性疼痛は「治療に要すると期待される時間の枠を超えて持続する痛み，あるいは進行性の非がん性疼痛に基づく痛み」と国際疼痛学会で定義されており，痛みの急性疼痛と慢性疼痛の違いは表2のような概念で捉えることができる．
- 「急性疼痛をくり返す慢性疼痛」，「急性疼痛が遷延化した慢性疼痛」も慢性疼痛のなかに含まれ，例えば，関節炎症によって侵害受容器が長期的に興奮している場合などはこれに当てはまる．
- それに対して，表2にある難治性慢性疼痛は，外傷や傷害が存在しなくても，痛みのシステムに異常をきたして生じる痛みである．
  - ▶ システム異常による痛みは生体への警告として意味をなさない病的な痛みであり，有害無益な痛みである．

表1　国際疼痛学会による新しい痛みの定義と付記

痛みの定義2020日本語訳（日本疼痛学会2020.7.25）

「実際の組織損傷もしくは組織損傷が起こりうる状態に付随する，あるいはそれに似た，感覚かつ情動の不快な体験」

付記

- 痛みは常に個人的な経験であり，生物学的，心理的，社会的要因によって様々な程度で影響を受けます．
- 痛みと侵害受容は異なる現象です．感覚ニューロンの活動だけから痛みの存在を推測することはできません．
- 個人は人生での経験を通じて，痛みの概念を学びます．
- 痛みを経験しているという人の訴えは重んじられるべきです．
- 痛みは，通常，適応的な役割を果たしますが，その一方で，身体機能や社会的および心理的な健康に悪影響を及ぼすこともあります．
- 言葉による表出は，痛みを表すいくつかの行動の1つにすぎません．コミュニケーションが不可能であることは，ヒトあるいはヒト以外の動物が痛みを経験している可能性を否定するものではありません．

文献2と3より引用．

表2　急性疼痛と慢性疼痛の概念

	急性疼痛	慢性疼痛	
		急性疼痛をくり返す慢性疼痛，急性疼痛が遷延化した慢性疼痛	難治性慢性疼痛
痛みの原因	侵害受容器の興奮	侵害受容器の興奮	中枢神経系の機能変化，心理社会的要因による修復
持続時間	組織の修復期間を超えない	組織の修復期間をやや超える	組織の修復期間を超える（3カ月以上）
主な随伴症状	交感神経機能亢進（超急性期）	睡眠障害，食欲不振，便秘，生活動作の抑制	睡眠障害，食欲不振，便秘，生活動作の抑制
主な精神症状	不安	抑うつ，不安，破局的思考	抑うつ，不安，破局的思考

文献2より引用．

▶現在では，このような難治性慢性疼痛の増加が，医療上の問題のみならず社会経済的にも大きな問題となっている．

- なお，以前は発症からおおむね6カ月を超えて症状が持続する病態を慢性疼痛と指していることもあったが，現在は，薬物療法の充実などにより3カ月以上を慢性疼痛とすることが多い．

3）痛みの原因による分類

- 以前まで，痛みは「侵害受容性（炎症性）疼痛」，「神経障害性疼痛」，「非器質的（心因性）疼痛」と分類されていたが，慢性疼痛患者の心理的・行動学的な問題は，生物学的変化と密接に関係していることが多くの神経生理学分野などの研究で明らかになってきたことから，痛みの分類は「侵害受容性疼痛」（nociceptive pain），「神経障害性疼痛」（neuropathic pain），「痛覚変調性疼痛」（nociplastic pain）の3つに改められた（表3）．
- このことからもわかるように，従来のように痛みを「体性」と「心因性」などに分けることは，現在では誤った解釈である．

表3　痛みの分類

侵害受容性疼痛（nociceptive pain）	組織の損傷，あるいは損傷の危険性がある場合に生じる痛みであり，侵害受容器の活性化により生じる疼痛.
神経障害性疼痛（neuropathic pain）	侵害受容器や痛覚伝導路を含む体性感覚神経系の病変や疾患によって生じる疼痛.
痛覚変調性疼痛（nociplastic pain）	侵害受容器を活性化するような損傷やその危険性のある明確な組織損傷，あるいは体性感覚神経系の病変や疾患がないにもかかわらず，痛みの知覚異常，過敏により生じる疼痛.

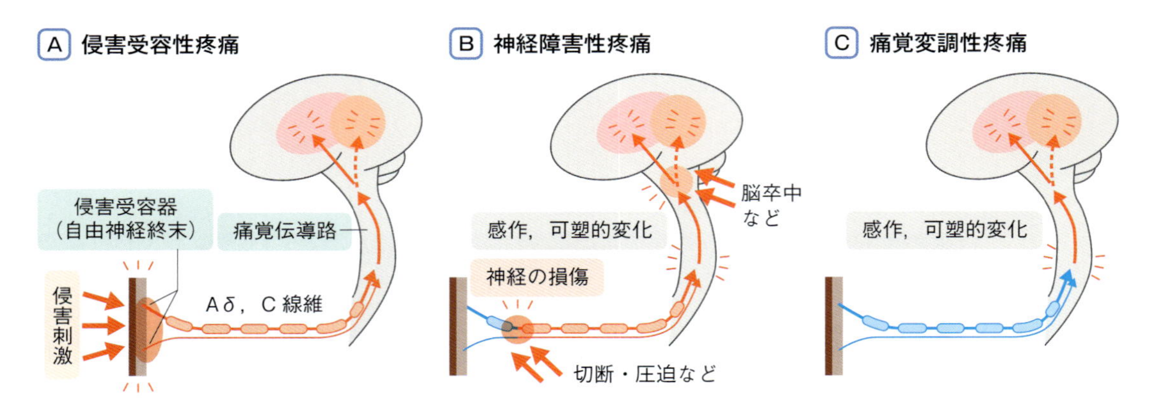

図1　痛みの原因による分類
文献1をもとに作成.

1 侵害受容性疼痛（nociceptive pain）

- 末梢神経遠位端の自由神経終末（＝侵害受容器）（後述）の活性化，すなわち，痛みを伝える末梢神経の興奮・発火により生じる疼痛である（図1A）.
- 痛みを伝える神経線維は，Aδ線維とC線維が存在している．機械的侵害刺激（例：針先で刺される）はAδ線維を経由して侵害受容性疼痛が伝わる．侵害化学刺激（炎症誘発物質）などは，C線維を経由して疼痛が伝わる．これは，さまざまな刺激を受容するポリモーダル受容器が存在するためであり，膝関節症などでの関節の炎症時に発痛物質（プロスタグランジン，ブラジキニン，プロトンなど）が産出されると，C線維を経由して侵害受容性疼痛が伝わる（詳しくは後述）.
- つまり，身体への物理的な刺激を与えられたときの痛みも炎症による痛みも，どちらも侵害受容性疼痛に分類される.

2 神経障害性疼痛（neuropathic pain）

- 外傷や圧迫，絞扼（こうやく）によって神経が断裂・損傷した場合に生じる痛みであり，脳卒中や血管炎，糖尿病，遺伝的異常などの疾患，細菌・ウイルス感染，長期の炎症や自己免疫，化学療法などにより神経が損傷された場合に生じる疼痛である（図1B）.
- このような神経損傷が生じた場合には，末梢および中枢神経系の感作が生じて，痛覚過敏，アロディニア（触れただけでも痛みを感じる），自発痛（物理的な刺激がなくても痛い）などが生じる.

❸ 痛覚変調性疼痛（nociplastic pain）

- 侵害受容性疼痛を惹起する組織損傷も，神経障害性疼痛を引き起こす末梢・中枢神経の損傷もない場合に生じる疼痛である（図1C）.
- この疼痛は，前述の2つの疼痛に加えて第3の疼痛として2016年に提唱され，その翌年に国際疼痛学会に用語として採用された新たな疼痛である．具体的には，線維筋痛症や末梢神経に損傷のない複合性局所疼痛症候群 type Ⅰ，原因の明らかでない非特異的な腰痛，過敏性腸症候群や膀胱痛症候群など機能性の内臓痛がこれに含まれる.
- 痛覚変調性疼痛の英語表記である nociplastic とは “nociceptive plasticity” からなる造語であり，nociceptive は侵害受容・痛覚を意味し，plasticity は可塑性（かそせい）という意味である．すなわち，痛覚に関連した神経系の可塑的変化によって知覚異常・過敏が起こることを意味する.

2 痛みの受容器と伝導路

1）痛みを感じるまでのプロセス（図2）

- 身体に損傷が生じてから「痛い」と経験するまでの概観を理解しておく必要がある.
- 侵害刺激（機械刺激・熱刺激・冷刺激・化学刺激）が生じると，ポリモーダル受容器と機械的侵害受容器によって信号が受け取られ，C線維とAδ線維によって**脊髄後角**に伝えられる．この伝導路は**一次侵害受容ニューロン**とよばれる.

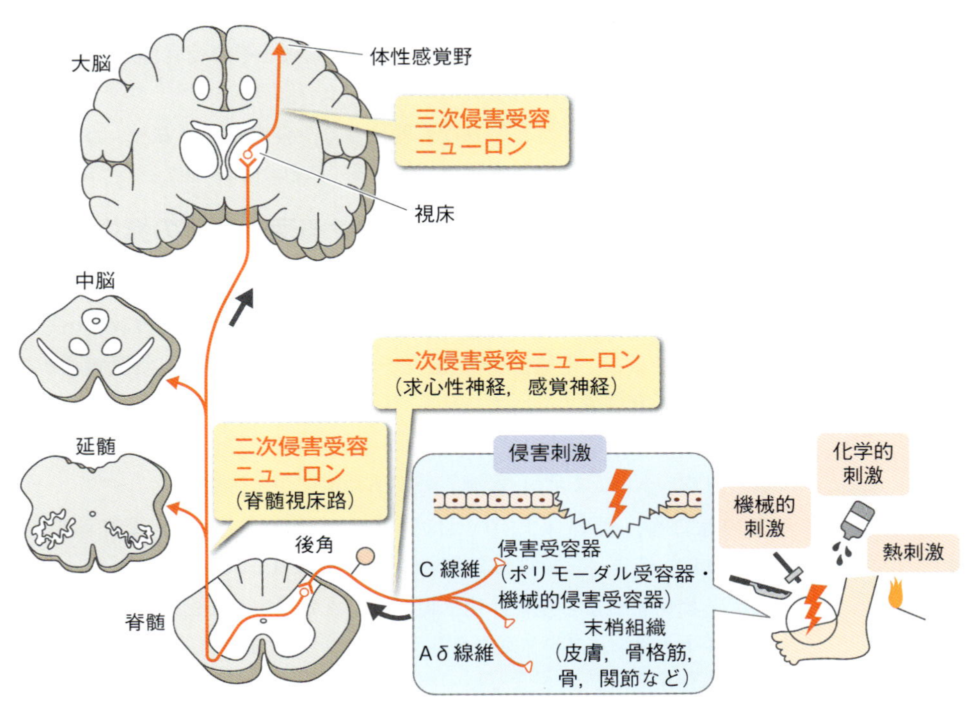

図2　痛みを感じるまでのプロセス
文献4をもとに作成.

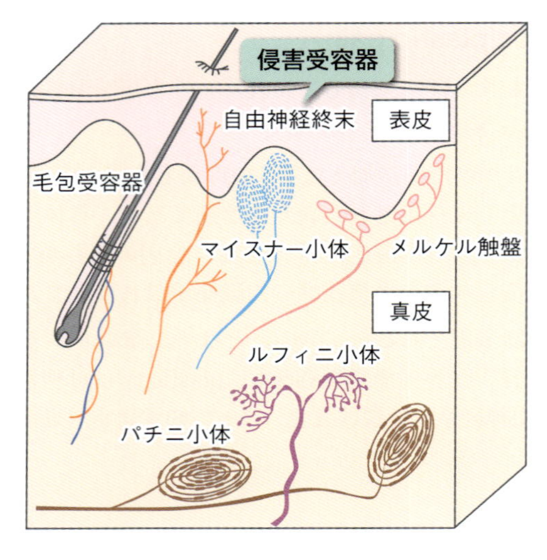

図3　皮膚上の感覚受容器
文献5をもとに作成.

- 次に脊髄後角において，一次侵害受容ニューロンとシナプスを介している**二次侵害受容ニューロン**に伝達され，これが上行して視床まで伝えられる．この経路は**脊髄視床路**である．
- さらに，視床において二次侵害受容ニューロンとシナプスを介している**三次侵害受容ニューロン**に伝えられ，大脳皮質の体性感覚野に侵害刺激情報が届く．
- 加えて，このような侵害刺激情報は，情動・認知の中枢である大脳辺縁系や前頭前野にも伝えられ，痛みが解釈されたり，情動反応が生じたりする．

2）痛みの受容器（侵害受容器）

- ヒトが1つの感覚を感じるためには適切な刺激とその受容器が必要であり，それぞれ触覚，圧覚などに対応した感覚受容器が存在する（図3）．
- しかし，痛覚に関しては特殊受容器はなく，自由神経終末といわれる神経終末が枝分かれしているような構造として存在している．これが痛みの受容器であり，侵害受容器である．

3）侵害受容器（自由神経終末）における活動電位の発生

- 異常な物理的刺激（侵害性機械刺激，侵害性熱刺激，侵害性冷刺激）や化学刺激（炎症誘発物質による侵害性化学刺激）が侵害受容器である自由神経終末の受容体に働きかけて脱分極が起こると，電位依存性Na^+チャネルが活性化されて活動電位が発生し，それが痛覚信号として脊髄後角へ伝えられる（図4）．
- 例えば，受容体TRPV1（トリップブイワン）が熱刺激（>43℃）やカプサイシンなどによって活性化されると，陽イオン（Na^+，Ca^{2+}）が流入して活動電位が発生する．
- その他にも，受容体TRPV2は侵害熱刺激（>52℃），受容体TRPA1は侵害冷刺激（<15℃）によって活性化され，陽イオン（Na^+，Ca^{2+}）が流入して活動電位が生じる．
- また，損傷組織から侵害性化学刺激となる発痛物質（ヒスタミン，K^+，アデノシン，炎症性サイトカイン，プロスタグランジンなど）が産生され，それが侵害受容器上のイオンチャネルに作用して，侵害受容器の興奮性が高められて活動電位が生じる．

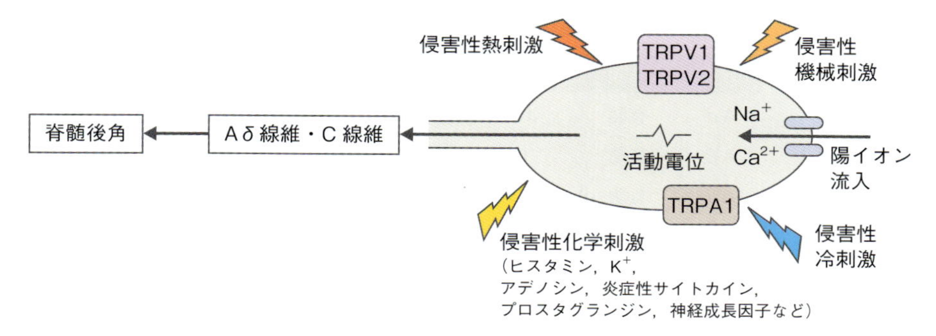

図4　侵害受容器（自由神経終末）における活動電位の発生　文献6をもとに作成.

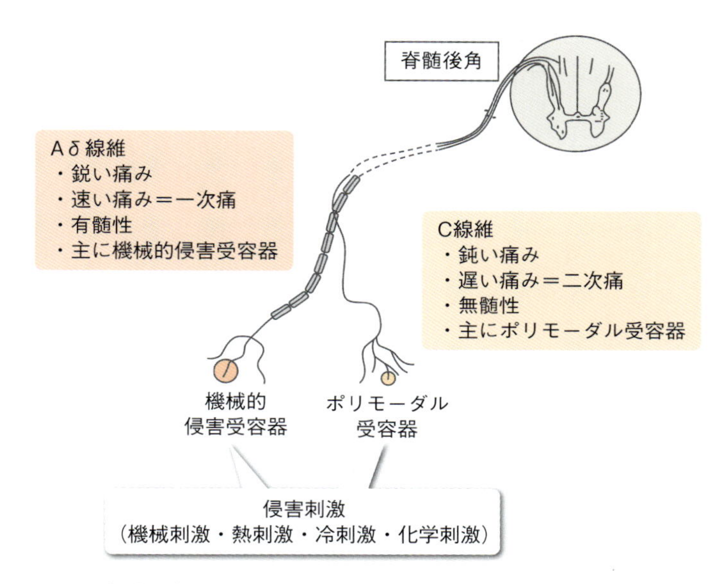

図5　脊髄後角へ痛みを伝達する神経線維　文献7をもとに作成.

4）侵害受容器（自由神経終末）から脊髄後角へ伝達する神経線維

- 侵害受容器（自由神経終末）で生じた活動電位は脊髄後角に伝えられるわけであるが，その活動電位を伝える線維は，前述したようにAδ線維とC線維の2つがある（図5，表4）.
- Aδ線維は有髄線維であることから神経伝導速度が速く，鋭い痛み（一次痛）信号を伝える.
- C線維は無髄線維であることから神経伝導速度が遅く，鈍い痛み（二次痛）信号を伝える.
- Aδ線維の先端には，侵害性機械刺激のセンサーである「機械的侵害受容器」（メカノレセプター）が主に存在するため，強く脛をぶつける，針先で刺されるなどの機械的な痛みの刺激を脊髄後角へ伝える.
- C線維の先端には，「機械的侵害受容器」に加えて，侵害性熱刺激（＞43℃），侵害性冷刺激（＜15℃），侵害性化学刺激（炎症誘発物質）などさまざまな刺激を受容する「ポリモーダル受容器」が存在する．そのため，外傷後にしばらく残存する炎症性疼痛を感じているときには，侵害性化学刺激がポリモーダル受容器に感知された後にC線維を通して痛みシグナルが伝えられていることになる.

表4　神経線維の種類

分類	種類	直径（μm）	伝導速度（m/s）	機能（例）
Aα	有髄	12～20	70～120	求心性（筋，腱），遠心性（骨格筋）
Aβ	有髄	5～12	30～70	求心性（皮膚触覚，圧覚）
Aγ	有髄	3～6	15～30	求心性（錘内筋）
Aδ	有髄	2～5	12～30	自律性（皮膚温度覚，痛覚）
B	有髄	<3	3～5	自律性（交感神経節前線維）
C	無髄	0.3～1.5	0.5～2.3	求心性（皮膚痛覚）

赤字は痛みを伝える神経線維．文献8をもとに作成．

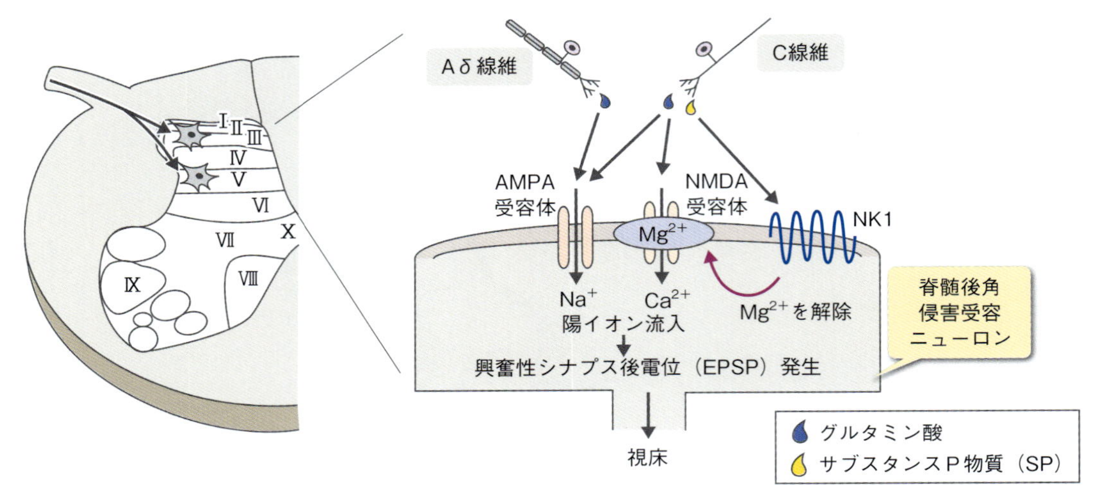

図6　脊髄後角における痛みの神経伝達　詳細は本文参照．文献9をもとに作成．

5）脊髄後角における神経伝達

- 脊髄後角には6層の構造があり，Aδ線維はⅤ層，C線維は浅層のⅠ層とⅡ層の侵害受容ニューロンとシナプス接続している（図6）．
- 脊髄後角には侵害刺激のみ反応する「特異的侵害受容（NS）ニューロン」と侵害刺激以外にも反応する「広作動域（WDR）ニューロン」が存在する．
- NSニューロンの受容野は狭いので，痛みの発生部位を伝えるニューロンと考えられている．
- WDRニューロンの受容野は刺激を強めていくと段階的にスパイク発射が強まるので，痛みの強さを伝えるニューロンであると考えられている．
- AδおよびC線維の活動電位が末梢神経終末まで到達すると，AδおよびC線維から神経伝達物質が脊髄後角へ放出される．
- Aδ線維からはグルタミン酸（Glu）が放出され，グルタミン酸受容体（AMPA受容体とNMDA受容体）と結合すると，陽イオン（Na^+，Ca^{2+}）の透過性が高まり，陽イオンが細胞内に流入する．陽イオンが流入することによって，脊髄後角の侵害受容ニューロンに興奮性シナプス後電位（EPSP）が発生する．

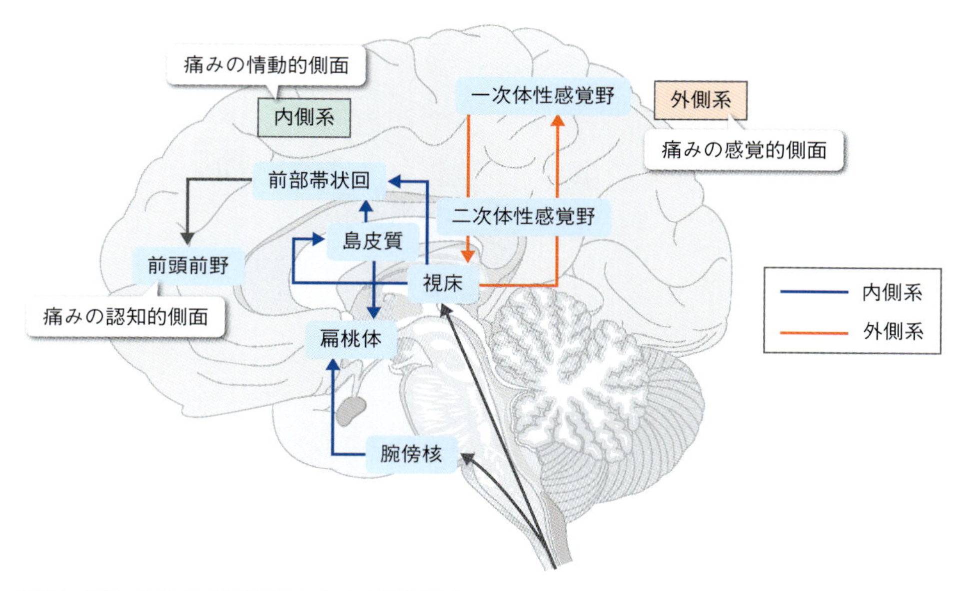

図7　痛みの３つの側面にかかわる脳領域

文献10をもとに作成.

- C線維からはグルタミン酸に加えてサブスタンスP物質（SP）が放出され，SPがNK1受容体と結合し，NMDA受容体を遮断しているMg^{2+}を解除させる．Mg^{2+}の遮断作用が解除されると，陽イオン（Na^{+}，Ca^{2+}）の透過性が高まり，脊髄後角の侵害受容ニューロンにEPSPが発生する．
- つまり，脊髄後角内に放出されるグルタミン酸やSPが増加すると痛みが増強する．
- そのため，このような痛みを誘発する神経伝達物質を薬物療法や物理療法によって抑制すれば，脊髄後角レベルでの鎮痛作用をもたらすことができる．

6）脳への神経伝達と情報処理

- 脊髄後角での活動電位は脳の広範な領域へ伝えられるが，伝えられる脳領域によって機能が異なるため，ヒトが痛みを感じるときにはさまざまな経験をする．
- 例えば骨折後には，「○○の部位が○○の強さで感じて」，「それを不快に感じる，あるいは恐怖心を感じる」などの複数の心的経験が生じる．
- 前述したように，痛みという体験は多面的側面から構成されており，それぞれの体験を生み出す脳領域も異なる．
- ここでは，痛みを「感覚的側面」「情動的側面」「認知的側面」の3つに分類して説明する．

❶「痛みの感覚的側面」にかかわる脳領域

- 脊髄後角－視床外側部－大脳皮質体性感覚野への系は痛みの感覚的側面に関与しており，いわゆる「外側系」とよばれる（図7）．
- 体性感覚野は，主に痛みの強度・部位・性質を同定する機能を有する．

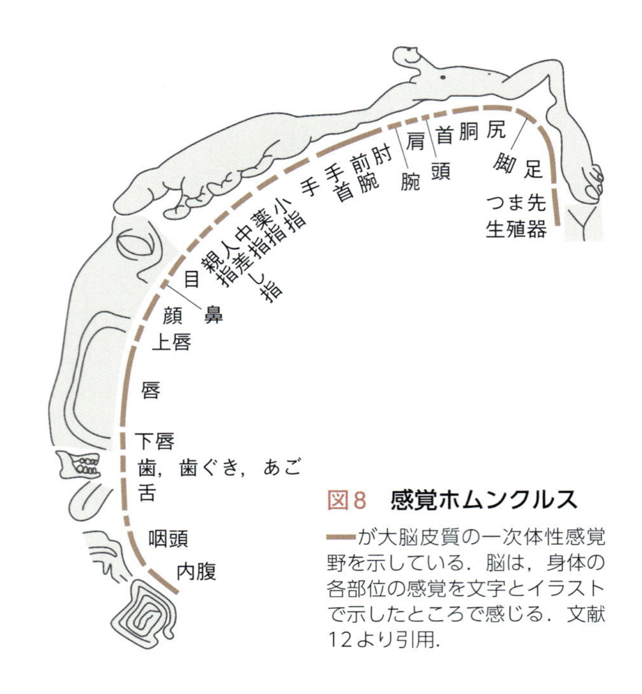

図8　感覚ホムンクルス

━が大脳皮質の一次体性感覚野を示している．脳は，身体の各部位の感覚を文字とイラストで示したところで感じる．文献12より引用.

- 一次体性感覚野には感覚ホムンクルスとよばれる体部位再現が存在しており，身体の各部位で痛みを感じると対応する部位が活発に反応する．これが痛み部位を同定する機能を果たしている（図8）.
- 痛みが慢性化した患者では，一次体性感覚野の体部位再現において，痛みに対して反応する部位が不明瞭になっており，「どこに痛みが生じているのか細かくわからない」「痛みの範囲が拡大してしまう」などの症状を引き起こされていることがある[11].

2「痛みの情動的側面」にかかわる脳領域

- 痛みへの恐怖心は「扁桃体」，嫌悪感は「島皮質」，不快感は「前部帯状回」が主にその役割を担っている（図7）.

①扁桃体

- 脊髄後角－腕傍核－扁桃体の系は痛み刺激に対しての恐怖心を脳に刻みつける機能を果たしている.
- このことは「恐怖条件付け学習」でさかんに研究されている．例えば，関係のない音刺激と同時に強い痛み刺激を与え続けると，音刺激を聞いただけでも痛みへの恐怖心が喚起されてしまうという条件付け学習が生じる．この条件付け学習には扁桃体がかかわっていることが明らかになっている.
- リハビリテーション場面では，運動したと同時に痛みが生じる状態が続くと，運動そのものへの恐怖心が強くなっている心的状態（kinesiophobia）を引き起こし，さらなる痛みの増悪を招くことが明らかになっている[13]（図9）.
- そのためリハビリテーションでは，物理療法などで痛みをできるだけ緩解させた状態で運動療法をすることが望ましい.

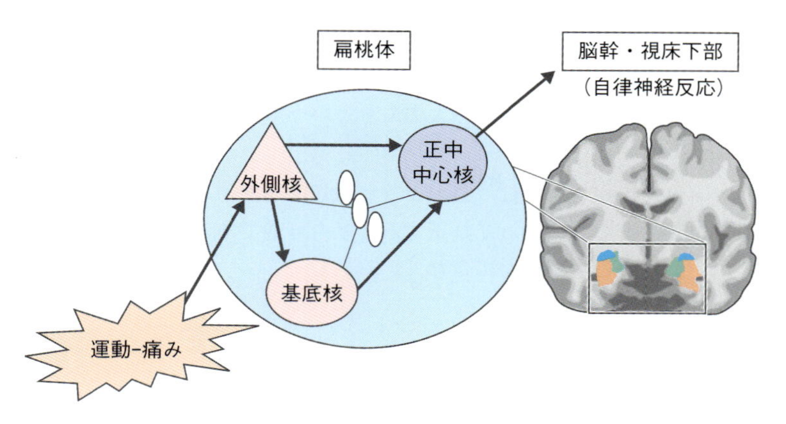

図9　運動と痛みの条件付け学習

「動いたら痛い」という状況が続くと，運動と痛みが扁桃体の外側核で１つのセットとしてまとめられる．外側核は正中中心核を介して，脳幹・視床下部での自律神経反応をコントロールする．また，基底核では条件付けに関する文脈情報が処理されている．このような条件付け学習が成立すると，末梢器官の損傷が治癒した後でも，「動く」だけで心拍増大などの自律神経反応が生じてしまう．文献14をもとに作成．

②島皮質

- 脊髄後角－視床内側部－島皮質への系は，痛みの嫌悪感にかかわり，いわゆる「内側系」とよばれる（図7）．
- 島皮質は主に嫌悪感にかかわる脳領域であることが知られており，人が不味いジュースを飲んでいる場面を観るだけで活動することも知られている．このことからも，痛みの情動のなかでも特に嫌悪感にかかわっていると考えられている[15]．
- また島皮質は内受容感覚とよばれる身体内部の感覚（心臓の拍動など）をキャッチする機能を有しており，痛みが生じたときに生じる脈拍増大などの生体反応を知覚することによって自身の情動変化を感知できるようになっている[16]．

③前部帯状回

- 脊髄後角－視床内側部－前部帯状回への系は，痛みの不快感にかかわり，これも「内側系」に分類される．
- 非常に興味深いことに，前部帯状回の活動は与えられる痛み刺激の物理的強度ではなく，個々が感じる主観的な痛みの強さに関係していることが明らかとなっている[17]．この点に関しては，痛みの物理的強さと関係している感覚的側面とは大きく異なるところである．
- また，「心の痛み」にも関与している脳領域であり，社会的疎外感（仲間はずれ感）を体験したときに活動することが報告されている[18]．

3 「痛みの認知的側面」にかかわる脳領域

- 痛みの認知的側面には前頭前野が関与している（図7）．
- 前頭前野はヒトの注意・思考などのさまざまな認知活動にかかわっている脳領域である．
- 痛み研究においては，痛み改善への期待感，痛みへの注意，痛みに対する考え方によってヒトの痛みの感じ方が変化することが明らかになっているが，そのような認知的側面の機能を担っているのが前頭前野である[19]．

- 例えば，痛みから注意をそらすと痛みを感じにくくなること，痛みが増悪するのではないかと思っていると痛みが増強してしまう（ノセボ効果）こと，「この痛みは過去にすぐに治ったことがあるから大丈夫」という解釈は痛みを慢性化させないことなどが明らかにされている[19].
- 慢性疼痛患者では，このような認知的側面が歪んでいることが多いが，認知行動療法や患者教育などによって是正することも可能である，その際には前頭前野の活動が変化するということも明らかにされている[20].

3 痛みが抑制（調整）されるメカニズム

1）脊髄後角における痛みの抑制機構

- Aδ線維とC線維からグルタミン酸やサブスタンスP物質（SP）が放出されることによって，脊髄後角の侵害受容ニューロンに活動電位が生じて痛みシグナルが脳へと伝わる（図6）.
- こうした伝達プロセスのなかで，脊髄後角レベルでは侵害受容ニューロンを抑制する機構も存在する．1つは「脊髄内鎮痛機構」であり，もう1つが「下行性疼痛抑制系」とよばれるものである.
- 物理療法を実践するうえでは，このようなメカニズムを理解しておく必要がある.

❶ 脊髄内抑制機構

- 脊髄後角内に存在する抑制性介在ニューロンからガンマアミノ酪酸（GABA）やグリシンが放出され，侵害受容ニューロンの活動を抑制することによって鎮痛をもたらす（図10）.
- 経皮的電気刺激（TENS）においてもGABA放出を促進することが明らかにされており，物理療法での鎮痛作用は脊髄後角レベルでも生じている[22]（第Ⅱ章-9-B参照）.

❷ 下行性疼痛抑制系による鎮痛

- 脳幹から脊髄後角へ下行性に伸びている線維が存在する．この系は下行性疼痛抑制系とよばれており，脊髄後角レベルで鎮痛をもたらすことが明らかにされている.
- この系での脳から脊髄へ放出される神経伝達物質はノルアドレナリン（ノルエピネフリン）とセロトニンである.

①下行性疼痛抑制系の構造

- 大脳皮質や辺縁系により制御されている中脳中心灰白質（periaqueductal gray：PAG）から青斑核や縫線核を経由して脊髄後角に線維が伸ばされている（図11）.
- この系の活性化によってノルアドレナリンやセロトニンが脊髄後角へ放出されて，脊髄後角の侵害受容ニューロンを抑制することで鎮痛作用をもたらす.
- これらの神経伝達物質は物理療法によって放出が促進される.

②ノルアドレナリン・セロトニンによる鎮痛メカニズム[24) 25)]

- 脊髄後角には侵害受容ニューロンを抑制するグリシンやGABAを放出する抑制性介在ニューロンが存在している．この抑制性介在ニューロンを活性化することによって，間接的に脊髄後角侵害受容ニューロンを抑制して鎮痛をもたらす（図12❶）.

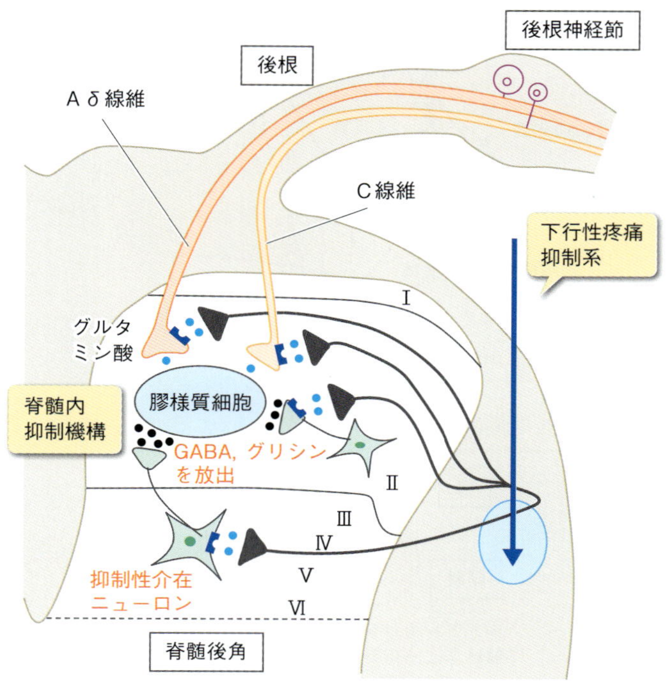

図10　**脊髄内抑制機構**　文献21をもとに作成．

- 末梢から脊髄後角まで到達しているＡδ線維あるいはＣ線維へ抑制性に働きかけ，発痛物質であるグルタミン酸の放出を抑制することによって鎮痛をもたらす（図12❷）．
- 直接的に脊髄後角の侵害受容ニューロンに働きかけ，過分極による抑制作用によって鎮痛をもたらす（図12❸）．

2）プラセボ効果にかかわる神経ネットワーク

- 物理療法を実施するうえで理解しておくべきものの1つにプラセボ効果のメカニズムがある．偽薬効果ともよばれており，本来は薬効として効く成分のない薬（偽薬）を投与したにもかかわらず，病気が快方に向かったり治癒したりすることを意味する．
- プラセボ効果をもたらす神経ネットワークに関して，①前頭前野の活性化が痛み関連脳領域の活動を抑制するメカニズムと，②前頭前野の活性化が前部帯状回や視床を介して下行性疼痛抑制系（PAGから脊髄後角）を駆動させ，脊髄後角レベルで痛みを抑制するメカニズムが考えられている（図13）．いずれにしても前頭前野の活性化によってもたらされることが明らかにされている．
- 前頭前野はヒトの認知活動にかかわる脳領域であるため，文脈や状況によって左右されやすく，「治療やリハビリが上手くいくはず」という先入観によってプラセボ効果は促進されやすい．
- また，脳内麻薬とよばれる内因性オピオイドや，報酬感にかかわるドーパミンなどの脳内伝達物質の関与も明らかにされている．
- プラセボ効果を利用することは物理療法効果を高める1つの手段であるが，どこまでが物理療法そのものによっての効果なのか，どこからがプラセボ効果によるものなのかをできるだけ切り分ける作業は必要である．

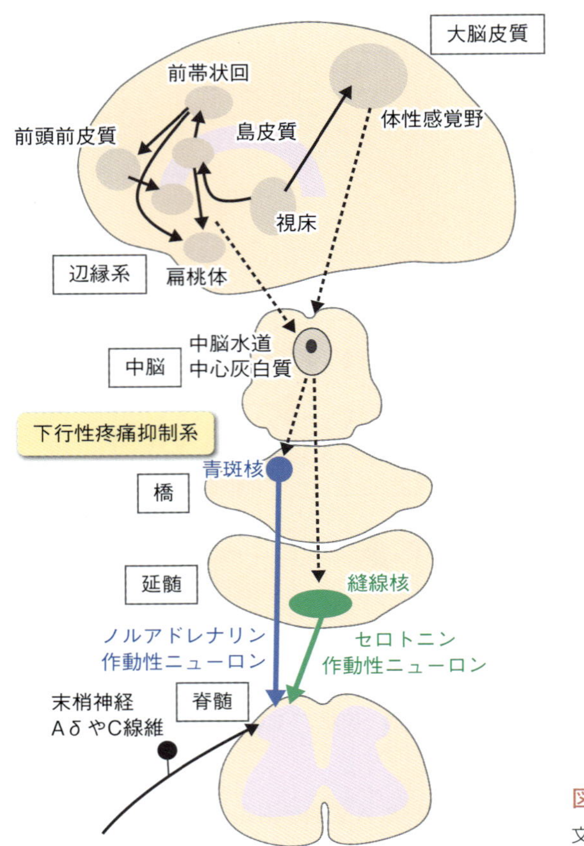

図11　下行性疼痛抑制系の構造
文献23をもとに作成.

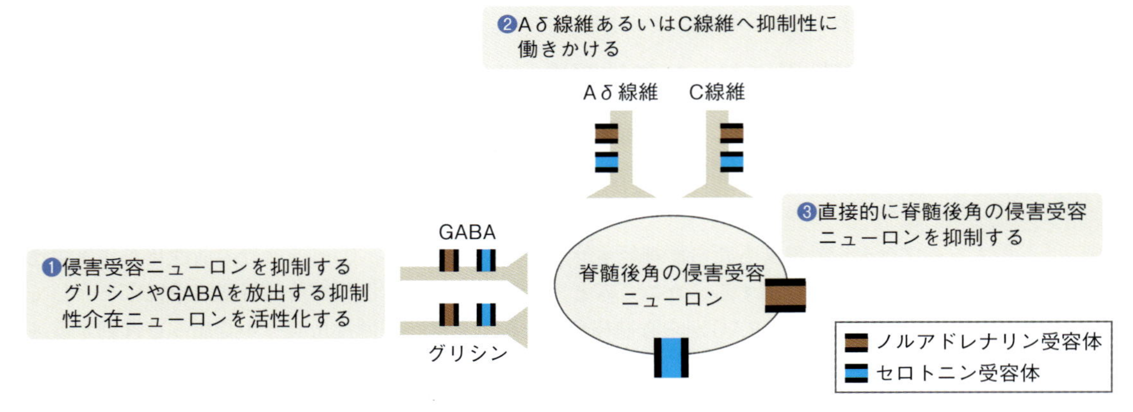

図12　ノルアドレナリン・セロトニンによる鎮痛メカニズム
文献21をもとに作成.

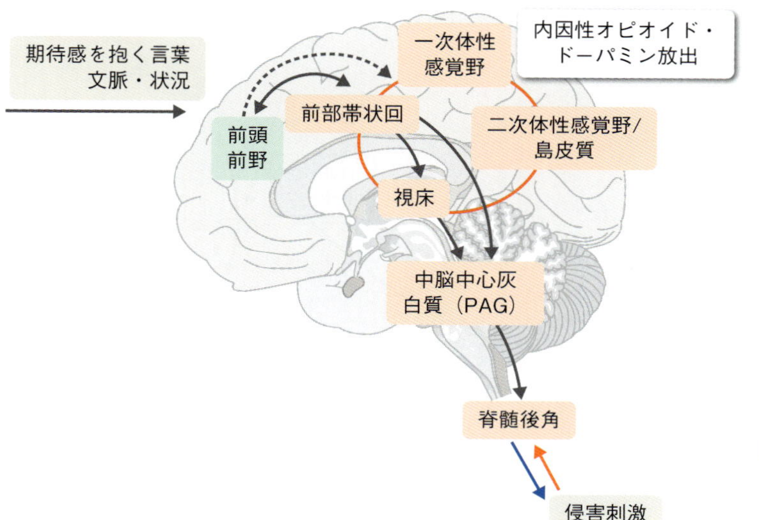

図13　プラセボ効果にかかわる神経ネットワーク
文献26より引用.

4　感作

- 通常では痛みを誘発しない刺激でも侵害受容ニューロンが反応する状態のことを感作（かんさ）という（sensitization）.
- 臨床症状としては，痛みにならないような触覚刺激でも痛みを感じるアロディニアや痛覚過敏として出現する.
- 感作はメカニズムの違いから末梢性感作と中枢性感作に分類される.

1）末梢性感作

- 組織損傷が引き起こされると，マクロファージ・肥満細胞・血小板・好中球などの非神経細胞から炎症を促進する化学物質（ATP：アデノシン三リン酸，NGF：神経成長因子，TNF-α：腫瘍壊死因子，IL：インターロイキン，BK：ブラジキニン，ヒスタミン，5-HT：セロトニン）が放出される（図14）.
- これらの化学物質は炎症を促進することから「炎症メディエーター」とよばれている.
- 炎症メディエーターは，侵害受容系を過活動させて末梢性感作（peripheral sensitization）を引き起こす.
- また，サブスタンスP物質（SP），カルシトニン遺伝子関連ペプチド（CGRP）の放出も促し，血管拡張・透過性増大によって炎症症状（発熱・腫脹・発赤）を強める.
- このようなメカニズムによって末梢性感作が引き起こされて，痛覚過敏・アロディニアなどの症状が認められるようになる.

2）不動によって生じる末梢性感作

- 炎症メディエーターは，組織損傷がなくても「長期間の肢の不動」によっても増大することが動物実験によって明らかになっている．例えば，肢を不動にすればするほど炎症メディエーターの1つであるNGFの発現が増加する[28].

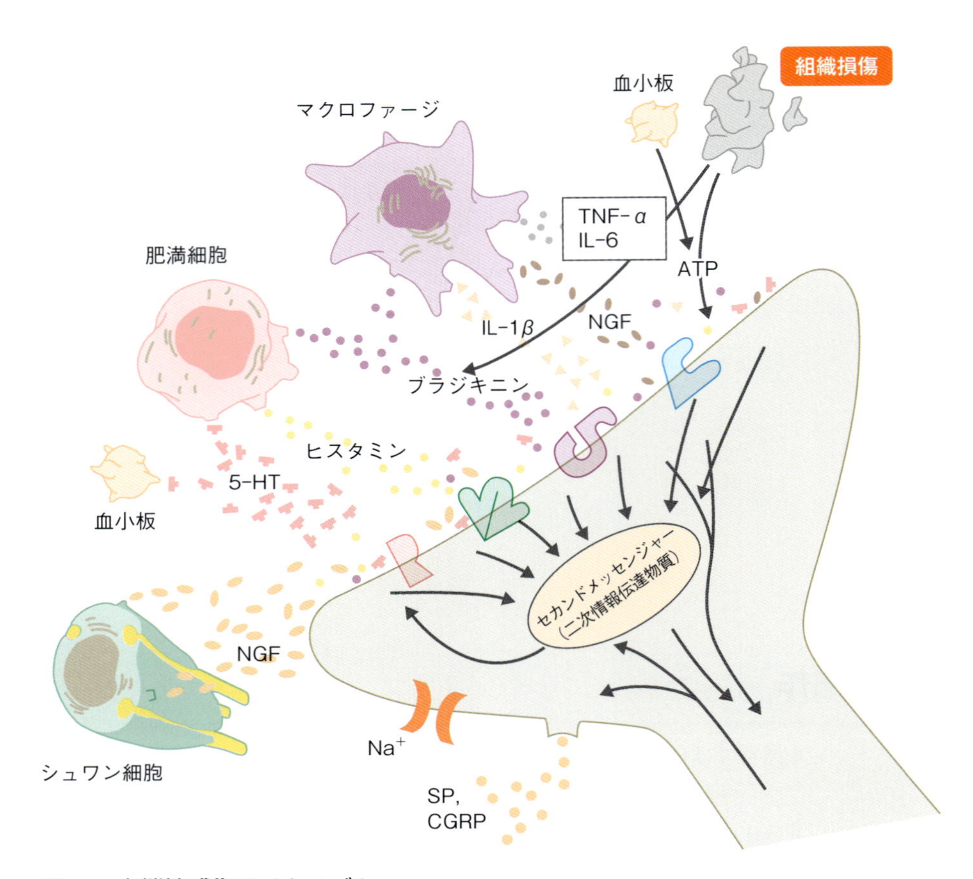

図14　末梢性感作のメカニズム

詳細は本文参照．ATP：アデノシン三リン酸．NGF：神経成長因子．TNF-α：腫瘍壊死因子．IL-6：インターロイキン-6．IL-1β：インターロイキン-1β．5-HT：セロトニン．SP：サブスタンスP物質．CGRP：カルシトニン遺伝子関連ペプチド．文献27をもとに作成．

- 実際の臨床現場では，患肢を動かすことに恐怖を感じて積極的に患肢を動かさない患者も存在し，このような患者は不動による末梢性感作が生じやすい．そのため，物理療法などで鎮痛を図りながら，積極的に患肢を動かすように勧める必要がある．

3）中枢性感作（central sensitization）

- 中枢性感作は，脊髄と脳の侵害受容ニューロンで可塑的変化が生じていることによって，痛み感度が増強されている状態のことをいう．
- 脊髄レベルでの中枢性感作の主なメカニズム（図15）は，❶グルタミン酸受容体であるNMDA受容体の過活性，❷脊髄内抑制機構に重要な抑制性介在ニューロンの不活性，❸グリア細胞の関与によるものがある．
  - ❶グルタミン酸受容体であるNMDA受容体が過度な活性化状態となることで，陽イオン（Ca^{2+}）の流入が増大し，脊髄後角の侵害受容ニューロンに過興奮が引き起こされる．
  - ❷侵害受容ニューロンの活動を抑制してくれるGABAやグリシンを放出する抑制性介在ニューロンが不活性状態となってしまう（脱抑制）ことで，侵害受容ニューロンを抑制することができなくなる．

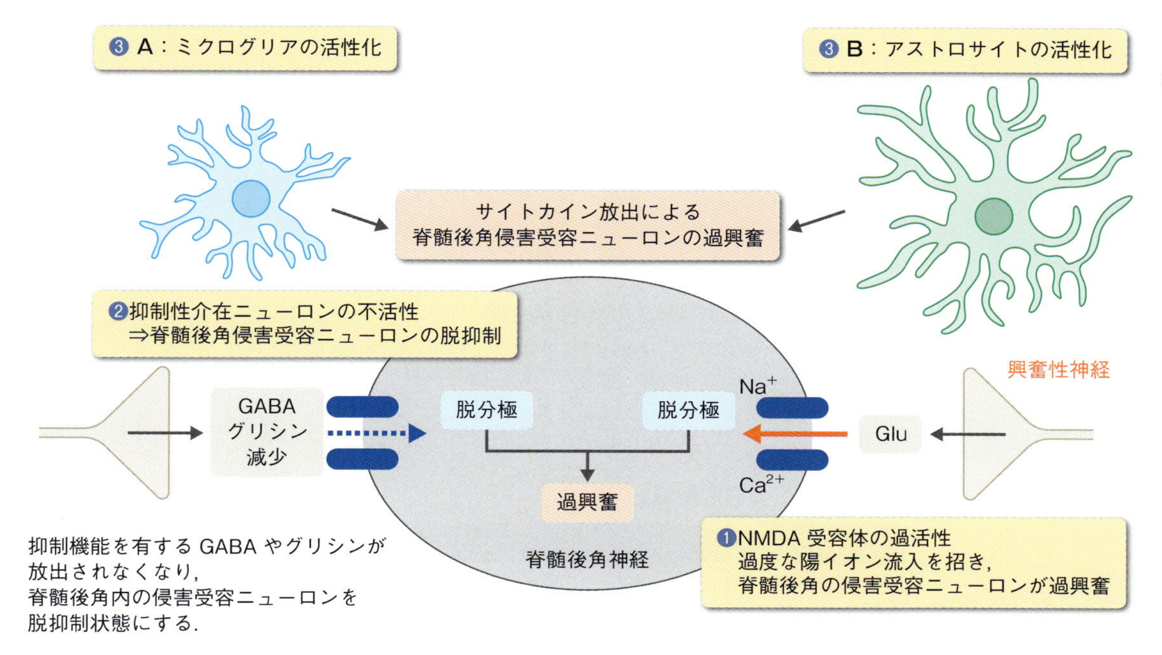

図15　中枢性感作のメカニズム

- ❸A：免疫細胞であるミクログリアの活性化やB：アストロサイトの活性化に伴って放出される炎症性サイトカイン（炎症促進物質の1つ）が，侵害受容ニューロンの興奮性を高める．

- 大脳レベルでの中枢性感作については，非常に複数のメカニズムが報告されているが，すでに解説した痛みにかかわる複数の脳領域が過剰に興奮している状態，あるいは下行性疼痛抑制系が機能していない状態と考えてよい．
- 物理療法の適用によって炎症物質の放出を減少させたり，抑制性介在ニューロンの活性化をすることによって中枢性感作が改善される可能性はある．

5 CRPS（複合性局所疼痛症候群）[29]

1）CRPSとは

- CRPSとはcomplex regional pain syndrome（複合性局所疼痛症候群）の略であり，痛みを伴う四肢の外傷（骨折・捻挫などの大きな外傷だけでなく些細な外傷でも発症しうる）や不動によって，強い痛みやアロディニア（触れただけでも痛みを感じる），痛覚過敏が遷延する症候群である．
- CRPSは神経損傷の有無によって2つのタイプに分けられる．
  - CRPSタイプ1：神経障害を伴わない．従来，RSD（reflex sympathetic dystrophy）とよばれた病態に相当する．
  - CRPSタイプ2：神経障害を伴う．従来，カウザルギーとよばれた病態に相当する．

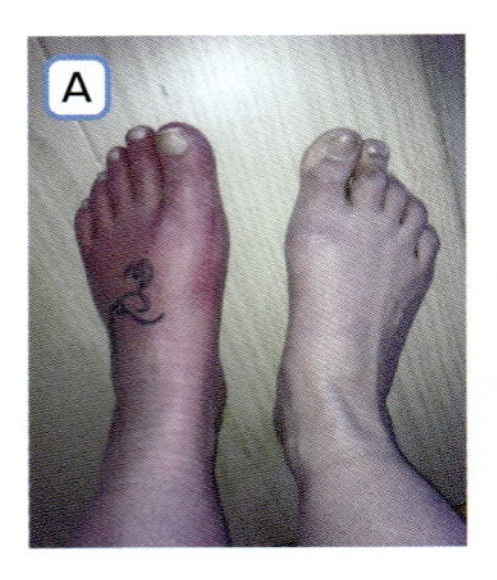

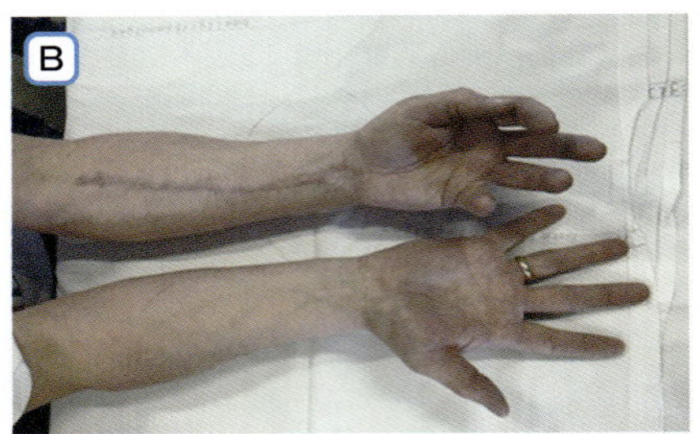

図16　CRPSに生じる臨床兆候

A）急性期CRPS．腫脹・発赤をはじめとする炎症兆候が認められる．B）炎症兆候は認められず，筋萎縮や関節可動域制限が認められる．文献30より引用．

表5　CRPSの判定基準

A）自覚症状
1．皮膚・爪・毛のうちいずれかに萎縮性変化
2．関節可動域制限
3．持続性ないしは不釣り合いな痛み，しびれたような針で刺すような痛み（患者が自発的に述べる），または知覚過敏
4．発汗の亢進ないしは低下
5．浮腫
B）他覚的所見
1．皮膚・爪・毛のうちいずれかに萎縮性変化
2．関節可動域制限
3．アロディニア（触刺激ないしは熱刺激による）ないしは痛覚過敏〔ピンプリック法（指先を小さな針で刺す方法）による〕
4．発汗の亢進ないしは低下
5．浮腫

※臨床用の場合はA・Bとも各2項目以上，研究用の場合はA・Bとも各3項目以上．
文献31をもとに作成．

2）CRPSの臨床兆候と評価

- CRPSでは強い痛みだけでなく，浮腫・腫脹，皮膚温・色の変化，発汗異常などの自律神経系の障害や，骨萎縮，ジストニア，筋力低下，けいれんなどの運動機能障害，抑うつ，不安などの情動の変調が伴う（図16）．
- このように多くの症状を呈するCRPSの評価には表5の判定基準が用いられている．
- CRPSの症状は1年ほど経過するとある程度は緩解するが，2/3の者はCRPS判定基準を満たしてしまう．また，完全に症状が消失する者は約5％であることが報告されている[32]．
- CRPSを慢性化させないために，CRPSに生じている病理を理解して，早期からの適切なリハビリテーションプログラムを計画することが必要となる．

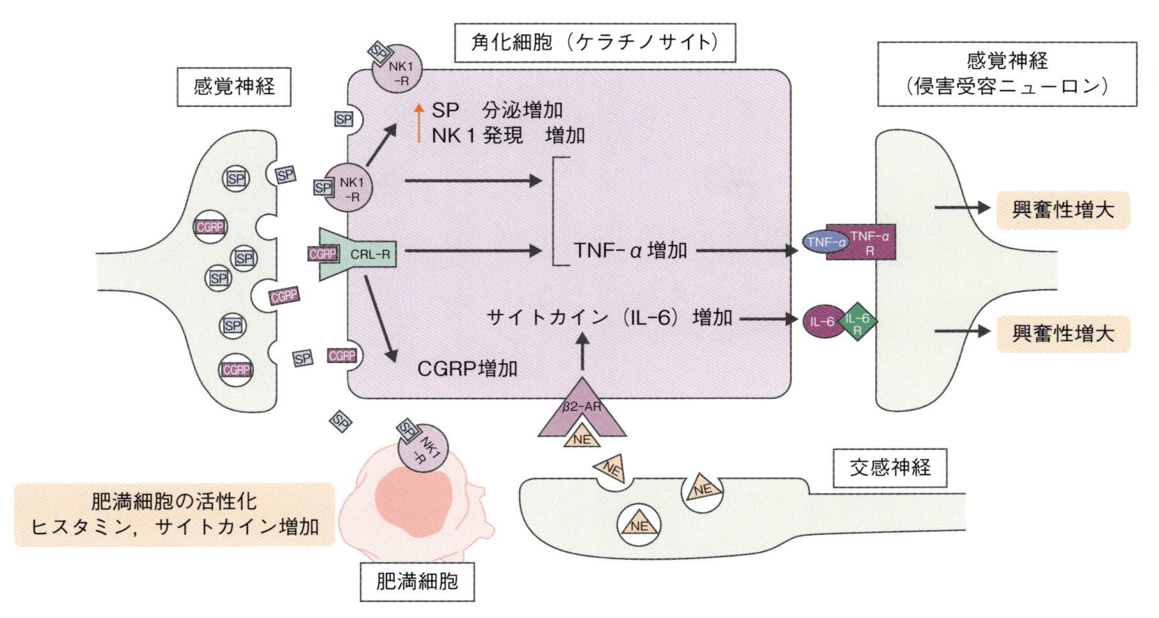

図17　ヒトCRPSに生じている末梢器官の変化

詳細は本文参照．CGRP：カルシトニン遺伝子関連ペプチド．SP：サブスタンスP物質．NK1-R：NK1受容体．CRL-R：CGRP受容体．NE：ノルアドレナリン（ノルエピネフリン）．β2-AR：β2アドレナリン受容体．IL-6：インターロイキン-6．IL-6R：IL-6受容体．TNF-α：腫瘍壊死因子．TNF-α R：TNF-α受容体．文献36をもとに作成．

3）CRPSにおける末梢性感作[33)〜35)]

- CRPSの75％において，最初の1カ月は末梢組織での炎症（皮膚温上昇，発赤，腫脹）が主な臨床徴候である（図16A）．
- 皮膚や末梢神経におけるTNF-α発現の増加，神経内のサブスタンスP物質（SP）やカルシトニン遺伝子関連ペプチド（CGRP）の増加，皮膚組織内のインターロイキンやNGFの増加などがCRPS症状を引き起こしていることが動物研究で明らかにされている．
- 4-1）でも述べているが，これらの物質は炎症を促進させる物質である炎症メディエーターとよばれている．このように，CRPSでは炎症を促進する物質の増加によって，末梢性感作が生じている状態である．
- 近年では，ヒトの皮膚生検によって，ヒトCRPSにおける末梢器官の変化が明らかにされている（図17）．
- 感覚神経から炎症メディエーターであるSPやCGRPが表皮内に放出され，それぞれの受容体（NK1受容体・CRL受容体）が活性化すると，角化細胞（ケラチノサイト）でSP・CGRP・TNF-αなどの炎症メディエーターの分泌が増大することに加えて，肥満細胞の活性化に伴ったヒスタミンやサイトカイン増加がもたらされる．
- 交感神経からはノルアドレナリン（ノルエピネフリン：NE）が放出され，その受容体（β2アドレナリン受容体：β2-AR）が活性化すると，サイトカインの一種であるIL-6が増加する．
- これらのプロセスよって増加した炎症メディエーター〔SP・CGRP・TNF-α・サイトカイン（IL-6）・ヒスタミン〕によって，侵害受容ニューロンの興奮性が高まり，痛みが増強する．
- これらの炎症メディエーターがCRPSで生じていることはメタ分析によっても明らかにされている[37)]．

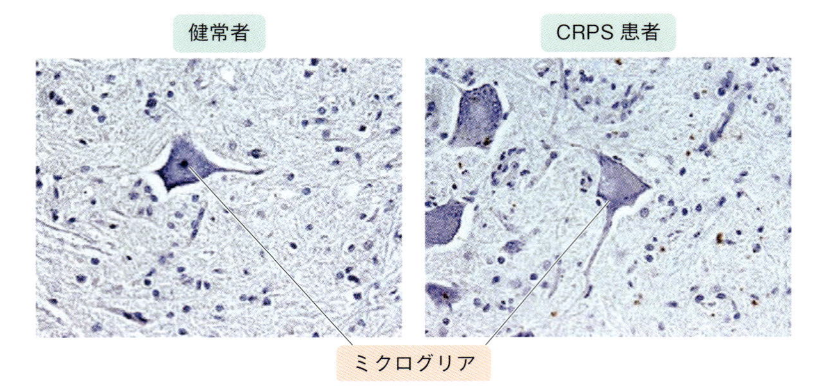

図18　脊髄後角から抽出したミクログリアの染色像
詳細は本文参照．文献38より引用．

4）CRPSにおける中枢性感作

- CRPS患者では脊髄レベルのミクログリアが増加している[38]（図18）．前述したように，ミクログリアは中枢性感作にかかわっており，サイトカインを放出することによって侵害受容ニューロンを過興奮させ，アロディニア・痛覚過敏などの症状を引き起こす．
- また，CRPSモデルラットでは，痛覚過敏を引き起こすようなIL-1β（サイトカインの一種）やNGFが脊髄レベルで増加していることも確認されている[35]．
- このように，CRPS患者では脊髄レベルでいわゆる中枢性感作の状態となっていることが明らかとなっており，CRPS患者に特徴づけられるアロディニアや痛覚過敏を説明する病態メカニズムの1つとされている．
- 脳にも変化が生じていることが明らかにされており，一次体性感覚野の体部位再現が縮小あるいは隣接部位との境界が不明瞭になっていることがメタ分析によって明らかになっている[39]（図19）．
- このような感覚統合に重要な脳領域に変化が生じているCRPS患者では，患部以外の部位でも痛みを感じやすい，患肢を自分の身体のように感じないなどの臨床兆候が認められやすい[41]．
- その他にもCRPS患者では，情動認知や社会認知に重要とされる脳領域が変容していることも明らかにされており，ネガティブな情動反応が出現しやすいこともわかっている[42]．

5）急性期CRPSと慢性期CRPSの違い

- CRPSにおいては，痛みが慢性化して，数カ月あるいは数年間症状が続くことがある．このような慢性期CRPSと急性期CRPSは，以下のように病態生理学的に異なることも明らかにされている．
  - 骨折と不動によるCRPSモデルラットを対象にした研究において，骨折後4週間後（急性期CRPSモデル）と16週間後（慢性期CRPSモデル）の痛みそのものには違いが認められないが，急性期CRPSモデルは慢性期CRPSモデルよりも，末梢器官である表皮内の炎症メディエーター（SP，NK1受容体，TNF-α，IL-1β，IL-6，NGF）が多く認められた（図20）．

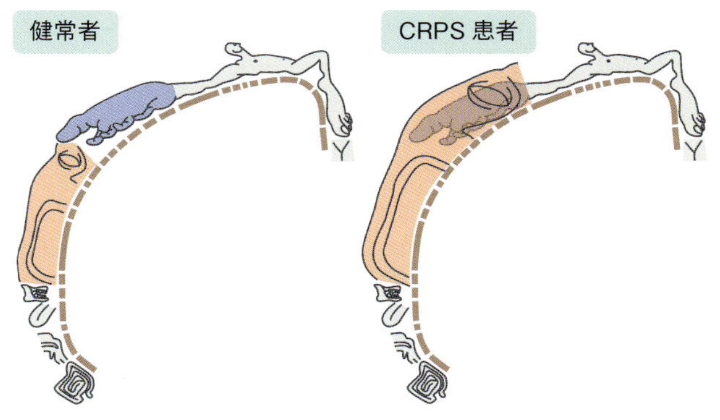

図19　健常者と手のCRPS患者の感覚ホムンクルス

例えば，手のCRPS患者は一次体性感覚野の顔領域が大きくなり，隣接する手領域にオーバーラップするとともに，相対的に手領域が小さくなっている．文献40をもとに作成．

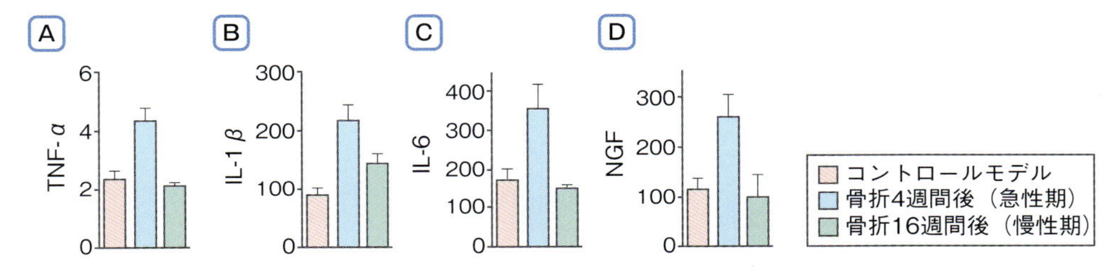

図20　急性期および慢性期CRPSモデルにおける末梢器官（皮膚）での変化

末梢器官（皮膚）で検出された炎症メディエーターの量をグラフに示す．それぞれ，**A**）TNF-α，**B**）IL-1β，**C**）IL-6，**D**）NGFの量．骨折4週間後の急性期では炎症メディエーターが増加しているが，骨折16週間後の慢性期では増加が認められない．文献43をもとに作成．

- ▶その一方で，脊髄後角レベルにおいては，急性期CRPSおよび慢性期CRPSともにTNF-α，IL-1β，NGFの増加が認められた．
- ▶つまり，急性期CRPSモデルにおける痛みについては末梢器官と中枢神経系の変化が関与しており，慢性期CRPSモデルにおける痛みにおいては末梢器官ではなく中枢神経レベルでの変化が関与しているということである．

- このような分子生物学的な違いは，以下のように臨床兆候から推察することができる[44]．
  - ▶急性期CRPSは慢性期CRPSよりも患部の温度上昇，腫脹，発赤などの炎症兆候が認められていることが多く，この場合は末梢性感作が生じているサインとなる．
  - ▶一方で，激しい痛みを訴えるにもかかわらず，四肢に炎症兆候が認められないCRPS患者では，末梢性感作ではなく中枢性感作が生じていることが推察できる（図16B）．
- たとえ同じ程度の痛みを訴えるCRPS患者であっても，それぞれの病期によって病態メカニズムが異なることから，臨床兆候を適切に捉えて，それぞれの病態に合わせた物理療法手段を選択することが重要である．
- 実際に，薬物療法に関しては，急性期CRPSに対しては抗炎症作用のある薬物が効果的であるが，慢性期CRPSに対しては抗炎症作用のある薬物の効果は乏しいことも報告されている[45]．

- 物理療法の作用メカニズムと患者の病態メカニズムを照らし合わせながら，適切な介入方法を選択することが必要である．

文献

1）田口敏彦：痛みの生物学的意義．「疼痛医学」（田口敏彦，他／監，野口光一，他／編），医学書院，2021

2）「慢性疼痛治療ガイドライン」（「慢性の痛み診療・教育の基盤となるシステム構築に関する研究」研究斑／監，慢性疼痛治療ガイドライン作成ワーキンググループ／編）真興交易医書出版部，pp16-18，2018

3）IASP Announces Revised Definition of Pain（https://www.iasp-pain.org/publications/iasp-news/iasp-announces-revised-definition-of-pain/?ItemNumber=10475），国際疼痛学会（IASP），2020年7月16日

4）「ペインリハビリテーション入門」（沖田 実，松原貴子／著），三輪書店，2019

5）「ペインリハビリテーション」（松原貴子，他／編著），p53，三輪書店，2011

6）「メカニズムから読み解く 痛みの臨床テキスト」（小川節郎／編），pp56-60，南江堂，2015

7）「ペインリハビリテーション」（松原貴子，他／編著），p24，三輪書店，2011

8）「ペインリハビリテーション」（松原貴子，他／編著），p52，三輪書店，2011

9）「メカニズムから読み解く 痛みの臨床テキスト」（小川節郎／編），pp62-63，南江堂，2015

10）Bushnell MC, et al：Cognitive and emotional control of pain and its disruption in chronic pain. Nat Rev Neurosci, 14：502-511, 2013

11）Maihöfner C, et al：Complex regional pain syndromes：new pathophysiological concepts and therapies. Eur J Neurol, 17：649-660, 2010

12）「ペインリハビリテーション」（松原貴子，他／編著），p107，三輪書店，2011

13）「Pain-Related Fear：Exposure-Based Treatment for Chronic Pain」（Vlaeyen JW, et al/eds），IASP press, 2015

14）Simons LE：Fear of pain in children and adolescents with neuropathic pain and complex regional pain syndrome. Pain, 157 Suppl 1：S90-S97, 2016

15）Corradi-Dell'Acqua C, et al：Cross-modal representations of first-hand and vicarious pain, disgust and fairness in insular and cingulate cortex. Nat Commun, 7：10904, 2016

16）Seth AK：Interoceptive inference, emotion, and the embodied self. Trends Cogn Sci, 17：565-573, 2013

17）Coghill RC, et al：Neural correlates of interindividual differences in the subjective experience of pain. Proc Natl Acad Sci U S A, 100：8538-8542, 2003

18）Eisenberger NI：The pain of social disconnection：examining the shared neural underpinnings of physical and social pain. Nat Rev Neurosci, 13：421-434, 2012

19）Tracey I：Getting the pain you expect：mechanisms of placebo, nocebo and reappraisal effects in humans. Nat Med, 16：1277-1283, 2010

20）Jensen KB, et al：Cognitive Behavioral Therapy increases pain-evoked activation of the prefrontal cortex in patients with fibromyalgia. Pain, 153：1495-1503, 2012

21）川崎康彦，河野達郎：脊髄における下行性抑制系の役割．BRAIN MEDICAL，21：251-256，2009

22）「Mechanisms and Management of Pain for the Physical Therapist Second Edition」（Sluka KA/ed），IASP Press, 2016

23）御領憲治，古江秀昌：脳幹における痛みの抑制と慢性疼痛発現の機構．医学のあゆみ，260：144-148，2017

24）Ito A, et al：Mechanisms for ovariectomy-induced hyperalgesia and its relief by calcitonin：participation of 5-HT1A-like receptor on C-afferent terminals in substantia gelatinosa of the rat spinal cord. J Neurosci, 20：6302-6308, 2000

25）Abe K, et al：Responses to 5-HT in morphologically identified neurons in the rat substantia gelatinosa *in vitro*. Neuroscience, 159：316-324, 2009

26）Colloca L, et al：Placebo analgesia：psychological and neurobiological mechanisms. Pain, 154：511-514, 2013

27）「Wall & Melzack's Textbook of Pain 6th Edition」（McMahon SB, et al/eds），ELSEVIER, 2013

28）Sekino Y, et al：Sensory hyperinnervation and increase in NGF, TRPV1 and P2X3 expression in the epidermis following cast immobilization in rats. Eur J Pain, 18：639-648, 2014

29）「複合性局所疼痛症候群（CRPS）をもっと知ろう 病態・診断・治療から後遺障害診断まで」（堀内行雄／編），全日本病院出版会，2015

30）GalveVilla M, et al：Complex regional pain syndrome. Man Ther, 26：223-230, 2016

31）Sumitani M, et al：Development of comprehensive diagnostic criteria for complex regional pain syndrome in the Japanese population. Pain, 150：243-249, 2010

32）Bean DJ, et al：Extent of recovery in the first 12 months of complex regional pain syndrome type-1：A prospective study. Eur J Pain, 20：884-894, 2016

33）Birklein F & Schlereth T：Complex regional pain syndrome-significant progress in understanding. Pain, 156 Suppl 1：S94-S103, 2015

34）Sabsovich I, et al：TNF signaling contributes to the development of nociceptive sensitization in a tibia fracture model of complex regional pain syndrome type I. Pain, 137：507-519, 2008

35) Guo TZ, et al：Immobilization contributes to exaggerated neuropeptide signaling, inflammatory changes, and nociceptive sensitization after fracture in rats. J Pain, 15：1033-1045, 2014

36) Birklein F, et al：Activation of cutaneous immune responses in complex regional pain syndrome. J Pain, 15：485-495, 2014

37) Parkitny L, et al：Inflammation in complex regional pain syndrome：a systematic review and meta-analysis. Neurology, 80：106-117, 2013

38) Del Valle L, et al：Spinal cord histopathological alterations in a patient with longstanding complex regional pain syndrome. Brain Behav Immun, 23：85-91, 2009

39) Di Pietro F, et al：Primary somatosensory cortex function in complex regional pain syndrome：a systematic review and meta-analysis. J Pain, 14：1001-1018, 2013

40) Hozumi J, et al：Oral Local Anesthesia Successfully Ameliorated Neuropathic Pain in an Upper Limb Suggesting Pain Alleviation through Neural Plasticity within the Central Nervous System：A Case Report. Anesthesiol Res Pract, 2011：984281, 2011

41) Terkelsen AJ, et al：Bilateral hypersensitivity to capsaicin, thermal, and mechanical stimuli in unilateral complex regional pain syndrome. Anesthesiology, 120：1225-1236, 2014

42) Baliki MN, et al：Functional reorganization of the default mode network across chronic pain conditions. PLoS One, 9：e106133, 2014

43) Wei T, et al：Acute versus chronic phase mechanisms in a rat model of CRPS. J Neuroinflammation, 13：14, 2016

44) Bruehl S, et al：Complex regional pain syndrome：evidence for warm and cold subtypes in a large prospective clinical sample. Pain, 157：1674-1681, 2016

45) Varenna M, et al：Predictors of Responsiveness to Bisphosphonate Treatment in Patients with Complex Regional Pain Syndrome Type I：A Retrospective Chart Analysis. Pain Med, 2016

第Ⅰ章 総論

3 リハビリテーション現場における痛みの評価

学習のポイント

- 痛みの強さ・性質を評価するツールを学ぶ
- 痛みの軽減についての計算方法と，臨床的意味のある軽減率を学ぶ
- 痛みの部位を評価する方法を学ぶ
- 定量的感覚検査の一部を知る
- 痛みを増悪させる情動・認知を評価するツールを学ぶ
- 痛みによって低下する身体機能を評価するツールを学ぶ

- 痛みの評価を実施するにあたって，痛みを単なる感覚経験と考えるだけでは不十分であり，精神心理的要因が痛みを増悪させること，あるいは痛みによって身体機能や生活の質（quality of life：QOL）が低下することも加味しなければならない．
- これらを加味した痛みの包括的評価は，適切な物理療法の選択，実施した物理療法の効果判定に有用である．

1 痛みの強さ測定と物理療法の効果判定

- 痛みの強さはそれぞれの患者によって異なるため，患者間の比較をすることの意味はない．
- 一方で患者内における治療の効果判定に活用できるため，図1のようなツールを活用して評価するべきである．
- いずれの方法でも，単に痛みの強さを評価するのではなく，臨機応変にこれらを活用して，「いつ」「どこの部位の」痛みの強さが増幅/軽減するのかなど，患者の状態に合わせて詳細に評価しておく必要がある．

1）VRS（Verbal Rating Scale）（図1A）

- 「痛みがない＝0」，「軽度の痛み＝1」，「中等度の痛み＝2」，「重度の痛み＝3」の4段階で構成されており，リハビリテーション現場で非常に簡便に実施することのできる疼痛評価である．
- しかしながら，4段階しかないがゆえに，痛みの改善を捉えにくいという問題点もある．

A VRS（Verbal Rating Scale）

0：no pain「痛みがない」
1：mild pain「軽度の痛み」
2：moderate pain「中等度の痛み」
3：severe pain「重度の痛み」

B VAS（Visual Analogue Scale）

C NRS（Numerical Rating Scale）

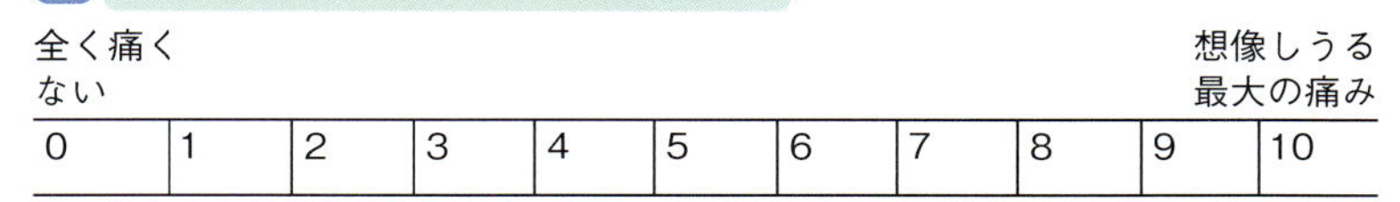

D フェイススケール

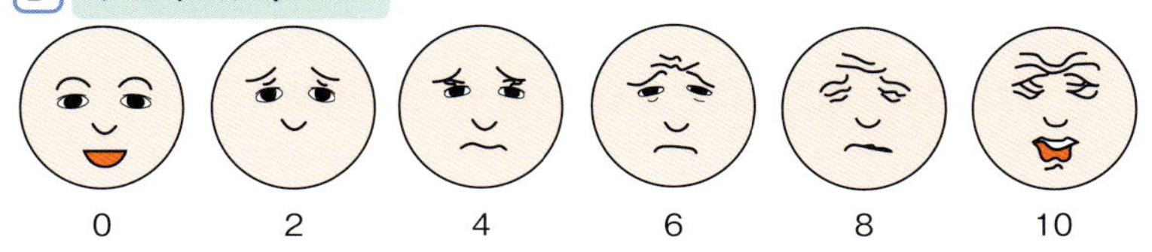

図1　**痛みのつよさの評価**
Dは文献19より引用.

2）VAS（Visual Analogue Scale）（図1B）

- 紙に書かれた10 cmの横線の左端に「全く痛くない」と記載し，右端に「想像しうる最大の痛み」と記載して，患者に自身の痛みがどれくらいなのか印を付けさせる．そして，左端から印までの距離を測定する．
- 基本的には紙とペンで実施するが，デジタル化されたVASも開発されて，タブレットなどで実施することも多くなってきている．
- ただし，患者に印を付けてもらう作業が含まれるため，手指あるいは上肢に運動障害があると実施困難なことや，リハビリテーション場面で常に10 cmの横線を用意できることは少ないため，簡便さは劣る．

3）NRS（Numerical Rating Scale）（図1C）

- 「全く痛くない＝0」，「想像しうる最大の痛み＝10」としたときの痛みを0〜10までの11段階の数値で回答してもらう．
- 臨床報告によっては，0〜100までの101段階の数値を回答させているが，0〜10までの11段階での評価がよく使用されている．
- NRSは，患者の痛みの絶対値評価をより端的に行い，曖昧さを排除することにつながることが考えられるため，疼痛治療に関する臨床試験などでは，VASよりもNRSを用いた方が鎮痛効果の感度が高まる可能性が指摘されている[1]．

4）フェイススケール（図1D）

- 表情表出の大小を用いて疼痛強度の大小を計測するための尺度がフェイススケールである．
- フェイススケールは，口頭式評価尺度やVAS，NRSの評価方法を理解できない幼児や認知症患者に対して用いられることが多く，患者が感じている痛みの強さと合致するような表情を患者に選んでもらう．
- さらに，フェイススケールの使用方法も理解できないような乳幼児や認知症患者などに対しては，医療者が患者の表情をフェイススケールに照らし合わせて患者の痛みの強さを推測するといった使用法もできる．

5）物理療法の効果判定

- 物理療法の効果判定において，前述のようなVASやNRSの変化率を算出することも多い．その際には以下の計算式で算出する．
  - 痛みの軽減率（%）＝（リハ前の痛み－リハ後の痛み）／（リハ前の痛み）×100
- 例えば，VAS 51 mmから48 mmまで改善すると，軽減率では6%となる．この軽減“率”は，軽減“量”が同じだとしてもリハ前の状態によって数値が異なることがある．
  - 具体的な例を示すと，NRS 9から6まで改善すると軽減量は“3”で，軽減率が“33%”となる．
  - しかしながら，NRS 6から3まで改善したときの軽減量“3”のときは，軽減率が“50%”となる．
  - 同じ“3”の改善であるが，その軽減率は異なるということである．
- リハビリテーション現場では，軽減“量”よりも軽減“率”の方が，患者が実感する主観的な痛みの軽減と一致する[2]．
- ちなみに，患者にとって有益と判定可能な最小変化量の指標であるMCID（minimal clinically important difference）を算出している研究では，NRSにおいては，“2”以上の疼痛軽減量，あるいは“33%”以上の疼痛軽減率が臨床的に意味のある効果であるとされている[3]．このような指標を考慮しながら，物理療法の効果を判定するとよい．

2 痛みの性質と聴取

- 言葉を通してリハビリテーションの専門家に伝達される“痛みの性質”は重要であり，これを聴取することで痛みの原因を洞察することができる．
- もちろん，痛みの性質の聴取だけで痛みの原因を断定してはならないが，例えば「腰が突っ張ったような痛み」が聴取されれば，筋骨格系疼痛であることが推察でき，「腰から太ももに向かって電気が走るような痛み」が聴取されれば，神経に何らかのダメージが生じていることを推察できる．
- とはいえ，このようなやりとりは患者および理学療法士の語彙力に依るところも大きいため，臨床場面では以下のようなツールで評価されることが多い．

1）マギル疼痛質問

- Melzack（メルザック）らは，それまでの臨床報告から得られた痛みについての102単語を16グループにカテゴライズした（図2上段，中段）．
- その分類では，①痛みの感覚的側面（時間・空間・圧・温度など），②痛みの感情的側面（緊張・恐怖など），③主観的な痛み経験の強さをあらわす痛みの評価的側面に分けられた．
- このデータにもとづいて作成されたマギル疼痛質問では，78個の痛みの表現がそれぞれのグループに分けられていて，1～10グループには感覚的表現，11～15グループには痛みの感情的表現，16グループには痛みの評価的側面，17～20グループ（図2下段）にはその他の痛みについての表現が含まれている．
- また，それぞれのグループにおける単語は疼痛強度の弱い順に1点から並べられているので，疼痛の質的および量的評価をすることができる．例えば，熱グループでは“やけどしたような”の方が“灼けるような”よりも強い痛みを意味するとした．
- しかしながら，マギル疼痛質問は78個もの疼痛表現で構成されていることことから，その評価に多くの時間が必要である．そのため，臨床場面ではマギル疼痛質問の短縮版が用いられる．

2）マギル疼痛質問短縮版

- 1987年に短縮版マギル疼痛質問票が開発された．
  - これは，感覚的表現11語と感情的表現4語の合計15項目で構成されており，それぞれの項目に対して4段階で痛みのスケーリングをする（0=zero，1=mild，2=moderate，4=severe）．
  - これも日本語版が公表されており，信頼性と妥当性も確認されている[5]．
  - ただし，短縮版マギル疼痛質問票は，神経障害性疼痛の痛み表現が含まれていないことや，4段階であることでわずかなリハ改善を捉えにくいことが問題視されていた．
- そして，2009年に短縮版マギル疼痛質問票バージョン2（SF-MPQ-2）が公表された（図3）．
  - SF-MPQ-2は，神経障害性疼痛に関連する7つの項目が加えられ，全部で22項目の構成となっただけでなく，4段階のスケーリングが改められて10段階のスケーリングになっている．
  - これについても，すでに日本語版が作成されており，その信頼性と妥当性が確認されている[6]．
  - ちなみに，SF-MPQ-2の疼痛表現分類では，項目番号1, 5, 6, 8, 9, 10が持続的な痛み，項目番号2, 3, 4, 11, 16, 18が間欠的な痛み，項目番号7, 17, 19, 20, 21, 22が神経障害性の痛み，項目番号12, 13, 14, 15が感情的表現となっている．

	感覚							
	時間	空間	局所の圧	鋭い	締め付けられるような	引っ張られるような	熱	鮮明さ
1〜2	ちらちらする ぶるぶる震えるような		ちくりとする 千枚通しで押し込まれるような		つねられたような			ひりひりする むずがゆい
2〜3	ずきずきする ずきんずきんする どきんどきんする	びくっとする ぴかっとする	ドリルでもみ込まれるような	鋭い	圧迫されるような かじり続けられるような ひきつるような	ぐいっと引っ張られるような 引っ張られるような	熱い	ずきっとする 蜂に刺されたような
3〜4	がんがんする	ビーンと走るような	刃物で突き刺されるような 槍で突き抜かれるような	切り裂かれるような 引き裂かれるような	押しつぶされるような	ねじ切られるような	灼けるような	
4〜5							やけどしたような こげるような	

	感覚		感情					評価
	鈍痛	混合	緊張	自律神経系の	恐怖	罰	混合	キーワード
1〜2	じわっとしたはれたような	さわられると痛い つっぱった						いらいらさせる
2〜3	傷のついたような うずくような 重苦しい	いらいらする	うんざりした げんなりした	吐き気のする	こわいような	いためつけられるような	ひどく惨めな	やっかいな 情けない
3〜4		割れるような		息苦しい	すさまじい ぞっとするような	苛酷な 残酷な	わけのわからない	激しい
4〜5						残忍な 死ぬほどつらい		耐えられないような

	その他			
	17	18	19	20
1〜2	ひろがっていく（幅）	きゅうくつな	ひんやりした	しつこい
2〜3	ひろがっていく（線）	しびれたような	冷たい	むかつくような
3〜4	貫くような	引きよせられるような しぼられるような	凍るような	苦しみもだえるような ひどく恐ろしい
4〜5	突き通すような	ひきちぎられるような		拷問にかけられているような

図2　痛みの性質

文献4より引用.

Short-Form McGill Pain Questionnaire-2（SF-MPQ-2）

この質問票には異なる種類の痛みや関連する症状をあらわす言葉が並んでいます．過去1週間に，それぞれの痛みや症状をどのくらい感じたか，最も当てはまる番号に×印をつけてください．あなたの感じた痛みや症状に当てはまらない場合は，0を選んでください．

1. ずきんずきんする痛み	なし	0	1	2	3	4	5	6	7	8	9	10	考えられる最悪の状態
2. ビーンと走る痛み	なし	0	1	2	3	4	5	6	7	8	9	10	考えられる最悪の状態
3. 刃物でつき刺されるような痛み	なし	0	1	2	3	4	5	6	7	8	9	10	考えられる最悪の状態
4. 鋭い痛み	なし	0	1	2	3	4	5	6	7	8	9	10	考えられる最悪の状態
5. ひきつるような痛み	なし	0	1	2	3	4	5	6	7	8	9	10	考えられる最悪の状態
6. かじられるような痛み	なし	0	1	2	3	4	5	6	7	8	9	10	考えられる最悪の状態
7. 焼けるような痛み	なし	0	1	2	3	4	5	6	7	8	9	10	考えられる最悪の状態
8. うずくような痛み	なし	0	1	2	3	4	5	6	7	8	9	10	考えられる最悪の状態
9. 重苦しい痛み	なし	0	1	2	3	4	5	6	7	8	9	10	考えられる最悪の状態
10. さわると痛い	なし	0	1	2	3	4	5	6	7	8	9	10	考えられる最悪の状態
11. 割れるような痛み	なし	0	1	2	3	4	5	6	7	8	9	10	考えられる最悪の状態
12. 疲れてくたくたになるような	なし	0	1	2	3	4	5	6	7	8	9	10	考えられる最悪の状態
13. 気分が悪くなるような	なし	0	1	2	3	4	5	6	7	8	9	10	考えられる最悪の状態
14. 恐ろしい	なし	0	1	2	3	4	5	6	7	8	9	10	考えられる最悪の状態
15. 拷問のように苦しい	なし	0	1	2	3	4	5	6	7	8	9	10	考えられる最悪の状態
16. 電気が走るような痛み	なし	0	1	2	3	4	5	6	7	8	9	10	考えられる最悪の状態
17. 冷たく凍てつくような痛み	なし	0	1	2	3	4	5	6	7	8	9	10	考えられる最悪の状態
18. 貫くような	なし	0	1	2	3	4	5	6	7	8	9	10	考えられる最悪の状態
19. 軽く触れるだけで生じる痛み	なし	0	1	2	3	4	5	6	7	8	9	10	考えられる最悪の状態
20. むずがゆい	なし	0	1	2	3	4	5	6	7	8	9	10	考えられる最悪の状態
21. ちくちくする／ピンや針	なし	0	1	2	3	4	5	6	7	8	9	10	考えられる最悪の状態
22. 感覚の麻痺／しびれ	なし	0	1	2	3	4	5	6	7	8	9	10	考えられる最悪の状態

図3　簡易版マギル疼痛質問表2（Short-Form McGill Pain questionnaire ver 2：SF-MPQ-2）

この項目番号1・5・6・8・9・10が持続的な痛み，項目番号2・3・4・11・16・18が間欠的な痛み，項目番号7・17・19・20・21・22が神経障害性の痛み，項目番号12・13・14・15が感情的表現となっている．文献6より引用．

3 痛みの性質を評価して神経障害性疼痛を見分ける

- ここまで説明してきた痛みの性質を活用して，患者が有する痛みが神経障害性疼痛かどうかを見分けることができる．
- もちろんながら，神経障害による痛みなのかどうかの確定には詳細な神経生理学的検査が必要であるが，painDETECT 日本語版やNPSI（Neuropathic Pain Symptom Inventory）日本語版を活用すれば，神経障害性疼痛をスクリーニングでき，また，どのようなタイプの神経障害性疼痛なのかということをおおまかに把握できる．
- 例えば，脊柱管狭窄症患者が有する痛みなどは，筋骨格系疼痛と神経障害性疼痛が混在していることが多いため，このようなスクリーニングを用いることに一定の利点がある．

1）painDETECT Questionnaire（図4）

- 神経障害性疼痛のスクリーニングツールであるpainDETECT Questionnaire（以下，painDETECTと表記）は，すでに邦訳されており，その妥当性も検証されている[7]．

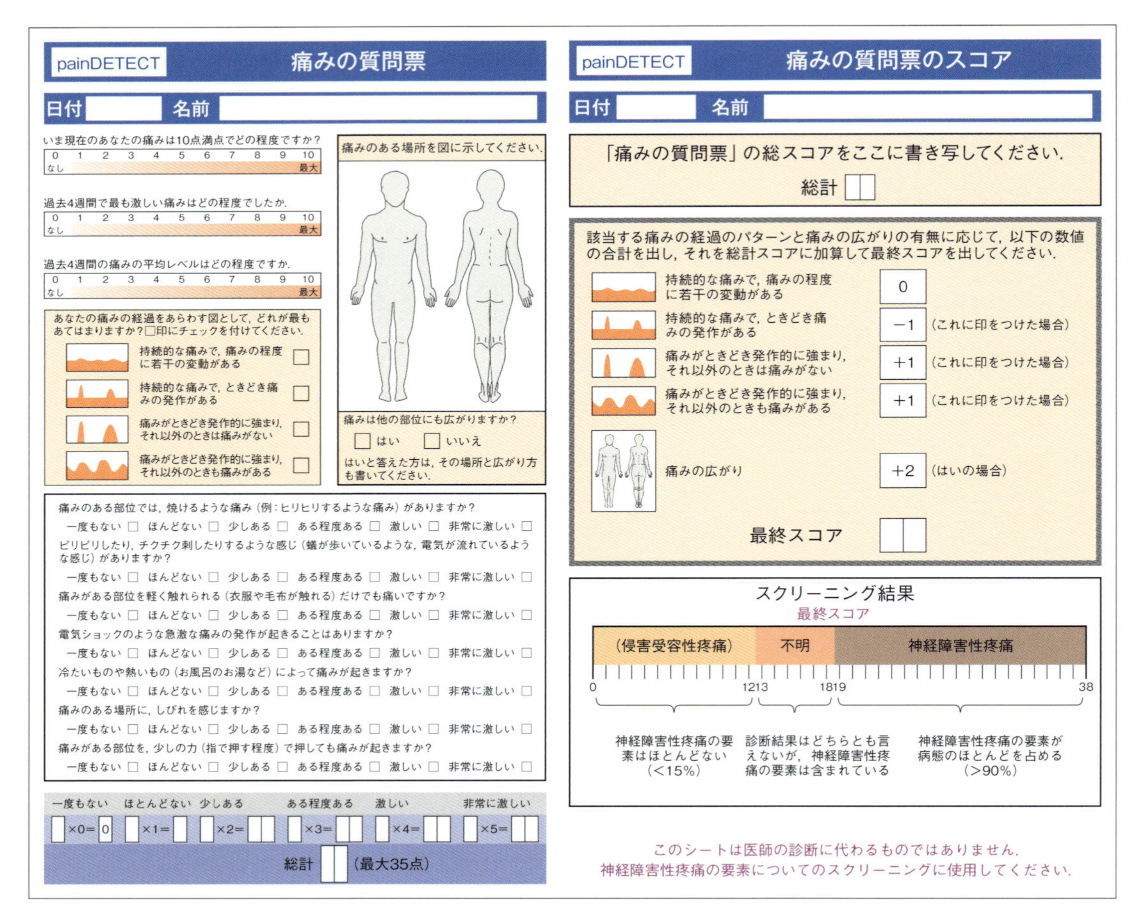

painDETECT 痛みの質問票

日付　　名前

いま現在のあなたの痛みは10点満点でどの程度ですか？
0 1 2 3 4 5 6 7 8 9 10
なし　最大

過去4週間で最も激しい痛みはどの程度でしたか．
0 1 2 3 4 5 6 7 8 9 10
なし　最大

過去4週間の痛みの平均レベルはどの程度ですか．
0 1 2 3 4 5 6 7 8 9 10
なし　最大

あなたの痛みの経過をあらわす図として，どれが最もあてはまりますか？□印にチェックを付けてください．
- 持続的な痛みで，痛みの程度に若干の変動がある □
- 持続的な痛みで，ときどき痛みの発作がある □
- 痛みがときどき発作的に強まり，それ以外のときは痛みがない □
- 痛みがときどき発作的に強まり，それ以外のときも痛みがある □

痛みのある場所を図に示してください．

痛みは他の部位にも広がりますか？
□ はい　□ いいえ
はいと答えた方は，その場所と広がり方も書いてください．

痛みのある部位では，焼けるような痛み（例：ヒリヒリするような痛み）がありますか？
一度もない □　ほんどない □　少しある □　ある程度ある □　激しい □　非常に激しい □

ピリピリしたり，チクチク刺したりするような感じ（蟻が歩いているような，電気が流れているような感じ）がありますか？
一度もない □　ほんどない □　少しある □　ある程度ある □　激しい □　非常に激しい □

痛みがある部位を軽く触れられる（衣服や毛布が触れる）だけでも痛いですか？
一度もない □　ほんどない □　少しある □　ある程度ある □　激しい □　非常に激しい □

電気ショックのような急激な痛みの発作が起きることはありますか？
一度もない □　ほんどない □　少しある □　ある程度ある □　激しい □　非常に激しい □

冷たいものや熱いもの（お風呂のお湯など）によって痛みが起きますか？
一度もない □　ほんどない □　少しある □　ある程度ある □　激しい □　非常に激しい □

痛みのある場所に，しびれを感じますか？
一度もない □　ほんどない □　少しある □　ある程度ある □　激しい □　非常に激しい □

痛みがある部位を，少しの力（指で押す程度）で押しても痛みが起きますか？
一度もない □　ほんどない □　少しある □　ある程度ある □　激しい □　非常に激しい □

一度もない	ほとんどない	少しある	ある程度ある	激しい	非常に激しい
□×0=0	□×1=□	□×2=□□	□×3=□□	□×4=□□	□×5=□□

総計 □□（最大35点）

painDETECT 痛みの質問票のスコア

日付　　名前

「痛みの質問票」の総スコアをここに書き写してください．
総計 □□

該当する痛みの経過のパターンと痛みの広がりの有無に応じて，以下の数値の合計を出し，それを総計スコアに加算して最終スコアを出してください．

持続的な痛みで，痛みの程度に若干の変動がある	0	
持続的な痛みで，ときどき痛みの発作がある	−1	（これに印をつけた場合）
痛みがときどき発作的に強まり，それ以外のときは痛みがない	＋1	（これに印をつけた場合）
痛みがときどき発作的に強まり，それ以外のときも痛みがある	＋1	（これに印をつけた場合）
痛みの広がり	＋2	（はいの場合）

最終スコア □□

スクリーニング結果
最終スコア

（侵害受容性疼痛）　不明　神経障害性疼痛
0　12 13　18 19　38

- 神経障害性疼痛の要素はほとんどない（<15%）
- 診断結果はどちらとも言えないが，神経障害性疼痛の要素は含まれている
- 神経障害性疼痛の要素が病態のほとんどを占める（>90%）

このシートは医師の診断に代わるものではありません．
神経障害性疼痛の要素についてのスクリーニングに使用してください．

図4 painDETECT Questionnaire（左）と採点方法（右）
13点以上では神経障害性疼痛の要素が含まれている痛み，19点以上で神経障害性疼痛が病態のほとんどを占めている痛みと判断できる．文献7より引用．

- 図4左にある項目に回答して，図4左下と右にある採点方法で算出されたスコアが，13点以上では神経障害性疼痛の要素が含まれている痛み，19点以上で神経障害性疼痛が病態のほとんどを占めている痛みと判断できる．
- 筋骨格系の問題による疼痛である腰痛・関節症においても，持続的な炎症が脊髄後角レベルでの中枢性感作を引き起こす可能性がある[8)]．これを考えると，運動器疾患にもスクリーニングとしてpainDETECTを使用することも重要である．
- 実際に，変形性膝関節症において，寒冷刺激による疼痛に過敏になっている（≒中枢性感作が生じている）症例ではpainDETECTのスコアが高くなることが報告されている[9)]．
- 加えて，painDETECTのスコアが19点を上回る変形性膝関節症症例は，人工関節置換術後にも疼痛が改善しにくいことが報告されている[10)]．

神経障害性疼痛重症度評価ツール日本語版
(Neuropathic Pain Symptom Inventory)

日付：
名前：
性別：男　　女
年齢：

あなたが感じている神経系の障害によって引き起こされる疼痛にはいくつかのタイプがあることが知られています．"自発痛"，すなわち疼痛刺激がないにもかかわらず起こる痛みを感じていて，そしてその痛みはずっと続いているか，あるいは発作的に痛みが起こっていると思います．さらに，痛みを感じている場所の皮膚表面をこすられたり押されたり，冷たいもので触られたりすると痛みが生じたり，自発痛が強くなる可能性があります．

この質問票は，あなたが感じているさまざまなタイプの疼痛に対して，あなたの主治医がより的確に評価し，よりよい治療へとつなげることを目的としています．

あなたが感じている**"自発痛"（刺激がなくても感じる痛みのこと）**について教えてください．

以下の質問で，あなたが過去24時間に感じた"自発痛"の平均的な強さを最も的確にあらわす数字を選んでください（下記の数字のうち，1つだけ○で囲んでください）．

0は，下記の質問にあるような自発痛を感じていなかったことを意味します．

1. 焼け付くような自発痛がありますか？
(ない) 0 1 2 3 4 5 6 7 8 9 10 (想像しうる最も強い焼け付くような痛み)

2. 絞り上げられるような自発痛がありますか？
(ない) 0 1 2 3 4 5 6 7 8 9 10 (想像しうる最も強い絞り上げられるような痛み)

3. 圧迫されるような自発痛がありますか？
(ない) 0 1 2 3 4 5 6 7 8 9 10 (想像しうる最も強い圧迫されるような痛み)

4. 過去24時間のうち，どれくらいの時間"自発痛"がありましたか？
最も適切なものを下記のうちから1つ選んでください．
・12時間以上，持続的にあった　＿
・8～12時間の間　＿
・4～7時間の間　＿
・1～3時間の間　＿
・1時間以内　＿

ここからの質問は，あなたが感じている**"発作痛（発作的に起こる痛みのこと）"**について教えてください．

以下の質問で，あなたが過去24時間に感じた"発作痛"の平均的な強さを最も的確にあらわす数字を選んでください（下記の数字のうち，1つだけ○で囲んでください）．

0は，下記の質問にあるような発作痛を感じていなかったことを意味します．

1

5. 電気ショックのような発作痛がありますか？
(ない) 0 1 2 3 4 5 6 7 8 9 10 (想像しうる最も強い電気ショックのような痛み)

6. 刃物で刺されるような発作痛がありますか？
(ない) 0 1 2 3 4 5 6 7 8 9 10 (想像しうる最も強い刺されるような痛み)

7. 過去24時間のうち，どれくらいの回数，"発作痛"がありましたか？
最も適切なものを下記のうちから1つ選んでください．
・20回以上　＿
・11～20回　＿
・6～10回　＿
・1～5回　＿
・0回（発作痛はなかった）　＿

ここからは，痛みを感じている皮膚表面をこすられたり押されたり，あるいは冷たいもので触られたりすると痛みが起こったり，自発痛が強くなる**"誘発痛"**について質問します．以下の質問で，あなたが過去24時間に感じた"誘発痛"の平均的な強さを最も的確にあらわす数字を選んでください（下記の数字のうち，1つだけ○で囲んでください）．

0は，下記の質問にあるような誘発痛を感じていなかったことを意味します．

8. 痛みを感じている場所の皮膚をこすられると疼痛が起こったり，自発痛が強くなりますか？
(ない) 0 1 2 3 4 5 6 7 8 9 10 (想像しうる最も強い痛みが誘発される)

9. 痛みを感じている場所の皮膚を押されると疼痛が起こったり，自発痛が強くなりますか？
(ない) 0 1 2 3 4 5 6 7 8 9 10 (想像しうる最も強い痛みが誘発される)

10. 痛みを感じている場所を冷たいもので触れると疼痛が起こったり，自発痛が強くなりますか？
(ない) 0 1 2 3 4 5 6 7 8 9 10 (想像しうる最も強い痛みが誘発される)

ここからは，痛みを感じている場所に痛み以外の異常な感覚があるかについての質問です．以下の質問で，あなたが過去24時間に感じた異常感覚の平均的な強さを最も的確にあらわす数字を選んでください（下記の数字のうち，1つだけ○で囲んでください）．

0は，下記の質問にあるような異常感覚を感じていなかったことを意味します．

11. 針でチクチクとつつかれるような感覚はありますか？
(ない) 0 1 2 3 4 5 6 7 8 9 10 (想像しうる最も強いチクチクとした感覚)

12. ビリビリとしたしびれたような感覚はありますか？
(ない) 0 1 2 3 4 5 6 7 8 9 10 (想像しうる最も強いしびれ感覚)

2

図5　NPSI（Neuropathic Pain Symptom Inventory）
文献11より引用．

- このことは，中枢性感作が生じているような運動器疼痛疾患は，筋骨格系の物理的な改善だけでは痛みが寛解しにくい特性があり，それをpainDETECTで予測することができると解釈できる．

2）NPSI（Neuropathic Pain Symptom Inventory）（図5）

- NPSI（Neuropathic Pain Symptom Inventory）は，神経障害性疼痛の痛みの性質を，皮膚表面の痛み（Q1），深部組織の痛み（Q2，3），発作痛（Q5，6），誘発痛（Q8，9，10），異常感覚（Q11，12）に分類して，それぞれの症状別に重症度を評価することができる質問紙であり，邦訳版の妥当性も検証されている[11]．
- これによって，対象としている患者の神経障害性疼痛がどのようなタイプなのか，あるいは，実施した物理療法によってどのようなタイプの神経障害性疼痛が緩和しやすいのかを明らかにすることができる．

4 痛みの部位

- 痛みの部位を図示してもらうことによって，痛みの原因をスクリーニングできることがある（図6）．
- 例えば，殿部に筋由来の痛みがあることに加えて，大腿部にもしびれを伴う痛みがあることがわかった場合には，神経障害性疼痛を疑い早期に対処することができる．
- この評価には特に定まった手続きは存在していないが，患者が訴える痛みの部位をそのまま塗っていく手続きだけでは不十分である．
- すなわち理学療法士が他動的に動かして痛みが生じる部位，圧痛が存在する部位，体性感覚の鈍麻がある部位などを特定し，それを記入しておくことが非常に重要である．
- 特に，圧痛などは患者自身が気づいていないことが多いため，詳細に部位を特定する必要がある．

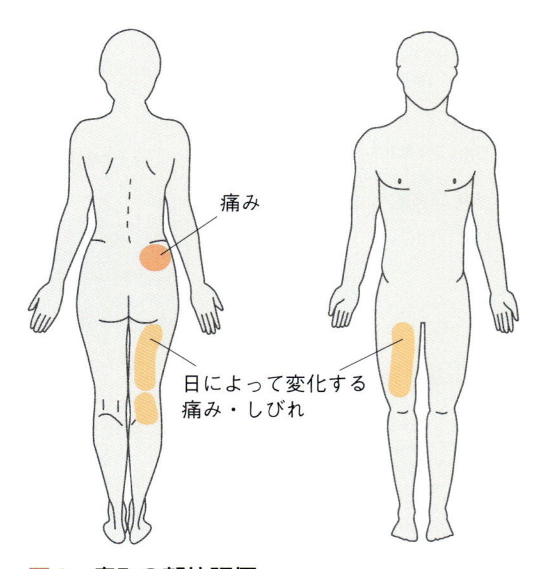

図6　痛みの部位評価

5 定量的感覚検査（QST）

- 定量的感覚検査（quantitative sensory testing：QST）は，痛みの表現型（phenotype）を明らかにするための評価ツールである．
- 触覚，振動覚，冷覚，温覚などの通常の体性感覚検査に加えて，圧痛閾値あるいは温・冷痛覚閾値などの痛覚を計測する．
- 高価な機器と厳密に定められた手順が存在するため，理学療法士が日常診療内で厳密に実施することは不可能であるが，部分的に実施するだけでも患者の特徴を見出すためのツールにはなる．
- そのため，以下では，痛覚検査あるいは痛覚過敏・アロディニアの検査を抜粋して紹介するにとどめる．その他の体性感覚検査については，専門書を参照していただきたい．

1）圧痛閾値

- プローブ領域の広さ1 cm^2の圧刺激装置（図7A）で，毎秒50 kPaずつ圧を上昇させて痛みを感じたところを圧痛閾値とする．
- 痛覚変調性疼痛が存在している（いわゆる中枢性感作が生じている）運動器疼痛患者では，患部とは離れた部位にもかかわらず圧痛閾値が低下している（痛みを感じやすくなっている）ことが多くの研究で明らかになっているため，患部以外の部位も計測する．

2）温・冷痛覚閾値

- 接触型のプローブを測定部位へ装着して，プローブの温度を32℃に設定しておき，1秒あたり1℃上昇させ，患者が痛いと感じたところを温痛覚閾値とする（図7B）．

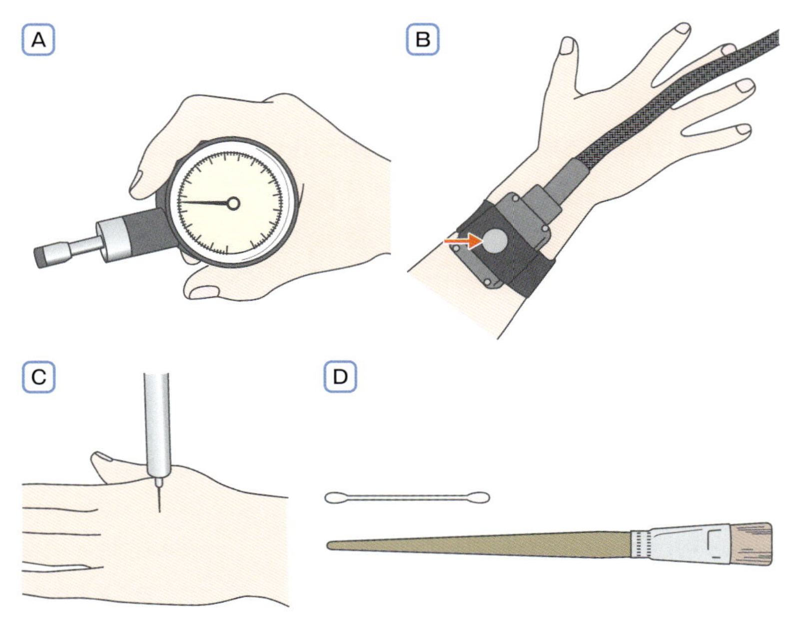

図7　定量的感覚検査（quantitative sensory testing：QST）の一部

- 同じように，プローブの温度を32℃から1秒あたり1℃下降させていき，患者が痛みを感じたところを冷痛覚閾値とする．

3）痛覚過敏

- 通常でもチクチクと痛みを感じるような刺激（pinprick 刺激）を与えて痛覚過敏の有無と程度を評価する（図7C）．

4）触覚アロディニア

- 通常では痛くないはずの触覚刺激を与えてアロディニアの有無と程度を評価する．
- 評価には，綿棒やブラシを用いて患部をなでる（図7D）．

6 痛みの情動・認知の評価

- 痛みの情動・認知的要因は痛みを増悪させる要因になるため，物理療法を実施するにあたって，それらを十分に把握しておくことが重要である．
- 本邦のリハビリテーション現場でよく使用されるのが，HADS（Hospital Anxiety and Depression Scale），STAI（State-Trait Anxiety Inventory），PCS（Pain Catastrophizing Scale），TSK（Tampa Scale for Kinesiophobia），FABQ（Fear-Avoidance Beliefs Questionare）などであり，抑うつ・不安・破局的思考・恐怖を網羅的に評価することができる（表1）．
- 特定の目標を達成するために必要な活動を遂行する自信（＝自己効力感）は，痛みの量的指標との直接的な相関関係にはないが，痛みによるADL障害に関与しているため，PSEQ（Pain Self-Efficacy Questionnaire）などを活用して評価する．
- それぞれの詳細については，専門書や関連論文を参照していただくとして[12)]，以下では，疼痛部位や疾患を問わず共通して頻繁に利用されているPCSおよびTSKをピックアップして解説する．

表1　本邦でも実施されている痛みの情動・認知評価（いずれも日本語版が作成されている）

評価法	内容
HAD（Hospital Anxiety and Depression Scale）	不安と抑うつを評価する
POMS（Profile of Mood States）	さまざまな気分を評価する
ベック抑うつ質問票（Beck Depression Inventory：BDI）	抑うつの程度を評価する
CES-D（Center for Epidemiologic Studies Depression Scale）	抑うつの程度を評価する
STAI（State-Trait Anxiety Inventory）	状態不安と特性不安を評価する
BS-POP（Brief scale for evaluation of psychiatric problems in orthopedic patients）	整形外科患者の精神心理的問題を評価する
PCS（Pain Catastrophizing Scale）	破局的思考を評価する
TSK（Tampa Scale for Kinesiophobia）	運動への恐怖心を評価する
FABQ（Fear-Avoidance Beliefs Questionnaire）	疼痛回避思考を評価する
PSEQ（Pain Self-Efficacy Questionnaire）	自己効力感を評価する
CSQ（Coping Strategy Questionnaire）	痛みへの対処についての認知と行動を評価する

この質問紙では，痛みを感じているときのあなたの考えや感情についてお聞きします．以下に，痛みに関連したさまざまな考えや感情が13項目あります．痛みを感じているときに，あなたはこれらの考えや感情をどの程度経験していますか．あてはまる数字に○をつけてお答えください，

	全くあてはまらない	あまりあてはまらない	どちらともいえない	少しあてはまる	非常にあてはまる
1．痛みが消えるかどうか，ずっと気にしている．	0	1	2	3	4
2．もう何もできないと感じる．	0	1	2	3	4
3．痛みはひどく，決してよくならないと思う．	0	1	2	3	4
4．痛みは恐ろしく，痛みに圧倒されると思う．	0	1	2	3	4
5．これ以上耐えられないと感じる．	0	1	2	3	4
6．痛みがひどくなるのではないかと怖くなる．	0	1	2	3	4
7．他の痛みについて考える．	0	1	2	3	4
8．痛みが消えることを強く望んでいる．	0	1	2	3	4
9．痛みについて考えないようにすることはできないと思う．	0	1	2	3	4
10．どれほど痛むかということばかり考えてしまう．	0	1	2	3	4
11．痛みが止まって欲しいということばかり考えてしまう．	0	1	2	3	4
12．痛みを弱めるために私にできることは何もない．	0	1	2	3	4
13．何かひどいことが起きるのではないかと思う．	0	1	2	3	4

図8　PCS（Pain Catastrophizing Scale）

1）PCS（Pain Catastrophizing Scale）（図8）

- PCS（Pain Catastrophizing Scale）では破局的思考を評価することができる．
- 破局化とは，現在および将来の痛みに起因する障害を過大評価するとともに，そのような考えから離れられなくなっていく過程のことをいう．
- PCSで評価する破局的思考は，痛みのことが頭から離れない状態の「反芻」，痛みに対して自分では何もできないという状態の「無力感」，および，痛みそのものの強さやそれにより起こりうる問題を現実より大きく見積もる「拡大視」の3要素からなる．
- 13項目で構成されており，それぞれの項目に対して「全くあてはまらない＝0」「あまりあてはまらない＝1」「どちらともいえない＝2」「少しあてはまる＝3」「非常にあてはまる＝4」で回答していく．
- すべての項目の合計点が「30点以上」だと臨床的問題になるとされている[13]．
- また，項目8，9，10，11が「反芻」，項目6，7，13が「拡大視」，項目1，2，3，4，5，12が「無力感」にあたる．
- 項目3，6，8，11からなるPCS-4や，項目4，5，6，10，11，13からなるPCS-6などの短縮版も開発されており[14) 15)]，臨床現場でも簡便に実施できるようになってきている．

2）TSK（Tampa Scale for Kinesiophobia）（図9）

- Kinesiophobiaは，「運動によって組織損傷や痛みが悪化するかもしれない」という運動に関連した恐怖心のことであり，疼痛が慢性化するリスクファクターとしても知られている[17]．

それぞれの質問をよく読み，あなたの考えや気持ちとして最もよくあてはまる数字に○をつけてください．

	少しもそう思わない	そう思わない	そう思う	強くそう思う
1. 運動すると体を傷めてしまうかもれないと不安になる	1	2	3	4
2. 痛みが増すので何もしたくない	1	2	3	4
3. 私の体には何か非常に悪いところがあると感じている	1	2	3	4
4. 運動した方が私の痛みはやわらぐかもしれない	1	2	3	4
5. 他の人は私の体の状態のことなど真剣に考えてくれていない	1	2	3	4
6. アクシデント（痛みが起こったきっかけ）のせいで，私は一生痛みが起こりうる体になった	1	2	3	4
7. 痛みを感じるのは，私の体を傷めたことが原因である	1	2	3	4
8. 私の痛みが何かで悪化しても，その何かを気にする必要はない	1	2	3	4
9. 予期せず体を傷めてしまうかもしれないと不安になる	1	2	3	4
10. 不必要な動作を行わないように，とにかく気をつけることが，私の痛みを悪化させないためにできる最も確実なことである	1	2	3	4
11. この強い痛みは私の体に何か非常に悪いことが起こっているからに違いない	1	2	3	4
12. 私は痛みがあっても，体を動かし活動的であれば，かえって体調はよくなるかもしれない	1	2	3	4
13. 体を傷めないように，痛みを感じたら私は運動をやめる	1	2	3	4
14. 私のような体の状態の人は，体を動かし活動的であることは決して安全とはいえない	1	2	3	4
15. 私はとても体を傷めやすいので，すべてのことを普通の人と同じようにできるわけがない	1	2	3	4
16. 何かして私が強い痛みを感じたとしても，そのことでさらに体を傷めることになるとは思わない	1	2	3	4
17. 痛みがあるときは，誰であっても運動することを強要されるべきではない	1	2	3	4

※短縮版（TSK-11）は1，2，3，5，6，7，10，11，13，15，17の11項目で構成される．

図9　TSK（Tampa Scale for Kinesiophobia）

- このような恐怖心は，TSK（Tampa Scale for Kinesiophobia）によって定性的に評価することが可能である．
- TSKは17項目で構成されており，「少しもそう思わない＝1」「そう思わない＝2」「そう思う＝3」「強くそう思う＝4」の4段階でスケーリングする．ただし，項目4，8，12，16は逆転項目となっているため，得点化するときにはスケーリングされた点数を逆転させて計算する必要がある．
- 17項目を4つのサブグループに分類した研究では，項目3，6，11は“身体的損傷（Harm）についての思考”，項目1，9は“（再）損傷に対する恐怖心”，項目4，12，14は“運動の重要性に対する考え”，項目2，10，13，15は“活動の回避思考”を捉えることができているとしている[16]．
- カットオフ値は総得点「37」であり，これを上回る症例は恐怖心が強いということになる[16]．

- また，TSK-11と称される11項目の短縮版も開発されており[17]，17項目のTSKから逆転項目および9と14が排除された1，2，3，5，6，7，10，11，13，15，17の11項目で構成されている．
- TSK-11では，質問項目が物理的に少なくなっただけでなく逆転項目が排除されているため，実施する症例が混乱することなく実施時間を大きく短縮できる．

7 身体機能・日常生活活動（ADL）評価

- 痛みのせいでどれほど身体機能低下あるいは活動レベルの低下が生じているのかは，理学療法士が標準的な臨床評価（関節可動域評価，歩行分析など）を実施する．
- これに加えて，近年では患者報告アウトカム（patient reported outcomes）も広く導入されてきている．
- 表2のように，痛みの部位や疾患ごとに評価ツールが存在するが，疼痛生活障害評価尺度（Pain Disability Assessment Scale：PDAS）と簡易疼痛質問票（Brief Pain Inventory：BPI）は疼痛部位を問わず短時間で実施できるため，身体機能評価のスクリーニングとしてよく使われている．

表2　疼痛部位あるいは疾患ごとによって使い分けられている身体機能・日常生活活動（ADL）の評価ツール

部位	評価ツール
頸部痛	・頸部機能障害質問票NDI（Neck Disability Index） 　→ODIを参考にして作成，頸部痛によるADLの機能障害を評価 ・ケベックWAD分類（Quebec WAD Classification） ・日本整形外科学会頸部脊髄症評価質問票JOACMEQ（JOA Cervical Myelopathy Evaluation Questionnaire）
腰痛	・ローランド・モリス機能障害質問表RDQ（Roland-Morris Disability Questionnaire） 　→腰痛によるADLの機能障害を評価．国際標準値，日本標準値がある ・オズウェストリー腰痛障害質問表ODI（Oswestry Disability Index） 　→腰痛によるADLの機能障害を評価 ・日本整形外科学会腰痛評価質問票JOABPEQ（JOA Back Pain Evaluation Questionnaire）
下肢痛	ともに変形性股関節症や変形性膝関節症などによる下肢痛の機能障害を評価 ・WOMAC Osteoarthritis Index（Western Ontario and McMaster Universities Osteoarthritis Index） ・日本整形外科学会股関節疾患評価質問票JHEQ（JOA Hip-Disease Evaluation Questionnaire） ・HOOS（Hip Disability and Osteoarthritis Outcome Score） ・日本版変形性膝関節症患者機能評価表JKOM（Japanese Knee Osteoarthritis Measure） ・KOOS（Knee Injury and Osteoarthritis Outcome Score）
その他	・線維筋痛症質問票FIQ（Fibromyalgia Impact Questionnaire） ・HAQ（Health Assessment Questionnaire）/MHAQ（Modified HAQ） ・WORC（Western Ontario Rotator Cuff Index） ・DASH日本手外科学会版（Disabilities of the Arm, Shoulder and Hand）/Quick DASH ・ボストン手根管症候群質問票（Boston Carpal Tunnel Questionnaire）

文献18より引用．

この質問票は，あなたの病気（痛み）が，あなたが日常生活のいろいろな場面で行っている活動にどのような影響をおよぼしているかを調べるためのものです．以下にいろいろな動作や活動が書かれています．それぞれの項目について，最近1週間のあなたの状態を最もよくいいあらわしている数字を○で囲んでください．それぞれの数字は次のような状態のことです．わからないことがあれば遠慮なく担当医におたずねください．

0：この活動を行うのに全く困難（苦痛）はない．
1：この活動を行うのに少し困難（苦痛）を感じる．
2：この活動を行うのにかなり困難（苦痛）を感じる．
3：この活動は苦痛が強くて，私には行えない．

1	掃除機かけ，庭仕事など家の中の雑用をする	0	1	2	3
2	ゆっくり走る	0	1	2	3
3	腰を曲げて床の上のものを拾う	0	1	2	3
4	買い物に行く	0	1	2	3
5	階段を登る，降りる	0	1	2	3
6	友人を訪れる	0	1	2	3
7	バスや電車に乗る	0	1	2	3
8	レストランや喫茶店に行く	0	1	2	3
9	重いものを持って運ぶ	0	1	2	3
10	料理をつくる，食器洗いをする	0	1	2	3
11	腰を曲げたり，伸ばしたりする	0	1	2	3
12	手をのばして棚の上から重いもの（砂糖袋など）をとる	0	1	2	3
13	体を洗ったり，ふいたりする	0	1	2	3
14	便座にすわる，便座から立ち上がる	0	1	2	3
15	ベッド（床）に入る，ベッド（床）から起き上がる	0	1	2	3
16	車のドアを開けたり閉めたりする	0	1	2	3
17	じっと立っている	0	1	2	3
18	平らな地面の上を歩く	0	1	2	3
19	趣味の活動を行う	0	1	2	3
20	洗髪する	0	1	2	3

図10 疼痛生活障害評価尺度（Pain Disability Assessment Scale：PDAS）
文献19より引用．

1）疼痛生活障害評価尺度（Pain Disability Assessment Scale：PDAS）（図10）

- PDASは①腰を使う活動，②日常生活活動，③社会生活活動の3因子について評価するものであり，20項目の質問で構成されている．
- カットオフ値は「10点」となっており，10点以上の場合は痛みによって何らかの日常生活に支障をきたしていると判断できる．

2）簡易疼痛質問票（Brief Pain Inventory：BPI）（図11）

- 慢性疼痛の痛みの強度（24時間を通しての最大，最小，平均のNRS）や，生活や気分の支障度を数値化するものである．
- 0～10までの11段階の整数値を用いて，数値化して評価する．

1. この24時間にあなたが感じた最も強い痛みはどのくらいでしたか？最も近い数字を選んでください.

0 痛みなし	1	2	3	4	5	6	7	8	9	10 想像できる最も激しい痛み

2. この24時間にあなたが感じた最も弱い痛みはどのくらいでしたか？最も近い数字を選んでください.

0 痛みなし	1	2	3	4	5	6	7	8	9	10 想像できる最も激しい痛み

3. あなたが感じた痛みは平均するとどのくらいでしたか？最も近い数字を選んでください.

0 痛みなし	1	2	3	4	5	6	7	8	9	10 想像できる最も激しい痛み

4. あなたが今感じている痛みはどのくらいですか？最も近い数字を選んでください.

0 痛みなし	1	2	3	4	5	6	7	8	9	10 想像できる最も激しい痛み

5. 自分の痛みをあらわす数字を選んでください.

A. 横になっているとき

0 痛みなし	1	2	3	4	5	6	7	8	9	10 想像できる最も激しい痛み

B. 座っているとき

0 痛みなし	1	2	3	4	5	6	7	8	9	10 想像できる最も激しい痛み

C. 立っているとき

0 痛みなし	1	2	3	4	5	6	7	8	9	10 想像できる最も激しい痛み

D. 動かしたとき

0 痛みなし	1	2	3	4	5	6	7	8	9	10 想像できる最も激しい痛み

図11　簡易疼痛質問票（Brief Pain Inventory：BPI）
文献20より引用.

8 生活の質（quality of life：QOL）の評価

- 痛みによってどれほどQOLが低下しているかは，患者によって指標が異なるため，詳細は問診などで評価していくべきである.

表3　痛みの分野でQOL評価のために使われる評価ツール

SF-36（short-form 36-item health survey）
SF-36 v2
EQ-5D（EuroQol 5-Dimension）

以下のそれぞれの項目の1つの四角に（このように☑）印をつけて，あなた自身の今日の健康状態を最もよくあらわしている記述を示してください．

移動の程度
- 私は歩き回るのに問題はない　□
- 私は歩き回るのにいくらか問題がある　□
- 私はベッド（床）に寝たきりである　□

身の回りの管理
- 私は身の回りの管理に問題はない　□
- 私は洗面や着替えを自分でするのにいくらか問題がある　□
- 私は洗面や着替えを自分でできない　□

ふだんの活動（例：仕事，勉強，家族・余暇活動）
- 私はふだんの活動を行うのに問題はない　□
- 私はふだんの活動を行うのにいくらか問題がある　□
- 私はふだんの活動を行うことができない　□

痛み／不快感
- 私は痛みや不快感はない　□
- 私は中程度の痛みや不快感がある　□
- 私はひどい痛みや不快感がある　□

不安／ふさぎ込み
- 私は不安でもふさぎ込んでもいない　□
- 私は中程度に不安あるいはふさぎ込んでいる　□
- 私はひどく不安あるいはふさぎ込んでいる　□

過去12カ月間にわたる自分の一般的な健康水準と比べて，
私の今日の健康状態は，
- よりよい　□
- ほとんど同じ　□
- より悪い　□

1つの□に印をつけてください

図12　EQ-5D
文献21より引用．

- 一方で，一般的に共通する項目で評価することは，患者のQOLを網羅的に把握できることにつながる．本邦では，表3にあるようなSF-36，EQ-5Dが頻繁に使われる．
- SF-36は，健康状態，機能状態に関する包括的尺度であり，年齢や疾患に関係なく，健康に関連したQOLを評価できる．
- EQ-5Dは，健康状態のQOLを評価する5項目（1．移動の程度，2．身の回りの管理，3．普段の活動，4．痛み／不快感，5．不安／ふさぎこみ）で構成されている（図12）．

文献

1）Dworkin RH, et al：Research design considerations for confirmatory chronic pain clinical trials: IMMPACT recommendations. Pain, 149：177-193, 2010

2）Williamson A & Hoggart B：Pain: a review of three commonly used pain rating scales. J Clin Nurs, 14：798-804, 2005

3）Salaffi F, et al：Minimal clinically important changes in chronic musculoskeletal pain intensity measured on a numerical rating scale. Eur J Pain, 8：283-291, 2004

4）「Wall & Melzack's Textbook of Pain 6th edition」（McMahon SB, et al／eds），Saunders, 2013

5）Arimura T, et al：Pain questionnaire development focusing on cross-cultural equivalence to the original questionnaire: the Japanese version of the Short-Form McGill Pain Questionnaire. Pain Med, 13：541-551, 2012

6）圓尾知之，他：痛みの評価尺度・日本語版 Short-Form McGill Pain Questionnaire 2（SF-MPQ-2）の作成とその信頼性と妥当性の検討．PAIN RESEARCH，28：43-53，2013

7）Matsubayashi Y, et al：Validity and reliability of the Japanese version of the painDETECT questionnaire: a multicenter observational study. PLoS One, 8：e68013, 2013

8）Hasvik E, et al：Call for Caution in Using the Pain DETECT Questionnaire for Patient Stratifi cation Without Additional Clinical Assessments: Comment on the Article by Soni et al. Arthritis Rheumatol, 71：1201-1202, 2019

9）Soni A, et al：Central Sensitization in Knee Osteoarthritis: Relating Presurgical Brainstem Neuroimaging and PainDETECT-Based Patient Stratification to Arthroplasty Outcome. Arthritis Rheumatol, 71：550-560, 2019

10）Kurien T, et al：Preoperative Neuropathic Pain-like Symptoms and Central Pain Mechanisms in Knee Osteoarthritis Predicts Poor Outcome 6 Months After Total Knee Replacement Surgery. J Pain, 19：1329-1341, 2018

11）Matsubayashi Y, et al：Psychometric Validation of the Japanese Version of the Neuropathic Pain Symptom Inventory. PLoS One, 10：e0143350, 2015

12）西上智彦，壬生 彰：痛みに対する評価とリハビリテーション方略－臨床でのスタンダードを目指して－．保健医療学雑誌，5：45-51，2014

13）「PCS － The Pain Catastrophizing Scale User Manual」（Sullivan MJ／ed），2009（https://aspecthealth.ca/wp-content/uploads/2017/03/PCSManual_English1.pdf）

14）Bot AGJ, et al：Creation of the Abbreviated Measures of the Pain Catastrophizing Scale and the Short Health Anxiety Inventory: The PCS-4 and SHAI-5. Journal of Musculoskeletal Pain, 22：145-151, 2014

15）McWilliams LA, et al：Development and evaluation of short forms of the Pain Catastrophizing Scale and the Pain Self-efficacy Questionnaire. Eur J Pain, 19：1342-1349, 2015

16）Vlaeyen JW, et al：The role of fear of movement/(re)injury in pain disability. J Occup Rehabil, 5：235-252, 1995

17）Woby SR, et al：Psychometric properties of the TSK-11: a shortened version of the Tampa Scale for Kinesiophobia. Pain, 117：137-144, 2005

18）「ペインリハビリテーション入門」（沖田 実，松原貴子／著），三輪書店，2019

19）有村達之，他：疼痛生活障害評価尺度の開発．行動療法研究，23：7-15，1997

20）高橋直人，他：痛みの客観的評価とQOL．J Rehabil Med，53：596-603，2016

21）西村周三：日本語版EuroQolの開発．医療と社会，8：109-123，1998

4 関節可動域制限

学習のポイント

- 関節可動域制限についての病態や原因について学ぶ
- 関節可動域制限の評価について学ぶ
- 関節可動域制限に対する運動療法や物理療法を学ぶ

1 関節可動域制限とは

- 関節可動域（range of motion：ROM）は，関節を自動的または他動的に運動した際の可動範囲のことであり，ROM制限とは，この可動範囲が減少していることを示す．ROM制限が原因で，日常生活活動（ADL）が制限されることは多い．
- 患部固定や脳卒中後の痙性麻痺などによる不動が原因で，ROM制限を有する症例に理学療法を実施することは多い．
- ROM制限を治療するためには，関節の構造，病態，制限因子，評価方法，治療方法についての理解が必要である．
- ROM制限に対して，運動療法では，原因となっている軟部組織に対してストレッチングを実施する．物理療法では，極超短波療法や超音波療法などの温熱療法を実施する．また，それぞれを単独に実施するのではなく，組合わせて実施すると効果が高い．

2 関節の構造

- 関節は骨と骨が筋や靱帯，関節包などの軟部組織で結合されている（図1）．これらの軟部組織はさまざまな役割があるが，本項ではROM制限の原因となることが多い，筋，関節包について記載する．

1）骨格筋の構造

- 骨格筋は多数の筋線維と筋膜により構成されており，コラーゲン線維が主成分である（図2）．
- 個々の筋線維は筋内膜に包まれており，その内部は筋原線維で構成されている．筋原線維では，太い筋フィラメントであるミオシンの上を細い筋フィラメントであるアクチンが滑走することで筋収縮が生じると考えられている（図3）．

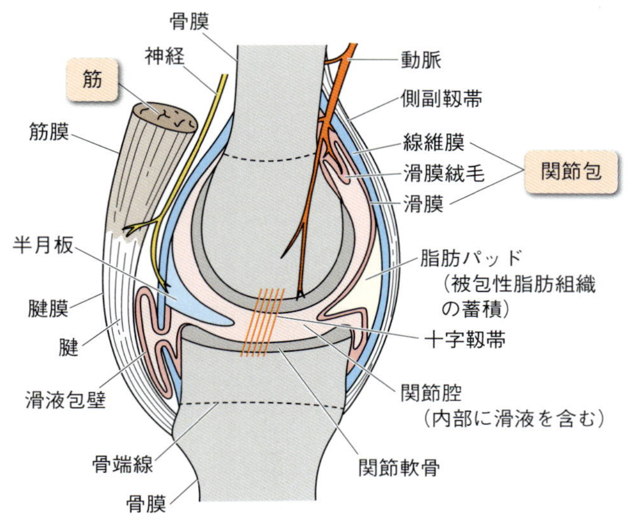

図1　関節の構成

図は膝関節を例にした．筋と関節包はROM制限の原因になることが多い．文献1をもとに作成．

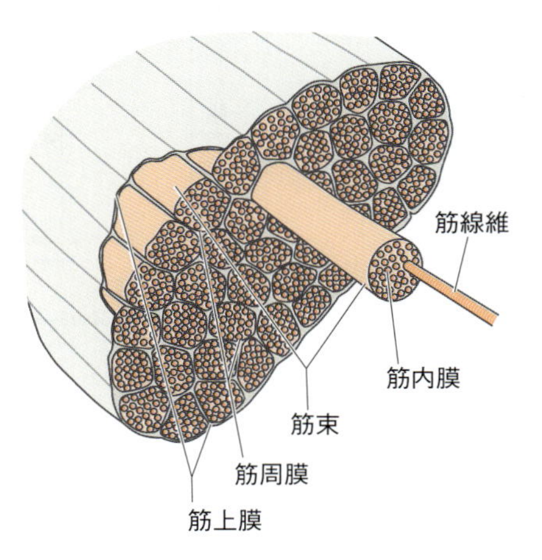

図2　筋膜の構造

文献2をもとに作成．

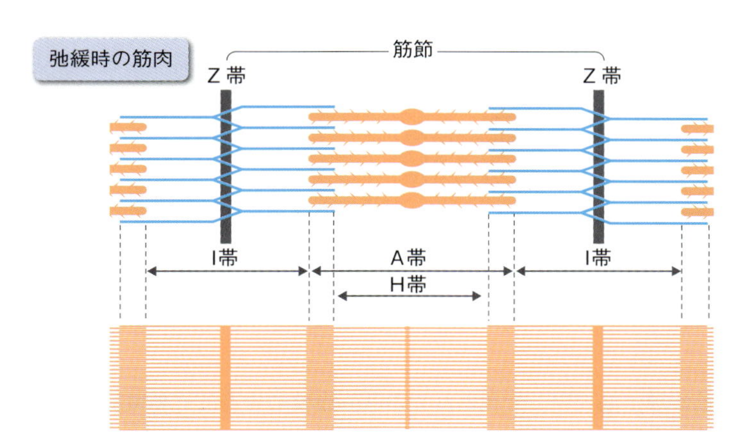

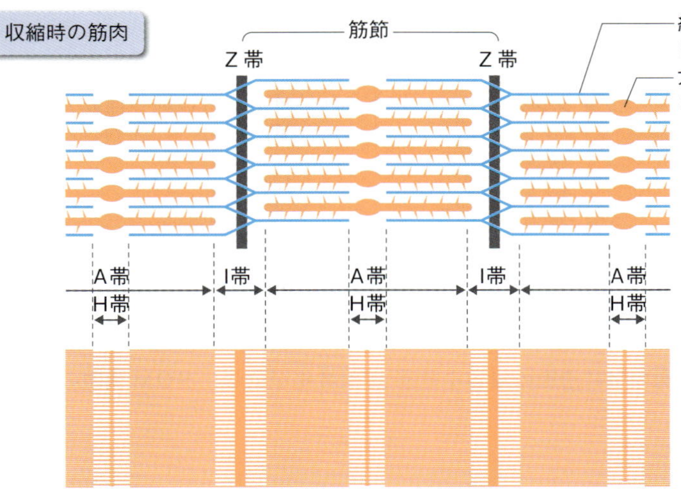

図3　太い筋フィラメントと細い筋フィラメント

太い筋フィラメントがA帯であり，細い筋フィラメントが重なり合わない部分をH帯，細い筋フィラメントのみの部分はI帯とよばれており，I帯の中央はZ帯とよばれている．詳細は本文も参照．文献3をもとに作成．

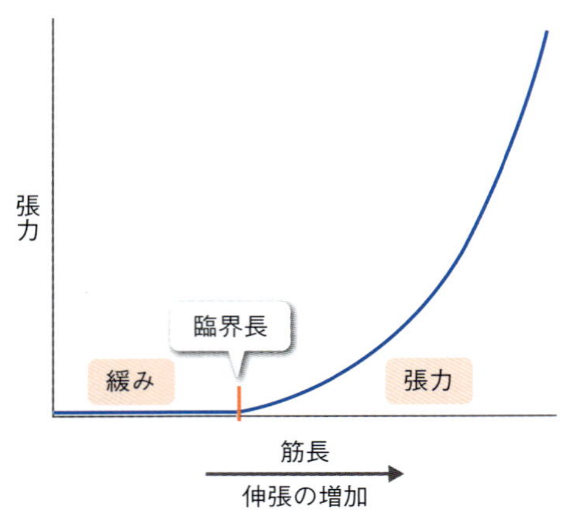

図4　筋の他動的長さ（張力曲線）

筋が臨界長まで引き伸ばされると漸増的に張力を発生しはじめる．文献6より引用．

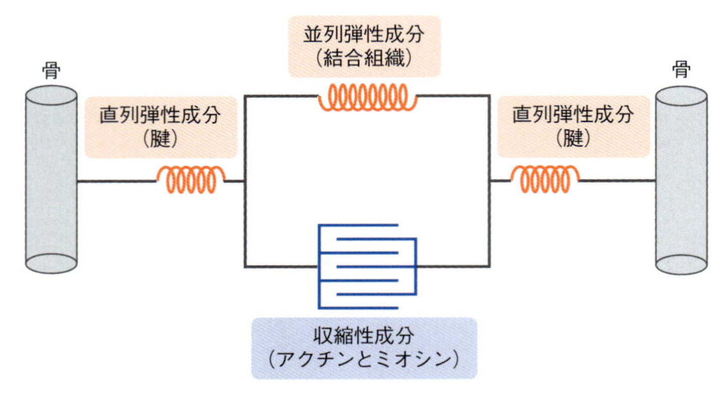

図5　骨格筋に対するストレッチングのイメージ

筋を伸張した場合，直列弾性成分の腱が伸張され，収縮性成分であるアクチンとミオシンが伸張されると同時に並列弾性成分である筋の結合組織も伸張される．文献6をもとに作成．

- 筋線維は筋膜（筋内膜，筋周膜，筋上膜）で覆われており，筋膜の癒着は可動域制限の原因になる（図2）．
- 1カ月以内の不動で生じるROM制限の責任病巣は骨格筋と考えられており[4) 5)]，治療対象になることが多い．不動により筋線維と筋膜が変化し，筋長や粘弾性が変化する．
- 筋をストレッチングすると，ミオシンとアクチンによる収縮性成分と並列弾性成分と直列弾性成分が伸張される（図4，5）．

2）関節包

- 関節包は外層と内層に分けられ，外層は密性結合組織からなる線維膜，内層は疎性結合組織からなる滑膜で，いずれも主成分はコラーゲン線維である．弾性に乏しく，関節を補強する役割をもつ．
- 1カ月以上の不動では，関節包に滑膜の増殖や癒着，線維化が生じ，ROM制限の原因となる[7)]．

3 コラーゲン線維の特徴

1) I型とII型

● 関節における主なコラーゲン線維はI型とII型がある（表1）．また，関節内結合組織はエラスチン線維も含み，コラーゲン線維と比べ伸張されやすくもとの長さに戻りやすい．

2) ストレス-ストレインカーブ

● ストレス-ストレインカーブ（stress-strain curve）とは，腱や他の結合組織のコラーゲン線維の物理的な特徴を示したものであり，伸張を加えている間の長さと張力の関係を示したものである（図6）．コラーゲン線維は損傷が生じる前に張力を除去するともとの長さに戻る．

3) クリープ現象

● クリープ現象とは，一定の負荷強度で伸張を続けると，時間とともに素材の歪み（コラーゲンの場合は伸張）が変化する現象である（図7）．

表1　関節における主要なコラーゲン線維

I型	厚く頑丈な線維で，伸張してもほとんど伸びない．靱帯，腱，線維性関節包を構成．
II型	I型より薄く弱い，硝子軟骨のような組織の形状を維持するための柔軟な網目構造をもつ．

文献8より引用．

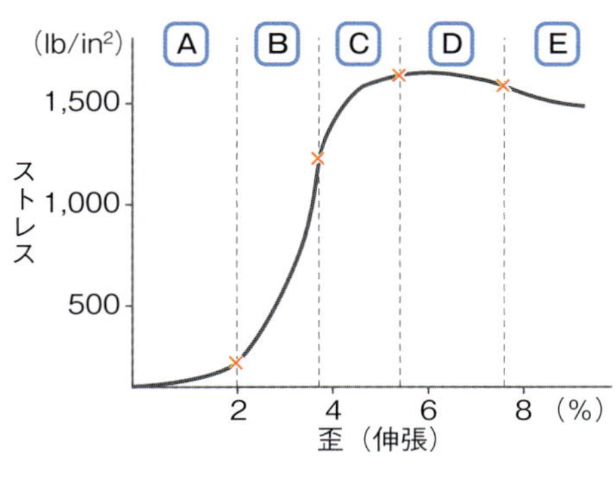

図6　ストレス-ストレインカーブ（stress-strain curve）

A）伸張させてもストレスはほとんど増加しない．B）ストレスが増加するにつれ組織も伸張される．C）微細な組織損傷が生じはじめる．D）大きく組織損傷が生じる，E）全体的に崩壊される．lb/in² は1平方インチあたりに加わる応力．文献9をもとに作成．

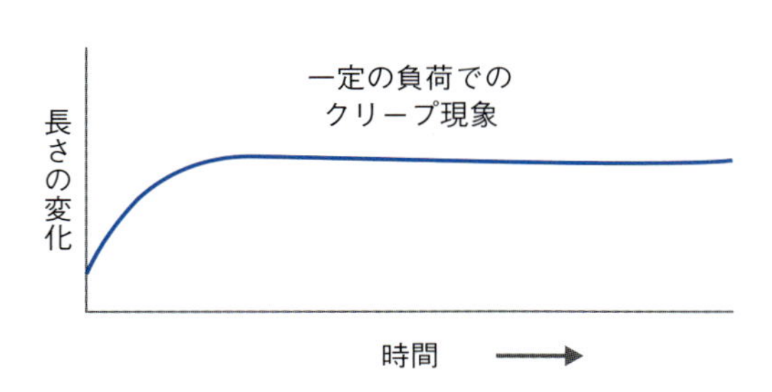

図7　クリープ現象

軟部組織に負荷を与え伸張させ続けると組織変形が生じる．文献10より引用．

4 関節可動域制限をもたらす関節の不動

- 関節可動域（ROM）制限をもたらす主な原因は，関節の不動である．
- 不動により隣接するコラーゲン線維間の交差部分で，架橋形成が生じ軟部組織の伸張性が低下する（図8）．
- 1カ月以内の不動によるROM制限の原因は骨格筋であり，それ以上の不動では関節包や関節軟骨などの関節構成体が影響する．

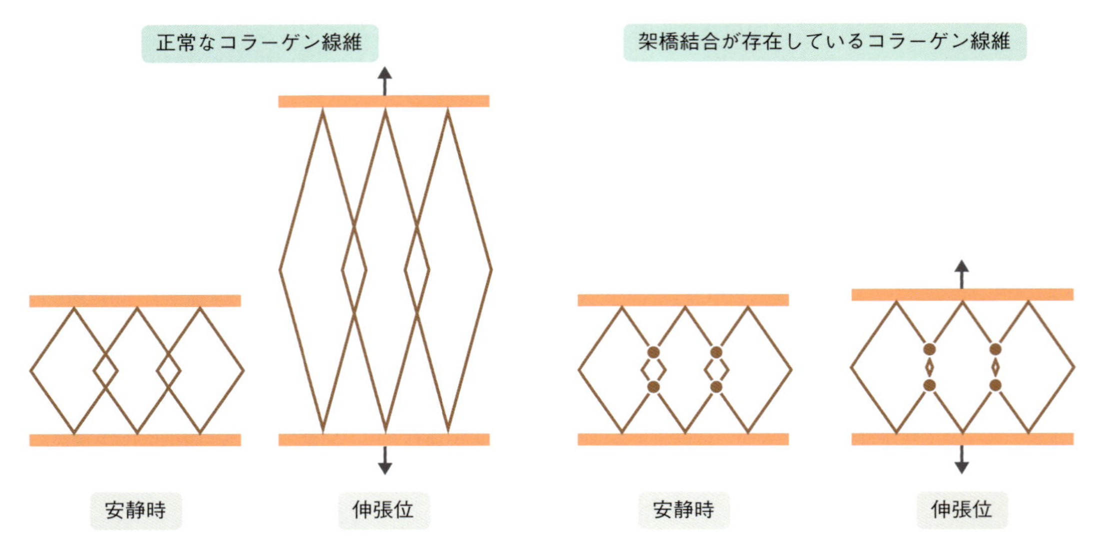

図8　正常なコラーゲン線維と架橋結合が存在しているコラーゲン線維の安静時と伸張位の比較
文献11をもとに作成．

5 関節可動域制限の病態

1）拘縮（こうしゅく）

- 関節周囲の軟部組織が器質的に変化したことにより，自動的，他動的運動にも認められる関節可動域（ROM）制限は拘縮とよばれている．
- 拘縮は発生した時期により先天性拘縮と後天性拘縮に分類される．先天性拘縮は先天性多発性関節拘縮症など，先天性疾患に伴う拘縮のことをさす．一方，後天性拘縮は後天的な要因により生じた拘縮をさし，この分類にはHalar（ヘイラー）の分類やHoffa（ホッファ）の分類が用いられる（表2）．

表2　拘縮の分類

Halarの分類	Hoffaの分類
①**関節性拘縮** 軟骨損傷，関節不適合性，滑膜，線維脂肪組織増殖，関節線維症 ②**軟部組織性拘縮** 関節周囲軟部組織，皮膚，皮下組織，腱，靱帯 ③**筋性拘縮** 内因性，外因性	①**皮膚性拘縮** 皮膚の熱傷，創傷，炎症などによる瘢痕拘縮 ②**結合組織性拘縮** 皮下軟部組織，靱帯や腱などの結合組織の病変に起因するもの ③**筋性拘縮** 筋自体の病変，退行変性，血行障害によるもの ④**神経性拘縮** 反射性，痙性，弛緩性 ⑤**関節性拘縮** 滑膜，関節包，靱帯などの炎症や損傷

文献13，14をもとに作成．

2）強直（きょうちょく）

- 強直とは，関節面の骨性癒着と結合組織性癒着による不可逆的なROM制限である．
- 関節面が骨性に癒着した骨性強直，結合組織性に癒着した結合組織性癒着，滑膜，関節包，靱帯などが癒着した関節包性強直（図9）に分類されている．

3）腫脹・浮腫

- 外傷や整形外科術後の腫脹（図10）や，さまざまな原因による浮腫はROM制限の原因になる．
- 関節内の浮腫は，関節包内に過剰な滑液が存在している状態であり，関節包が広がることによりROM制限の原因となる．
- 関節外の浮腫は，関節周囲の軟部組織が圧迫されることにより，ROM制限の原因になりうる．

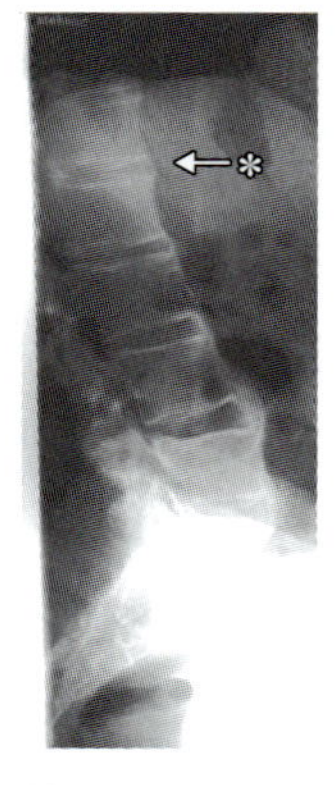

図9　強直性脊椎炎の例

靱帯骨棘形成による関節包性強直．
＊：架橋靱帯骨棘形成．文献12より引用．

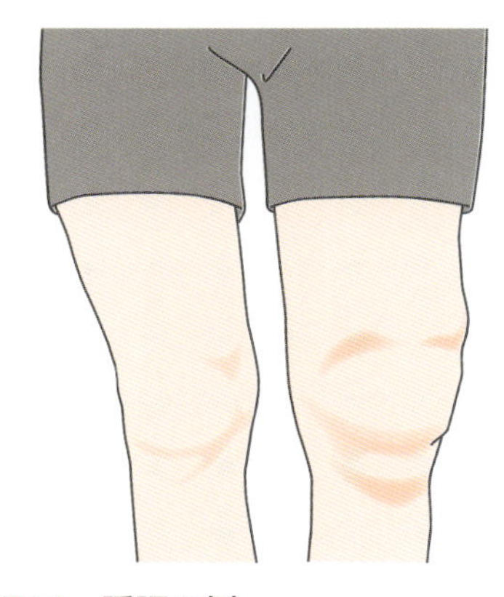

図10　腫脹の例

膝関節関節水腫．

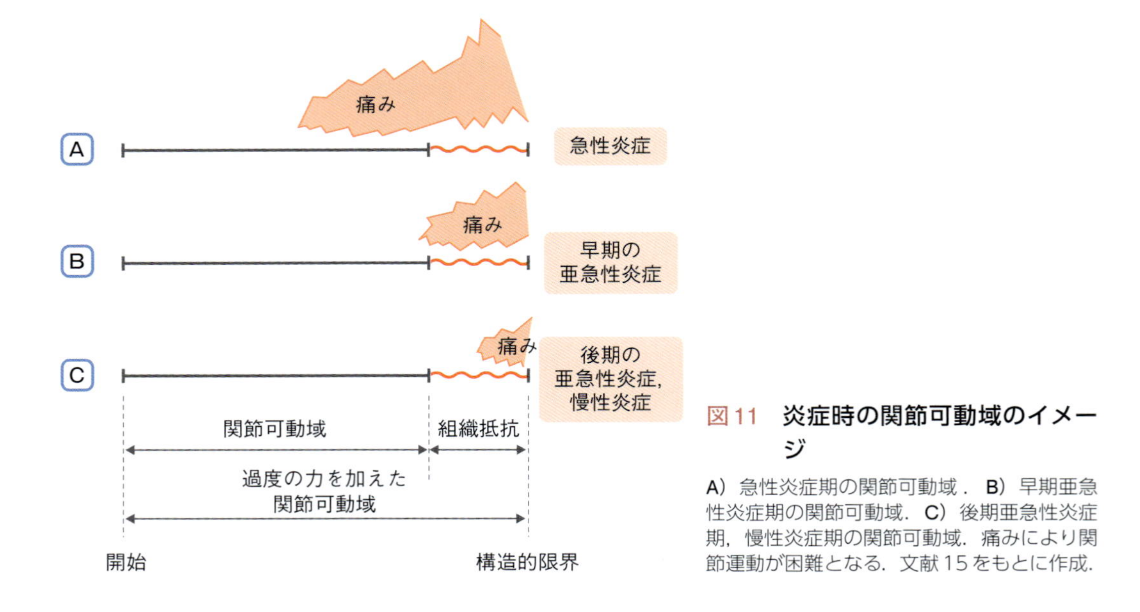

図11　炎症時の関節可動域のイメージ

A）急性炎症期の関節可動域．B）早期亜急性炎症期の関節可動域．C）後期亜急性炎症期，慢性炎症期の関節可動域．痛みにより関節運動が困難となる．文献15をもとに作成．

4）癒着

- 外傷後や患部固定後などに生じ，ROM制限の原因となる．
- 癒着とは組織間結合の異常で，異なる組織間で生じROM制限の原因になる．
- 長期の関節固定では，関節周囲の滑膜と関節軟骨との癒着が生じる．

5）痛み

- 他動運動で抵抗感がなく，痛みによりそれ以上関節を動かせない場合は，痛みが制限因子となる．関節に炎症が生じている場合は痛みが制限因子になりやすい（図11）．
- 痛みが存在する状態で運動すると筋スパズムという不随意収縮が生じ，ROM制限の原因となる（図12）．

6）筋力低下

- 自動運動でのROMの制限因子となる．
- 他動運動では問題がなく，自動運動でのみ問題が生じる場合は，筋力低下が原因で生じている可能性を疑い，筋力測定も実施する．

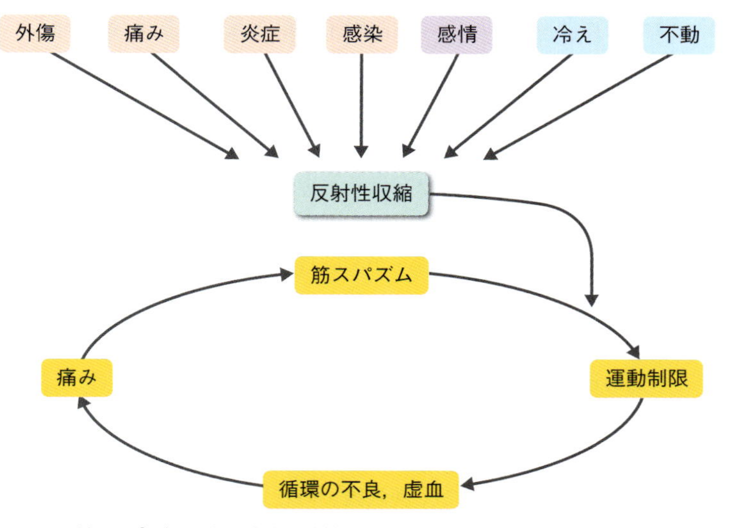

図12　**筋スパズム（不随意収縮）のサイクル**

外傷や痛みなどにより反射性収縮が生じる．反射性収縮により運動制限が生じ，筋が収縮した状態が続くと，局所的な循環不良や代謝変化，痛みが生じ，さらに筋収縮が持続する．文献15をもとに作成．

6 関節可動域制限の評価

- 関節可動域（ROM）制限が生じている関節に対し，制限因子の評価をする．制限因子を特定することで，適切な理学療法が実施できる．
- ROMの測定には，ゴニオメーターが簡便でよく使用される（図13）．また，写真を撮影し，フリーソフトのImageJ[16] を使用して角度を測定することも有用である．
- 制限因子を特定するためには，下記のテストを組合わせて評価する．

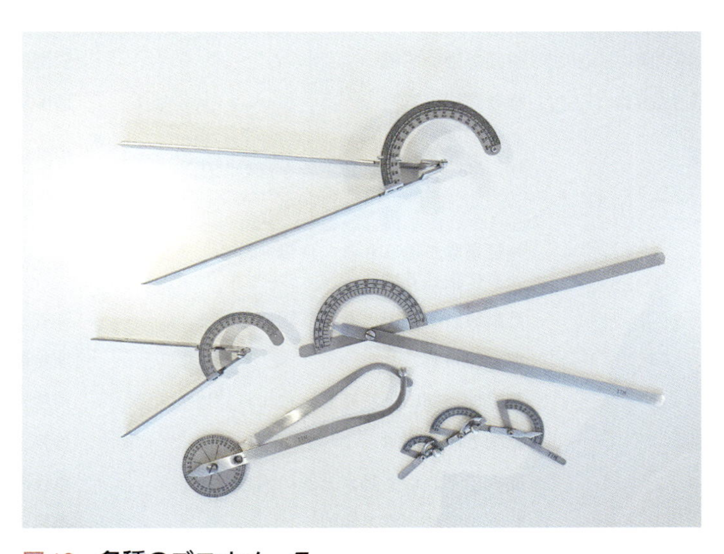

図13　**各種のゴニオメーター**

- 実際には，いくつかの制限因子が混在している場合が多い．

1）自動運動テスト

- 自動運動テストは，患者自身に関節を運動してもらうテストである．角度の測定，代償運動の有無，症状や痛みが生じるかを評価する．
- 自動運動の制限因子は，関節構成体の柔軟性低下に加えて，主に筋力低下，痙縮などの筋緊張異常，筋や腱の痛みがあげられる．

2）他動運動テスト

- 他動運動テストは，評価者が関節を動かし，評価するテストである．角度の測定，エンドフィールを評価することができる．
- エンドフィールとは，他動運動の最終可動域で評価者が感じる抵抗感である．エンドフィールを評価することで，制限因子の特定に役立つ（表3）．
- 他動運動の制限因子は，軟部組織の短縮，癒着，痛み，骨性の異常があげられる．

3）筋の分離テスト

- 単関節筋と2関節筋が混在する関節の場合は，それぞれの筋を伸張し評価する．例えば，足関節背屈可動域を測定する際に，膝関節伸展位と屈曲位で測定することで，腓腹筋とヒラメ筋とを分けて評価することができる．

4）副運動テスト（ジョイントプレイ）

- 関節包内の転がり，滑り，軸回旋，離開などを確認し，関節面の動き，関節周囲の靱帯や関節包の伸張性を評価する．

表3　エンドフィールの正常と異常

タイプ	説明	例
正常		
骨と骨との接触感（固い，hard）	強固で硬い感触	肘関節伸展
軟部組織衝突感（soft）	柔軟な衝突感	膝関節屈曲
軟部組織伸張感	余韻のある硬い，しっかりとした弾性がある感触，関節包や靱帯が主要な運動制限	肩関節外旋，膝関節伸展
異常		
早筋スパズム	突然運動が遮られる，疼痛を伴う，運動開始とともに生じる	損傷による保護性スパズム
遅筋スパズム	可動域最終付近において認められる	不安定性もしくは痛みによるスパズム
硬関節包性	厚い伸張感	凍結肩
軟関節包性	可動域初期に抵抗感がはじまり，増加する	滑膜炎
骨と骨との接触感	強固で硬い感触	骨棘形成
抵抗感の消失	痛みでそれ以上動かせない場合	急性肩峰下粘液嚢炎
弾性静止	軟部組織伸張感と類似	半月板断裂

文献17をもとに作成．

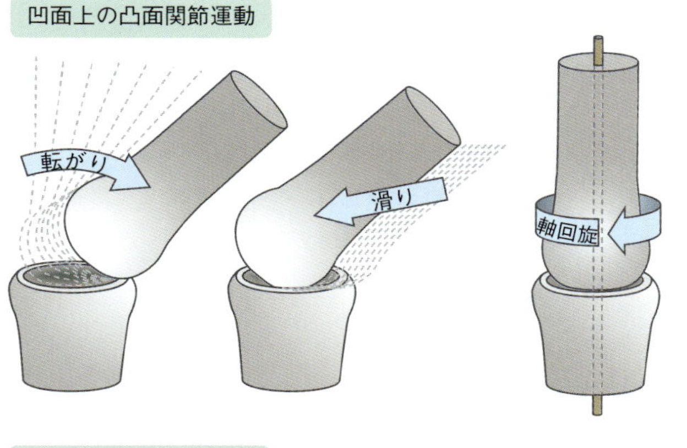

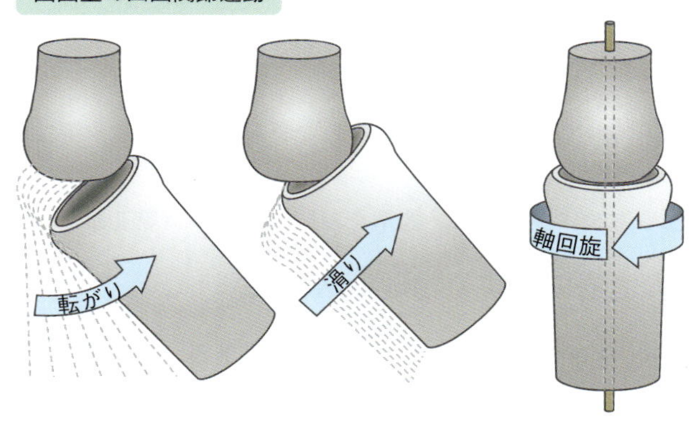

図14 凹凸の法則
凸の関節面をもつ骨は凹の関節面に対して転がる方向とは逆の方向に関節面が滑る．凹の関節面をもつ骨は凸の関節面に対して転がる方向と滑る方向が同一である．また，転がりと滑りの他に，軸回旋運動も主要な関節運動の1つであり，前腕の回内時などに生じる．文献18より引用．

- 凹凸の法則（図14）を参考にするとよいが，必ずしもこの法則にしたがうものではないとも考えられている．

5）触診

- 触診は皮膚や瘢痕組織の動き，圧痛，筋スパズム，皮膚温（炎症），浮腫の程度を評価するのに役立つ．

7 運動療法と物理療法の組合わせ

1）ストレッチング

- ストレッチングとは筋や関節包などの関節周囲軟部組織を伸張することで，可動域拡大を図る手技である（表4）．
- 骨格筋に持続伸張が加わるとゴルジ腱器官が興奮し，Ⅰb線維を伝導し，その骨格筋のα運動神経を抑制することで，筋が弛緩する．
- 重要なことは，ROM制限が生じている組織を特定し，その組織に効果的な伸張を加えることである．

表4　ストレッチングの種類

種類	方法
スタティックストレッチング	反動をつけずに持続的に対象の組織を伸張する
ダイナミックストレッチング	主動作筋を収縮し，拮抗筋を伸張する
PNFストレッチング	主動作筋と拮抗筋において，収縮と弛緩をくり返し伸張する
バリスティックストレッチング	反動をつけて伸張する

2) 温熱

- Lehmann（リーマン）らは，ラットの尾を浴槽につけ，高い温度と低い温度の条件の温熱効果を比較し，高い温度の温熱を加えるとより組織が伸張できたと報告した[19]．
- 軟部組織の温度が上昇すると伸展性が向上するので，ストレッチングの前や実施中に温熱を加えると効果的に軟部組織を伸張できる[20]．
- 温熱はROM制限の原因である組織に与える必要があり，治療対象部位によって，適切な物理療法機器を選択しなくてはならない．
- 具体的な温熱療法の方法に関しては，他章を参照されたい（第Ⅱ章-1～6，8参照）．

3) 関節可動域制限の治療に対する物理療法の役割

- 物理療法は単独で用いるのではなく，他の治療手技と併用して実施すべきである．
- 関節周囲の軟部組織が短縮しているのであれば，その組織に温熱効果を加えて，コラーゲン線維の柔軟性を高めながら，ストレッチングを実施することが有効である．
- 痛みが制限因子である場合は，経皮的電気刺激（第Ⅱ章-9参照）や超音波療法（第Ⅱ章-6参照）などで，鎮痛を図りながらストレッチングを加えるとよい．

文献

1）「関節内運動学 4D-CTで解き明かす」（片岡寿雄／著，宇都宮初夫／監），南江堂，2014

2）第3章 生理．骨格筋の構造．「学生版 ネッター医学図譜 筋骨格系Ⅰ」（Netter FH／著，杉岡洋一／監），p150，丸善出版，2005

3）第3章 生理．筋肉の収縮と弛緩．「学生版 ネッター医学図譜 筋骨格系Ⅰ」（Netter FH／著，杉岡洋一／監），p153，丸善出版，2005

4）Trudel G, et al：Bone growth increases the knee flexion contracture angle：A study using rats. Arch Phys Med Rehabil, 82：583-588, 2001

5）岡本眞須美，他：不動期間の延長に伴うラット足関節可動域の制限因子の変化：軟部組織（皮膚・筋）と関節構成体由来の制限因子について．理学療法学，31：36-42，2004

6）Brown DA：第1部 運動学の必須トピックス．第3章 筋：身体における究極の力源．「筋骨格系のキネシオロジー」（Neumann DA／著，嶋田智明，平田総一郎／監訳），p46，医歯薬出版，2005

7）Trudel G & Uhthoff HK：Contractures secondary to immobility：is the restriction articular or muscular? An experimental longitudinal study in the rat knee. Arch Phys Med Rehabil, 81：6-13, 2000

8）Neumann DA：第1部 運動学の必須トピックス．「筋骨格系のキネシオロジー」（Neumann DA／著，嶋田智明，平田総一郎／監訳），p34，医歯薬出版，2005

9）Tillman LJ & Chasan N：PART I Basic Concepts and Techniques. 1 Properties of Dense Connective Tissue. Mechanical Properties of Collagen.「Management of Common Musculoskeletal Disorders：Physical Therapy Principles and Methods Fourth Edition」（Hortling H & Kessler RH/eds），p10, Lippincott Williams & Wilkins, 2005

10）CHAPTER 4 Stretching for Impaired Mobility.「Therapeutic Exercise Foundations and Techniques 5th Edition」（Kisner C & Colby LA/ed），p75, F.A.Davis, 2007

11) Woo SL, et al：Connective tissue response to immobility. Correlative study of biomechanical and biochemical measurements of normal and immobilized rabbit knees. Arthritis Rheum, 18：257-264, 1975

12) Baraliakos X, et al：Radiographic progression in patients with ankylosing spondylitis after 2 years of treatment with the tumour necrosis factor α antibody infliximab. Ann Rheum Dis, 64：1462-1466, 2005

13) 羽崎 完：関節の構造と機能.「運動療法学 障害別アプローチの理論と実際」（市橋則明／編），p57，文光堂，2008

14) Halar EM：contracture and other deleterious effects of immobility.「Rehabilitation Medicine：Principles and Practice 2nd Edition」（DeLisa JA & Gans BM/eds），pp681-699, Lippincott Williams & Wilkins, 1993

15) CHAPTER 10 Soft Tissue Injury, Repair, and Management.「Therapeutic Exercise Foundations and Techniques 5th Edition」（Kisner C & Colby LA/ed），p298, F.A.Davis, 2007

16) ImageJ（https://imagej.nih.gov/ij/）

17) 1章 基本理念と概念.「運動器リハビリテーションの機能評価Ⅰ」（Magee DJ/著，陶山哲夫／監訳），p24，エルゼビア・ジャパン，2006

18) Neumann DA：第1部 運動学の必須トピックス.「筋骨格系のキネシオロジー」（Neumann DA/著，嶋田智明，平田総一郎／監訳），p9，医歯薬出版，2005

19) Lehmann JF, et al：Effect of therapeutic temperatures on tendon extensibility. Arch Phys Med Rehabil, 51：481-487, 1970

20) Lentell G, et al：The use of thermal agents to influence the effectiveness of a low-load prolonged stretch. J Orthop Sports Phys Ther, 16：200-207, 1992

第Ⅰ章 総論

5 温熱療法に必要な物理学と生理学

学習のポイント

- 熱と温度に関する物理学を理解する
- 熱の伝達様式について理解する
- 電磁波の特徴について理解する
- 電磁両立性（EMC）について理解する
- 温熱療法の生理学的影響を理解する

- 温熱療法の目的・効果は，鎮痛，循環改善，組織の加温，創傷治癒，リラクセーションである．
- 温熱療法にはさまざまな種類がある．大きく表在温熱療法と深部温熱療法に分類可能で，図1のような治療が含まれる．
  - ▶カナダ理学療法士協会（CPA）では，表在温熱療法は皮下3 cmまでの組織に温熱を加えることが可能な温熱療法として定義し，パラフィン浴，ホットパック，水治療法を代表的表在温熱療法としているが一定の定義はない[1]（第Ⅱ章-1～3参照）．
  - ▶深部温熱療法としては，極超短波療法，超短波療法，超音波療法などがある（第Ⅱ章-4～6参照）．
- 温熱療法はさまざまな物理的エネルギーを生体に加えることによって，望ましい反応を引き起こす治療である．そのため，これらに関係する物理学，生体の反応に関する生理学について理解しなければいけない．
- 健常者と患者では温熱療法の反応に差異があるが，これらを理解するためにも温熱療法に関係する物理学と生理学を理解することが重要である．

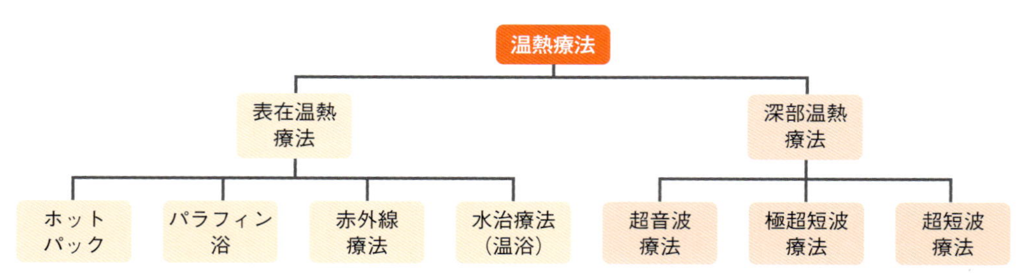

図1 各種の温熱療法

A）温熱療法に必要な物理学

1 熱と温度

1）熱量

- われわれは風邪を引くと「熱が出た」と慣習的に表現するが，科学的には体温が上がったというのが正しい表現である．日本語では熱と温度がしばしば混同して使用されている．
- 物理学での熱は例えばカロリー（cal），ジュール（J）などの単位で量的に示すことができる．例えば，100 calと100 calを合わせると200 calとなる．
- 熱はエネルギーの一種であり，物質に熱量を加えれば一般的にはその物質の温度が上昇する．ジュールとは，熱量の単位であるだけでなく物体に力を加え移動させる仕事に必要なエネルギーの量をあらわす単位である．
- 1 Jは，物体を1 Nの力で1 m移動させる仕事に必要なエネルギーの量と定義されている．したがって，1 J＝1 N・m（ニュートンメートル）となる（図2）．
- ニュートンを説明するために質量と重量について整理する．
  - 質量とは絶対的数値で場所によって変化しない．月に行っても質量は同じである．例えば2 kgのノートパソコンはどこでも2 kgである．単位はkg，g，mgなどを使用する．
  - 地球が物体を引っ張る力の大きさを重量（重力）という．単位はN（ニュートン），kg重，g重などを使用する．体重は地上と月では変化するが，体重は重量である．地球上に暮らしているわれわれにとって質量と重量の違いはない．体重計の値をみて「体重が70 kg重である」という人はいないであろう．一般的には質量＝重量になっている．
  - 重量をNで示すには，質量に重力加速度9.8 m/s^2（メートル毎秒毎秒）をかける．
    重量（N）＝質量（kg）×9.8（m/s^2）．
  - 重力加速度とは重量によって生じた加速度であり，その大きさは9.8 m/s^2である．重力加速度は地球上では，どこでも一定である．
  - 地球上での質量1 kgの物体の重さは1（kg）×9.8（m/s^2）＝9.8（N）となる．つまり，
    1（kg重）＝9.8（N），
    1（N）＝1（kg重）÷9.8＝0.102（kg重）
    となり，1 Nは102 gの物体に働く重力であることがわかる．

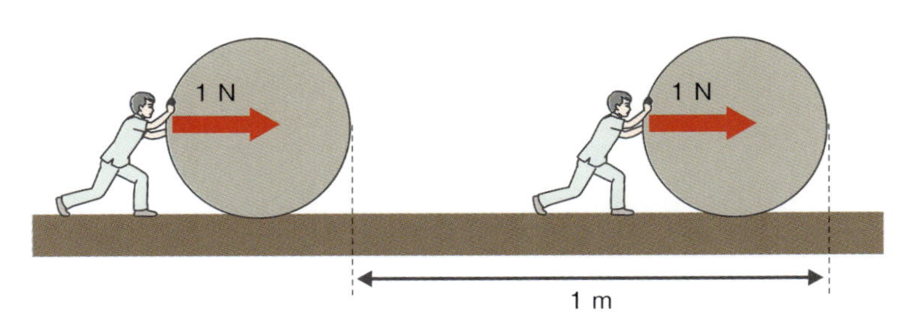

図2　1ジュール（J）のエネルギーとは

- 熱量は物質間を移動するエネルギーの量をあらわしているので，エネルギーの単位であるJを使用する．

2）温度

- 温度は，℃（摂氏）あるいはK（華氏，絶対温度，ケルビン）などの単位であらわす質的なものである．100℃のお湯に100℃のお湯を加えても200℃にはならず，100℃のままである．
- 摂氏（℃）は大気圧で水が凍る温度を0℃，水が沸騰する温度を100℃として，その間を百等分して定義した．
- 華氏（K）は熱力学的に推定されている最低温度を0Kとし，増分は1K＝1℃と設定している．
- したがって0K（絶対零度）はマイナス273.15℃である．アメリカやイギリスでは華氏を一般的に使用している．

3）比熱

- 比熱とは物質1gの温度を1℃だけ上昇させる熱量のことであり，水1gの温度を1℃上昇させる熱量を1cal（4.186J）という．水は液体のなかで最も比熱が大きい．
- 比熱そのものは，c（小文字）で示し，単位はcal/g・℃，cal/g・K，J/g・℃，J/g・Kなどを使用する．
- 比熱が大きいと温まりにくく冷めにくく，比熱が小さいと温まりやすくて冷めやすいことになる（表1）．例えば，同じ1gでも鉄と木材では比熱が違い，鉄の比熱は小さい．したがって，鉄の方が少しの熱量で温度が大きく上昇する．炎天下で同じように日光を浴びていても，金属の温度上昇が著しいが，これは比熱が小さいことが原因である．同様に炎天下の砂浜では熱くて歩きにくいときがある一方，海水の温度上昇がそれほどでもないのは水の比熱が大きいことを示している．

表1　さまざまな物質の比熱

物質	比熱（cal/g・℃）	物質	比熱（cal/g・℃）
パラフィン	0.65	ガラス	0.2
ゴム	0.480	水	1.0
木	0.42	皮膚	0.9
砂	0.25	筋	0.895
空気	0.24	血液	0.87
アルミニウム	0.215	皮下脂肪	0.55
銅	0.0923	骨	0.38

文献2をもとに作成．

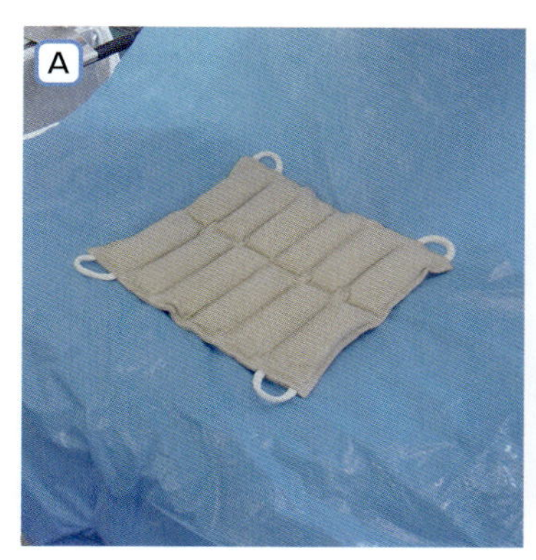

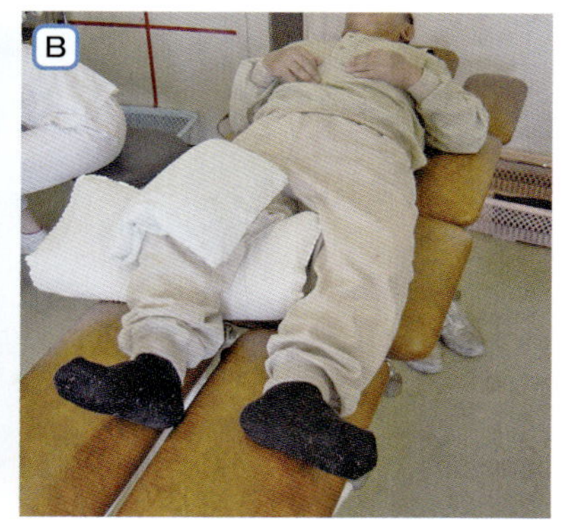

図3　ホットパック

A）内部にシリカゲルを含有しているホットパック．B）バスタオルで巻いたホットパックを膝にあてているところ．変形性膝関節症例の運動療法前に鎮痛目的で使用．第Ⅱ章-1参照．

- 水の温まりにくい性質を消火剤，水まくら，熱交換器の熱媒体，原子炉の冷却などに使用して，冷めにくい性質を湯たんぽ，ホットパック（図3）などで使用している．

4）熱容量

- 熱容量とは物質の温度を1℃上昇させるのに必要な熱量のことである．単位はJ/℃，J/Kを使用し，C（大文字）で示す．熱容量は同じ物質であれば質量に比例して大きくなる．熱容量C（J/K）は物質の質量m（g）と比熱c（J/g·K）を使うと，C＝m×cで示すことができる．
- 熱容量が大きいと，温まりにくく冷めにくいことになり，温熱療法手段として利用しやすいことになる．

2 熱の伝達様式

1）熱伝導

- フライパンを使用して料理をつくるときに，火で熱しはじめた周辺から温度が上昇し，十分に時間が経過すると手でもつところの温度も上昇することを経験したことがあると思うが，これを熱伝導という．
- 温度が高いと分子と原子の振動が激しくなり，結果的に温められた金属の原子が激しく振動する．そして，隣の原子にぶつかり隣の原子の振動も大きくなり，そうやって振動が伝わっていき熱も伝導する．
- 熱は温度の高い側から低い側へと伝導し，温度差がなくなると熱伝導が停止するが，これを熱平衡とよぶ．

2）熱伝導を利用した物理療法

- ホットパック，パラフィン浴（図4），さまざまな寒冷療法（図5）などがある（第Ⅱ章-1，2，7参照）．

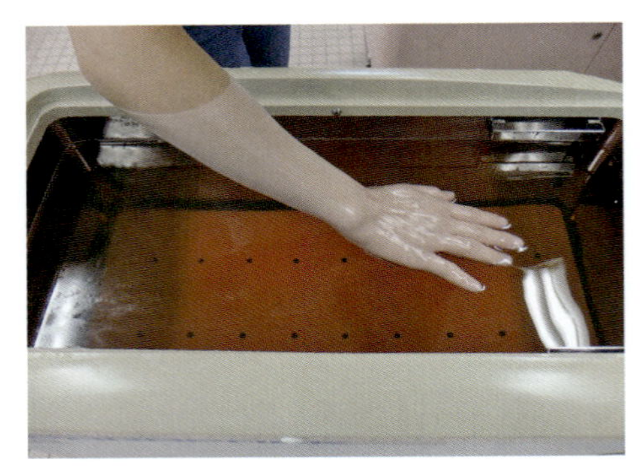

図4　パラフィン浴
第Ⅱ章-2参照.

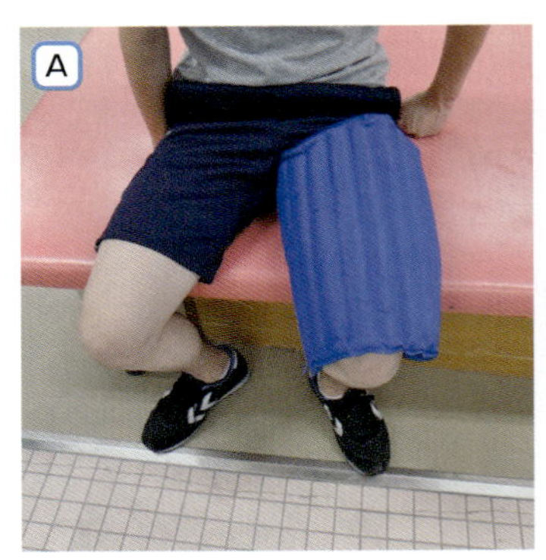

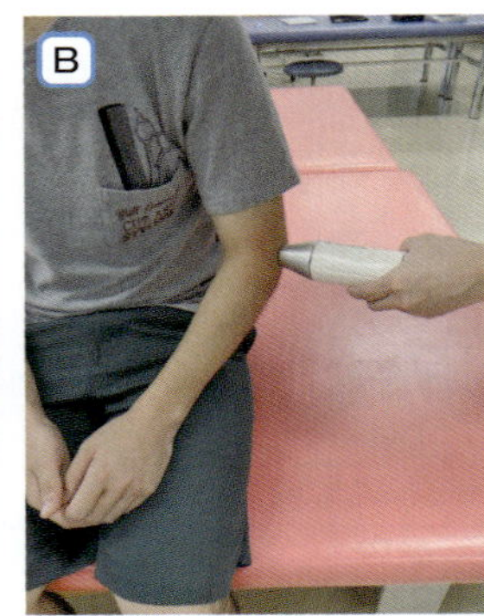

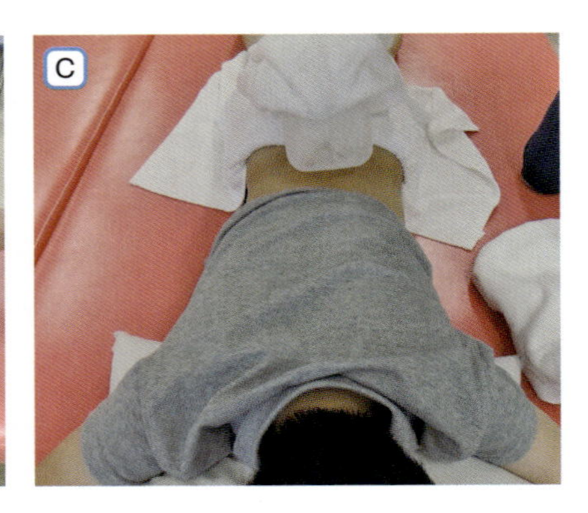

図5　伝導を利用したさまざまな寒冷療法
A）コールドパック．B）クリッカー．C）アイスマッサージ．第Ⅱ章-7参照.

3）熱伝導率

- 熱伝導率とは熱が移動する速さ，熱の伝わりやすさをいうが，数値が大きいほど熱が伝わりやすくなる（表2）.
- 一般的には，熱伝導率は気体が最も低く，液体，固体の順に高くなる．フライパンは本体には熱伝導率の高い金属を使用するが，取っ手の部分は熱伝導の低い木などを使用している場合が多い（図6）.
- 同じ温度の物体でも，金属やガラスのような熱伝導率が高い物質を触ると冷たく感じる経験をしたことがあるかと思う．ほとんどの金属は熱伝導率が高いが，クリッカー（図5B）では患部を早く冷却する目的で特に熱伝導率の高い金属を使用している.
- ところで，ドライヤーの温風は100℃前後であり直接皮膚に当てると簡単に火傷を起こすし，100℃のお風呂に入っても火傷を引き起こす．一方，乾式サウナの温度は，じつは90～100℃前後であるが，火傷をすることはない．火傷を引き起こさない理由の1つとして，湿度が10％前後とかなり低くて水分が少なく，さらに空気の熱伝導率がきわめて低いことがあげられる.
- このように空気は熱伝導率が低いので，ガラス窓などの断熱材としても使用されている．また，ホットパックでは多くのタオルでホットパックを包み込むが，この中にも多くの空気を含んで熱が逃げないようにしている（図3B）.

表2　さまざまな物質の熱伝導率

物質	熱伝導率 (kcal/s・m・K)
銅	0.095
アルミニウム	0.057
ガラス	2×10^{-4}
水（20℃）	1.4×10^{-4}
空気（20℃）	5.7×10^{-6}
筋，骨	1.1×10^{-4}
脂肪	5×10^{-5}
木，石綿	2×10^{-5}
綿毛	4.6×10^{-6}

文献3より引用．

図6　フライパンの構造

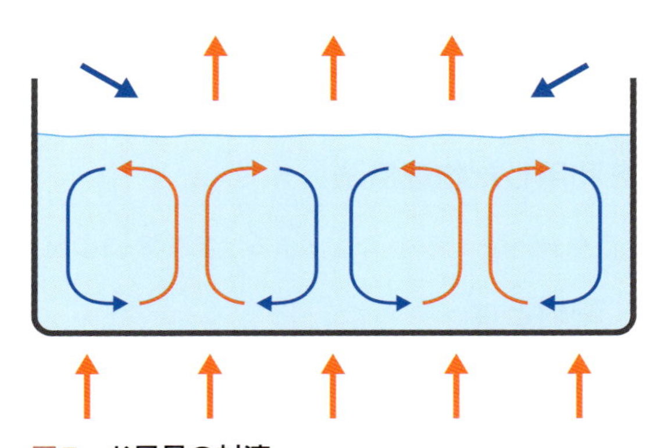

図7　お風呂の対流

温められた水や空気は上に流れ，冷えた水や空気は下に流れる．

- 熱伝導率の単位は，kcal/（s･m･K）を使用する．

4）対流

- 金属などの固体では前述した熱伝導が熱の伝達様式であるが，流体である液体や気体は自由に動き回ることが可能であるので対流が発生する．すなわち，対流とは空気や液体などの流れによって熱が伝わることをいう．
- 近年では少なくなったが，お風呂を沸かすと最初は上が温かく下が冷たいままである．時間が経つとしだいに均一の温度になるが，これは対流による（図7）．
- 物質の温度が上昇すると物質を構成している分子が活発に運動し，結果的に物質の体積が増大，密度が減少する．そして，流体に重力と反対方向への力，すなわち浮力が発生する．
- また，2段ベッドに寝ていても上段の温度が高く下段の温度は低いが，これも対流による．密閉した部屋で冬期にストーブを使用しているときでも，温められた空気は天井方向に登り，窓際などで冷えた空気が床方向に流れ足元が寒く感じるのも対流の影響である（図8）．

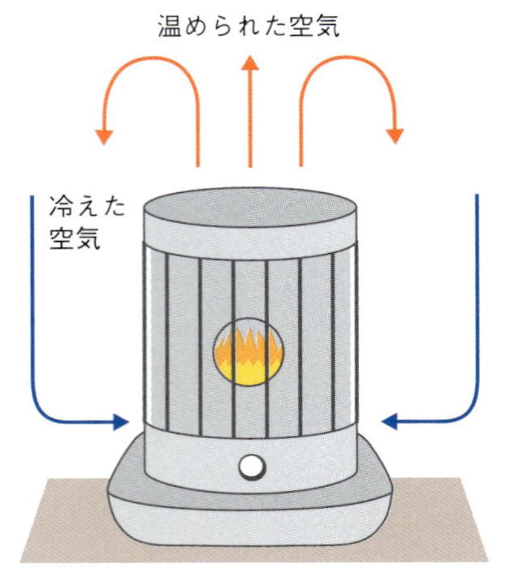

図8　ストーブの対流

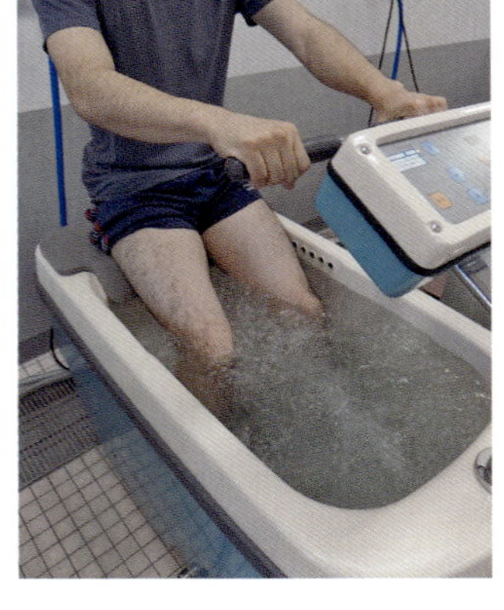

図9　渦流浴

- 熱伝導と対流との違いは，熱伝導は物質の移動を伴わないが，対流は物質（流体）が移動することである．流体の温度差によって発生する浮力によってのみ起こる対流を自然対流といい，ファンなどの外部力によって起こる対流を強制対流という．

5）対流を利用した物理療法

- 温水浴や渦流浴（図9）などがある（第Ⅱ章-3参照）．

6）放射，輻射とは

- 物質を構成している分子や原子が運動するときに，内部のエネルギーの一部を電磁波（後述）として放出する．
- さらに，物質の分子や原子は電磁波を受けとると，エネルギーを吸収し内部エネルギーに変換して熱を生み出す性質をもっている．
- このような電磁波による熱の伝達様式を放射，あるいは輻射（ふくしゃ）という．
- 伝導や対流では熱を伝達する物質が必要であるが，放射では媒介物質を必要としていないので真空中でも熱が伝達する．
- 日光を浴びていると皮膚やさまざまな物品の温度が上昇するが，これも放射による．

7）放射，輻射を利用した物理療法

- 光線療法，超短波療法，極超短波療法などがある（第Ⅱ章-4，5，8参照）．

3　電磁波とは

- 電磁波とは，電気と磁気の両方の性質をもつ波である．電気の影響がおよぶ範囲を電場といい，磁気の影響がおよぶ範囲を磁場という．この電場と磁場が互いに影響しあって電磁波の波がつくられる．

- 電磁波は一般に周波数であらわされるが，周波数の高いものから順に，①電離放射線（ガンマ線やX線），②紫外線，③可視光線（人間の目に見える光），④赤外線，⑤電波（テレビ，ラジオ，パソコン，携帯電話から発生している電磁波）となる（表3）．
- 電磁波の周波数とは，1秒間に波が往復する回数のことで，単位はHz（ヘルツ）であらわす（図10）．
- 電磁波の速度は30万km/sで光の速さと同じであり，あらゆる方向に拡散する．
- また，電磁波が媒体を通過するときには，反射（電磁波のはね返り），屈折（電磁波の方向が曲がる），吸収（電磁波が媒体に吸収される）が起こる．

表3　電磁波の種類

分類		名称	周波数f（Hz）	波長λ（m）	主な用途（例）
電磁波	電離放射線	ガンマ（γ）線	3×10^{16}以上	10 nm以下	ガンマ線（放射線）治療
		X線			X線検査，非破壊検査
	非電離放射線	紫外線	$3 \times 10^{15\sim16}$	10～400 nm	殺菌灯，日焼けサロン
		可視光線	$3 \times 10^{13\sim15}$	400～800 nm	光学機器
		赤外線	$3 \times 10^{12\sim13}$	0.8 μm～1 mm	赤外線リモコン，赤外線ヒーター
		サブミリ波	$3 \times 10^{11\sim12}$	0.1～1 mm	ボディスキャナー
		ミリ波（EHF）	$3 \times 10^{10\sim11}$	1～10 mm	レーダー
		センチ波（SHF）	$3 \times 10^{9\sim10}$	1～10 cm	衛星放送（BS），衛星通信
		極超短波（UHF）	$3 \times 10^{8\sim9}$	0.1～1 m	テレビ放送，電子レンジ，携帯電話
		超短波（VHF）	$3 \times 10^{7\sim8}$	1～10 m	FMラジオ放送，航空管制
		短波（HF）	$3 \times 10^{6\sim7}$	10～100 m	ICカード，国際放送，ラジコン
		中波（MF）	$3 \times 10^{5\sim6}$	0.1～1 km	AMラジオ放送，船舶・航空機ビーコン
		長波（LF）	$3 \times 10^{4\sim5}$	1～10 km	IH調理器，船舶・航空機ビーコン
		超長波（VLF）	$3 \times 10^{3\sim4}$	10～100 km	IH調理器，無線航行
		極超長波（ULF）	$3 \times 10^{2\sim3}$	100～1,000 km	地中探査
		超低周波（ELF）	300以下	1,000 km以上	家電製品，送電線などの電力設備

＊周波数（単位：Hz，ヘルツ）は1秒間に振動する数で，電磁波の伝わる速さ「30万km/s」を波長で割った数〔周波数f（Hz）＝速さ3×10^8（m/s）/波長λ（m）〕．
＊1 μmは千分の1 mm，1 nmは百万分の1 mm．
＊この表は文献4をもとに作成．

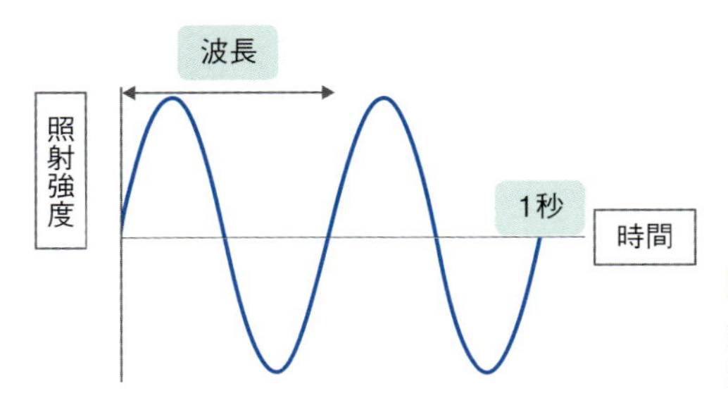

図10　電磁波の周波数と波長について
図では1秒間に波が2回往復しているので周波数は2 Hzになる．

- 波長とは，波が1往復する間に進む距離のことをいう（図10）．
- 電力設備などから出る電磁波の波長は，60 Hzの場合（関西地域）では，波長＝30万km÷60 Hz＝5,000 kmとなる．
- 電磁波の照射強度は機器側で調節するが，極超短波療法では最大で200 Wに設定されている．
- 照射強度を増大すると，温熱効果が上昇する．

4 電磁両立性（EMC）

- 家庭や職場で多くの電子機器が使用される世の中であるが，電子機器から発生する電磁波が他の電子機器に悪影響を与える問題が発生している．このような妨害（ノイズ）を電磁波妨害（electromagnetic interference：EMI）とよび，各国でさまざまな規制を設定している．
- 電子機器には，ノイズ源となって他の電子機器に影響を与える可能性と，周囲の電子機器が発生するノイズの影響を受ける可能性の二面性がある（図11）．
- 機器などの動作を妨害するようなEMIを提供せず，かつ，電磁環境の妨害に耐えて満足に機能するための装置あるいはシステムの能力を電磁両立性（electromagnetic compatibility：EMC）という．

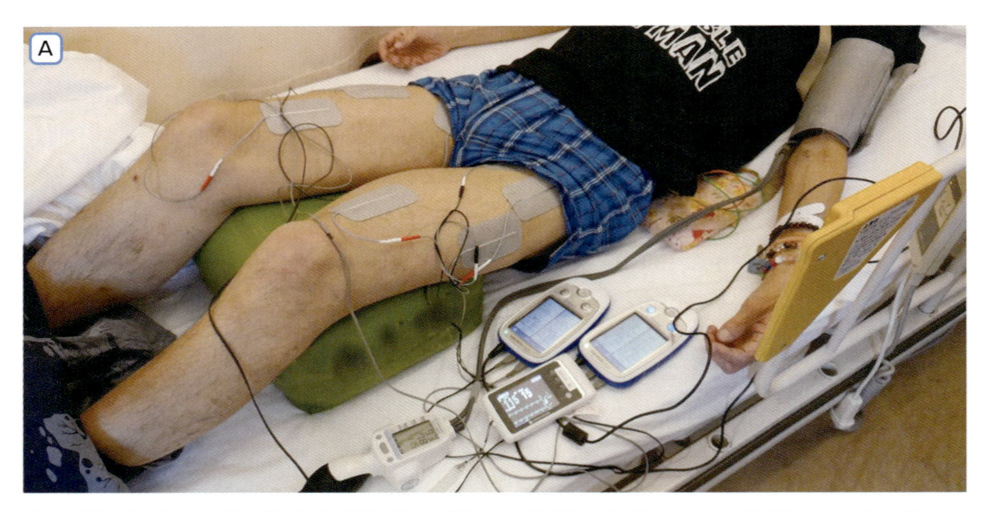

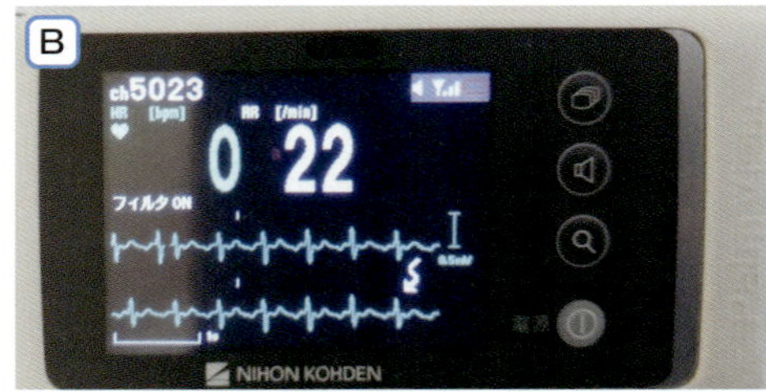

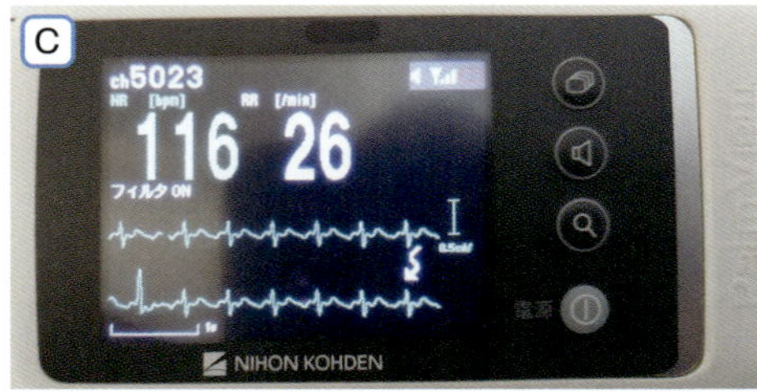

図11　神経筋電気治療が心拍数測定機器に与える影響

A）ICU入院中症例の大腿四頭筋に対する神経筋電気刺激（neuromuscular electrical stimulation：NMES）実施．B）NMES実施時には心拍表示が消え，0になっている（電気治療が測定機器に悪影響を与えている）．C）NMES未実施．

- 医療分野では，平成19年4月よりほぼすべての医療機器にEMC規格の適合が義務付けられ，規格を満たしていないと製造，販売ができなくなった．

B）温熱療法に必要な生理学

1 温熱刺激に対する生理学的反応の概要

- 組織に局所的な温度刺激（低温，高温）が加わると，発汗，局所の紅斑（循環血液量の増大）や皮膚の蒼白（循環血液量の減少），立毛などの反応が起こる．このときのさまざまな反応は，皮膚の温度受容器（温受容器と冷受容器）に加わる温度変化の大きさに依存している．
- 図12はさまざまな温度における温度受容器の活動状態を示しているが，冷受容器は25～30℃付近で最も高頻度に活動するのに対して，温受容器は40℃付近で最も活動する．
- 温熱が加えられた面積が大きいほど反応が大きくなり，温熱が加えられた面積が小さいと反応は小さくなるが，個人の温度感覚による影響も受ける．
- 局所へのマイルドな温熱刺激は鎮痛と全身のリラクセーションを引き起こすが，侵害性温熱刺激が加わると，疼痛が発生し，瞳孔散大，顔色や皮膚の色の変化，血圧上昇，脈拍増大などの闘争・逃走反応が引き起こされる．
- 温熱刺激が加わると，短時間に局所的な発汗と紅斑が起こる．紅斑の原因は脊髄反射とそれ以外の要因によると考えられている．
  - 皮膚の感覚神経の求心性インパルスは，逆方向性に感覚神経線維の血管を支配する側枝を通って皮膚血管に伝えられて，サブスタンスP，ヒスタミン，アセチルコリンを神経終末より放出させる．これらの物質は局所的な末梢血管拡張を引き起こし，これが紅斑となる．この反応は，脊髄の反射活動とは独立していて，軸索反射（axon reflex）とよばれている（図13）．

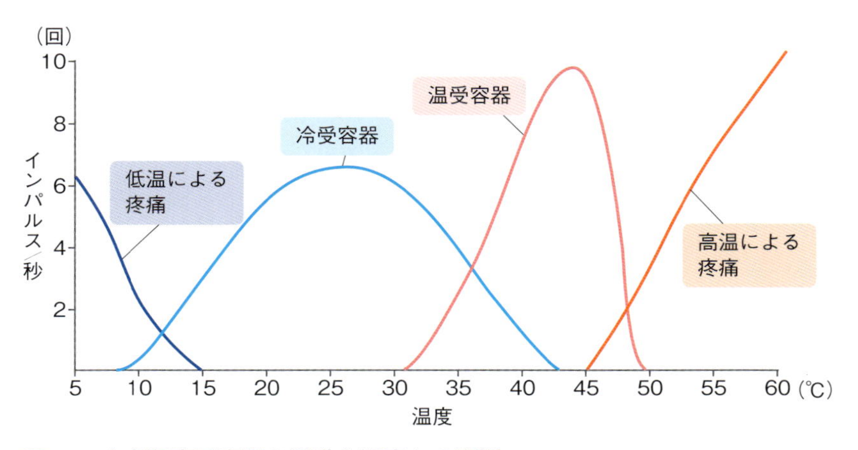

図12　皮膚温度受容器の活動と温度との関係

文献2をもとに作成．

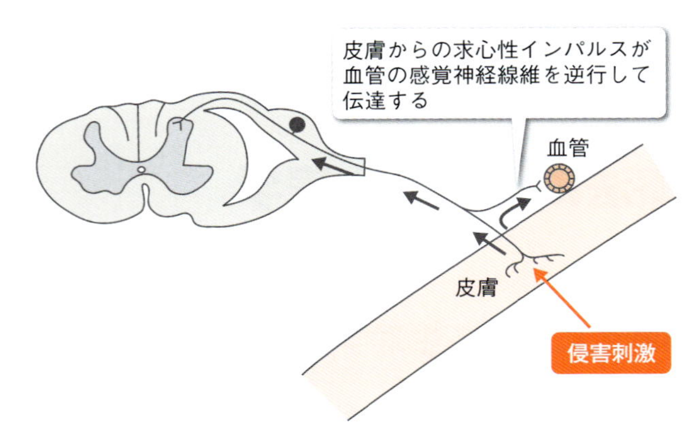

図13　軸索反射のメカニズム
文献5をもとに作成.

- ▶組織の温度上昇は汗腺と血管平滑筋に直接的に作用し，温熱刺激直後の局所的発汗は，細動脈の血管拡張と毛細血管の透過性増大によって紅斑を引き起こすブラジキニンを放出させる.
- ▶紅斑は，ブラジキニンの活動によっても引き起こされるが，血管内皮細胞で生成される一酸化窒素（NO）の局所的産生による影響も大きい.

2 温熱刺激に対する組織レベルのさまざまな反応

- 組織に温熱刺激が加わると，さまざまな生理学的反応，例えば血液の粘性低下，局所的発汗，代謝率の上昇などが引き起こされる．適切な温熱刺激は治癒を促進すると考えられている.
  - ▶温度上昇が起こると血液の粘性が低下し，血液が流動しやすくなり，結果的に循環が改善する.
  - ▶局所温度の上昇も局所的発汗を引き起こす.
  - ▶代謝とは体内の化学的活動全体のことであり，代謝率は身体が化学エネルギーを消費する速さをいう.
  - ▶組織温度が上昇すると代謝過程は速くなり，組織温度が低下すると代謝過程も遅くなる．組織温度が10℃上昇すると代謝率が2～3倍になると考えられているが，これをファントホッフの法則（Van't Hoff's law）とよぶ.

1）代謝的反応

- 温熱は酵素反応速度や化学反応速度を高め，結果的に代謝率が上昇する.
- 治癒しつつある正常の炎症過程では，白血球の貪食作用（phagocytosis）が起こっているが，代謝率の上昇は貪食活動を促進し，治癒過程を促進すると考えられている.

＊貪食作用とは，好中球やマクロファージなどが細菌や細胞残渣などの大きな粒子を細胞に摂取する作用をいう.

- また，代謝率が上昇すると細動脈を拡張させ，神経やホルモンによって血管系の活動も増大する．したがって，温熱刺激が加わった部位では血管拡張が起こり血流量が増大するが，これは貪食作用や栄養物提供に必要である．
  - 代謝過程では酸素を消費し，二酸化炭素，酸，他の副産物を生成するので，治癒しつつある組織では酸素を含んだ血液が保たれなければいけない．
  - また，代謝による老廃物をとり除き，組織温度の過度な上昇を防ぐためには十分な静脈血流が必要である．
- 近年では，温熱刺激が骨格筋の肥大を促進し，筋萎縮を予防，遅延させるという報告もあるがそのメカニズムは不明である．
- 温熱刺激を筋に加えるとストレス応答により熱ショックタンパク質（heat shock protein：HSP）の発現が誘導される．このHSPがタンパク質の合成や修復を促進すると考えられていて，温熱療法の新たな治療目的として研究が進められている．

2）血管の反応

- 前述したが，血液の温度上昇が起こると血液の粘性が低下し血管拡張が起こり，結果的に毛細血管への血流量が増大する．
- 毛細血管床への血流量増加は毛細血管圧を増加させ，開口路の数を増大させ，毛細血管壁の透過性を増大させると考えられている．
- 血流量の増大は治癒過程に関係している組織への栄養物供給を促進し，炎症による生成物除去によいと考えられるが，同時に，これらの反応は浮腫増大，再出血などを引き起こす可能性も含んでいるということである．

3）動静脈吻合

- 皮膚には細動脈と動静脈吻合（短絡路，シャント）が存在している．双方が循環抵抗に影響を与える抵抗血管である（図14）．
- 温めると皮膚循環が増大することを能動的皮膚血管拡張という．これは皮膚の細動脈が温熱刺激に対して能動的に拡張している．
- 四肢，耳，鼻などに多く存在する動静脈吻合は，毛細血管を介さずに血液を細動脈から細静脈へと移動させる経路であり，強い交感神経支配で，局所的代謝産物による血管収縮の影響はほとんどないと考えられている．他方，皮膚細動脈は交感神経コントロール以外の自己調節作用があるとされている．

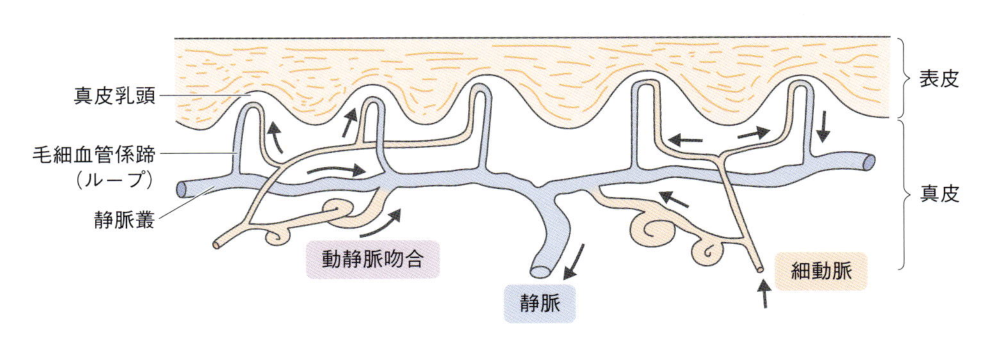

図14　**動静脈吻合の役割**　文献6より引用．

- 温熱が加わり，熱を外部に逃がす必要のあるときは，動静脈吻合が開き，静脈叢を通過する血流量が増大し，結果的に皮膚表面からの熱の放散が増大する．
- ホットパックやパラフィン浴などの表在温熱療法を実施しても深部組織温度が上昇しないのは動静脈吻合による影響が大きいと考えられている．

4）反射

- 温熱を組織に加えると，温熱が加わっていない組織の循環が改善し発汗が促進される場合がある．これは反射的メカニズムによると考えられている．

3 温熱刺激に対する全身の反応

- 視床下部体温調節中枢部位（視索前野）周辺の温度上昇や皮膚と核心温度※1との差異が大きくなると，中枢神経系は恒常性を維持するように全身的に作用する．すなわち，全身の血管運動系と発汗運動系が温度変化に対して作用する．

補足

※1　核心温度

安静時の身体温度は部位によってさまざまであるが，脳，胸腔，腹腔内では最も高い温度が維持され，この温度を核心温度という．一方，皮膚温度は最も低く変動が大きいが，この温度を外殻温度という．

1）心血管系の反応

- 体温が上昇すると，皮膚血管の拡張と血液の粘性低下によって血圧が低下し，血圧低下に対する身体の反応が起こるまでは一過性に末梢循環量が低下し，さらに心拍数も増大する．
  - ▶血圧低下によって1回拍出量が減少し，心拍出量が低下するのが普通であるが，心拍出量を維持するために心拍数が増加する．
  - ▶核心温度の増大，すなわち発熱が起こると，皮膚温度も上昇，発赤し脈拍数が増加する．

2）発汗促進反応

- 汗はエクリン腺から分泌される．30〜32℃以上になると発汗が開始される．
- エクリン腺はヒトでは250万ほど存在する．半分が背中と胸部の皮膚に存在していて，汗が蒸発するときの気化熱によって体温を調節している．
- 汗腺はそのほとんどがコリン作動性交感神経線維によって支配されていて，この交感神経刺激によって汗の産生速度が増加する．

3）呼吸器系の反応

- 呼気は水分を多く含んでおり，呼吸によって放出される暖かい空気によって身体の温熱をある程度外部に排出することができる．
- 水分を多く含んだ気道粘膜と呼気中の水分蒸発による気化熱を利用して体温を下げるのに役立っている．

- 通常の環境下では，気化熱による体温消失のなかでも1/3が呼吸器系によると考えられている．
- さまざまな原因で発熱が起こると，代謝性アシドーシス※2の反応として呼吸が速く深くなる．

補足

※2　代謝性アシドーシス

代謝性アシドーシスとはHCO_3^-の喪失，酸の負荷，血漿HCO_3^-の希釈などによって細胞外液HCO_3^-の低下が一次性に発生し，血液のpHが低下する病態をいう．以下の3種類の病態があげられる．

① HCO_3^-を緩衝系で消費するような酸が存在する場合
② 体液からHCO_3^-が消失（消化管や腎臓など）した場合
③ HCO_3^-を含まない溶液が細胞外液に急速に投与された場合（希釈性アシドーシス）

4 温熱が軟部組織の伸展性に与える影響

- Lehmann（リーマン）ら[7]はラットの腱に一定の張力を加え，温度が高いほどコラーゲン組織の伸展性が増大すると報告している．
- 筋，関節包，瘢痕組織なども腱と同様に温度を上昇させると組織の伸展性が増大する．
- 臨床的には，組織の温度を上昇させたまま伸張運動を実施する場合が多い．これは組織の伸展性獲得のためには効果的である．
- 理学療法士は温度上昇させたい組織がどの程度の深さに存在しているのかを考え，物理療法の手段，そのさまざまなパラメータを決定しなければいけない．
- 軟部組織の伸展性が最大になる組織温度は40～45℃で5～10分程度の加温時間が必要であると考えられている．

5 温熱が神経系に与える影響

- 前述のように図12はさまざまな温度における温度受容器の活動状態を示しているが，温受容器は40℃付近で最も活動する．
- 45℃になると痛覚神経線維が興奮しはじめ，温度上昇に伴ってより興奮する．
- 感覚・運動神経も温熱の影響を受ける．温熱が加わると，神経伝導速度は双方ともに上昇し，伝導潜時は減少する．
- 神経伝導速度は組織温度が1℃上昇すると，2 m/s上昇するといわれている．
- Rasminsky（ラミンスキー）ら[8]は，これらの変化はNa^+チャネルの活動変化によるとしていて，温度が低下すればするほどNa^+チャネルの開く期間が遅延するからと考察している．
- 神経の発火頻度も温熱の影響を受ける．筋の温度が42℃になるとγ遠心性線維の発火頻度が低下し，ゴルジ腱器官からのIb線維の発火頻度が上昇する．γ線維活動の低下は筋紡錘からの求心性活動を低下させ，結果的にα運動ニューロン活動の低下を引き起こし，筋弛緩が起こると考えられている．また，温熱によって疼痛閾値が上昇することも報告されている．これはゲートコントロール理論，循環改善，筋弛緩などによると考えられている（図15）．

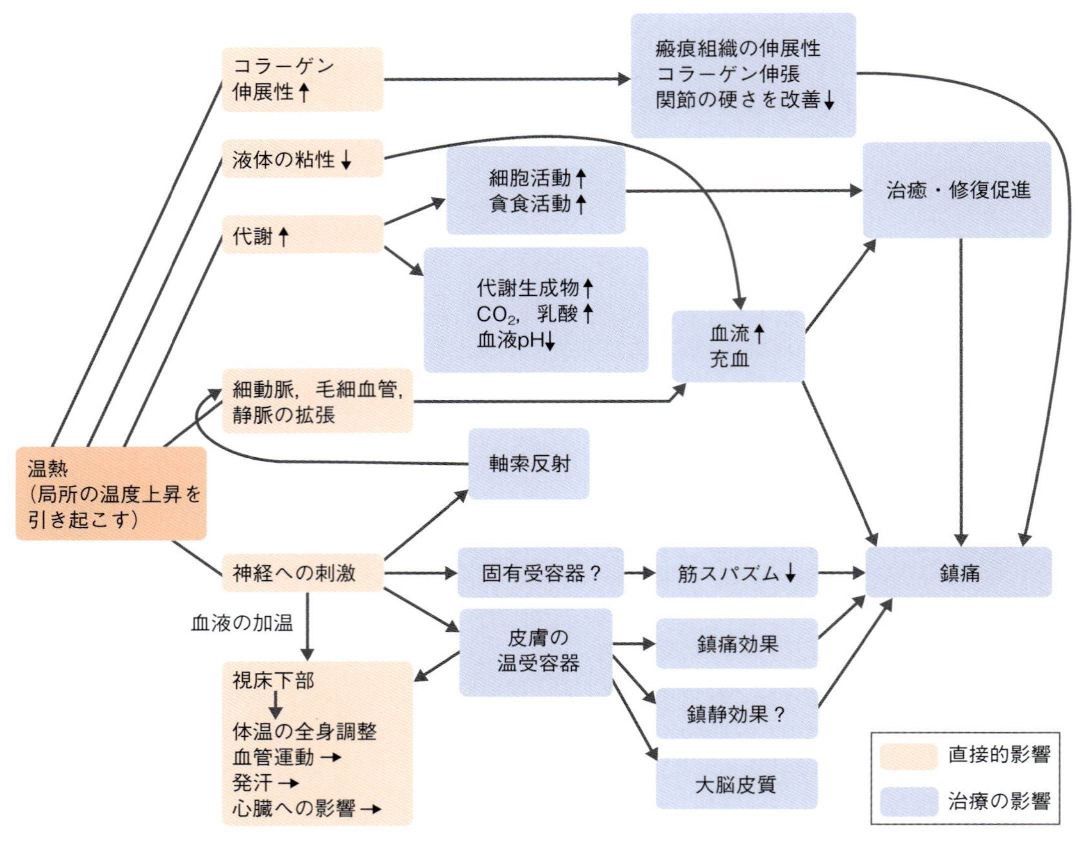

図15　温熱による鎮痛メカニズム

文献9より引用.

文献

1）Rennie S：ELECTROPHYSICAL AGENTS-Contraindications And Precautions：An Evidence-Based Approach To Clinical Decision Making In Physical Therapy. Physiother Can, 62：1-80, 2010

2）「Integrating Physical Agents in Rehabilitation 2nd Edition」（Hecox B, et al/eds）, Pearson, 2005

3）体温調節.「医療系のための物理 第2版」（佐藤幸一，藤城敏幸／著），p67，東京教学社，2017

4）「電磁界と健康 改訂第18版」（経済産業省商務情報政策局／編）（https://www.meti.go.jp/policy/safety_security/industrial_safety/sangyo/electric/detail/e_health/data/denjikai_2011.pdf），電気安全環境研究所，2012

5）感覚系.「オックスフォード 生理学 原書3版」（Pocock G & Richards CD／著，岡村栄之，植村慶一／監訳），p125，丸善，2009

6）心臓と循環.「オックスフォード 生理学 原書3版」（Pocock G & Richards CD／著，岡村栄之，植村慶一／監訳），p341，丸善，2009

7）Lehmann JF, et al：Effect of therapeutic temperatures on tendon extensibility. Arch Phys Med Rehabil, 51：481-487, 1970

8）Rasminsky M：The effects of temperature on conduction in demyelinated single nerve fibers. Arch Neurol, 28：287-292, 1973

9）「Michlovitz's Modalities for Therapeutic Intervention 6th Edition」（Bellew JW, et al/eds）, F.A.Davis, 2016

第Ⅱ章

治療法各論

1 ホットパック

学習のポイント

- ホットパックが生体に与える影響と使用目的を理解する
- ホットパックの適応と効果，禁忌と注意事項について理解する
- ホットパックを健常者に対して実施できる

1 ホットパックとは

- ホットパックとは身体表面を加温するさまざまな表在温熱療法をいう．本邦ではホットパック（hot packs，あるいはhydrocollator packs）といえば，図1のようなシリカゲルなどを含む化学的ホットパック（chemical hot packs）をさす場合が多い．
- **湿熱ホットパックと乾熱ホットパック**：図1のホットパックは比熱が高い水分を多く含んでいるので湿熱ホットパック（湿熱法）とよぶ．一方，図2は乾熱ホットパック（乾熱法）とよばれている．両者の治療効果には差異がない．

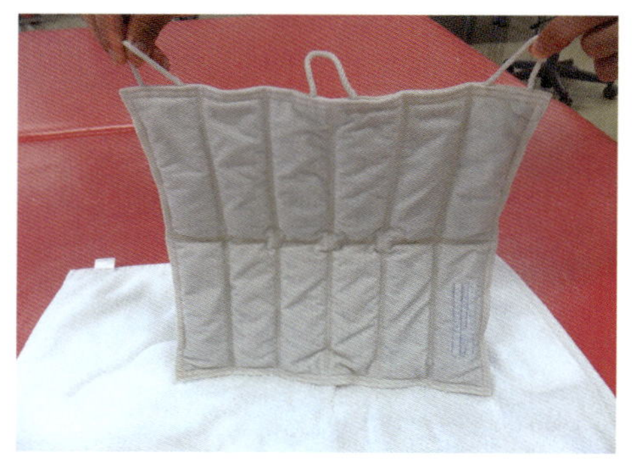

図1　水分を多く含んだ湿熱ホットパック

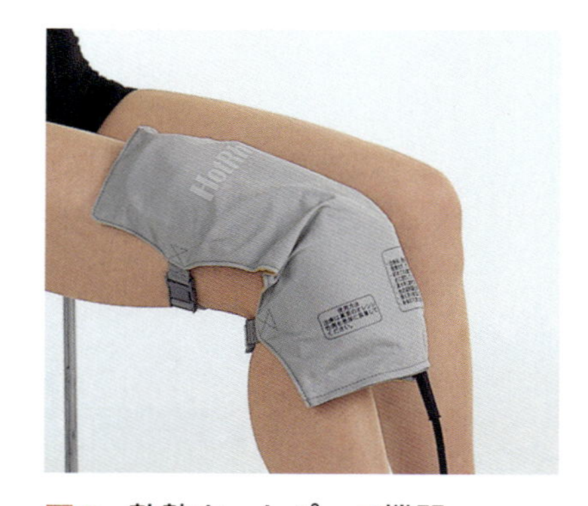

図2　乾熱ホットパック機器
ホットリズミー，ミナト医科学社より許可を得て掲載．

2 ホットパックの適応と効果

1）対象となる機能障害

- 疼痛，表在組織の癒着，拘縮などに対して運動療法前に実施する．また，リラクセーション目的で実施する場合もある．最も使用される目的は，リラクセーションと短期的鎮痛であろう．
- 身体深部に金属，プラスチック，骨セメントなどを使用している症例，高血圧を呈する症例，成長中の骨端軟骨周囲にも実施可能である[1]．

2）基礎・臨床研究報告

- 古典的には熱傷後の皮膚拘縮に実施されたこともあったが，効果は明らかでなく，近年では実施されていない．
- Lehmann（リーマン）ら[2]は，健常者の実験で皮下1 cmの組織温度が軽度上昇したと報告しているが，あくまでも表在温熱療法として使用すべきである．
- コクランシステマティックレビュー※1（Cochrane systematic review）では[3]，9つのランダム化比較試験（RCT）を含めた1,117人の腰痛患者データから，発症5日前後の亜急性腰痛患者の鎮痛にある程度の効果があるかもしれないと報告している．

補足

※1 コクランシステマティックレビュー

・システマティックレビューとは，特定の問題に絞って，類似した，しかし別々の研究の知見をみつけ出し，選択，評価し，まとめるために，明確で計画された科学的方法を用いる科学研究をいう．同様の研究にメタアナリシスがあるが，システマティックレビューに包含する場合もある．

・英国の医師アーチー・コクラン（Archiebald Cochrane）がランダム化比較試験（randomized controlled trial：RCT）の結果を重要視し，常に最新のRCTを集めて分析する必要性を主張していた．この考え方を引き継ぎ，1992年からイギリスでRCTを集めて分析するシステマティックレビューが開始され，さまざまな方法論的改変を実施しながら現在に至る．これらはThe Cochrane Database of Systematic Reviewsといわれ，コクランシステマティックレビューとよばれている．CD版とオンライン版とで読むことができる．

3）ホットパックの効果

- 鎮痛，表在組織の温熱効果と循環改善，リラクセーション．

3 ホットパックの禁忌と注意事項

1）禁忌

- **出血の可能性がある領域**
  - ▶局所的温熱療法によって全身や他の部位の温熱効果が起こるので実施しないこと．

▶血友病※2のような出血傾向のある疾患では基本的に禁忌であるが，凝固障害がコントロールできていれば実施可能である[1].

- **深部静脈血栓や血栓性静脈炎がある部位**
  ▶循環改善によって血栓を移動させる可能性があるため.
- **開放創のある部位**
- **急性炎症※3のある部位，感染部位**
  ▶炎症を増悪してしまう可能性があるため.
- **皮膚疾患のある部位**
  ▶温熱療法によって炎症を増悪してしまう可能性があるため.
- **強い浮腫※4，循環障害がある症例**
  ▶組織温度が上昇して熱傷を引き起こす可能性があるため.
  ▶末梢動脈疾患※5（peripheral vascular disease）症例の核心温度が上昇すると，血栓が形成されやすくなり，脳血管疾患や心臓発作のリスクが上昇する[1].
  ▶末梢動脈疾患では四肢遠位は影響を強く受け，手と足部の皮膚は乾燥し，薄くうろこ状にひび割れてつやのある表面になり，爪は正常に伸びずにもろくなる.
- **心不全※6，重度な高血圧**
  ▶温熱療法による末梢血管拡張，核心温度上昇が起こると，血圧を維持するために心拍出量が要求され，心負荷が増大する.
- **悪性腫瘍がある，もしくは疑いがある場合**
  ▶局所的な温熱によってがん細胞の成長を促進する可能性がある.
  ▶局所的温熱療法によって全身や他の部位の温熱効果が起こるので実施しないこと.
  ▶5年以内にがんの既往歴がある症例で，確定診断されていない痛みがある場合，がんが再発している可能性があるため注意が必要である[1].
  ▶イギリスのガイドライン（Chartered Society of Physiotherapists Guideline：CSP）では，悪性腫瘍への直接的温熱療法のみを禁忌としているが，カナダ理学療法士協会（Canadian Physiotherapy Association：CPA）では悪性腫瘍，もしくは悪性腫瘍の疑いがある場合を禁忌としている[1].
- **過去6カ月以内に悪性腫瘍に対する放射線治療を受けた場合**[1]
  ▶残存している悪性腫瘍の成長を促進してしまう可能性がある.
- **感覚障害が重度な部位**
  ▶過度の温熱を感じることができず熱傷を引き起こす可能性があるため.
- **コミュニケーションをとれない症例，重度な精神機能障害を呈する症例**
  ▶患者が温熱療法の目的・方法などを理解できないことによる事故発生リスクが高い.
- **核心温度が上昇するような強度や広範囲の温熱を妊婦にする場合**[1]
  ▶母胎の温度上昇によって胎児奇形のリスクが上昇すると報告されている[4) 5)].
  ▶手などの局所的部位への実施は問題ないが，広範囲の温熱療法実施は禁忌である.
  ▶CSPでは妊娠35週までは表在温熱療法を避けるように報告している.

- **生殖器**
  - 睾丸への温度上昇が精子形成に悪影響を与えると報告されている．
- **皮膚表面に金属がある場合**
  - 金属は熱伝導率が高く熱傷のリスクがある．

補足

※2　血友病
先天性血液凝固第Ⅷ因子障害（血友病A）と先天性血液凝固第Ⅸ因子障害（血友病B）を総称して血友病とよぶ．血液を固める凝固因子の一部の活性が低いか，あるいは欠如しているため，止血に時間がかかる体質である．関節内出血や筋肉内出血が主な症状であり，打撲や四肢の使い過ぎなどで出血が引き起こされる．出血を引き起こす関節としては，膝関節45％，肘関節30％，足関節15％，肩関節3％，手関節3％，股関節2％，その他2％と報告されている．

※3　炎症
炎症とは細菌のような異種物質や体内で生産された物質に対する何らかの複雑な局所的反応のことである．代表的臨床症状は，熱感，発赤，疼痛，腫脹である．

※4　浮腫
浮腫とは間質液（血液とリンパ管中のリンパ液を除く体液）が異常に増加した状態であり全身性や局所性にみられる．体液が腹腔内に貯留した場合は腹水，胸腔内に貯留した場合は胸水という．浮腫を引き起こす疾患はさまざまであるが，心不全，腎不全，ネフローゼ症候群，肝硬変，クッシング症候群，深部静脈血栓症，下肢静脈瘤，蜂窩織炎（蜂巣炎），熱傷，外傷後などがある．また，Ca拮抗薬などの血圧降下薬，非ステロイド系抗炎症剤，インスリン抵抗性改善薬，副腎皮質ステロイド，飢餓や吸収不良症候群，月経前，妊娠などでも発生する場合がある．

※5　末梢動脈疾患
末梢動脈疾患とは，心血管を除く末梢動脈に生じた動脈疾患の総称である．下肢動脈，頸動脈，腎動脈，腸管動脈などに生じる循環障害をいうが，大部分は閉塞性動脈硬化症である．

※6　心不全
心不全とはさまざまな原因に起因した心臓のポンプ機能障害により，体組織が必要とする動脈血を送り出せないか，静脈血を心臓に戻せない，もしくは両者のために生じる全身性の症候群である．このうち慢性の心筋障害により心機能が低下している慢性心不全と，急速に心ポンプ機能の代償機転が破綻した急性心不全がある．

2）注意事項

- **眼の周囲，頸部前面**
  - 頸動脈洞は動脈系の循環を監視する圧受容器であり，温熱療法が循環動態に影響を与えることがある．
- **肥満症例**
  - 脂肪組織は断熱的役割を果たし，隣接する組織に熱を伝導するよりも蓄熱してしまう傾向がある．
  - Petrofsky（ペトロフスキー）ら[6) 7)]は，肥満者に対してホットパックを実施すると，肥満でない人よりも筋温の上昇が少なく皮膚温の上昇が大きいと報告している．また，肥満者でみられた皮膚温の上昇によって熱傷を引き起こす可能性があり，高齢者，皮膚の薄い症例などでも注意が必要であるとしている．

▶肥満者の体重負荷される部位の下でホットパックを実施すると，皮膚への圧が高くなり，皮膚毛細血管を過度に圧迫して血管拡張が起こりにくくなり，熱傷のリスクが上昇する．

- **皮膚に薬剤を塗布している場合**

▶皮膚に塗布すると表在血管を拡張し，熱感が発生する薬剤を使用している場合が多く，温熱療法によって疼痛，熱傷が発生する可能性がある．

4 ホットパックの実際

1）ホットパックの準備

❶ 湿熱ホットパック

- ハイドロコレーター（温水槽）に水，お湯を入れ，約80℃に設定する（図3）．
- 新しいホットパックであれば，少なくとも24時間浸水し，ホットパック内部のゲルに十分な水分を含有させる．一度使用したホットパックであれば約20分間浸水させれば使用できる．
- ホットパックにはさまざまな形状があり，各症例に対応するため多くの種類のホットパックを準備しておく（図4）．
- ハイドロコレーターから使用するホットパックを取り出し，十分に水切りをする．
- 6～8枚程度のバスタオルの上にホットパックを置き，ホットパックをバスタオルで包み込む．治療面側（患部に触れる面）はバスタオルが6～8枚程度になるようにする（図5）．

図3　ハイドロコレーター

ハイドロタイザー，ミナト医科学社より許可を得て掲載．

図4　さまざまな形状のホットパック

ミナトGパック，ミナト医科学社より許可を得て掲載．

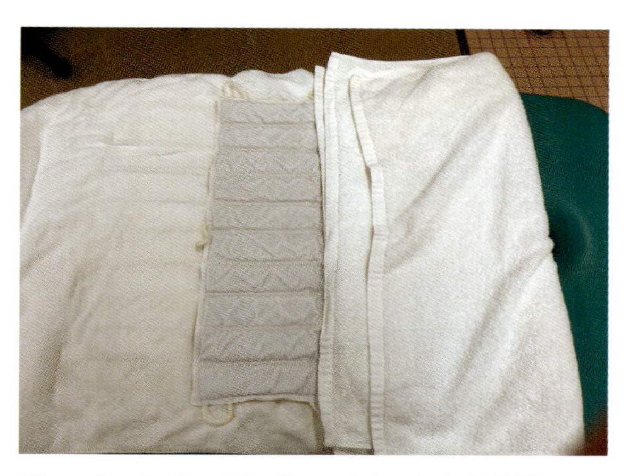

図5　ホットパックをバスタオルで包んだ状態

❷ 乾熱ホットパック

- ホットパックをビニール袋に入れ，バスタオルで包み込んで湿熱と同様の方法で使用する．

2）ホットパックの実施方法

- ホットパックについてのインフォームドコンセントを十分に実施する．治療目的，治療時間と期間，頻度をわかりやすく伝えることが重要である．
- 患者に正しい姿勢を伝え，ホットパックの適応場所に実施する．湿熱の場合は服が濡れるので，必ず皮膚を露出する．乾熱であれば皮膚を露出しなくても実施可能である．
- タイマーをセットする．治療時間は10～20分程度である．
- 治療中は患者から離れないようにし，顔色，疼痛などをチェックする．タオルの枚数を増減することで温度調節する．
- 初回時であれば5分ごとに皮膚の状態を視診してもよい．
- 治療終了後にはホットパックを取り外し，実施部位と全身状態を確認する．
- ホットパックはハイドロコレーターに戻し，タオルは清潔にして乾燥させる．
- 必要に応じて，ホットパック前後のimpairment（機能障害）レベルの評価を実施し，その変化を捉えることが重要である．
- 鎮痛などのimpairmentレベルの改善が認められるうちに，積極的運動療法へとつなげていくことが重要である．

現場のコツ・注意点

ホットパックは心地よく，短期的鎮痛，リラクセーション効果が認められやすく，依存してしまいがちであるが，積極的運動療法を実施していくことが重要である．

実験・実習

1）変形性膝関節症への実施

- 変形性膝関節症の症例と仮定して，膝関節周囲にホットパックを実施する．症例が最もリラックスできる肢位を決定して実施すること（図6）．

2）亜急性期の腰痛症例への実施

❶亜急性期の腰痛症例と仮定して腰部にホットパックを実施する．事前に指床間距離（finger floor distance：FFD）（図7）を測定し，矢状面の写真を撮影する．

❷側臥位，あるいは腹臥位で腰部にホットパックを10～20分程度実施し，その直後に再度FFDを測定，矢状面の写真を撮影し，その変化を捉える．

❸コントロール群として，10～20分間ほど側臥位，あるいは腹臥位をとるだけの学生を割り当て，前後のFFDの変化を把握，矢状面の写真を撮影する．個人差があるが，ホットパックを実施した被験者のFFD改善度合いが大きい場合が多く，腰部の可動範囲が大きくなっていることを写真や視診で観察する．

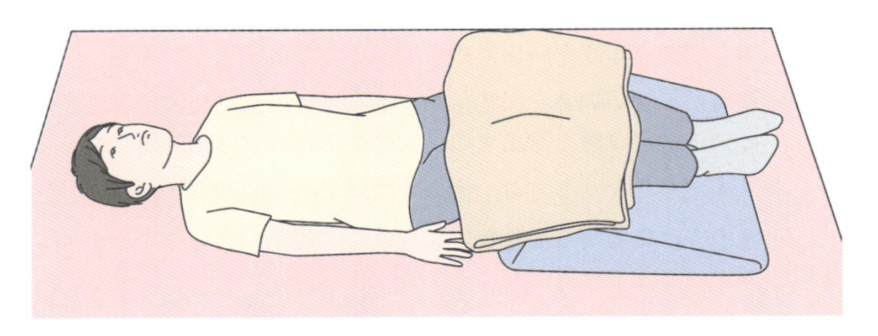

図6　ホットパック実施中のリラックス可能な肢位

図のように膝関節を軽度屈曲位にすると痛みが軽減する場合が多い．台を入れずにホットパックを膝関節の上に乗せると，ホットパックの重みで膝関節伸展方向への力が加わり，疼痛が発生する場合が多い．

図7　指床間距離（FFD）の測定

文献

1）Rennie S：ELECTROPHYSICAL AGENTS-Contraindications And Precautions：An Evidence-Based Approach To Clinical Decision Making In Physical Therapy. Physiother Can, 62：1-80, 2010

2）Lehmann JF, et al：Temperature distributions in the human thigh, produced by infrared, hot pack and microwave applications. Arch Phys Med Rehabil, 47：291-299, 1966

3）French SD, et al：Superficial heat or cold for low back pain. Cochrane Database Syst Rev, 25：CD004750, 2006

4）Shiota K：Neural tube defects and maternal hyperthermia in early pregnancy：epidemiology in a human embryo population. Am J Med Genet, 12：281-288, 1982

5）Kalter H & Warkany J：Medical progress. Congenital malformations：etiologic factors and their role in prevention (first of two parts). N Engl J Med, 308：424-431, 1983

6）Petrofsky JS & Laymon M：Heat transfer to deep tissue：the effect of body fat and heating modality. J Med Eng Technol, 33：337-348, 2009

7）Petrofsky J, et al：Dry heat, moist heat and body fat：are heating modalities really effective in people who are overweight? J Med Eng Technol, 33：361-369, 2009

第Ⅱ章 治療法各論

2 パラフィン浴

学習のポイント

- パラフィン浴が生体に与える影響と目的を理解する
- パラフィン浴の適応と効果，禁忌と注意事項について理解する
- パラフィン浴を健常者に対して実施できる

1 パラフィン浴とは

- パラフィン浴とは，50～55℃に保たれたパラフィン浴槽内に固形パラフィンと流動パラフィンを混ぜて溶かしたパラフィン溶液に患部を浸す表在温熱療法である（図1）.

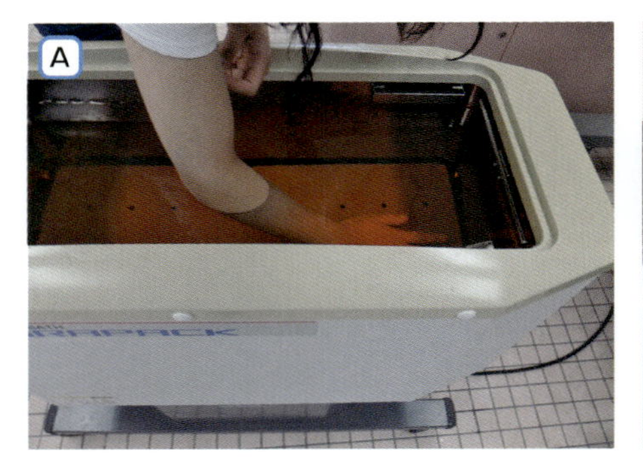

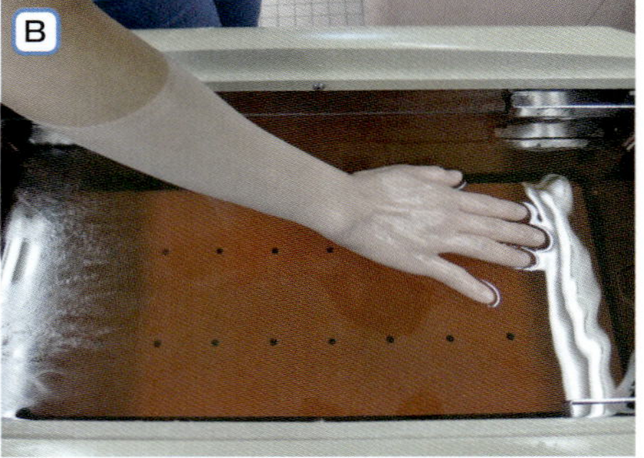

図1　パラフィン浴

Aのように浸し，引き上げるとBのようにパラフィンが固形化する.

2 パラフィン浴の適応と効果

1）対象となる機能障害

- 対象となる機能障害はホットパック（**第Ⅱ章-1**参照）と同一であり，疼痛，表在組織の癒着，拘縮などに対して運動療法前に実施する.

- 図1のように，液体内に治療対象部位を浸すので，凹凸のある部位にも温熱可能な点がホットパックと比べたときの利点である．
- 身体深部に金属，プラスチック，骨セメントなどを使用している症例，高血圧を呈する症例，成長中の骨端軟骨周囲にも実施可能である[1]．
- ホットパックと比べるとコスト，衛生管理の問題があり，本邦の臨床場面ではほとんど使用されていないが，手指の表在温熱療法を実施しやすい．

2）基礎・臨床研究報告

- 急性期を脱した熱傷後の皮膚性拘縮にも安全に実施可能である．
- 関節リウマチ（RA）患者に限定したコクランシステマティックレビュー[2]では，短期的に捉えると手指の機能回復にはパラフィン浴と運動療法の組合わせがよいとしている．

3）パラフィン浴の効果

- 鎮痛，表在組織の温熱効果と循環改善，リラクセーションなど．

3 パラフィン浴の禁忌と注意事項

1）禁忌

- ホットパックと同様である（第II章-1参照）．

2）注意事項

- ホットパックと同様である（第II章-1参照）．

4 パラフィン浴の実際

1）パラフィン浴の準備

- パラフィン浴槽は加熱装置がついている．浴槽内の温度を50～55℃に設定し，固形パラフィンと流動パラフィンを適切な比率で混ぜて溶かす．

補 足

50～55℃のお湯に浸水すると熱傷を引き起こすが，パラフィン浴であると熱傷にならない．理由は，パラフィンの比熱と熱伝導率が低いためである．パラフィンの融点は45℃前後であり，皮膚近くのパラフィンの温度がこの温度以下になると被膜を形成する．

2）パラフィン浴の実施方法

- パラフィン浴槽内に患部を反復して出し入れして，パラフィン被膜を皮膚に作製するグローブ法，パラフィン浴槽内に患部をそのまま浸す浴中法，パラフィンを患部に塗布する塗布法があるが，グローブ法が一般的である．

- パラフィン浴についてのインフォームドコンセントを十分に実施する．治療目的，治療時間と期間をわかりやすく伝えることが重要である．
- 治療部位の装身具などを取り除き，傷がないかチェックする．
- 皮膚の雑菌を取り除く目的で，浸す部位を石けんで洗浄する．
- 治療部位を動かさないようにして浴槽内に2～5秒浸し，静かに引き上げる．そのまま動かさずにパラフィンが固まるまで維持する．
- 再度，浴槽内に浸すが，1回目にできた被膜よりも遠位の高さまでとし，1回目に作製した被膜と皮膚との間にパラフィンが流れ込まないようにする．これは熱傷を予防するための注意事項である．この反復を最大で10回程度行う（図2）．
- 患部をビニール袋で包み，タオルで巻いて10～20分程度安静にして保温する（図3）．
- 表在温熱効果はすぐに消失するので，目的としている運動療法をすぐ開始することが重要である．また，必要に応じてパラフィン浴前後のimpairment（機能障害）レベルの評価を実施して，その変化を捉えることが重要である．

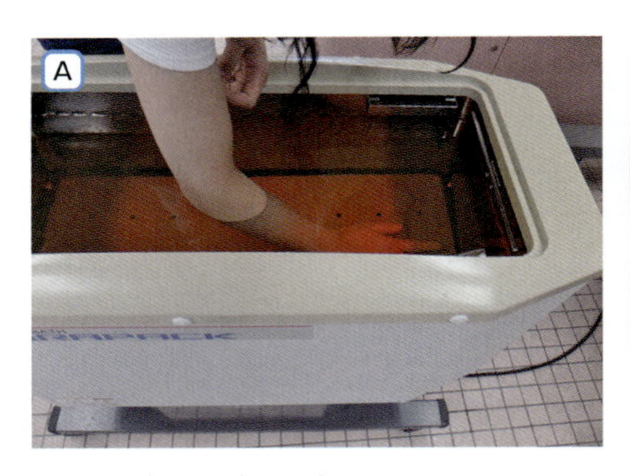

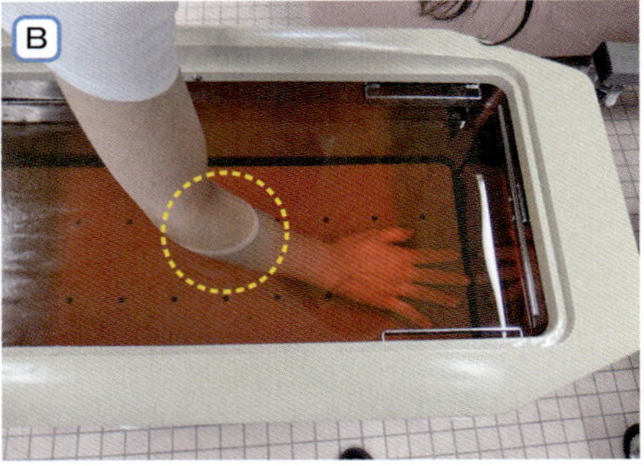

図2　グローブ法の実際

Aが1回目，Bが2回目であり，1回目よりも遠位に浸している．

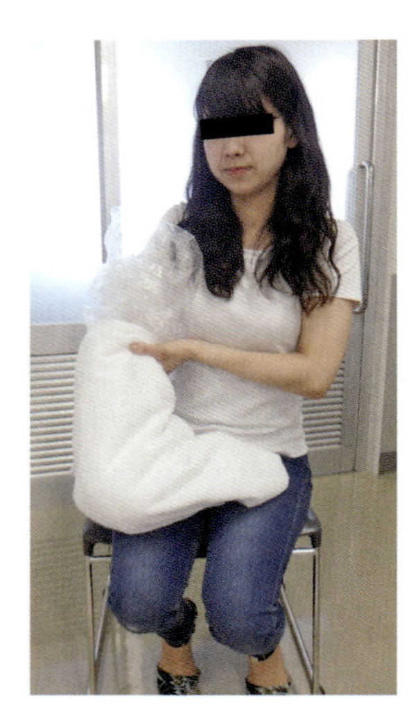

図3　グローブ法の実際

バスタオルを使用した保温．

実験・実習

- RAの症例と仮定して，手指に対してパラフィン浴（グローブ法）を実施する．

文献

1）Rennie S：ELECTROPHYSICAL AGENTS-Contraindications And Precautions：An Evidence-Based Approach To Clinical Decision Making In Physical Therapy. Physiother Can, 62：1-80, 2010

2）Robinson V, et al：Thermotherapy for treating rheumatoid arthritis. Cochrane Database Syst Rev, 2：CD002826, 2002

3 水治療法

学習のポイント

- 水治療法が生体に与える影響とその目的を理解する
- 水治療法の適応と効果，禁忌と注意事項について理解する
- 水治療法を健常者に対して実施できる

1 水治療法とは

- 水治療法とは，体の一部あるいは全身を冷水や温水に浸す方法で水の物理的作用や生理学的作用を利用して，疼痛軽減，機能障害の改善，外傷の治癒促進などを図る治療方法である．
- 水治療法の効果を得るには，その作用を理解したうえで適切な設定を選択する必要がある．
- 運動療法と組合わせて実施することで，より効果的に障害部位の治癒を促進する．

2 水治療法の適応と効果

1）対象となる機能障害

- 疼痛，浮腫，筋スパズム，慢性炎症，拘縮に対して運動療法前あるいは併用（つまり，水中での運動療法）して実施する．
- 壊死組織の洗浄を目的とする場合もある．
- 末梢循環障害，心機能障害に対して運動療法と併用して実施されている．

2）効果および基礎・臨床研究報告

1 水治療法の物理学的作用

①温熱，寒冷作用

- 水は伝導と対流によって効率よく熱を伝える（**第Ⅰ章-5**参照）．
- 同じ流体である空気と比べると約4倍の比熱があり，熱伝導率は空気の25倍である（空気の25倍の速さで熱を伝える）[1]．

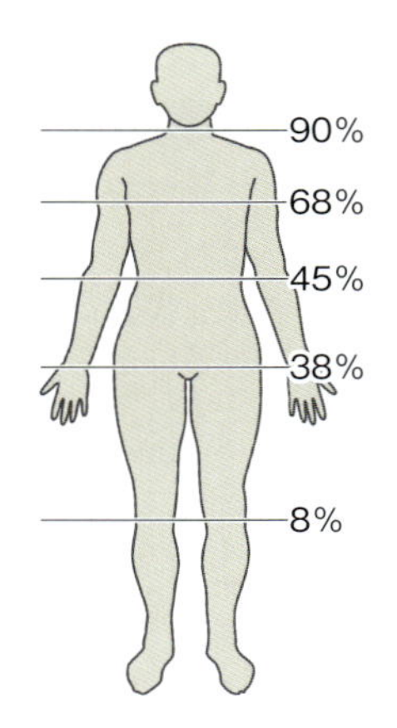

図1　水深による浮力の免荷作用の変化

それぞれのラインまで浸水することで，右の数字の割合で体重を免荷することができる．文献2をもとに作成.

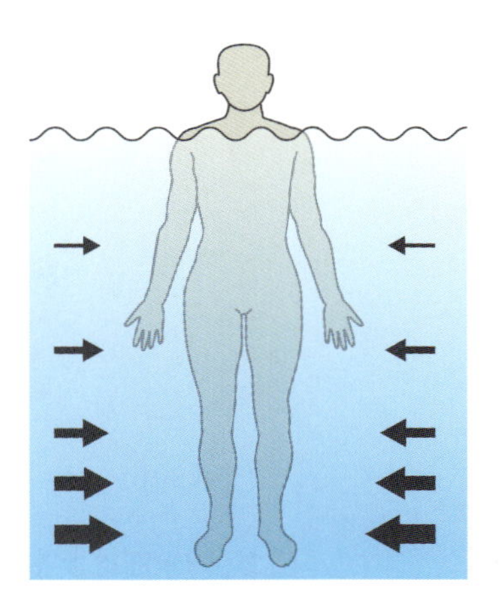

図2　身体にかかる静水圧

深いところほど圧がかかる．文献1をもとに作成.

②浮力作用

- 浮力とは，水中にある物体に重力とは逆の方向に作用する力である．
- 身体の密度は水の密度よりも小さく（比重は約0.974），水中では浮く[1]．
- 浮力を利用して，体重負荷を調節することができ，脊髄や筋骨格系に機能障害がある患者や荷重時痛に過敏な患者の運動参加を促進することが期待できる．
- 浸水する深さを調節することで体重負荷を段階的に行うこともできる（図1）．

③静水圧

- 静止している水中の任意の面に作用する圧力のことである．
- 水深1 cmにつき0.73 mmHg/cm^2（1 g/cm^2）の圧がかかる[1]．
- 足部が水深120 cmにあるとき，圧は約87.6 mmHg/cm^{2}となり，正常の拡張期血圧より高くなる（弾性包帯などと同等の効果が得られる）[1]（図2）．

④抵抗

- 水は粘性という特性によって運動する物体に対し，抵抗を加える（粘性抵抗）．この抵抗は運動方向とは逆方向に発生し，運動の相対速度および水に接している身体の面積に比例して大きくなる．
- 水中で歩行した場合には水面から身体前面へ波が形成され，抵抗を受ける（造波抵抗）．
- 水中歩行中に身体後方に引性抵抗が発生し，運動方向の抵抗となる（渦抵抗）．

2 水治療法の生理学的作用

①循環器系への作用

- 静水圧は，四肢遠位より中枢に静脈血を移動させる作用があり，その結果フランクスターリングの法則※1より心拍出量が増加する（図3）．
- 静水圧によって増加した静脈還流量に対処するため，心臓は心房性利尿ホルモンという尿を出しやすくするホルモンを分泌する．

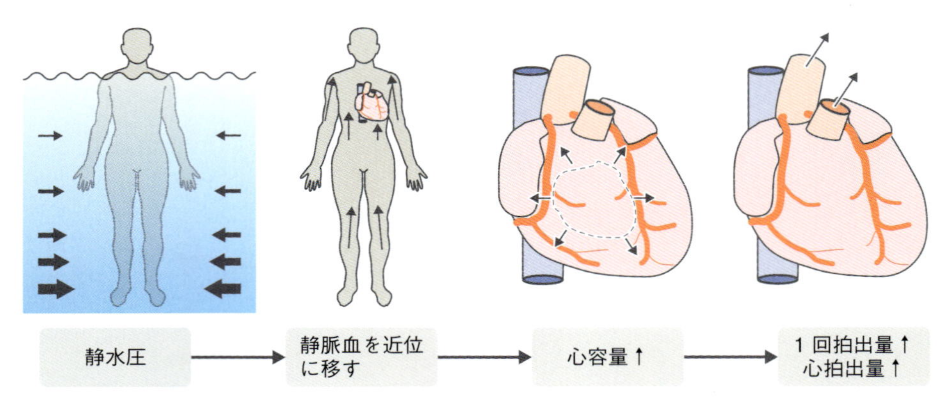

図3　静水圧による循環器系への作用　文献1をもとに作成.

- 温水中では温熱効果によって血液循環が促され，腎血流増加による利尿ホルモンの産生促進などによっても利尿効果が引き起こされる.
- 水中運動は，心拍出量を増加させることで心筋効率を高めることができる.

②呼吸器系への作用

- 胸壁への静水圧により肺の拡張に対して抵抗を強め，呼吸仕事量※2が増加する.
- 水中運動は，呼吸器系への負荷トレーニング効果があるが，呼吸器疾患や循環器疾患患者を対象とする際は，過剰な負荷とならぬよう注意する.

③骨格筋への作用

- 水がもたらす速度依存性抵抗を利用して，筋力増強が行える.
- 静水圧は静脈還流量を増加させることで骨格筋血流も増加させる．この結果，酸素利用を増やし，老廃物の除去を速めることで効果的な筋力トレーニングを促進する.
- 水中歩行は，地上歩行より脊柱起立筋筋活動を増大させる.
- 運動後の冷水浴は，非実施群より疲労を軽減し遅発性筋肉痛を軽減する.

④洗浄作用

- 外傷，術創部，熱傷，循環不全，蜂窩織炎（蜂巣炎）などの創傷治療に用いられている.
- 壊死組織の再水和，挫滅組織除去が促進される.
- 静水圧と温熱作用により循環が改善されることで創傷治癒が促進される.

⑤心理面への作用

- 水温により効果の違いがあり，温水への浸水はリラクセーション効果があり，冷水への浸水は活気づける効果がある.

補足

※1　フランクスターリングの法則

1950年代に提唱された心臓生理の基本原理で，静脈還流量が増加すると流入した血液が心室壁を伸展し，その結果心筋は瞬時に強い力で収縮して過剰な血液を駆出するという法則.

※2　呼吸仕事量

呼吸筋群が行う仕事量をあらわし，気道抵抗に逆らって空気を肺内に吸い込むために費やされる仕事量と，しぼもうとする肺の弾力に逆らって肺を広げるために費やされる仕事量に分けることができる.

⑥水温による作用[1)]

- 冷水浴（25℃以下）
  - ▶交感神経系を活性化させる．神経体液性因子に影響を与える．
  - ▶血管が収縮することで血圧が上昇し，呼吸は浅く速くなる．
  - ▶部分浴は急性炎症に用いられる．
  - ▶痙性を抑制する作用がある．
- 不感温浴（34～37℃）
  - ▶熱くも冷たくも感じない温度であり，循環器系や代謝系に影響を与えない．
  - ▶開放創のケアに用いられる．
- 微温浴（37～39℃）
  - ▶身体へ負担のかからない温度であり，長時間の入水に適しており，水中運動療法に用いられる．
- 高温浴（40～43℃）
  - ▶交感神経系を活性化し，血圧や脈拍が上昇する．
  - ▶血管が拡張することで循環を改善するため，軟部組織の伸張性増加や疼痛コントロールに用いられる．

3 水治療法の禁忌と注意事項

1）禁忌

- **出血している部位**：感染を起こす可能性がある．
- **不安定な心疾患のある者**：循環動態が変動することで心負荷が加わる．
- **重度てんかんの者**：入浴中にてんかん発作が起きた場合，沈溺の危険性がある．
- **急性炎症に伴う浮腫**：炎症状態を増悪させる可能性がある．
- **悪性腫瘍のある者**：温熱による腫瘍の成長や血流量増加に伴う転移促進の危険性がある．
- **便失禁のある者**：水の汚染や機器の故障をきたす可能性がある．

2）注意事項

- **感染症のある者**：水によって広がる可能性のある感染症の場合は使用のたびに水をとり換える．
- **認知障害のある者**：機器の誤使用や弄便，溺れに注意が必要である．
- **感覚障害のある者**：熱傷への注意を要する．
- **創傷部位**：使用のたびに水をとり換え，浴槽を清潔に保つ．
- **運動機能障害のある者**：無理のない姿勢・肢位にて行う．
- **呼吸器疾患のある者**：バイタルサインの変動に注意する．
- **尿失禁のある者**：水をとり換え，浴槽を清潔に保つ．
- **薬物使用のある者**：入浴中のめまいや意識障害に注意する．

- **恐怖心の強い者**：発汗やめまい，バイタルサインの著明な変動に注意が必要である．

4 水治療法の実際

1）渦流浴（図4）

- 渦流浴は，温熱刺激と渦流による皮膚の受容器への機械的刺激を同時に与え，循環の改善や疼痛の軽減，筋緊張の緩和，関節のこわばりの改善，創傷ケアの促進などを図るものである．
- 浴槽は一般には上肢・下肢に用いられるが，全身を浸水できるものもある．水温は上下肢の場合は39～42℃，全身の場合は36～38℃に設定する．
- 治療時間は10～20分程度に設定する．
- 施行中や施行直後に運動療法を実施することでその効果を高める．
- **手順**
  - ①入浴の目的を患者に説明し，同意を得る．
  - ②治療部位に応じて上肢用，下肢用，全身用の渦流浴装置を選択する．
  - ③バイタルサイン・創の状態・炎症の有無・感染症・筋力などから入浴が可能かどうか判断する．
  - ④患者の症状に応じて水温や治療時間を設定し，必要であれば消毒液を注入する．
  - ⑤患者には安楽な姿勢をとってもらい，噴流の強さや方向を調整する．同時に関節可動域（ROM）練習を実施するとよい．
  - ⑥治療後，水を拭きとり，治療部位の状態や必要に応じてバイタルサインを確認する．創傷部位を治療した場合は感染を避けるため，すみやかに浴槽内を清掃し，水を交換する．

2）ハバード浴（図5）

- ハバード浴は，自力で移動できない患者をベッドに寝たままの状態で移動させ，全身の渦流浴を実施できるものである．

図4　渦流浴

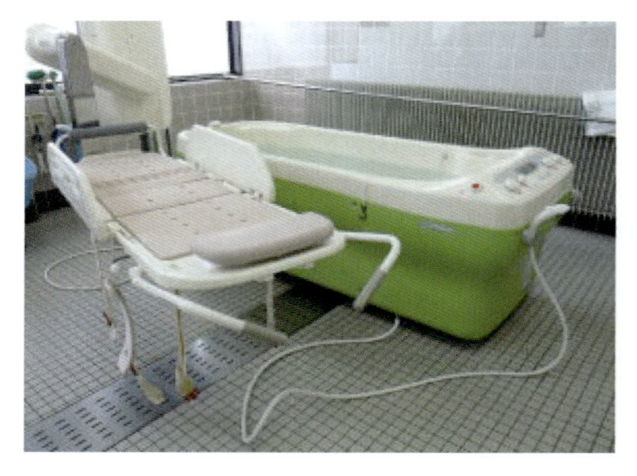

図5　ハバード浴

- 熱傷患者の壊死組織の除去や褥瘡治療にも用いられる.
- **手順**
  - ①入浴の目的を患者に説明し, 同意を得る.
  - ②バイタルサイン・創の状態・炎症の有無・感染症・筋力などから入浴が可能かどうか判断する.
  - ③入浴時間を設定し, 浴室の環境や必要物品を準備する.
  - ④ハバード浴は臥床したままの全身浴であり, ROM練習を実施することもあるため, 浴槽内のお湯は38～40℃と低めに設定する.
  - ⑤ストレッチャーで浴室へ搬送し, ハバード浴用の担架へ患者を移動させ, 固定する（移動時の転落を防ぐため, 必ず2名以上で介助を行う）.
  - ⑥患者の様子を確認しながら無理のない範囲で進める.
  - ⑦入浴後, 創部やカテーテル類を確認し, 水に濡れてしまったドレッシング材は感染を防ぐため適宜交換する.
  - ⑧清潔な衣服を着用し, 状況に応じバイタルサインを測定する.

3）交代浴（図6）

- 交代浴は, 治療部位を温水と冷水に交互に浸すことで, 末梢循環の改善を図るものである. また知覚刺激の変化が疼痛を軽減する.
- 交代浴を行った場合と温浴のみを持続した場合では, 交代浴では施行後30分間にわたり体表温度が高く維持されたとの報告がある[3].
- 交代浴は単なる温浴のみより患者の痛みを軽減し, 運動療法を行いやすい状態を整える.
- 複合性局所疼痛症候群（CRPS）, 捻挫, 切断患者の断端, 末梢動脈閉塞疾患, 浮腫に対して用いられている.
- CRPSに対する交代浴は, ゲートコントロール理論（**第Ⅱ章-9-B参照**）による鎮痛効果が考えられており, 温熱刺激が大径神経線維を刺激し, CRPS特有の灼熱痛をブロックする.

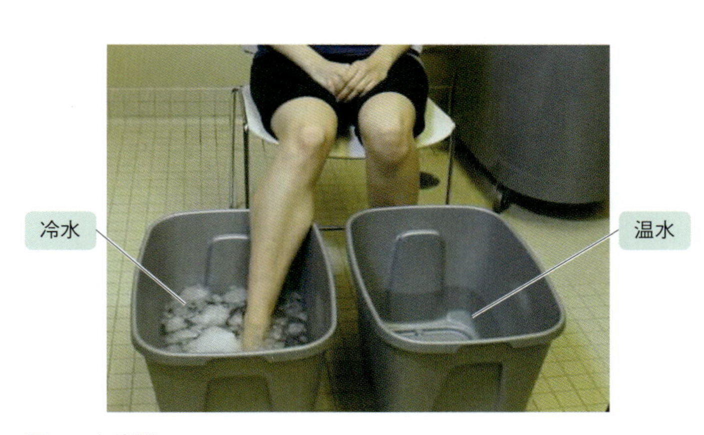

図6 交代浴
夏場は水温上昇を避けるため, 氷を浮かべる. 水温が低くなりすぎないように注意.

- 一方で，交代浴は中枢系にも変化をきたしている慢性疼痛患者においては著効しないとの報告もある[3]．
- 神経損傷が原因で発症したCRPS type Ⅱ（カウザルギー）に対する交代浴の効果はCRPS type Ⅰに比べ劣る．
- **手順**
  - ①入浴の目的を患者に説明し，同意を得る．
  - ②治療部位の疼痛や炎症所見を評価して，入浴を行うか判断する．
  - ③42℃前後の温水と10℃前後の冷水を準備する（多くの場合，まずはこの温度を試してみる）．
  - ④温水へ患肢を3分間前後，続いて冷水へ30秒～1分間浸し，これを4～5回くり返した後，温水で終了する．症状の強い症例では42℃の高い温度設定はかえって有害刺激となり，症状の増悪も危惧される．交代浴をはじめて試みる際は，設定温度，時間は患者個々が許容できる設定にする．
  - ⑤治療後，患部の状態や疼痛を評価し，ROM練習を行う．

4）水中運動療法

- 水中運動療法は，水の特性である「浮力・抵抗・静水圧・水温」を利用して運動機能改善やリラクセーションなどを図る目的で，水中歩行や水中トレッドミル，プール内での運動（アクアビクス）を行うものである．
- 水温は安全性や運動効率を考慮して30～35℃程度にされている．体温より少し低いため，体熱エネルギー生産を活性化し体温調節を図ろうとすることで，代謝効率も高まる．
- リラクセーションを目的とする場合は，水温は35～38℃程度に設定される．
- 健常者に対する水中運動は，運動耐容能を改善したと報告されている[4]．
- 変形性膝関節症（膝OA）患者に対する水中運動は陸上運動よりも有意な疼痛軽減効果はあるが，歩行能力には有意差を認めなかったと報告されている[5]．
- 変形性股関節症（股OA）に対する水中運動は，身体機能やQOLには軽度の効果を認めているが，疼痛には効果がなかったと報告されている[6]．
- 慢性腎障害患者に対する水中運動は，呼吸循環機能と腎機能が改善したと報告されている[7]．
- 多発性硬化症患者に対する水中運動は，疼痛，身体機能，抑うつを向上させたと報告されている[8]．
- パーキンソン病患者に対する水中運動は，バランス能力が有意に向上したと報告されている[9]．
- 妊婦を対象とした水中運動（マタニティスイミング）も行われており，体力向上，体重増加の予防，浮腫改善，産前抑うつ症状の軽減などが目的とされている．妊婦に対して水中運動の実施群では体力の維持，増大が認められたが，早産については明らかでないと報告されている[10]．胎児の発達への影響もさまざまな報告があって一貫していない[10]．
- 脳卒中患者に対する水中トレッドミル運動は，地上トレッドミル運動と比較して，膝伸展筋力が有意に改善したと報告されている[11]．

5）和温療法（図7）

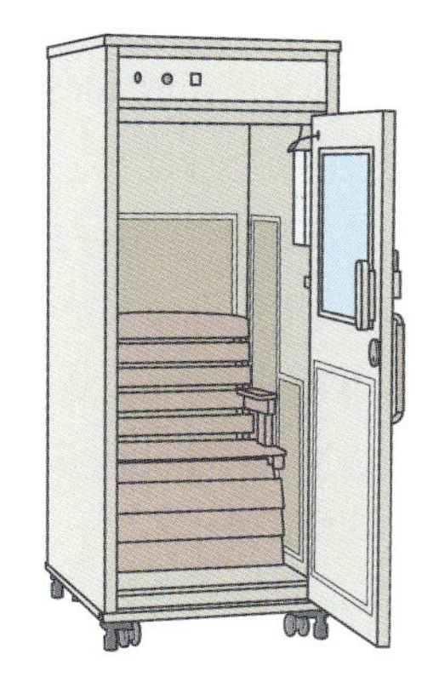

図7　和温療法器
CTW-5000，フクダ電子社製など．

- 和温療法は，心身を和ませる温度で全身を温める，心不全に対する新しい治療法である．通常の温水浴では酸素消費量の増加と心内圧の上昇は避けられない．この方法は重症心不全患者の温水浴の代替法となる．
- 室温を60℃に均一に管理できる遠赤外線均等低温乾式サウナを用いる．
- 慢性心不全に対する和温療法の効果は，体温上昇に伴って末梢血管が拡張し，その結果，心臓の前・後負荷は減少し，心拍出量を増加させるというものである．
- 和温療法を継続した長期効果は，心拡大および脳性Na^+利尿ペプチド（BNP）が減少し，血管内皮機能を改善するというものである．
- 運動療法と和温療法を併用した結果，和温療法単独と比べて，運動耐容能，心拍出量，Barthel Indexが有意に改善した．
- **手順**
  - ①治療目的を患者に説明し，同意を得る．
  - ②バイタルサインや自覚症状などから入室が可能かどうか判断する．
  - ③脱衣して体重を測定後，専用の病衣に着替える．
  - ④患者に60℃のサウナ室内に15分間入室してもらい，全身を温める（深部体温は約1.0～1.2℃上昇する）．
  - ⑤出室直後からベッドまたはリクライニング椅子にて臥位となり，30分間毛布に包まり安静保温する．
  - ⑥治療終了時には，体重測定して発汗量を計算し，発汗に見合うだけの水分（約150～300 mL）を補給してもらい，脱水予防に努める．

実験・実習

1）目的

- 渦流浴による末梢循環改善効果，ROMや疼痛への効果を体験し，臨床への応用を理解する．

2）準備

- 渦流浴装置，温水（39～42℃），皮膚温度計，タオル，消毒液

3）手順

❶下腿骨折により長期間の足部ギプス固定を余儀なくされた患者を想定し，足部への渦流浴を実施する．

❷入浴前に皮膚温の計測，足関節背屈ROM，ROM測定時の痛み（NRS）を評価しておく．

❸浴槽へ39～42℃の温水を注入する．必要に応じて消毒液も注入する．

❹安楽な姿勢で片側の足部を浴槽へつけ，渦流浴装置のスイッチをオンにする．

❺適切な渦流の強度とエジェクターの位置を設定する．

❻治療時間は10～20分間とし，渦流浴実施中に足関節の自動運動を行う．

❼治療終了後，治療部位の水をよく拭きとり，乾燥させる．

❽治療側と反対側の皮膚温を測定し，比較する．

❾治療側と反対側のROMやROM測定時のNRSを比較する．また下腿三頭筋の抵抗感を同時に観察する．

4）おわりに

- 治療側の末梢循環が改善し，軟部組織の柔軟性の増加や疼痛の軽減を体験することができる．運動療法と併用することの意義と臨床への応用を考察できる．

文献

1）「EBM物理療法 原著第4版」（Cameron MH／著，渡部一郎／訳），医歯薬出版，2015
2）「物理療法マニュアル」（嶋田智明，他／著），医歯薬出版，1996
3）「複合性局所疼痛症候群（CRPS）をもっと知ろう」（堀内行雄／編），全日本病院出版会，pp69-74，2015
4）Mooventhan A & Nivethitha L：Scientific evidence-based effects of hydrotherapy on various systems of the body. N Am J Med Sci, 6：199-209, 2014
5）Silva LE, et al：Hydrotherapy versus conventional land-based exercise for the management of patients with osteoarthritis of the knee：a randomized clinical trial. Phys Ther, 88：12-21, 2008
6）Arnold CM, et al：A Randomized Clinical Trial of Aquatic versus Land Exercise to Improve Balance, Function, and Quality of Life in Older Women with Osteoporosis. Physiother Can, 60：296-306, 2008
7）Pechter U, et al：Beneficial effects of water-based exercise in patients with chronic kidney disease. Int J Rehabil Res, 26：153-156, 2003
8）Castro-Sánchez AM, et al：Hydrotherapy for the treatment of pain in people with multiple sclerosis：a randomized controlled trial. Evid Based Complement Alternat Med, 2012：473963, 2012
9）Vivas J, et al：Aquatic therapy versus conventional land-based therapy for Parkinson's disease：an open-label pilot study. Arch Phys Med Rehabil, 92：1202-1210, 2011
10）Kramer MS & McDonald SW：Aerobic exercise for women during pregnancy. Cochrane Database Syst Rev, CD000180, 2006
11）Lee DG, et al：Effects of underwater treadmill walking training on the peak torque of the knee in hemiplegic patients. J Phys Ther Sci, 27：2871-2873, 2015

4 超短波療法

学習のポイント

- 超短波療法が生体に与える影響とその目的について理解する
- 超短波療法の適応と効果，禁忌と注意事項について理解する
- 超短波療法で用いられるアプリケーターの種類と違いについて理解する
- 超短波治療器を操作し，健常者に対して実施できる

1 超短波療法とは

- 短波領域（3～30MHz）の電磁波（**第Ⅰ章-5-A参照**）を生体に当てることで，組織の温度上昇などの生体反応を引き起こす治療である．
- 周波数が27.12 MHzで波長が11.1 mの電磁波を用いることが多い．
- 同じく電磁波を照射して組織温度を上昇させる治療法に極超短波療法がある（**第Ⅱ章-5参照**）．超短波療法の方が用いる周波数が低く，波長が長い．
- 英語ではshortwave diathermy（短波ジアテルミー）と表記されることが多い．diathermyは，透過する（dia）と熱（thermy）という言葉が組合わさっている言葉である．深部温熱や深部加温の意味で使用される．
- 医療機器としての超短波治療器（図1）の定義は，特有の身体部位にRF波帯域（13～27.12 MHz）の電磁エネルギーを供給し，特定の疾患（疼痛緩和，筋痙攣，関節性拘縮など）の治療のため，体組織内で深部熱を発生させる装置をいう．
- 電磁波の出力の方法は，連続あるいはパルスの2種類が存在する．
- 設定するパラメータによって，温熱効果あるいは非温熱効果がある．
- 電磁波を生体に照射するための導子として，コンデンサー（容量板）アプリケーターとコイルアプリケーターの2種類が選択できる（図2）．

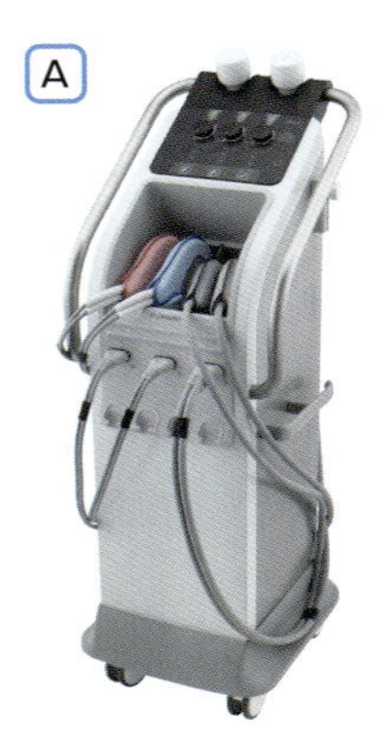

図1　医療機器としての超短波治療器

A）超短波治療器イトーSW-203，高さ×幅×奥行き：1,190 mm × 428 mm × 503 mm，重さ：34 kg，伊藤超短波社製．
B）電位・超短波組合せ家庭用治療器アイセラピスト，高さ×幅×奥行き：626 mm × 205 mm × 354 mm，重さ：13 kg，伊藤超短波社製．

図2　超短波治療器のアプリケーター

A）SW-203のコンデンサー（容量板）アプリケーター．2つの導子で治療部位を挟む．
B）SW-203のコイルアプリケーター．治療部位にあてて使用する．

2 電磁波とは

- 電場（electric field）と磁場（magnetic field）が互いに作用し合って伝番する波を電磁波という．放射線，光，紫外線，なども電磁波の一種である．
- 電場は，電圧がかかるとその周囲に発生する．
  - ＊例：電化製品の電源コードがコンセントに差さっていると，電源は入っていない状態でも電源コードの周囲に電場が発生．
- 磁場は，磁石の周囲や鉄やニッケルやコバルトなどの磁性体に電流が流れると，その周囲に発生する．
  - ＊例：電源コードをコンセントに差し込んだ電化製品の電源を入れると電流が流れるので，電源コードや電化製品の周囲に磁場が発生する．このとき，電場も発生する．
- 携帯電話，テレビ，ラジオのAM/FM，X線，電子レンジ，非接触ICカードシステム（交通系ICカードなど），IH調理器などは，それぞれ周波数の異なる電磁波を用いている．

3 超短波療法の適応と効果

- 超短波治療器は，調整できるパラメータの範囲が機器によって異なる．
- 出力される超短波エネルギーが連続波かパルス波か，また設定したパルス周波数，パルス幅，最大出力，アプリケーターから治療部位までの距離，治療時間などが組織内の温度上昇度合いに影響をおよぼす．
- 超短波療法の効果には，温熱効果と非温熱効果がある．

1）温熱効果

- 組織の温度上昇に伴い，血流の増加，疼痛の軽減，軟部組織の伸張性の拡大などが期待できる．
- 以下のようなものなどに適用がある．
  - **関節疾患**：変形性膝関節症，関節リウマチ（炎症期を除く），肩関節周囲炎
  - **慢性疼痛**：腰痛，頚部通，肩こり
  - **関節可動域制限**：下腿三頭筋の伸張性低下による足関節背屈制限，骨折後の関節可動域制限

1 慢性腰痛

- 慢性腰痛患者を対象に，プラセボ＋体操，連続超短波＋体操，パルス超短波＋体操の3群で，3週間介入して比較したところ，連続超短波＋体操を実施した群において最も腰痛の軽減が確認された[1)]．

2 変形性膝関節症の膝関節痛

- 膝蓋骨上縁5 cmと下腿後面にアプリケーターを配置し，27.12 MHzの超短波を用いて，パルス周波数を145 Hz，パルス幅を400 μs，ピーク出力を250 W（平均出力：14.5 W）で19分間あるいは38分間，週3回合計9回の治療を実施したところ，超短波を照射していない群に比べ，膝関節痛の減少と機能の改善が確認された[2)]．

3 関節可動域の拡大

- ハムストリングスが固い30名の大学生を対象に，パルス超短波＋膝関節の持続的な伸展ストレッチング，シャム超短波＋膝関節の持続的な伸展ストレッチング，およびコントロールの3群で膝関節の伸展角度の変化を検証した．5日間介入した結果，それぞれ15.8°±2.2°，5.2°±2.2°，－0.3°±2.2°とパルス超短波＋持続的ストレッチング群において膝関節の伸展角度が最も増大した．このことから，超短波の照射とともに持続的なストレッチングを併用することが推奨される[3)]．

2）非温熱効果

- 作用機序はいまだ不明ではあるが，電磁界の変化によるイオンの移動や電界の振動による細胞でのエネルギー吸収により，抗炎症作用，腫脹の軽減，膠原線維生成の増大，神経再生などが生じると考えられている．
- 動物での研究では，骨の治癒促進，神経の再生，軟部組織の治癒促進などが確認されており，ヒトへの応用が期待される．
- ヒトでは，浮腫や疼痛の軽減などの効果の報告もある[4)]．

4 超短波療法の禁忌と注意事項[5)]

1）禁忌

- **心臓ペースメーカーやその他の電子機器を挿入している者**：高周波の電磁波が心臓ペースメーカーなどの電子機器挿入者の周辺で発生すると，誤作動するリスクがある．超短波使用中2～3 mは距離を置くことを推奨する．
- **金属挿入部位**：金属の先端部分で電界が強くなり，その周囲の組織での火傷が発生するリスクがある．例外として，パルス刺激にて温熱刺激を伴わない場合は，金属挿入部位であっても安全に使用できる可能性が報告されている[6) 7)]．
- **妊婦**：温度上昇や電磁波が胎児の成長に悪影響を与えるリスクがある．
- **感覚障害のある部位**：過度な温度上昇が生じた際に，的確に訴えることができずに，火傷のリスクがある．
- **眼球**：水分を多く含むため，超短波エネルギーによって過度の温度上昇が生じるリスクがある．
- **生殖器**：特に男性の精巣への照射は，精子への影響が生じるリスクがある．
- **悪性腫瘍あるいはその疑いのある患者**：腫瘍が増殖するリスクがある．
- **出血傾向のある部位**：温度上昇による血流促進により，出血が助長されるリスクがある．生理中の腹部および腰部への温度上昇が生じうる出力での照射は避けるべきである．
- **血栓症のある部位周辺**：深部静脈血栓症，血栓性静脈炎がある場合は，その周囲の血流の増加により，血栓が遊離して脳や心臓の血管へ移動して詰まらせるリスクがある．
- **急性炎症のある部位**：温度上昇を伴う出力での超短波照射は，炎症反応を増大させるリスクがある．

2）注意事項

- **汗などの水分がある箇所**は過度の温度上昇のリスクがあるので，しっかりと汗などの水分をふきとる必要がある．
- **脂肪組織が多い部位**への超短波照射は，特にコンデンサーアプリケーターを使用する場合に過度の温度上昇による火傷に注意が必要である．
- 超短波治療を受ける患者以外は，超短波治療器から離れておくことを推奨する．

5 超短波療法の実際

1）コンデンサー（容量板）アプリケーターの実際（図3）

- 2枚のアプリケーターの間に電場が発生し，それぞれのアプリケーターの極性が1秒間に2,700万回入れ替わることで以下の3つの作用により，組織内で熱エネルギーが発生する（図4）[8].
  - ①陽イオンと陰イオンが激しく移動し，他のイオンや分子に衝突.
  - ②水分子などの双極分子（図5）の回転・振動.
  - ③原子核の周りの電子が移動.
- コンデンサーアプリケーターでは，誘電加熱によって超短波エネルギーが熱に変換される.
- 皮膚や脂肪組織などの比較的浅い領域で加温されやすい.
- 脂肪組織の少ない，膝関節や肘関節などへの治療に適している.

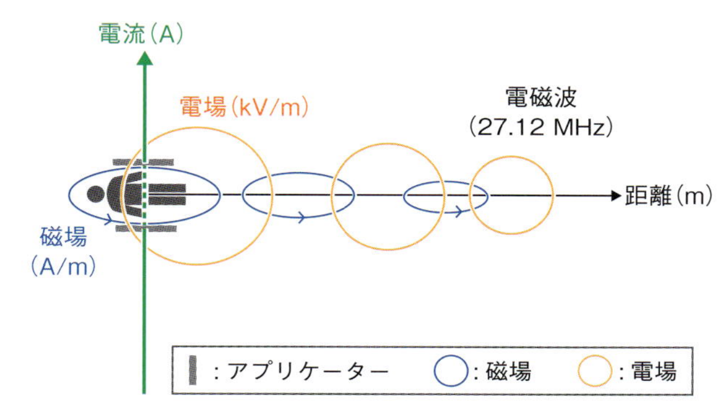

図3　コンデンサーアプリケーターでの磁場と電場の関係

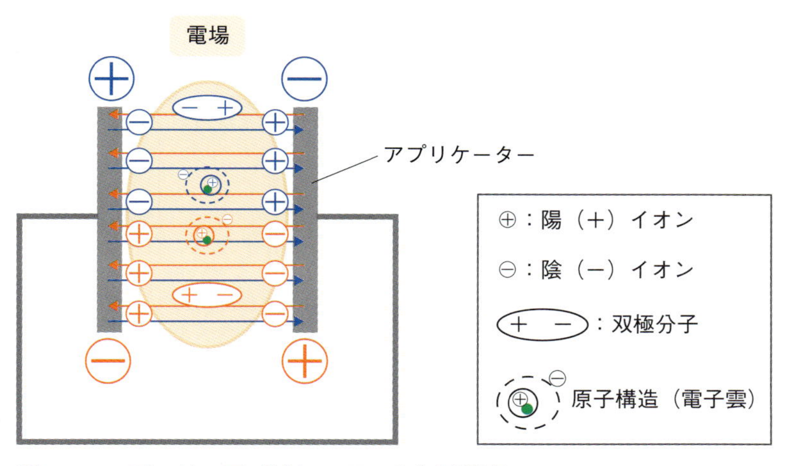

図4　コンデンサーアプリケーターの作用機序

治療部位（オレンジのだ円）を挟むようにして2枚のコンデンサーアプリケーターを配置して超短波を照射すると，体内のイオンの移動，水分子などの双極分子の回転・振動，原子核の周りの電子が移動することで熱エネルギーを生み出す.

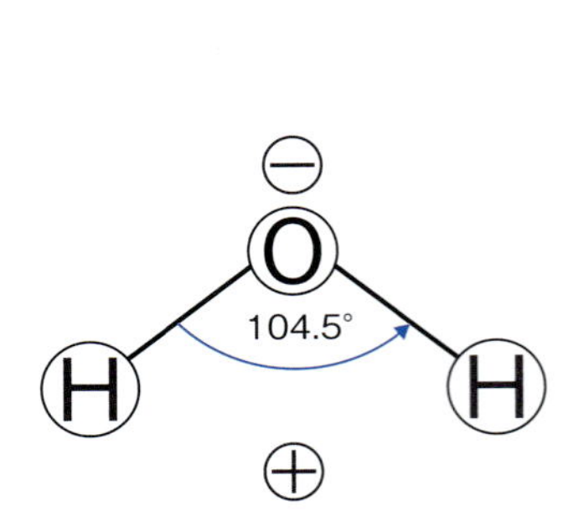

図5　水分子の構造

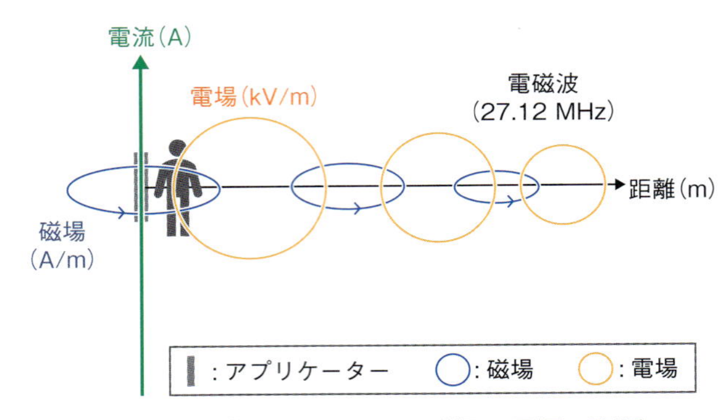

図6　コイルアプリケーターでの磁場と電場の関係

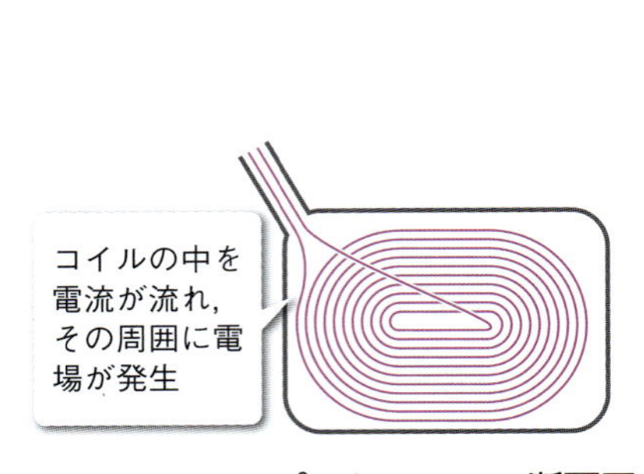

図7　コイルアプリケーターの断面図

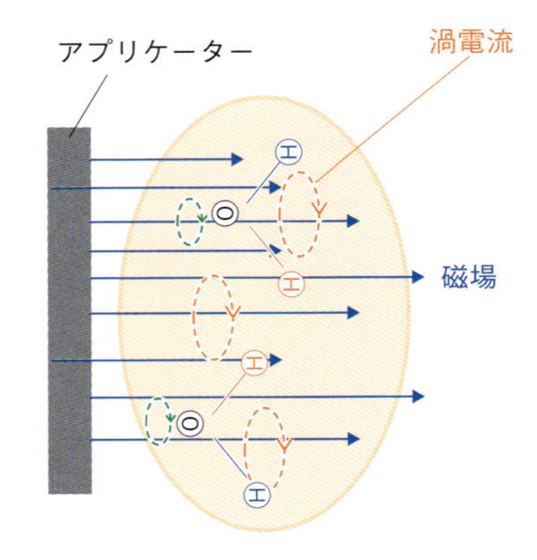

図8　コイルアプリケーターの作用機序

治療部位（オレンジのだ円）上にコイルアプリケーターを配置して超短波照射を開始すると，過電流が生体内で発生する．それにより水分子などが回転・振動して熱エネルギーを生み出す．

2）コイルアプリケーターの実際（図6）

- コイルアプリケーター内にコイルが内蔵されている（図7）．
- コイルアプリケーターに27.12 MHzの電流が流れることで，コイルの周囲に磁場が発生する（図8）．
- この磁場が生体内で渦電流をつくり出す．
- 渦電流が生体内で発生することで，水分子などの双極分子が回転や振動して熱エネルギーが発生する．
- コイルアプリケーターでは，誘導加熱によって超短波エネルギーが熱に変換される．
- 深部組織の加温に適している．
- 筋などの水分を多く含む組織が加温されやすい．
- アプリケーターからの距離が離れると，距離の二乗に反比例して磁場の強度は減少する．
- 腰部や下腿部などの筋組織の多い部位での治療に適している．

実験・実習

1）実験（コイルアプリケーターを用いた足関節可動域拡大）

- 下腿三頭筋に対する以下4つの条件のうち，どれが最も足関節の背屈可動域拡大につながるかを検証する．

❶腹臥位で10分間安静（図9）．

❷腹臥位で下腿三頭筋に超短波を10分間照射する（図10）．

- パルス波，平均40 W，コイルアプリケーターを下腿三頭筋にバンドで固定．

❸長座位で下腿三頭筋に超短波を10分間照射しながらストレッチングを加える（図11）．

- パルス波，平均40 W，膝窩と下腿遠位端にクッションなどを入れて，ベッドと下腿部の間に隙間をつくる．
- その状態で，コイルアプリケーターを下腿三頭筋に巻き付ける．
- 足部にタオルなどを引っかけて，足関節を背屈位でストレッチングする．

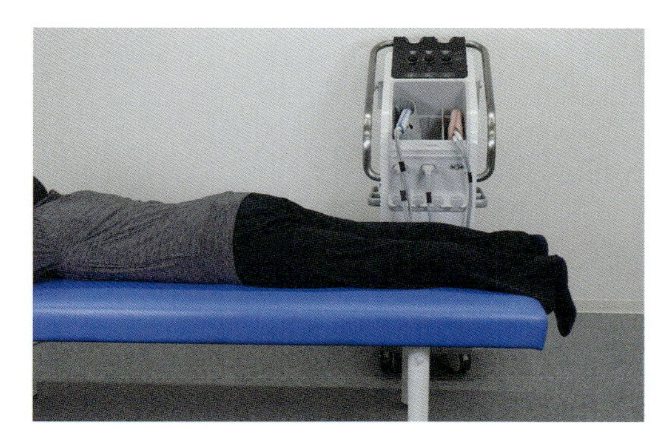

図9　伏臥位で安静（10分）

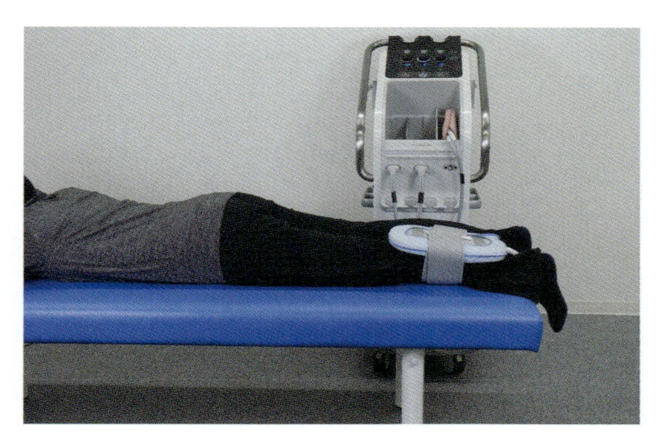

図10　伏臥位で超短波照射（10分）
コイルアプリケーターで平均40 W．

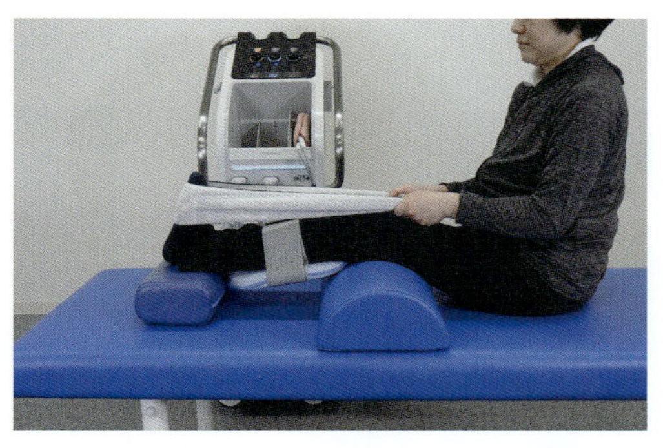

図11　長座位で超短波照射＋下腿三頭筋のストレッチング（10分）
コイルアプリケーターで平均40 W．

❹立位で下腿三頭筋に超短波を10分間照射しながらストレッチングを加える（図12）．

▶パルス波，平均40 W，下腿三頭筋にコイルアプリケーターをバンドで固定する．

▶高さ5 cm程度の台の上に足部先端を乗せ，踵を床につけた状態で下腿三頭筋をストレッチングしながら超短波を照射する．

＊❹・❸→❷→❶の順で関節可動域の拡大が期待される．

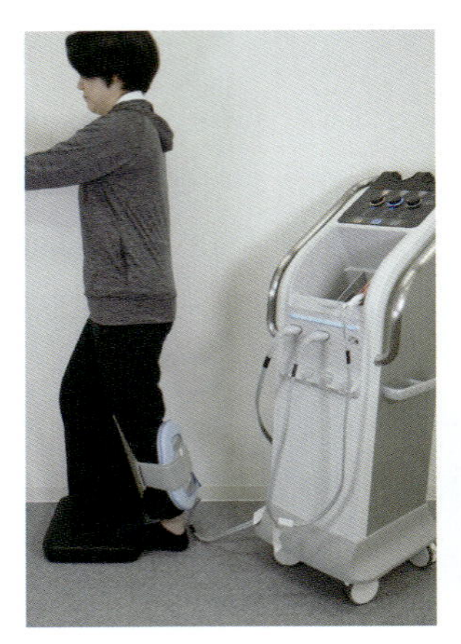
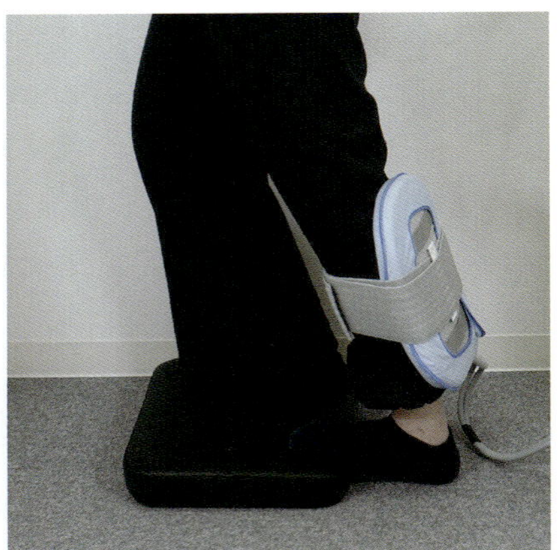

図12　立位で超短波照射＋下腿三頭筋のストレッチング（10分）
コイルアプリケーターで平均40 W．

2）実習（コンデンサーアプリケーターによる温熱療法）

- 変形性膝関節症患者の膝関節痛に対する超短波療法を体験する．
- 椅子や治療台に腰かけて，片方の膝関節にコンデンサーアプリケーターを装着し，平均40 W＊，20分間超短波照射を実施する．
  ＊平均出力の計算方法：ピーク出力（W）×パルス幅（s）×パルス周波数（Hz）
- 注意事項
  ▶前述した禁忌事項に該当しないことを確認する．
  ▶超短波照射を実施する前に汗をよくふきとる．
  ▶両膝に対して治療する場合は，片膝ずつ治療すること（図13）．

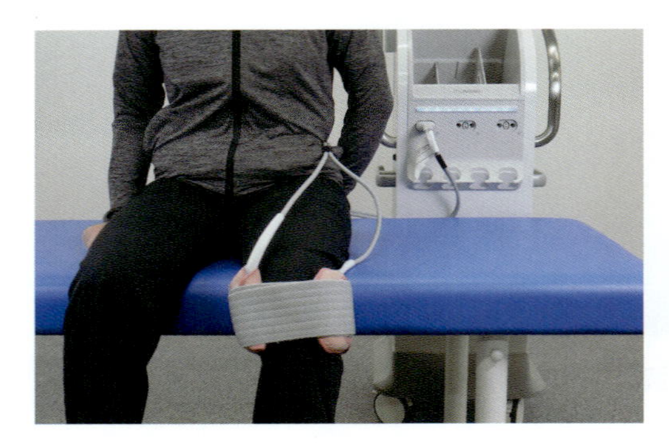

図13　膝関節への超短波照射

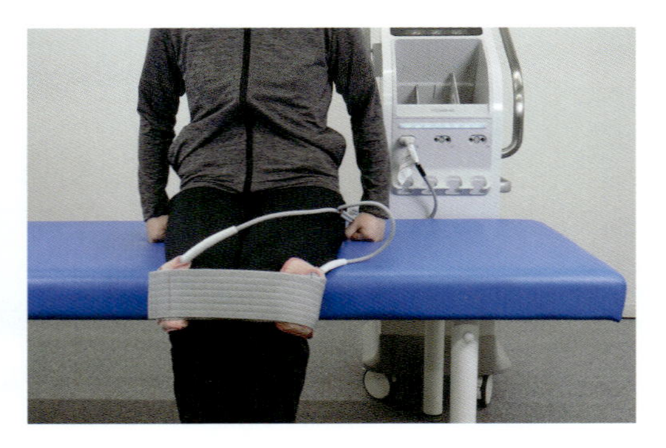

図14　膝関節への超短波照射の悪い例

表　自覚的温感の度合い

Dose Ⅰ	暖かさを感じない
Dose Ⅱ	少し暖かいと感じる
Dose Ⅲ	かなり，かつ心地よく暖かいと感じる
Dose Ⅳ	我慢できる程度の熱さ

▶両膝を挟み込む形でアプリケーターを巻くと，当たっている両膝の内側部で火傷するリスクがある（図14）.

▶40 Wで熱いと感じる場合は出力を下げる.

▶出力は，表のDose Ⅱ～Ⅳで感じる温感のレベルに調節する.

文献

1）Karasel S, et al：The Effect of Short-Wave Diathermy and Exercise on Depressive Affect in Chronic Low Back Pain Patients. Med Arch, 75：216-220, 2021

2）Fukuda TY, et al：Pulsed shortwave treatment in women with knee osteoarthritis: a multicenter, randomized, placebo-controlled clinical trial. Phys Ther, 91：1009-1017, 2011

3）Draper DO, et al：Shortwave diathermy and prolonged stretching increase hamstring flexibility more than prolonged stretching alone. J Orthop Sports Phys Ther, 34：13-20, 2004

4）「EBM物理療法 原著第4版」（Cameron MH/原著，渡部一郎/訳），医歯薬出版，2015

5）No authors listed：ELECTROPHYSICAL AGENTS - Contraindications And Precautions: An Evidence-Based Approach To Clinical Decision Making In Physical Therapy. Physiother Can, 62：1-80, 2010

6）Zulfqar R, et al：Post-Operative Management of Metal Implanted Elbow Stiffness with Pulsed Short-Wave Diathermy (SWD) and Joint Mobilization. APMC, 15：189-194, 2021

7）Draper DO & Veazey E：Pulsed Shortwave Diathermy and Joint Mobilizations Restore a Twice Fractured Elbow with Metal Implants to Full Range of Motion. J Nov Physiother Rehabil, 1：20-26, 2017

8）Kloth LC & Zisken MC：Diathermy and pulsed radio frequency radiation.「Thermal agents in rehabilitation Third Edition」（Michlovitz SL/ed），pp213-254, FA Davis, 1996

参考図書

・ Kitchen SA & Partridge C：Review of Shortwave Diathermy Continuous and Pulsed Patters. Physiotherapy, 78：243-252, 1992

5 極超短波療法

学習のポイント

- 極超短波療法について理解する
- 極超短波が生体に与える影響と使用目的を理解する
- 極超短波療法の適応と効果，禁忌と注意事項について理解する
- 極超短波療法を健常者に対して実施できる

1 極超短波療法とは

- 極超短波療法は超短波療法（第Ⅱ章-4参照）と超音波療法（第Ⅱ章-6参照）と同様に深部温熱療法の1つである．
- 極超短波は電磁波のなかで300～3,000 MHzの周波数の範囲をさす．
- 極超短波はさまざまな分野で活用されているが，医療用の極超短波療法機器は厚生労働省により周波数2,450 MHz（波長：12.25 cm）と定められている．ヨーロッパでは434 MHzの極超短波を医療分野で使用できるようになっている．
- 医療用の極超短波療法は，出力が200 W以内に設定されている．

  ＊家庭用の電子レンジも同様に2,450 MHzの周波数帯を用いており，同様に食物を加熱するが，出力は最大1,000 Wほどのものまである．

- 極超短波療法機器では，電子レンジで用いられているものと同じマグネトロンという発振用真空管の一種で磁電管とよばれる装置によって極超短波を発生させ，アプリケーターを通じて極超短波を生体へ照射している．
- 極超短波の照射強度特性として，①照射強度は発生源からのエネルギー出力に比例する，②照射強度は発生源からの距離の二乗に反比例する，③照射強度は発生源と治療部位を結ぶ線と体表面に対する垂直軸とのなす角の余弦（コサイン）に比例する（Lambert（ランバート）の余弦の法則，図1）[1]．
- 電磁波には屈折，反射，吸収といった性質がある．極超短波と超短波を比較すると極超短波の方が波長は短い．電磁波は波長が長いほど吸収されやすくなり，短いほど反射が生じやすくなる．極超短波はその波長の短さから超短波よりも反射作用が強く現れる．
- 反射は組織の境界部で最も多くみられるため，①空気と皮膚の境界面，②脂肪組織（皮下組織）と筋組織の境界面，③筋と骨との境界面，④胃や肝臓などの内臓，⑤金属の表面などで生じやすい．そのためこれらの部位では熱が集中しやすく熱点（hotspot）を形成しやすい（図2）．

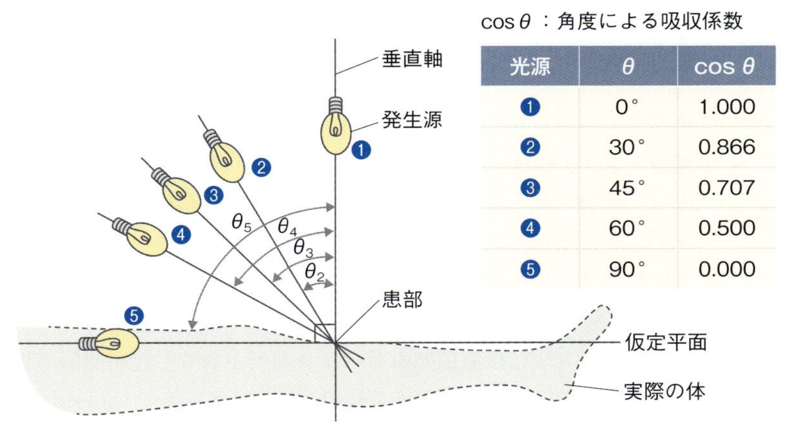

光源	θ	cos θ
❶	0°	1.000
❷	30°	0.866
❸	45°	0.707
❹	60°	0.500
❺	90°	0.000

図1　Lambertの余弦の法則

照射強度は発生源と照射部位とを結ぶ線と体表面に対する垂直軸とのなす角の余弦に比例する．文献1より引用．

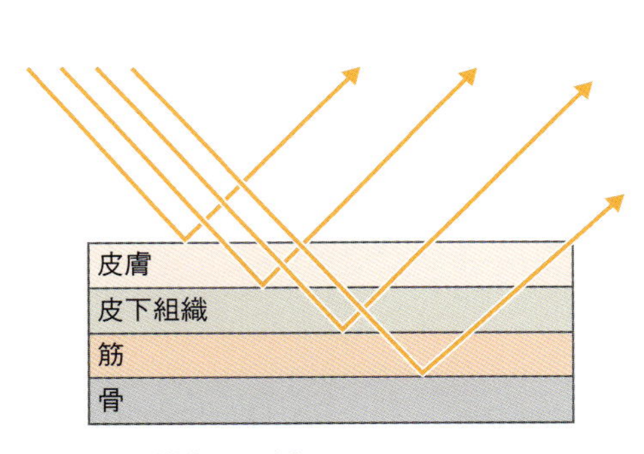

図2　電磁波の反射

極超短波は波長が短いため物質にぶつかると反射される．特に各組織の境界では反射が生じやすいため，深部に到達する前に反射されてしまう．

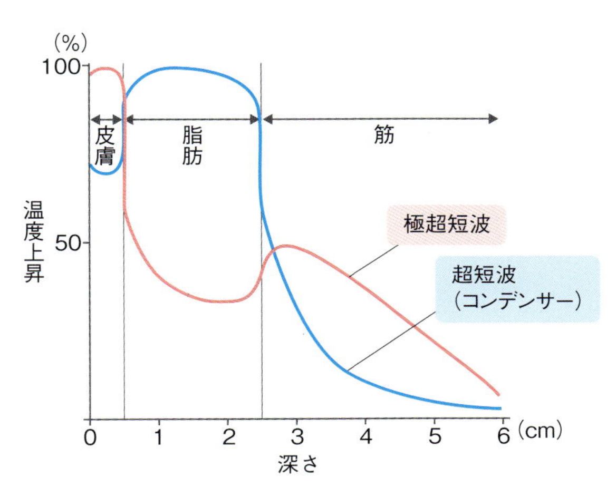

図3　極超短波と超短波による深部温度の比較

文献2をもとに作成．

- 極超短波も超短波と同じように，生体に照射すると主に水分子が誘電加熱によって発熱する．
- 極超短波による発熱は組織に含まれる水分により左右される．したがって，脂肪組織に比べ筋組織の方が発熱しやすい．
- 極超短波の深部温熱（発熱）の期待される効果は深さによって異なる（図3）[2]．皮下2～3 cmの筋が最も発熱する．
- 極超短波の照射によって加熱された組織は，照射をやめても10～15分その温熱効果を持続する．

2 極超短波療法のアプリケーター

- 極超短波療法に用いられるアプリケーターには半球型と長方形型導子がある（図4）.
  - **半球型アプリケーター**：照射部位に面した部位は円形をしており，半球型アプリケーターを用いて極超短波を照射した場合には，中心部と辺縁部よりも中間部の温度上昇が高いためドーナツ型に温まる（図5）.
  - **長方形型アプリケーター**：照射部位に面した部位は長方形をしており，極超短波を照射した場合には，中心部の温度上昇が高い（図6）.
- 極超短波の照射方法には連続照射とパルス照射があり，連続照射の場合は極超短波ジアテルミーと，パルス照射の場合はパルス極超短波ジアテルミー（pulsed microwave diathermy）とよばれている.

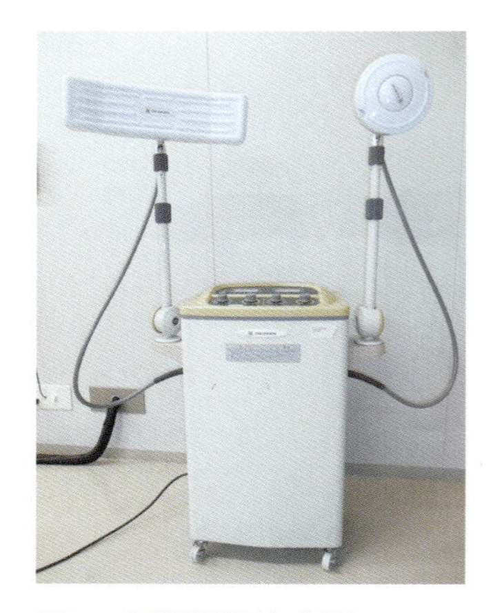

図4　**極超短波治療器**
マイクロ波治療器，ME-3250，オージー技研社製.

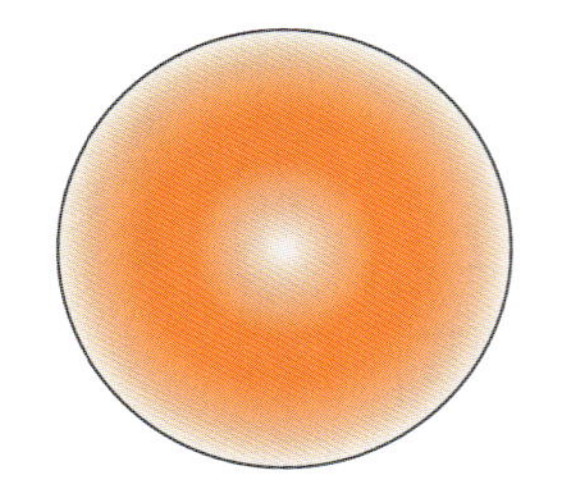

図5　**半球型導子の温度分布パターン**
中心部と辺縁部よりも中間部の温度上昇が高くなる.

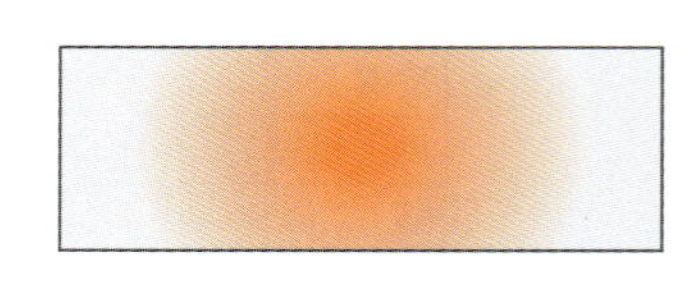

図6　**長方形型導子の温度分布パターン**
中心部温度上昇が高くなる．照射面積が広いため腰部などの広範囲の照射に適している.

3 極超短波療法の適応と効果

1）対象となる疾患・機能障害

- **慢性炎症性の関節疾患**：変形性関節症や肩関節周囲炎などの疼痛の寛解が期待できる.
- **関節可動域（ROM）制限**：関節包，靱帯，表層の筋の短縮が主な原因となっているROM制限に対して伸張運動と組合わせることで可動域の増大が期待できる.
- 極超短波は超音波に比べ広範囲に深部組織を加熱でき，超短波のコンデンサー式と同程度の深部を加熱できる．コンデンサーでは患部を2つのアプリケーターで挟み込む必要があるが，極超短波では1つのアプリケーターで照射することが可能である.

表1　極超短波の照射方法の違いによる深部温の変化

照射様式	表面			1 cm深部			2 cm深部			3 cm深部		
	照射前	照射後	温度差	照射前	照射後	温度差	照射前	照射後	温度差	照射前	照射後	温度差
連続照射	20.1	23.5	3.4 ± 0.4	19.0	22.3	3.3 ± 0.4	18.7	21.1	2.4 ± 0.3	18.2	20.3	2.0 ± 0.1
パルス照射	20.1	23.1	3.0 ± 0.4	19.0	21.9	2.9 ± 0.4	18.7	20.8	2.2 ± 0.3	18.3	20.1	1.8 ± 0.2

文献4をもとに作成.

2）関連する基礎・臨床研究報告

- 極超短波の温熱深達度について，Goats（ゴーツ）は極超短波ジアテルミーについて紹介し，そのなかで皮下2 cmあたりが最も加温され，より深部では減少するとしている[3]．
- 極超短波の照射形式による深部加熱の違いについて，吉田は寒天ファントム※1を用いて検証した[4]．連続極超短波の出力は40 W，パルス極超短波の出力は200 W，DUTY※2 20％，両者ともにアプリケーターと寒天ファントムとの距離は3 cm，照射時間は15分間であった．温度変化を表面，深部1 cm，2 cm，3 cmにて測定した結果，どちらの照射方法も有意な温度上昇を示したが，照射方法の違いによる温度変化に有意な差はなかった（表1）．
- 極超短波療法は主に深部熱による温熱効果を期待して行われる．温熱の効果には疼痛の寛解があるが，Rabini（ラビニ）らは変形性膝関節症に対し深部熱として極超短波療法を，そして表在熱としてホットパックを実施し，その効果をWOMACインデックス※3と筋力，そしてVAS※4にて比較した[5]．その結果，痛み，筋力，身体機能において表在熱よりも有意な改善を示したとしている．
- 末梢神経損傷に対して極超短波照射を行った結果，電気生理学的パラメータが改善したり損傷した神経の軸索の直径が拡大するなどの有効性が報告されている[6]．特に超短波や極超短波でも周波数の低い方がより効果があるようである．しかし，分子レベルでの効果メカニズムについてはまだ十分に理解されていない．

補足

※1　寒天ファントム
寒天は生体に近い水分含有量のため，擬似生体モデルとしてさまざまな用途で用いられている．この擬似生体モデルをファントムとよぶ．

※2　DUTY
DUTYとはduty cycleのことでパルス波の場合はオン—オフがくり返し切り替わる．このくり返しのなかでオンの比率のことをDUTYとよぶ．

※3　WOMACインデックス
WOMAC（Western Ontario and McMaster Universities Osteoarthritis Index）は変形性関節症に用いられる健康関連QOL評価法である．

※4　VAS
VAS（Visual Analogue Scale）は，左端を「痛みなし」とし右端を「想像できる最高の痛み」とした100 mmの直線を患者に見せ，現在の痛みがどの程度かを指し示させる評価法である（第Ⅰ章-3参照）．

3）極超短波療法の効果

- 極超短波療法は深部温熱による効果が期待できるため，前述した通り対象となる機能障害は疼痛，ROM制限などである．
  - ▶温熱効果により局所の血管が拡張され代謝が亢進することにより，発痛物質の排出が促され疼痛閾値が上昇する．
  - ▶ROM制限でも筋の短縮による制限の場合に効果が期待できる．極超短波はその特性から水分含有量の多い筋組織での発熱が最も多い．ただし，極超短波は組織の境界部での反射が生じるため皮下2～3 cmの筋組織までしか加熱できない．

4 極超短波療法の禁忌と注意事項

1）禁忌

- **体内に金属が埋め込まれている場合**
  - ▶金属は電磁波の反射が強いため，金属と組織の境界部に侵入した電磁波と反射した電磁波の干渉作用で電磁エネルギーが倍増される場合があり，hotspotを形成しやすい．そのため，組織の熱傷のリスクが高くなるため禁忌である．
  - ▶2002年米国食品医薬品局（Food and Drug Administration：FDA）より勧告が出された[7]．これによると深部脳刺激装置を挿入されている患者2名が，超短波・極超短波療法を受けた後に脳に重篤な障害を負って死亡した．そのため，体内に電気刺激装置のリード線や何らかの金属が埋め込まれている場合は絶対に使用してはならない．
- **その他の極超短波療法における禁忌事項**（**第Ⅱ章-4超短波療法**の禁忌も参照）
  - ▶**急性炎症，うっ血，浮腫の場合**：局所に水分が過剰に貯留しており，循環不全のため熱の放散ができない．そのため過度に熱が発生し，組織損傷の原因となる．
  - ▶**眼球**：水分が貯留している部位のため禁忌．
  - ▶**男性生殖器**：無精子症になる恐れがある．
  - ▶**出血部位**：温熱により循環が改善し出血の増大を引き起こす恐れがある．
  - ▶**悪性腫瘍**：近年，医師により悪性腫瘍に対する治療に極超短波が用いられることがあるが，がん細胞の増殖を促す恐れがあり，物理療法としては禁忌である．

2）注意事項

- 極超短波療法は水分含有量の多い箇所を特に加熱させるため，照射部位に浮腫や炎症による腫脹がないかを注意する．
- 照射部位に過度の発汗がみられる場合は，タオルを用いるなどして水分を除去して行う．
- 1日に多くの患者に対して極超短波療法を使用する理学療法士は被曝量が多くなるため，潜在的な危険にさらされる．特に妊娠中の理学療法士の場合は，自然流産の発生率が高くなることから使用は避けるべきである．
- 周囲の電子機器に電磁波が影響し誤作動を引き起こす可能性がある．したがって，極超短波治療器は周囲の機器から3～5 m離れた場所で使用すべきである．

5 極超短波療法の実際

1）準備

- ①カルテより患者の病歴を確認する．心臓ペースメーカーや深部脳刺激装置など挿入する手術や，観血的骨接合術によって金属が埋没されていないか，妊娠していないかなど，前述の禁忌にあてはまるものがないかを厳格に確認する．
- ②照射部位に合わせてアプリケーターを選択する．肩，膝，頸部といった狭い範囲に照射する場合は半球型アプリケーターを使用し，腰背部といった広範囲に照射する場合は長方形型アプリケーターを選択する．
- ③患者への説明を行う．体から，アクセサリー類，時計など金属を含んだものは外すように指示する．また，アプリケーターを直視すると白内障など健康被害を被ることを十分に説明する．極超短波照射中に過度に熱さを感じる場合は熱傷の危険性があることも十分に説明し，その場合はすみやかにスタッフへ申し出るように指導する．
- ④極超短波療法機器の周囲1 mでは影響の生じる恐れがあるため，電子機器は離れた位置に設置する．他の患者やスタッフも1 m以上離れるようにする．特に心電図モニターやパルスオキシメーターなど生体情報モニターに不具合を生じさせないように2 m以上離すようにする．厚生労働省は平成14年に医用電気機器の製造販売の規制基準でEMC（電磁両立性）規格を法制化し，平成19年に完了した（**第I章-5-A**参照）．EMC規格は電磁波妨害と電磁波耐性が含まれ患者の安全性および診療の質の確保を図ることを目的としている．

2）治療の実際

- ①アプリケーターを患部に対して垂直になるようにし，約10 cmを離した位置に設置する．不安定な姿勢で治療を行うと15～20分の治療時間中に患者が動いてしまい，治療効率が悪くなる．極超短波は発生源からの距離が離れると逆二乗の法則で照射強度が低下する．また，Lambertの余弦の法則にみられるように，照射角度が変化すると照射強度が変化するので注意する．
- ②機器の電源を入れ，出力を上げる．出力および治療時間は治療の目的となる生理学的反応を引き起こすのに必要なエネルギーが生体内に照射されるように設定する（表2）[8]．

表2　治療強度

照射レベル	患者の反応	組織の温度上昇	適応
レベルI	温熱感なし	なし	損傷の急性期（捻挫など），浮腫の軽減，細胞修復
レベルII	暖かさを感じる	1℃	損傷の亜急性期，炎症
レベルIII	心地よい熱を感じる	2℃	疼痛，筋スパズム，慢性炎症
レベルIV	熱さに耐えられる程度	4℃	血流増加，軟部組織のストレッチングのためのコラーゲン組織の加熱

文献8をもとに作成．

3）治療後

- 極超短波照射部位の確認を行う．発赤，水疱がみられた場合は熱傷の可能性があるため，すみやかに医師へ報告する．
- その他の治療（運動療法など）を組合わせる場合，特にストレッチングを組合わせる場合は組織温が低下してしまうとストレッチングの効果が半減するため，すみやかに実施する．
- 診療録へ使用したアプリケーターの種類，設定距離，実施肢位，照射部位，治療強度，時間，患者の反応などを記録する．

実験・実習

- 極超短波療法は関節包，靱帯，表層の筋組織を加温することが可能である．肩関節に極超短波療法を実施しながらストレッチングを行った場合の肩関節外旋可動域の角度変化を確認する．
- 極超短波療法の効果をより明確に確認するために4条件を比較して行う．
  - 条件❶：肩関節に伸張も温熱も加えない状態で15分間背臥位にて安静にする．
  - 条件❷：肩関節に15分間極超短波療法を実施し温熱のみを加える（図7）．
  - 条件❸：肩関節を15分間外旋方向に持続的に伸張する（図8）．
  - 条件❹：肩関節に15分間極超短波療法を実施し温熱を加えながら持続的に伸張する（図9）．
- 上記の4条件を実施する前に肩関節外旋角度を測定し，実施直後に再度測定し角度変化を確認する．
- 極超短波照射強度は被験者が心地よく温かく感じる強度とする．

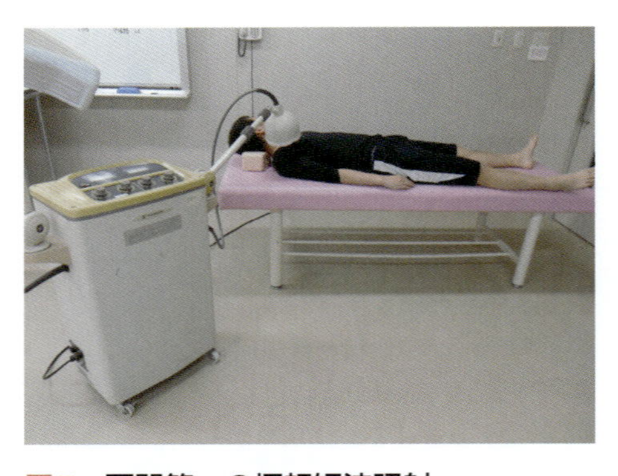

図7　肩関節への極超短波照射

アプリケーターを直視しないように顔を背けるように指示する必要がある．

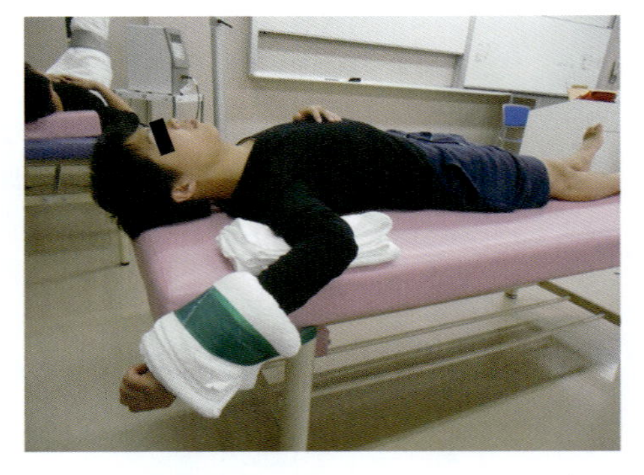

図8　肩関節外旋方向のストレッチング

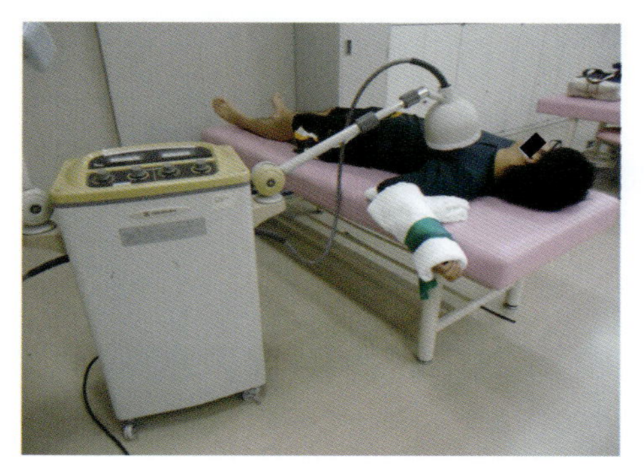

図9　ストレッチングを加えながら極超短波照射

持続的なストレッチングを施す際に重錘ベルトを利用する場合があるが，極超短波を照射しながら実施する場合は重錘ベルト中の金属が過剰に温まる恐れがあるため，禁忌である．

文献

1）「シンプル理学療法学シリーズ 物理療法学テキスト 改訂第3版」（細田多穂/監，木村貞治，他/編），pp241～242，南江堂，2021

2）菅 正明，他：高周波療法．日本温泉気候物理医学会雑誌，30：29-33，1966

3）Goats GC：Microwave diathermy. Br J Sports Med, 24：212-218, 1990

4）吉田次男：パルスマイクロ波と連続マイクロ波の加温効果：パイロットスタデイ．日本温泉気候物理医学会雑誌，67：237-243，2004

5）Rabini A, et al：Deep heating therapy via microwave diathermy relieves pain and improves physical function in patients with knee osteoarthritis：a double-blind randomized clinical trial. Eur J Phys Rehabil Med, 48：549-559, 2012

6）Fu T, et al：Role of shortwave and microwave diathermy in peripheral neuropathy. J Int Med Res, 47：3569-3579, 2019

7）Feigal DW Jr：Public health notification：diathermy interactions with implanted leads and implanted systems with leads. J Ir Dent Assoc, 49：26-27, 2003

8）「Michlovitz's Modalities for Therapeutic Intervention 6th Edition」（Bellew JW, et al/eds），F.A.Davis, 2016

第Ⅱ章 治療法各論

6 超音波療法

学習のポイント

- 超音波療法が生体に与える影響とその目的を理解する
- 超音波療法の適応と効果，禁忌と注意事項について理解する
- 超音波療法を健常者に対して実施できる

1 超音波療法の歴史

- 超音波は1880年フランスのCurie兄弟が圧電効果（piezoelectric effect）を発見し，はじめて発生可能になった．その後，フランスのLangevinが1917年に潜水艦探知器を目的としたソナーを開発して超音波が実用化された．また，金属内探傷器，魚群探知器として応用されてきた．
- 医学に超音波が応用されたのは，1942年Dussikが脳の超音波検査を行ってからであるが，現在では診断，治療のさまざまな分野で使用されている．
- 理学療法領域では1930年代後半～1940年代に坐骨神経痛や関節炎に対しての実施が最初である[1]．

2 超音波

1）超音波とは

- 超音波はヒトに聞こえない高い振動数の音波であり，20,000 Hz以上の音である．
- 超音波は気体，液体，固体を縦波として伝導するが，伝導速度は気体で最も遅くて340 m/s，液体では1,000～2,000 m/s，筋・腱では1,550 m/sであり，真空では伝導しない．第Ⅱ章-4，5で学んだ超短波療法，極超短波療法で用いられる電磁波（横波）は真空でも伝導する．

関連動画①

- 横波とは媒質（波を伝導する物質）の振動方向と垂直な方向に進む波をいい，固体中を伝わるが，液体と気体中は伝わらない（関連動画①）．
- 縦波は粗密波ともいい，媒質の振動方向と同じ方向に進む波をいい，固体，液体，気体中を伝わる（関連動画②）．

関連動画②

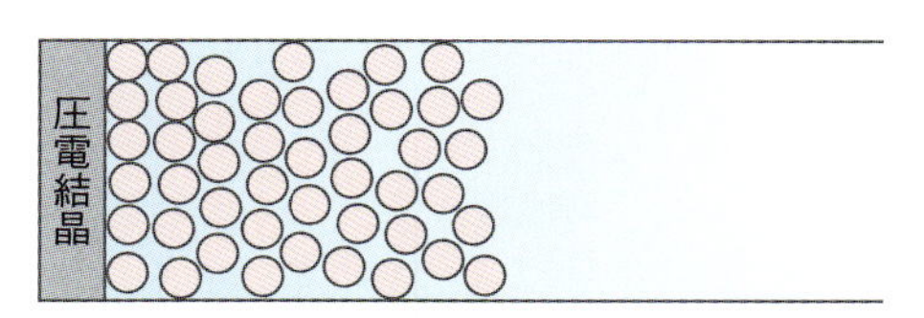

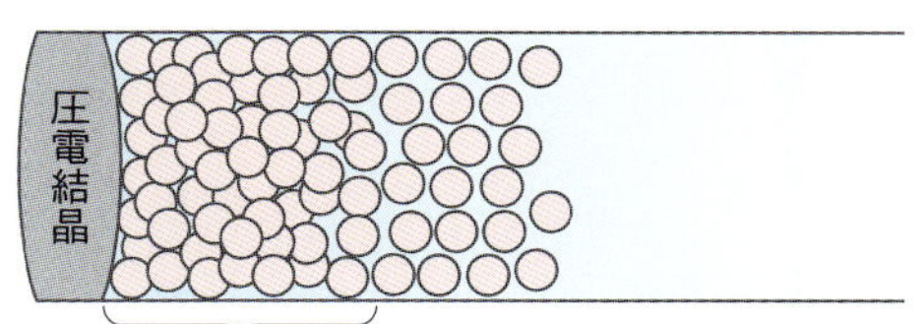

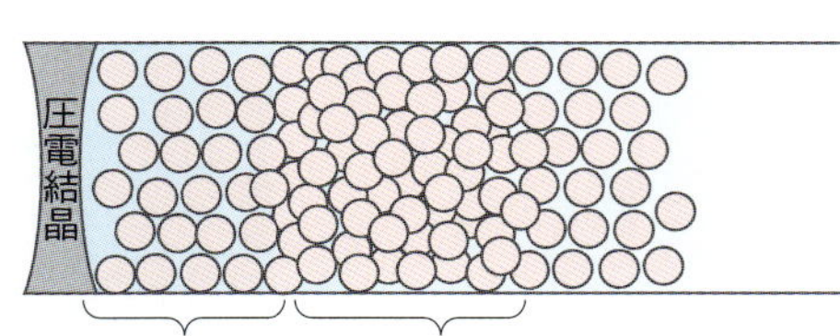

図1　超音波による縦波の伝導様式

圧電効果により圧電結晶が高速で変形し，左から右へと超音波が伝導する．文献3をもとに作成．

表1　超音波療法時（1 MHz）の組織における減衰

組織	減衰（%/cm）
血液	3
脂肪	13
筋	24
血管	32
皮膚	39
腱	59
軟骨	68
骨	96

文献2をもとに作成．

- 超音波は縦波として伝導するので，最初に振動した分子が隣接する分子を振動させて伝導していく（図1）．
- 超音波療法実施時には，図1のような粗密のくり返しが1秒間に100万～300万回起こることになる．多くの超音波療法機器は治療周波数を変更可能であり，1 MHzと3 MHzのいずれかに設定されている場合が多い．1 MHzの周波数は1秒間に100万回の疎密をくり返し，3 MHzでは300万回くり返すことになる．
- 超音波が組織を伝導するときには，反射，屈折，吸収が起こる．超音波が組織に吸収されるときに分子の運動エネルギーが熱エネルギーに変換される．
- 超音波が組織内を伝導するときには，靱帯や腱，その他の結合組織などの深部組織で，超音波エネルギーは急速に吸収され減衰し，熱エネルギーへと変換する．筋や脂肪組織での熱変換の程度は靱帯や腱よりも少なく，超音波療法は，どちらかというと筋や脂肪組織よりも靱帯や腱への温熱に適していることがわかる（表1）．

2）超音波の発生

1 機器の特徴

- 超音波療法機器は超音波発生装置（機器本体）とアプリケーターに分かれる（図2）．

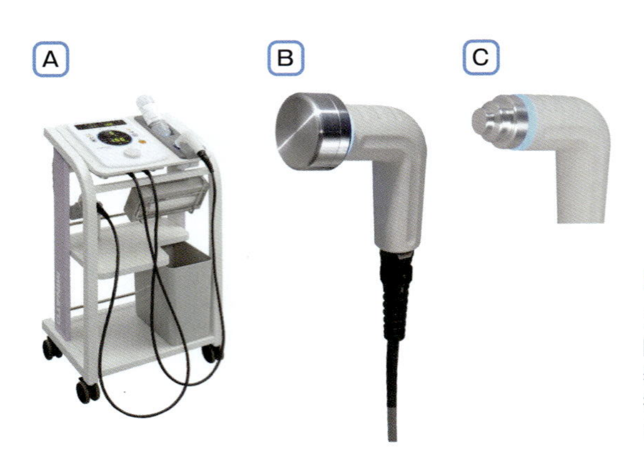

図2　一般的な超音波療法機器

ソニックタイザー，SZ-100，ミナト医科学社より許可を得て掲載．A）機器本体．B）大きなアプリケーター（直径47 mm）．C）小さい部位用の小さなアプリケーター（直径16 mm）．

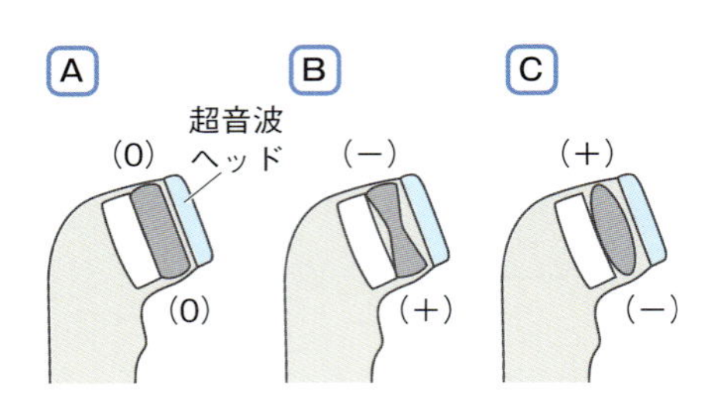

図3　交流通電時の圧電結晶の形状変化

A）通電していない状態で圧電結晶の形状変化はない．B）電気を流すと圧電結晶が凹に変形．C）反対向きに流すと圧電結晶が凸に変形．文献2をもとに作成．

図4　有効照射面積（ERA）

超音波ヘッド．全体の面積は5 cm^2，ERAは4 cm^2（----で囲んだ部分）．Intelect Advanced Combo，2762CC，Chattanooga社製．

- アプリケーターは圧電結晶と超音波ヘッド（アプリケーターヘッド）からなるが，圧電結晶は2～3 mmの厚さのジルコンチタン酸鉛などから構成される．

2 超音波の発生

- 交流をこの圧電結晶に流すと，収縮と膨張をくり返すが，これを逆圧電効果（逆ピエゾ電気効果，reverse piezoelectric effect）という（図3）．
- 前述したが，1 MHzの周波数時には1秒間に100万回，3 MHz時には300万回これらの運動が起こる．
- なお，圧電効果（ピエゾ電気効果）とは，結晶片の両面に圧力を加えると，両面に反対符号の電気が現れる現象をいう．

3）超音波療法で使われる用語

1 有効照射面積（effective radiating area：ERA）

- 超音波は超音波ヘッドから照射されるが，超音波ヘッド全面積から照射されているわけではなく，わずかに狭い面積から照射される．
- 実際に超音波が発生している面積を有効照射面積（ERA）という（図4）．機器によってはさまざまなERAの超音波ヘッドがある（図2B，C）．

表2　4分間の超音波照射前後の温度上昇と温度上昇率

組織	上昇した温度	温度上昇率
筋	3.0℃	0.75℃/分
膝蓋腱	8.3℃	2.1℃/分
アキレス腱	7.9℃	2.0℃/分

ERAの2倍に照射，周波数は3 MHz，強度は1 W/cm^2．文献2をもとに作成．

2 周波数

- 超音波の周波数とは，患者に照射する1秒間あたりの波の回数のことである．通常は0.75～3.3 MHzの範囲であり，1990年以降に作製された機器では2つの周波数を選択可能である．本邦では1 MHzあるいは3 MHzの周波数を設定している場合が多い．
- 低周波であればあるほど減衰が遅く，より深部組織に超音波が伝導する．例えば，車の窓を閉めて音楽をかけ，車外からその音楽を聞くと低周波のベース音などを聞ける一方，高周波音は聞こえない．それと同様である．
- 到達する深さは，1 MHzで皮下6 cm前後，3 MHzで2.5 cm前後と考えられている．よく間違えられることであるが，強度を上昇させても，組織温度の上昇は認められるが到達度には影響がない．3 MHzの超音波では1 MHzの超音波よりも組織に吸収される速度が3倍速い．組織の加温速度は吸収率に関係しており，3 MHzの超音波は1 MHzよりも3倍速く加温することができる（表2）．
- 以上から，治療対象組織の深さを考慮して周波数を選択して治療を実施すべきである．

3 強度

- 超音波の全エネルギーをパワーという．
- パワーは波の長さと振幅（強度）に依存している．波の長さは周波数が一定であれば常に一定であり，治療中は振幅（強度）を調節してパワーを変化させる．
- パワーは通常はワット（W）で示すが，超音波療法ではパワーは一般的に空間平均強度（spatial average intensity），単位はW/cm^{2}で，下記のように算出する．
  - ▶空間平均強度＝パワー（W）/ERA（cm^2）
- 最適な強度に関するガイドラインはなく，臨床的に1.5 W/cm^{2}前後との報告もあるが，治療効果の変化を見極めながら慎重に決定すべきである．

4 ビーム不均等率（beam nonuniformity ratio：BNR）

- 超音波を発生する圧電結晶は完全な均一形状をしていないので，完全に均一に膨張，収縮ができず，結果的に超音波ヘッドから均一の超音波が発生しない．
- ERA内で超音波が最も強く発生している場所の強度を空間最高強度（spatial peak intensity）という（図5）．また，ERA内で平均化した強度を空間平均強度という．これらについては，超音波ハイドロフォンを使用して水中下で測定する．
- この超音波ビームの不均等さをビーム不均等率（BNR）というが，BNRの算出方法は下記の通りである．
  - ▶BNR＝空間最高強度/空間平均強度

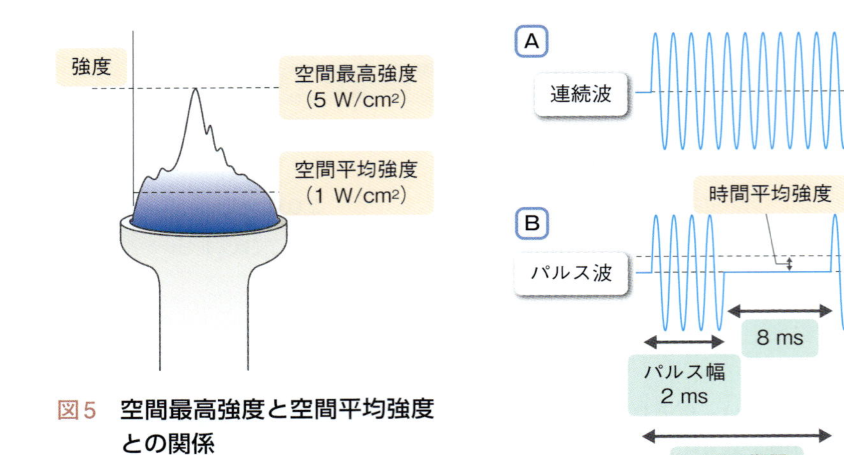

図5　空間最高強度と空間平均強度との関係
ビーム不均等率（BNR）は5.

図6　連続波とパルス波

- 優れた超音波療法機器は，BNRが低値（2〜3前後）であるが，一般的には5〜6前後が多い.
- 仮にBNRが6の機器で治療を実施する場合，1 W/cm^{2}で設定したと仮定すると，空間最高強度は6 W/cm^{2}であり，過剰な温熱効果があるホットスポット（hot spots）を発生させてしまう可能性があり危険である.
- したがって，BNR低値の機器で治療を実施することはもちろんであるが，超音波ヘッドを常に移動させながら治療を実施しなければいけない.

5 連続波とパルス波

- 超音波の連続波とは，治療時間中に連続して照射され，休止時間がないものをいう（図6A）.
- パルス波とは，超音波が照射されていない休止期間がある，断続的なものをいう（図6B）．温熱効果を低下させ，非温熱的効果を発生させたい場合に使用する．超音波が流れている時間をパルス時間（パルス幅，pulse duration）といい，超音波が流れている時間と流れていない時間を合わせてパルス期間（pulse period）という.
- パルス波では全エネルギー量が減少するが，これを時間平均強度（temporal average intensity）で示すことができる.
- 図6では，連続波とパルス波のピーク強度は同一であるが，パルス波の時間平均強度は休止期間があるために低下している.
- パルス波の程度を示す用語に照射時間率（duty cycle）があるが，下記のように計算する.
  - 照射時間率＝パルス幅（オンタイム）/パルス期間（オンタイム＋オフタイム）× 100 %
- 図6では2 ms/10 ms × 100 %で20 %が照射時間率となり，時間平均強度はピーク強度の20 %になる．近年の機器では，照射時間率を設定可能である.

6 定在波（standing wave）

- 音の周期，速度，振幅が同一で逆方向に進行する波が重なると，波がその場で振動するようにみえる現象が発生するが，これを定在波，もしくは定常波という（図7）.
- この定在波は等間隔で血球を停止させてしまい，血管内皮細胞の損傷を起こしたと報告されている．また，これらは0.5 W/cm^{2}程度の低強度超音波照射でも発生すると報告されている.

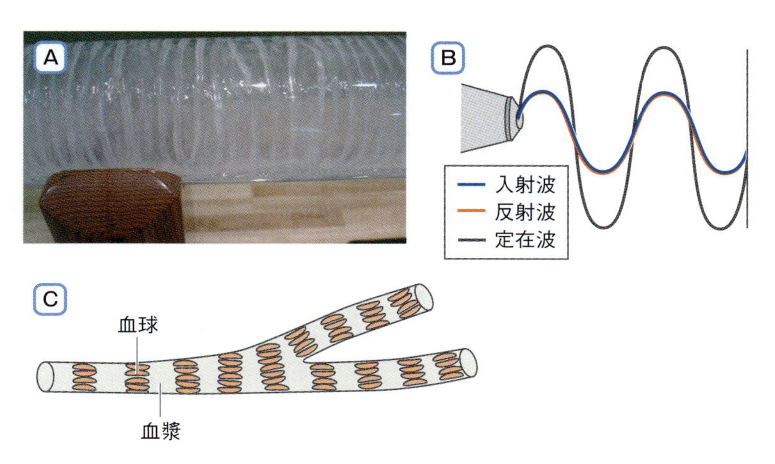

図7　定在波（定常波）

A）実験的に発生させた定在波．B）超音波ヘッドを固定して照射した際に起こりうる定在波の発生．C）血流への悪影響．文献4をもとに作成．

- 定在波発生を予防するには，超音波ヘッドを移動させることが重要になる．

3 超音波療法の適応と効果

1）対象となる機能障害と疾患

- 関節可動域（range of motion：ROM）制限，痛み，筋筋膜痛症候群（myofascial pain），腰痛，肩関節疾患，上腕骨外側上顆炎，手根管症候群，石灰沈着性腱板炎，滑液包炎，関節炎，筋腱炎，骨折などである．

2）基礎・臨床研究報告

❶ 温熱効果

- Draper（ドレイパー）ら[5]は1 MHz，3 MHzの超音波を健常者の下腿に照射して生体内での温度変化を測定している（図8）．この報告ではERAの2倍に限定して超音波を照射している．1 MHz，1.5 W/cm²で10分間照射すると2.5 cmの深さで3.5℃上昇している（図8A）．3 MHzでより表層の温度変化を捉えると，1.0 W/cm²，6分間照射すると1.6 cmの深さで4℃上昇している（図8D）．また，*in vitro*（試験管内）では4℃の温度上昇で結合組織の伸展性はかなり増大すると報告されている．
- 前述したように，超音波療法時に最も加温される組織は，靱帯，腱，その他の結合組織といった密な組織である．表2には組織による加温効果の違いを示しているが，腱が筋よりも加温されやすいことがわかる．
- 腱での加温速度と温度上昇は，同様の状態下の骨格筋よりも2.5～3倍速いとされている．したがって，腱や靱帯を加温するときは効果が認められ，かつ，過度な加温が起こらないような治療時間を設定すべきである．

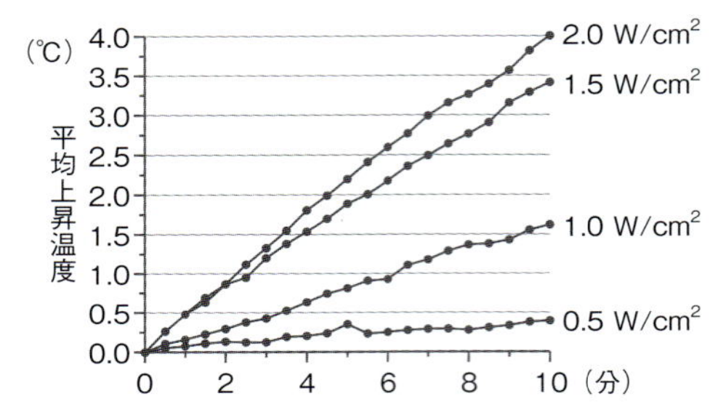

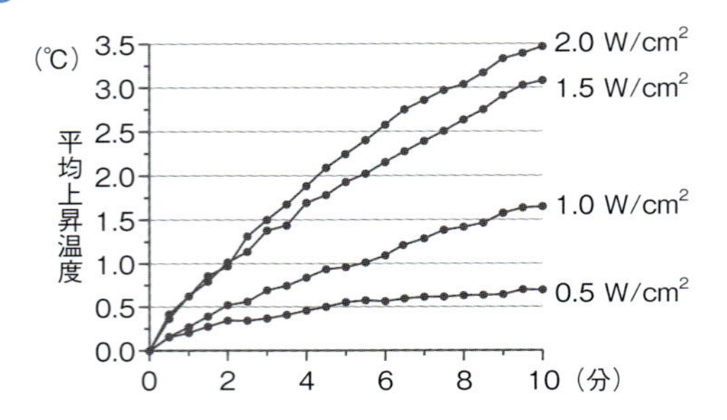

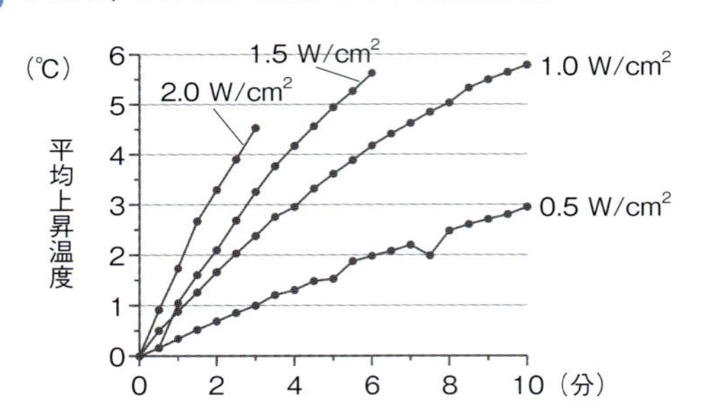

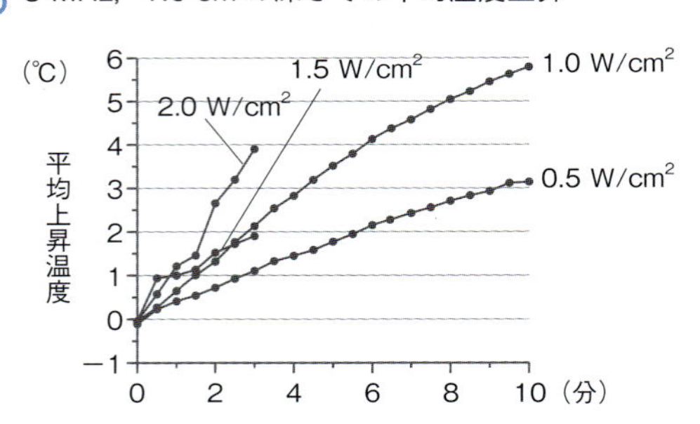

図8　健常者の下腿に超音波照射したときの温度変化

文献5をもとに作成.

表3　3 MHz超音波療法終了後の骨格筋と腱の温度低下

組織	上昇した温度	冷却速度	上昇した温度が4℃に下がるまでの時間
骨格筋	5.3℃	0.52℃/分	2.0分
膝蓋腱	5.0℃（ERA×4）	0.52℃/分	1.9分
	8.3℃（ERA×2）	0.92℃/分	4.7分
アキレス腱	4.0℃（ERA×4）	0.56℃/分	直後
	7.9℃（ERA×2）	0.91℃/分	4.3分

ERA×4：ERAの4倍の面積に照射した場合.
ERA×2：ERAの2倍の面積に照射した場合.
文献2をもとに作成.

- また，超音波療法は深部組織の加温に最適であり伸張運動前に実施するのが望ましいと考えられているが，温熱効果が維持されている時間はきわめて短時間であることがわかっている．超音波療法終了後，末梢循環の改善が急速に起こり組織温度が低下する．腱と筋では同じように組織温度が低下するようである（表3）.
- 組織の伸展性が最も得られやすいと考えられている4℃の組織温度上昇は，超音波療法終了後わずか2～5分間しか維持されない（表3）．この短時間（therapeutic windowという）に伸張運動を実施しないと効果が得られないと考えられる.

表4　超音波療法に対する反応の差異

	範囲（平均値±3 SD）		
組織	温度上昇	低	高
骨格筋	4.0±1.1℃	0.7℃	7.3℃
膝蓋腱	8.3±1.7℃	3.2℃	13.4℃
アキレス腱	7.9±2℃	1.9℃	13.9℃

SD：標準偏差．文献2をもとに作成．

- 臨床現場では超音波を照射して，かなり時間経過してから伸張運動を実施している場面をみるが，照射前の温度に戻っていれば，超音波療法の効果は全くないことになる．
- したがって，組織の伸展性改善を目的に超音波療法を実施する場合は，超音波照射と伸張運動を同時に実施するか，超音波照射後半から伸張運動を実施することが重要になる．
- また，超音波療法の温熱効果にはかなりの個人差があることがわかっている．
- Burnsら[6]は3 MHz，1 W/cm^{2}でヒトのアキレス腱に超音波療法を4分間実施すると，1℃程度しか温度上昇しない被験者がいる一方，10℃以上温度上昇する被験者がいたと報告しており，同様のことは筋や腱にも該当した（表4）．これらの原因としては，個々人の脂肪組織の量，末梢循環，代謝，タンパク質含有量などの差異に依存すると予想されるが詳細は不明である．
- したがって，超音波療法の温熱効果が得にくい症例がいることを想定して臨床活動を実施すべきである．

2 筋筋膜痛症候群

- 表5に筋筋膜痛症候群に対する超音波療法の臨床研究結果をまとめている．全体的な研究結果からある程度の鎮痛が得られるが，圧痛と頸のROMに対する効果は一定していない．
- 表5はランダム化比較試験（RCT）以外の研究も含んでいて，プラセボ超音波療法を実施していない研究もあり，効果は不明である．
- 先行研究から，1 MHzあるいは3 MHz，出力1.5 W/cm^2，1回10分，週に4～5回，合計2～3週間を運動療法と組合わせて実施してもよいと考えられる[2]．

3 腰痛

- 表6に腰痛症に対する超音波療法の臨床研究結果をまとめている．結果はさまざまであり，超音波療法の効果は不明である．
- また，慢性腰痛に限定して解析したコクランシステマティックレビュー[7]では，超音波治療が短期間での腰部機能改善にわずかな効果があるとしているが，臨床的意義のないレベルとしている．
- これらの先行研究から，1 MHz，出力1～2 W/cm^2，1回10分，週に3回，合計4週間を運動療法と組合わせて実施してもよいと考えられる．

4 肩関節疾患

- 表7にさまざまな肩関節疾患に対する超音波療法の臨床研究結果を示しているが，RCTでは超音波療法の効果に否定的な報告も多く，超音波療法の効果は明らかでない．

表5　筋筋膜痛症候群に対する超音波療法の効果

報告	研究方法	超音波療法	評価結果	改善
Srbely et al, 2008	RCT	1 MHz，1 W/cm²，連続波，5分，1回の治療	圧痛	あり
Ay et al, 2011	RCT	1 MHz，1.5 W/cm²，連続波，10分，5回/週，3週間	1. 疼痛VAS 2. 圧痛 3. 頸部ROM 4.neck pain disability scale	1. あり 2. あり 3. あり 4. あり
Aguilera et al, 2009	RCT	1 MHz，1 W/cm²，連続波，2分，1回の治療	1. 疼痛VAS 2. 筋電図（EMG）活動 3. 頸部ROM	1. あり 2. あり 3. なし
Draper et al, 2010	RCT	3 MHz，1.4 W/cm²，連続波，5分，1回の治療	圧痛	あり
Kannan et al, 2012	単一群	1 MHz，1.5 W/cm²，連続波，5分，5回/週，3週間	1. 疼痛VAS 2. 頸部ROM	1. あり 2. あり
Manca et al, 2014	RCT	3 MHz，1.5 W/cm²，連続波，12分，5回/週，2週間	1. 疼痛VAS 2. 頸部ROM 3. 圧痛	1. なし 2. なし 3. なし
Srbely et al, 2008	RCT	1 MHz，0.52 W/cm²，照射時間率50％，10分，1回の治療	圧痛	あり
Sarrafzadeh et al, 2012	単一群	1 MHz，1.2 W/cm²，照射時間率20％，10分，4回/週，1週間	1. 疼痛VAS 2. 頸部ROM 3. 圧痛	1. あり 2. あり 3. あり

RCT：ランダム化比較試験，ROM：関節可動域，VAS：視覚的評価スケール（患者自身が点数をつける尺度）．文献2をもとに作成．

表6　腰痛に対する超音波療法の効果

報告	研究方法	超音波療法	評価結果	改善
Ansari et al, 2006	RCT	1 MHz，1.5 W/cm²，連続波，8分，3回/週，3週間	1.functional rating index 2. 腰部ROM 3.H反射潜時 H max/M max比	1. あり 2. あり 3. なし
Mohseni-Bandpei et al, 2006	単一群	1 MHz，1.5～2.5 W/cm²，連続波，5～10分，1～2回/週，3～5週間	1. 疼痛VAS 2. modified Oswestry LBP disability questionnaire and pain disability index 3. 腰部ROM 4. 脊柱起立筋筋電図（EMG）	1. あり 2. あり 3. あり 4. なし
Durmus et al, 2010	RCT	1 MHz，1 W/cm²，連続波，10分，5回/週，3週間	1. 安静時痛VAS 2. 動作時痛VAS 3. modified Oswestry LBP disability questionnaire and pain disability index 4. 6分間歩行 5. QOL SF-36，Bech depression inventory	1. あり 2. なし 3. なし 4. あり 5. あり
Ebadi et al, 2012	RCT	1 MHz，1.5 W/cm²，連続波，8分，3回/週，4週間	1. functional rating index 2. 疼痛VAS 3. 腰部ROM 4. Sorensen test時の持久力（筋電図解析）	1. なし 2. なし 3. なし 4. なし

RCT，ROM，VASは表5の脚注を参照．文献2をもとに作成．

表7　肩関節疾患に対する超音波療法の効果

報告	研究方法	超音波療法	評価結果	改善
Herrera-Lasso et al, 1993	単一群	1 MHz，0.5～1.0 W/cm²，連続波，10分，3回/週，4週間，伸張運動も実施	1. ROM 2. 疼痛VAS	1. あり 2. あり
Shehab, Adham, 2000	単一群	1 MHz，0.5～2.0 W/cm²，連続波，10分，3～5回/週，3～4週間，伸張運動も実施	1. ROM 2. 疼痛VAS	1. あり 2. あり
Kutais-Gürsel et al, 2004	RCT	1 MHz，0.42 W/cm²，連続波，10分，5回/週，3週間	1. 疼痛 2. ROM 3. health assessment questionnaire 4. shoulder disability questionnaire	1. なし 2. なし 3. なし 4. なし
Johansson et al, 2005	単一群	1 MHz，1.0 W/cm²，連続波，10分，2回/週，5週間，ホームエクササイズも実施	Constant-Murley shoulder assessment, Adolfsson-Lysholm shoulder score, UCLA shoulder scoring scaleの組合わせ	あり
van der Heijden et al, 1999	RCT	1 MHz，1.5 W/cm²，照射時間率20％，2分/cm²，2回/週，6週間	1. 全体的改善 2. shoulder disability questionnaire 3. therapist rated symptom severity	1. なし 2. なし 3. なし

RCT，ROM，VASは表5の脚注を参照．文献2をもとに作成．

- これらの先行研究から1 MHz，出力0.5～2 W/cm²，連続波，1回10分，週に3～4回，合計4週間を運動療法と組合わせて実施してもよいと考えられる[2)]．

5 上腕骨外側上顆炎

- 表8に上腕骨外側上顆炎に対する超音波療法の臨床研究結果を示しているが，効果は明らかでない．
- これらの先行研究から，1 MHz，出力1～2 W/cm²，照射時間率20％，1回5～10分，週に2～3回程度，3～6週間程度を運動療法と組合わせて実施してもよいと考えられる[2)]．

6 手根管症候群

- 表9の手根管症候群に対する超音波療法の臨床研究結果では，効果的との報告が多い．
- データが非常に限定的で，質の低いエビデンスしか得られなかったが，コクランシステマティックレビュー[8)]でも，超音波療法が短期または長期の症状改善面でプラセボよりも有効である可能性が示されたと報告している．
- これらの先行研究から1 MHzあるいは3 MHz，出力0.5～1.5 W/cm²，連続波，1回5～10分，少なくとも週に5回，4週間程度を運動療法と組合わせて実施すべきであると考えられる[2)]．

7 石灰沈着性腱板炎

- 表10の石灰沈着性腱板炎に対する超音波療法の臨床研究結果では，効果的との報告が多い．
- コクランシステマティックレビュー[9)]でも石灰沈着性腱板炎に対する超音波療法はプラセボ治療と比較すると鎮痛効果があるとしている．
- これらの先行研究から，1 MHzあるいは3 MHz，出力1～2 W/cm²，連続波，1回10分，少なくとも週に3回，4～8週間を運動療法と組合わせて実施すべきであると考えられる[2)]．

表8 上腕骨外側上顆炎に対する超音波療法の効果

報告	研究方法	超音波療法	評価結果	改善
Haker and Lundeberg, 1991	RCT	1 MHz，1.0 W/cm^2，照射時間率25％，10分，2～3回/週，4～5週間	1.手関節背屈時の疼痛VAS 2.疼痛（治療前後の変化） 3.物を持ち上げたときの疼痛 4.握力	1.なし 2.なし 3.なし 4.なし
Davidson et al, 2001	単一群	1 MHz，1 W/cm^2，照射時間率20％，10分，2～3回/週，3週間	1.疼痛 2.握力（疼痛のない状態） 3. DASH disability questionnaire scores	1.あり 2.あり 3.あり
D'Vaz et al, 2006	RCT	1.5 MHz，30 mW/cm^2，パルス波，20分，7回/週，3週間	1.疼痛VAS 2.握力 3. patient-rated forearm evaluation questionnaire	1.なし 2.なし 3.なし
Lundeberg et al, 1998	RCT	1 MHz，1.0 W/cm^2，連続波，10分，2～3回/週，5～6週間	1.疼痛VAS 2.手関節背屈への抵抗 3. lifting test 4.握力 5.患者満足度	1.なし 2.なし 3.なし 4.なし 5.なし
Akin et al, 2010	RCT	1 MHz，1.5 W/cm^2，連続波，5分，毎日，3週間	1.安静時痛VAS 2.運動時痛VAS 3.握力 4. QOL SF-36 5. DASH disability questionnaire score 6.患者満足度	1.なし 2.あり 3.なし 4.なし 5.あり 6.あり

RCT，VASは表5の脚注を参照．文献2をもとに作成．

8 滑液包炎

- 表11には滑液包炎に対する超音波療法の臨床研究結果を示しているが，効果は明らかでない．
- これらの先行研究から，1 MHz，出力1 W/cm^2，連続波，1回5～10分，週に3回，3～4週間を運動療法と組合わせて実施してもよいと考えられる[2]．

9 関節炎

- 表12には関節炎に対する超音波療法の臨床研究結果を要約している．
- RCTも比較的多く，効果的であるとの報告も多いが，研究デザイン上の問題も多くて効果は明白ではない．
- これらの先行研究から，1 MHz，出力1～2 W/cm^2，連続波，1回5～10分，週に3回，2～3週間を運動療法と組合わせて実施してもよいと考えられる[2]．

表9 手根管症候群に対する超音波療法の効果

報告	研究方法	超音波療法	評価結果	改善
Ebenbichler et al, 1998	RCT	1 MHz，1 W/cm²，照射時間率20％，15分，5回／週×2週，2回／週×5週，合計7週間	1.正中神経伝導速度（感覚，運動神経） 2.疼痛VAS 3.握力，ピンチ力 4.全体的変化	1.あり 2.あり 3.あり 4.あり
Bakhitary, 2004	単一群	1 MHz，1 W/cm²，照射時間率20％，15分，5回／週，3週間	1.疼痛VAS 2.握力，ピンチ力 3.正中神経伝導速度	1.あり 2.あり 3.あり
Baysal et al, 2006	単一群	1 MHz，1.0 W/cm²，照射時間率20％，10分，5回／週，3週間	1.疼痛VAS 2.ティネル・ファレンサイン 3.二点識別感覚 4.症状（11項目） 5.手の機能 6.握力，ピンチ力 7.正中神経伝導速度 8.患者満足度	1.あり 2.あり 3.なし 4.あり 5.あり 6.あり 7.あり 8.なし
Yildiz, 2011	RCT	1 MHz，1 W/cm²，パルス波，15分，5回／週，2週間	1.症状（11項目） 2.疼痛VAS 3.手の機能（8項目） 4.正中神経伝導速度	1.なし 2.なし 3.なし 4.なし
Ekim, 2008	RCT	3 MHz，1.5 W/cm²，連続波，3分，5回／週，2週間	1.症状（11項目） 2.疼痛VAS 3.手の機能（8項目） 4.握力 5.ティネル・ファレンサイン 6.正中神経伝導速度	1.あり 2.あり 3.あり 4.なし 5.なし 6.なし
Dincer et al, 2009	RCT	3 MHz，1.0 W/cm²，連続波，3分，5回／週，2週間	1. Boston questionnaire 2.患者満足度 3.疼痛VAS 4.正中神経伝導速度（運動，感覚神経）	1.あり 2.あり 3.あり 4.あり
Bilgici, 2010	単一群	3 MHz，1.5 W/cm²，連続波，3分，5回／週，4週間	1.症状（11項目） 2.疼痛VAS 3.手の機能（8項目） 4.握力 5.二点識別感覚 6.正中神経伝導速度	1.あり 2.あり 3.なし 4.なし 5.あり 6.なし
Duymaz et al, 2012	RCT	1 MHz，0.8 W/cm²，連続波，5分，5回／週，3週間	1.手関節ROM 2.安静時，運動時，夜間痛 3.二点識別感覚 4.触覚 5.ティネル・ファレンサイン 6.症状（11項目） 7.手の機能（8項目） 8.握力，ピンチ力 9.正中神経伝導速度	1.なし 2.なし 3.なし 4.なし 5.あり 6.なし 7.なし 8.なし 9.なし

RCT，ROM，VASは表5の脚注を参照．文献2をもとに作成．

表10　石灰沈着性腱板炎に対する超音波療法の効果

報告	研究方法	超音波療法	評価結果	改善
Echternach, 1965	単一群	1 MHz，1.4～1.8 W/cm^2，連続波，5～8分，3～5回/週，2～3週間	ROMと機能	あり
Perron and Malouin, 1997	RCT	1 MHz，0.8 W/cm^2，連続波で5分，3回/週，3週間，イオントフォレーシスも実施	1. 石灰沈着の面積と濃度 2. ROM 3. 外転時の疼痛	1. なし 2. なし 3. なし
Shomoto et al, 2002	RCT	3 MHz，1～2 W/cm^2，連続波，5分/ERA，3回/週，9～13週間	1. 運動時痛 2. X線学的分析	1. あり 2. あり
Ebenbichler et al, 1997	観察研究	1 MHz，2 W/cm^2，照射時間率20％，10分，4～5回/週，4～8週間	1. 疼痛とROM 2. X線学的分析	1. あり 2. あり
Ebenbichler et al, 1999	RCT	1 MHz，2.5 W/cm^2，照射時間率20％，10分，5回/週で3週間，3回/週でさらに3週間	1. X線学的分析 2. 100-point Constant score 3. 疼痛 4. QOL	1. あり 2. あり 3. あり 4. あり

RCT，ROMは表5の脚注を参照．文献2をもとに作成．

表11　滑液包炎に対する超音波療法の効果

報告	研究方法	超音波療法	評価結果	改善
Aldes et al, 1954	単一群	1 MHz，0.4～1.5 W/cm^2，連続波で5～10分，3回/週，3～4週間，石灰沈着に対しては9～12週間	1. 改善　0～3スケール 2. 石灰沈着（存在時）	1. あり 2. あり
Cline, 1963	観察研究	1 MHz，2 W/cm^2，連続波，5回/週，2週間	石灰沈着の減少	あり
Echternach, 1965	単一群	1 MHz，1.4～1.8 W/cm^2，5～8分，3～5回/週，2～3週間	ROMと機能	あり
Gorkiewicz, 1964	観察研究	1 MHz，1.5 W/cm^2，8分，3～4回/週で4週間	運動時痛	あり
Downing and Weinstein, 1986	RCT	1 MHz，1.2 W/cm^2，6分，3回/週で4週間	1. ROM 2. 疼痛 3. 機能的課題	1. なし 2. なし 3. なし

RCT，ROMは表5の脚注を参照．文献2をもとに作成．

表12　関節炎に対する超音波療法の効果

報告	研究方法	超音波療法	評価結果	改善
Hawkes et al, 1986	単一群	3 MHz，0.25 W/cm^2，連続波，6分，5回/週，3週間	1. 疼痛VAS 2. 握力 3. 関節周径 4. 関節指数 5. ROM 6. 活動	1. あり 2. あり 3. あり 4. あり 5. あり 6. あり
Mueller et al, 1954	RCT	1 MHz，2 W/cm^2，連続波，5～8分，5回/週，2週間	1. 疼痛 2. 全体的評価	1. なし 2. なし
Svarcovä et al, 1988	観察研究	3～4回/週で3週間	疼痛VAS	あり
Falconer et al, 1992	RCT	1 MHz，2 W/cm^2，5分×4部位，5回/週で2週間	1. 疼痛VAS 2. ROM	1. なし 2. なし
Konrad, 1994	RCT	1 MHz，0.05 W/cm^2，連続波，10分，3回/週，3週間	1. 痛い関節の数 2. 腫脹している関節の数 3. PIP関節の周径 4. 朝のこわばり 5. 手関節背屈角度 6. 握力	1. あり 2. あり 3. なし 4. あり 5. あり 6. あり
Ozgönenel et al, 2009	RCT	1 MHz，1 W/cm^2，連続波，5分，5回/週，2週間	1. 運動時痛VAS 2. WOMACスケール 3. 50 m歩行時間	1. あり 2. あり 3. あり
Kozanoglu et al, 2003	観察研究	1 MHz，1 W/cm^2，連続波，5分，5回/週，2週間	1. WOMACスケール 2. 運動時痛 3. ROM 4. global improvement score	1. あり 2. あり 3. あり 4. あり
Huang et al, 2005 a	RCT	1 MHz，1.5 W/cm^2，連続波，5分×3領域，3回/週，8週間	1. ROM 2. 疼痛VAS 3. Lequensne's functional index 4. 50 m歩行時間	1. あり 2. あり 3. あり 4. あり
Huang et al, 2005 b	RCT	1 MHz，2.5 W/cm^2，照射時間率25％，5分×3領域，3回/週，8週間	1. ROM 2. 疼痛VAS 3. Lequensne's functional index 4. 等速性筋力 5. 50 m歩行時間	1. あり 2. あり 3. あり 4. あり 5. あり
Ulus et al, 2012	RCT	1 MHz，1 W/cm^2，連続波，10分，5回/週，3週間	1. 疼痛VAS 2. WOMACスケール 3. Lequensne's functional index 4. hospital anxiety and depression scale（HADS） 5. 50 m歩行時間	1. なし 2. なし 3. なし 4. なし 5. なし

RCT，ROM，VASは表5の脚注を参照．文献2をもとに作成．

4 超音波療法の禁忌と注意事項

1）禁忌

- **妊婦の腰部，腹部**：胎児へ悪影響を与える可能性がある．
- **活発に骨が成長している人の骨端**：骨の発育に悪影響を与える可能性がある．絶対的禁忌ではない．
- **がん**（疑われる部位も含む）[10]：温熱効果，循環改善によってがんを成長させてしまう可能性がある．
- **結核感染**（感染した組織上）：炎症を増悪させる可能性あり．
- **出血傾向部位**：出血を増悪させる可能性あり．
- **循環が悪い部位**：組織温度を過度に上昇させる可能性がある．温熱効果がないレベルのパルス波では禁忌にならない．
- **骨化性筋炎の周囲**：骨増殖を引き起こす可能性がある[10]．炎症を増悪させる可能性もあり．
- **深部静脈血栓**：血栓を遊離し，肺塞栓などを引き起こす可能性がある．
- **急性損傷部位**：炎症を増悪する可能性あり．
- **最近に放射線治療を受けた組織**：炎症を増悪させる可能性あり．
- **皮膚疾患**：炎症を増悪させる可能性あり．
- **コミュニケーションに問題がある場合**：治療目的などを理解できないことによる不利益が発生する可能性がある．
- **心臓ペースメーカーや電子機器上への直接照射**：機器への悪影響を引き起こす可能性あり．
- **生殖器**（特に睾丸）：温熱による悪影響（無精子症など）の可能性あり．
- **眼球**：温熱による悪影響が起こりえる．
- **頸部前面**：特に頸動脈，頸動脈洞，迷走神経，横隔神経への影響が不明．
- **脊髄**：図9のように椎弓切除術後，開窓術後などで中枢神経系が骨に覆われていない場合は影響が不明であるので禁忌と考えるべきである．脊髄が存在している第1，2腰椎よりも上位では注意が必要である．

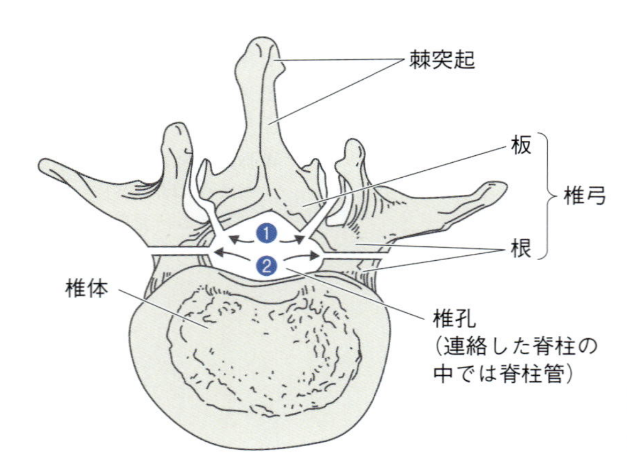

図9　椎弓切除術

❶で切除したり❷で切除する場合がある．

2）注意事項

- **感覚障害の部位**
- ほとんどのプラスチック製品は超音波を吸収しやすいので，**骨セメントやプラスチック製の人工物**に連続波を直接照射しない方がよい．
  - ▶メタクリル酸メチルからなる骨セメントやプラスチックは超音波によって加温されやすい．
  - ▶人工関節を固定するときに使用する水分を多く含むアクリル樹脂骨セメントは60〜70℃で柔らかくなるが，リハビリテーション医療で使用する超音波療法ではこの温度上昇は起こりえない[2]．
- Kocaoğluら[11]は，ラットの大腿骨を金属で内固定（骨接合術）し，超音波療法を実施しても組織の過度な温度上昇，組織壊死は認めず，内固定抜去時の力にも差異がなかったと報告している．金属による固定術を実施していても超音波療法の禁忌にはならないが（図10），金属部位では超音波が反射するので定在波が発生する可能性が高く，超音波ヘッドを移動させながらの照射がより重要となる．

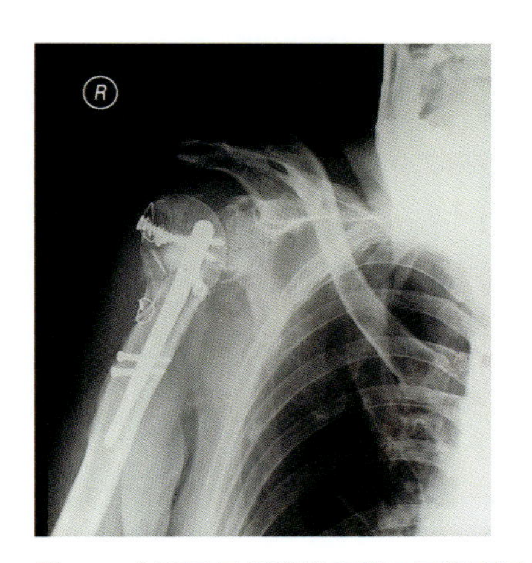

図10　上腕骨骨折術後症例の画像所見

右肩関節外傷後，骨接合術を実施したが，関連動画③のように肩関節外転・外旋の顕著な制限が残存している．このような症例に対して超音波療法は実施可能である．

5 超音波療法の実際

1）直接法と水中法

- 空気中は超音波が伝導しにくいのでカップリング剤が必要になる．一般的には図11のようなカップリング剤（超音波ジェル）を皮膚の上に直接十分に塗布して，超音波ヘッドを皮膚上で滑らせて超音波療法を実施する．
  - ▶カップリング剤の量が少ないと，超音波ヘッドと皮膚との接触面積が少なくなる．
  - ▶カップリング剤の成分は，プロピレングリコール，グリセリン，フェノキシエタノール，着色剤である．

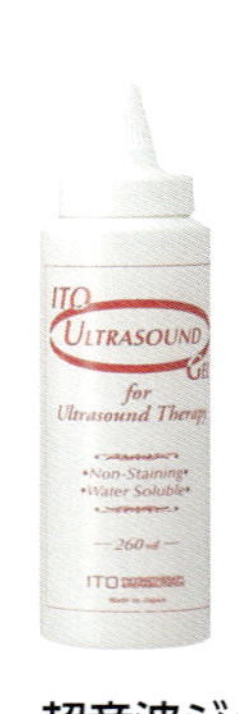

図11　超音波ジェル

超音波ジェル，伊藤超短波社より許可を得て掲載．

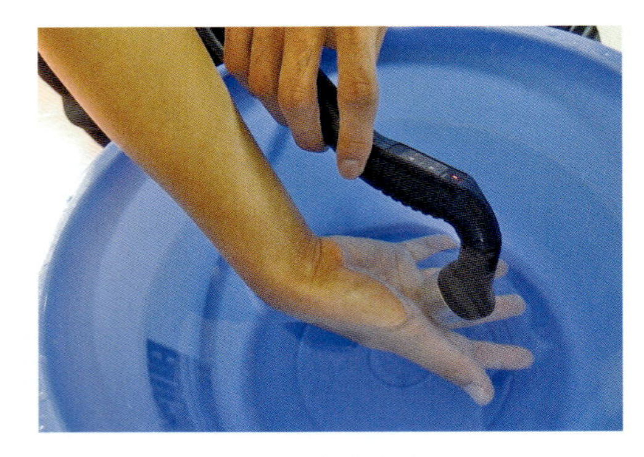

図12　水中法での超音波療法

- 治療部位の皮膚が凸凹しており超音波ヘッドとよい接触を保てない場合や，治療面積が超音波ヘッドよりも狭い場合には水中法で実施する（図12）．
  - 通常の水道水では超音波ヘッドに気泡が付着し，気泡があれば超音波が伝導しなくなるので，一度煮沸させて空気を抜いた水が推奨される．
  - 超音波エネルギーの減衰が起こるので，超音波ヘッドは治療対象部位と1 cm以内にできるだけ近づけて照射すべきである．
  - また，吸収率を考えて，1 MHz使用時には3 MHz使用時よりも50％程度強度を増大させるべきである．

2）移動法と固定法

- 超音波療法は定在波を発生させないように，超音波ヘッドを常に移動させる移動法で実施する場合が多い．
- 固定法での実施は，骨癒合促進や低強度で長時間実施する場合などに限定される．

3）超音波ヘッドの移動

- 目的とする組織の温熱効果を考えると，治療面積はERAの2倍から最大で4倍までに限定すべきである．これは1 MHzの周波数を選択したときには特に該当する．3 MHz使用時には超音波ヘッドの温度上昇が大きいので，1 MHz使用時よりは広範囲に移動させてもよい．
- しかし，これ以上の広い面積に超音波療法を実施しても，目的としている組織温度の上昇を得ることが困難になる．したがって，大きな筋を加温するには極超短波療法や超短波療法が適している（**第Ⅱ章-4，5参照**）．
- 超音波ヘッドの移動速度は一般的には3～4 cm/秒と報告されている．Weaver（ウィーバー）ら[12]の1 MHzの超音波を使用した研究では2～3 cm/秒，4～5 cm/秒，7～8 cm/秒の速度で実施して温度変化を捉え，深部組織の温度上昇に差異がないと報告している．したがって，ERAの2～4倍の面積に2～8 cm/秒前後の速度で移動させればよい．
- また，超音波ヘッドを押さえる力が弱いと，皮膚との接触面積が低下し，熱感，痛みが発生する場合が多い．したがって，超音波ヘッドを意識的に皮膚に押さえながら移動させなければならない．

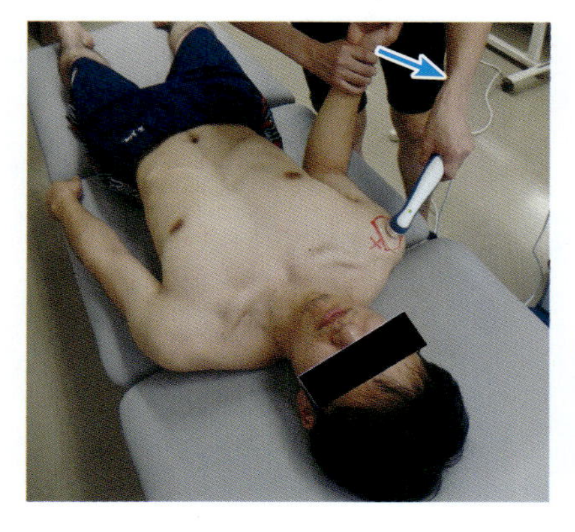

図13　照射部位の決定
肩関節外旋に制限があり，腱板疎部に照射すると仮定している．肩に書かれている×部位は烏口突起である．照射と同時に外旋方向（→）に伸張運動を実施している．

4）温熱的超音波療法

- 組織の伸張性を増大させる目的で超音波療法を実施する場合が多い．このとき，どの組織を加温したいのか，癒着，拘縮した組織はどの組織なのかについて仮説を立てる．
- ROMテスト，ジョイントプレイなどの超音波療法開始前の評価を実施する．
- 組織の深さを考え，周波数を選択する．基本的には連続波で実施するが，必要に応じて照射時間率を計算し，パルス波で実施してもよい．
- 照射する皮膚にERAの2～4倍の面積をマーキングする．図13ではERAの2倍の面積にマーキングをしている．
- 治療時間を10分に設定し，超音波ジェルを十分に塗布してから1 W/cm^{2}前後からスタートする．このときに図13のように伸張運動（外旋方向）を同時に実施することが重要である．
- 図14のように重錘，患者の体重を利用して自動的伸張運動などを実施してもよい．
- 前述したが組織温度に上昇がみられるのは，超音波療法開始直後から終了後5分前後の合計15分間という短時間（therapeutic window）であり，この時間にできる限りの伸張運動を実施することが重要である．このtherapeutic windowの時間に伸張運動を実施しないと，超音波療法を実施した意味が薄れてしまう．
- これらの治療終了後にROMテスト，ジョイントプレイなどの評価を再度実施し，その変化度を把握することが重要である．

5）超音波療法の非温熱的効果

- 非温熱的超音波療法は，温熱を加えずに超音波の音響効果だけを提供したいときに実施する治療であり，主として骨癒合促進目的で実施されるが，創傷治癒目的で使用される場合もある．
- 超音波療法の非温熱的効果にはキャビテーションと音響流（acoustic streaming）が関与していると考えられていた．
- 液体中で圧力が減少することによって空孔のできる現象をキャビテーションとよぶ．
- 超音波を照射すると，圧縮と希薄が連続して発生し，エネルギーが一定に達すると希薄化の瞬間に液体が引き離されて気泡が発生する．また，次の圧縮の瞬間に気泡が潰れる．

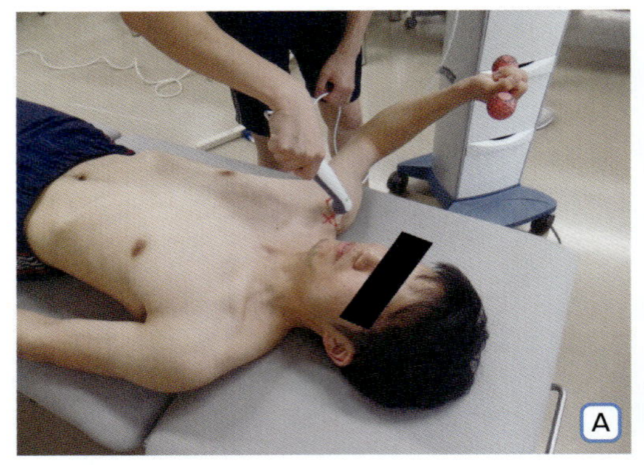

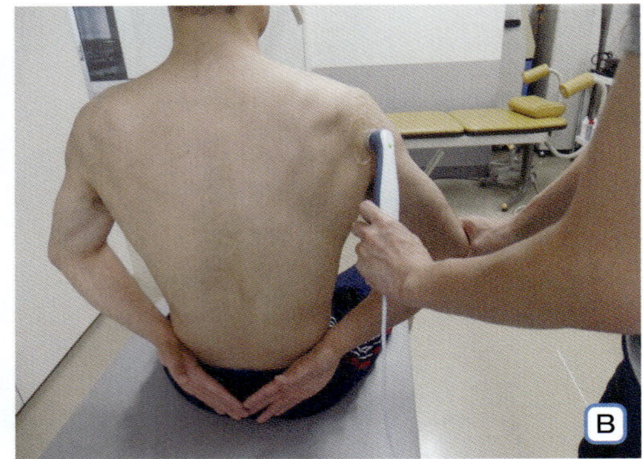

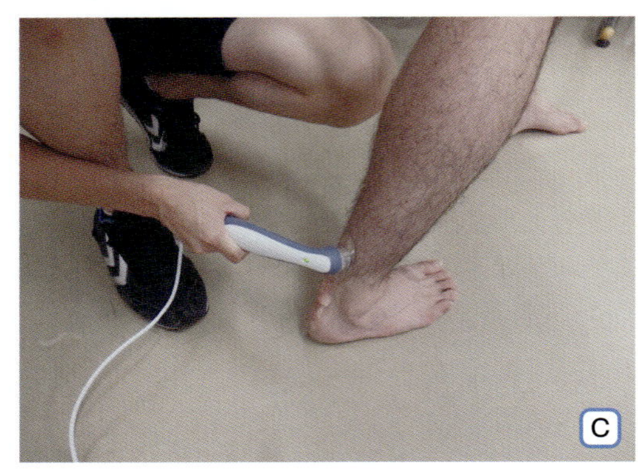

図14 超音波療法と伸張運動の実施

A）重錘を使った伸張運動．B）肩関節内旋への伸張運動．C）アキレス腱の伸張運動．

- 気泡ができるが潰れることのない状態で維持されるようなキャビテーションを「安定したキャビテーション」という．気泡ができて大きくなり，激しく崩壊するようなキャビテーションを「不安定なキャビテーション」という．
- 臨床で使用するような超音波療法でキャビテーションが起こることは示されていないとO'Brien（オブライエン）ら[13]は報告している．また，Leighton（レートン）ら[14]はヒトの頬の組織を使った研究でキャビテーションは起こらなかったと報告している．
- 音響流は超音波によって発生する液体の動きである．液体の動きは細胞膜や細胞間の活動などに影響を与えるが，超音波による音響流には生理学的影響はないと最近は考えられている[2]．
- 低強度の超音波は，*in vitro*（試験管内）では細胞膜の透過性を変化させ，肥満細胞の脱顆粒，フリーラジカル形成などを引き起こすと報告されているが，*in vivo*（生体内）ではこの働きは証明されていない[2]．
- 低出力超音波パルス療法（low-intensity pulsed ultrasound：LIPUS）は機器による違いはあるが，周波数1.5 MHz，強度0.03 W/cm^{2}前後のパルス波（20％前後），治療時間は20分前後で実施される（図15）．
- LIPUSの主たる使用目的は骨折の骨癒合促進であり，腱-骨結合部での修復を加速すると報告されている．LIPUSは，骨の血管新生増加，多能性幹細胞刺激による骨形成を刺激し，造骨細胞の成長，石灰化などによって骨折治癒を促進する．
- これらの効果は超音波療法の力学的，圧電効果（ピエゾ電気効果）によると考えられている．

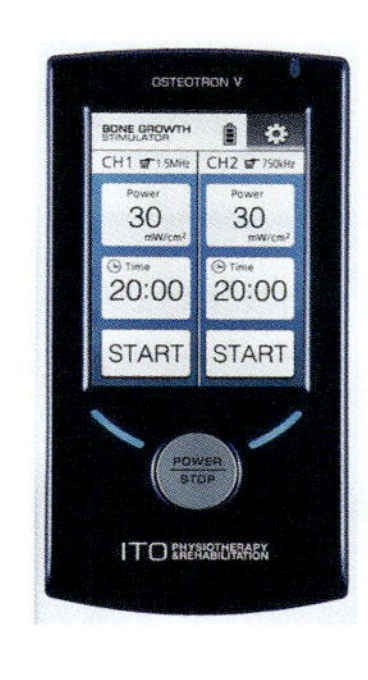

図15　低出力超音波パルス療法（LIPUS）機器

オステオトロンV，伊藤超短波社より許可を得て掲載．

6）フォノフォレーシス

- フォノフォレーシス（phonophoresis）とは，皮膚に塗布した薬剤を吸収させるために超音波を使用する治療方法である．
- 通常は超音波ジェルに薬物を混ぜる，あるいは薬物を皮膚に塗布してその上から超音波を照射して実施する．
- 超音波の力が分子を押すような力になっているのかはいまだに明確ではなく，細胞膜の透過性を増大させるという現象も *in vivo*（生体内）では報告されていない．薬剤吸収の促進は超音波療法の温熱的効果によるものかもしれない[2]．
- 臨床研究ではステロイド，非ステロイド性抗炎症剤などを使用して，インピンジメント症候群，筋筋膜痛症候群，上腕骨外側上顆炎などで実施されているが，さまざまな報告があり，効果は不明である．

実験・実習

- 実際に患者と接しているつもりで，健常者に対して以下の温熱的超音波療法を実施する．

1）頸部への超音波療法と周波数の差異による影響（図16）

❶頸部屈曲，伸展のROM測定を実施，記録する．

❷屈曲伸展時に最も可動する第5/6，6/7頸椎椎間関節周辺にERAの2～4倍の面積をマーキングする．

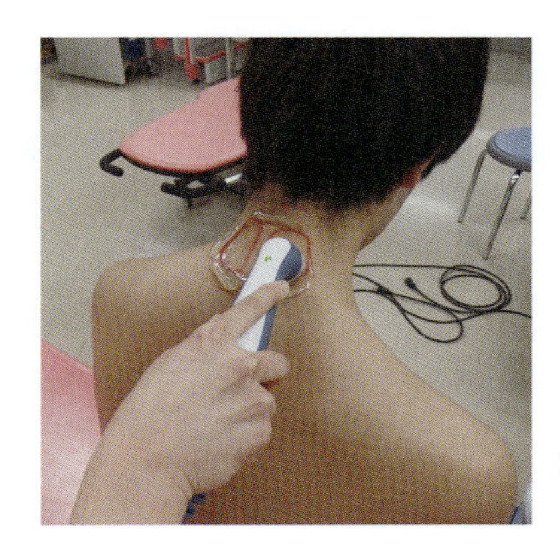

図16　第5/6，6/7頸椎椎間関節周辺への超音波療法

❸マーキング部位に超音波ジェルを十分に塗布してから，周波数1 MHz，強度1～1.5 W/cm^2，連続波，移動法で超音波を10分間照射する．

❹照射直後の頸部屈曲・伸展のROM測定を実施し，超音波実施前後のROMと比較する．

❺別の被験者には周波数3 MHz，強度1～1.5 W/cm^2，連続波，移動法で超音波を10分間照射し，同様の測定を実施し，1 MHz時と3 MHz時の変化を比較する．

2）肩関節への超音波療法と時間的影響

❶肩関節外旋（外転位・下垂位）のROM測定を実施，記録する．

❷肩関節前方にERAの2～4倍程度の面積をマーキングする．

❸マーキング部位に超音波ジェルを十分に塗布してから，周波数1 MHz，強度1～1.5 W/cm^2，連続波，移動法で超音波を10分間照射する．

❹超音波療法終了直後のROM測定を実施し，5，10，15分後にROM測定を実施し，抵抗感を含めて変化を把握する．

3）肩関節への超音波療法と持続的伸張運動の組合わせ（図17）

❶両肩関節外旋（外転位・下垂位）のROM測定を実施，記録する．

❷超音波療法を実施する方の肩関節前方に，ERAの2～4倍程度の面積をマーキングする．

❸マーキング部位に超音波ジェルを十分に塗布してから，周波数1 MHz，強度1～1.5 W/cm^2，連続波，移動法で超音波を10分間照射する．このときにもう1人の学生が持続的伸張運動（肩関節外転，下垂位のいずれか）を実施する．対側肩関節には同側と同様の肢位，角度，力で，10分間持続的伸張運動を実施する．

❹照射直後の両側肩関節外旋（外転位・下垂位）のROM測定を実施し，超音波照射前，対側の変化と比較する．

4）股関節への超音波療法と照射面積による差異（図18）

❶両股関節の内外旋ROM測定を実施，記録する．

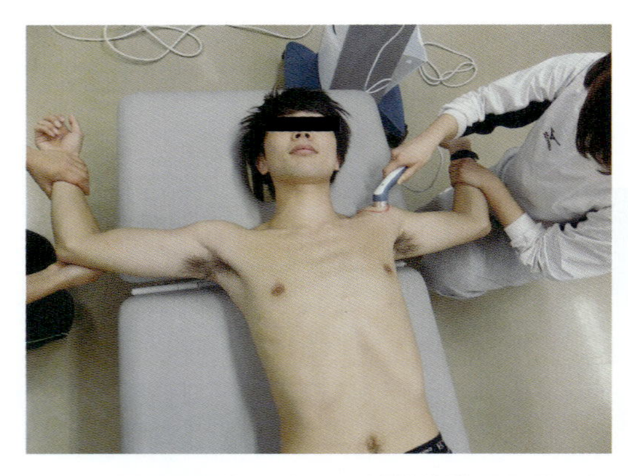

図17　肩関節外旋方向への持続的伸張運動と超音波療法の併用

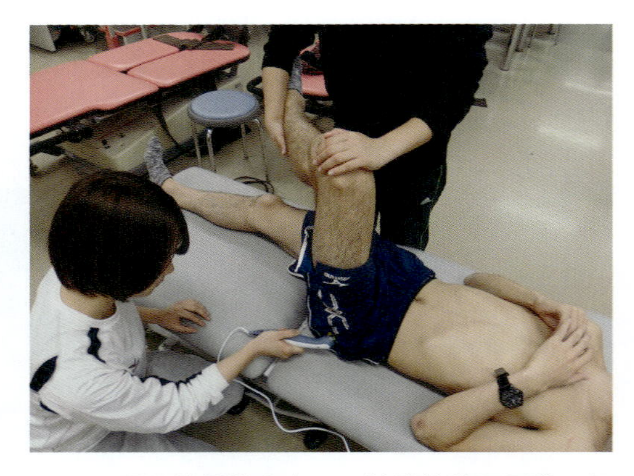

図18　股関節外旋方向への持続的伸張運動と超音波療法の併用

服の上から超音波ヘッドを当てているが，実際は大転子より頭側の皮膚に照射する．

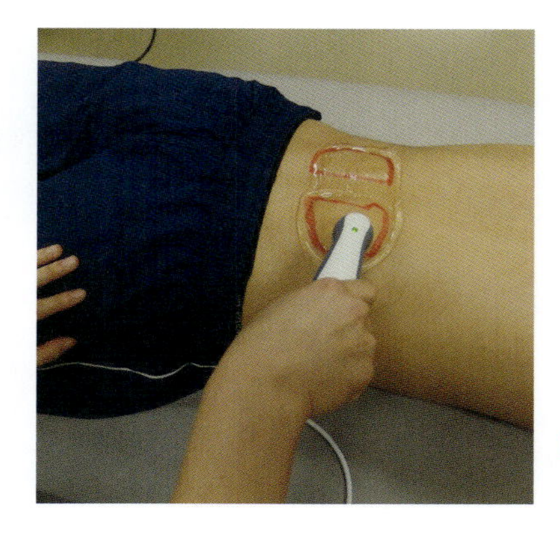

図19　第4/5腰椎椎間関節近傍への超音波療法

❷片側の大転子頭側にERAの2～4倍程度の面積をマーキングする．

❸マーキング部位に超音波ジェルを十分に塗布してから，周波数1 MHz，強度1～1.5 W/cm^2，連続波，移動法で超音波を10分間照射する．

❹照射直後の股関節内外旋ROM測定を実施する．

❺対側大転子周辺の広範囲（ERAの4倍以上）に超音波療法を実施し，照射直後の股関節内外旋ROM測定を実施し，ERAの2～4倍に照射した変化と比較する．

5）腰部への超音波療法（図19）

❶指床間距離（finger floor distance：FFD）を測定する．

❷被験者を腹臥位にし，腸骨稜を触診し腸骨稜上においた指と腰椎上においた母指とが一直線になるようにして，ヤコビー線（Jacoby line）をみつける．この高さが健常者での第4/5椎骨の高さである．第4/5腰椎椎間関節周囲にERAの2～4倍程度の面積をマーキングする．

❸マーキング部位に超音波ジェルを十分に塗布してから，周波数1 MHz，強度1.5～2.0 W/cm^2，連続波，移動法で超音波を10分間照射する．

❹照射直後のFFDを測定する（写真で撮影して観察してもよい）．

6）アキレス腱への超音波療法と照射組織による差異（図20）

❶両側足関節背屈のROM測定を膝関節伸展位と膝関節屈曲位で実施する．

❷片側のアキレス腱，筋腱移行部位周辺にERAの2～4倍程度の面積をマーキングする．

❸マーキング部位に超音波ジェルを十分に塗布してから，周波数3 MHz，強度1～1.5 W/cm^2，連続波，移動法で超音波を10分間照射する．

❹照射直後のROM測定を実施する．

❺対側の腓腹筋筋腹にERAの2～4倍程度の面積をマーキングし，周波数3 MHz，強度1～1.5 W/cm^2，連続波，移動法で超音波を10分間照射する．

❻照射直後のROM測定を実施し，照射組織（筋，腱）による差異を捉える．

7）水中法（図12参照）

- 手掌や指の関節に対して実施する．

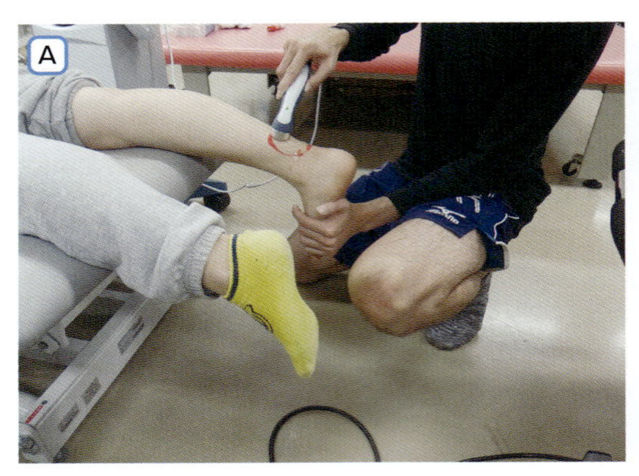

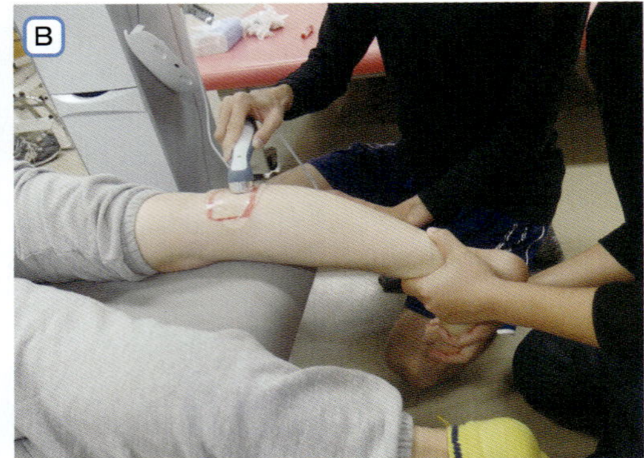

図20 アキレス腱周辺（A），腓腹筋（B）への超音波療法

文献

1）「Krusen's Handbook of Physical Medicine and Rehabilitation 4th Edition」（Kottke FJ & Lehmann JF/eds），Saunders，1990
2）「Michlovitz's Modalities for Therapeutic Intervention 6th Edition」（Bellew JW, et al/eds），F.A.Davis，2016
3）「Integrating Physical Agents in Rehabilitation 2nd Edition」（Hecox B, et al/eds），Pearson，2005
4）「Physical Agents in Rehabilitation 3rd Edition」（Cameron MH/ed），Saunders，2009
5）Draper DO, et al：Rate of temperature increase in human muscle during 1 MHz and 3 MHz continuous ultrasound. J Orthop Sports Phys Ther, 22：142-150, 1995
6）Burns BL, et al：Determination of the magnitude, rate and duration of temperature changes in the human Achilles tendon with application of 3 MHz ultrasound at two intensities. J Orthop Sports Phys Ther, 31：A-47, 2001
7）Ebadi S, et al：Therapeutic ultrasound for chronic low-back pain. Cochrane Database Syst Rev, CD009169, 2014
8）O'Connor D, et al：Non-surgical treatment（other than steroid injection）for carpal tunnel syndrome. Cochrane Database Syst Rev, CD003219, 2003
9）Green S, et al：Physiotherapy interventions for shoulder pain. Cochrane Database Syst Rev, CD004258, 2003
10）Rennie S：ELECTROPHYSICAL AGENTS-Contraindications And Precautions：An Evidence-Based Approach To Clinical Decision Making In Physical Therapy. Physiother Can, 62：1-80, 2010
11）Kocaoğlu B, et al：The effect of therapeutic ultrasound on metallic implants：a study in rats. Arch Phys Med Rehabil, 92：1858-1862, 2011
12）Weaver SL, et al：Effect of transducer velocity on intramuscular temperature during a 1-MHz ultrasound treatment. J Orthop Sports Phys Ther, 36：320-325, 2006
13）O'Brien WD Jr：Ultrasound-biophysics mechanisms. Prog Biophys Mol Biol, 93：212-255, 2007
14）Leighton TG, et al：A search for sonoluminescence *in vivo* in the human cheek. Ultrasonics, 28：181-184, 1990

7 寒冷療法

学習のポイント

- 寒冷療法とは何か，生体に与える影響とその目的について理解する
- 寒冷療法の適応と効果，禁忌と注意事項を理解する
- 寒冷療法の種類・具体的方法を理解する
- 寒冷療法を健常者に対して実施できる

1 寒冷療法とは

- 寒冷療法（cryotherapy）は，寒冷を局所的あるいは全身的に応用する治療法である．
- 古代ギリシア・ローマで雪と天然の氷を使って治療をしたことがはじまりとされ，ヒポクラテスは外傷急性期に腫脹や疼痛の軽減目的で用いることを勧めた[1]．
- 17世紀には寒冷刺激で知覚脱失を図り，傷の切除を行った記録があり，1881年には冷湿布が手術の補助手段として認められていた．
- 1950年代にはスポーツ外傷の日常的管理に冷却が用いられ，1970年代には応急処置にも使われた．このころには，運動療法を加えた寒冷運動療法（cryokinetics）でスポーツ復帰が早くなると報告された[2]．
- 従来の寒冷療法は氷を使って冷却していたが，－180℃の低温ガス発生装置によって冷却する極低温療法（extreme cryotherapy）が開発され，1970年前後から関節リウマチを中心としてその効果が報告された[3]．
- 『The Sports Medicine Book』（Mirkin G & Hoffman M, Little Brown & Co, 1978）で紹介されたRICE処置（Rest：安静，Ice：冷却，Compression：圧迫，Elevation：挙上）は，急性外傷の処置としてスポーツ領域で広がり（図1），氷水などを使用したアイシングは試合後の疲労回復（リカバリー）にも活用されている[4]．
- 2015年にRICEを推奨した著者がそのプロトコルを撤回する記事を掲載し[5]，寒冷療法は損傷組織の回復を遅らせるといった否定的な報告も増えている．

Rest	（安静）
Ice	（冷却）
Compression	（圧迫）
Elevation	（挙上）

・開始時期：可及的早期から
・至適温度：10〜15℃
・冷却時間：10〜15分の間欠的方法
・冷却頻度：くり返しが必要な場合は疼痛や熱感を考慮し1〜2時間おきに最大72時間まで
・圧迫の程度：圧が均等になるよう配慮

足関節外側靱帯損傷に対するRICE処置

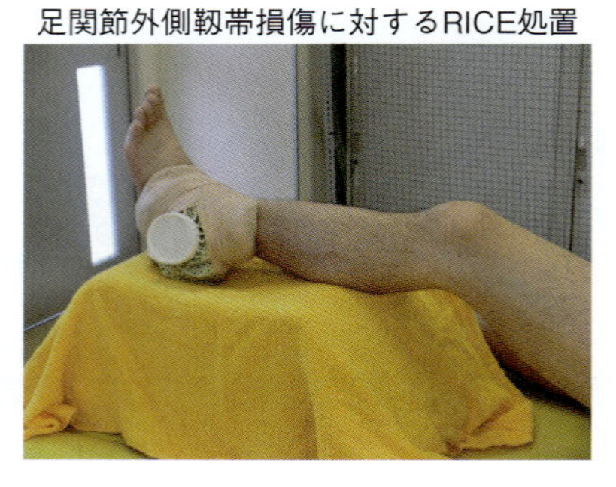

図1　外傷の急性期治療におけるRICEの具体的方法

Protection（保護）を加えてPRICE，Stability（固定）を加えてRICESともいわれる．

2　寒冷療法の適応と効果

1）適応

- 組織損傷後の代謝抑制
- 外傷急性期の炎症反応抑制
- 局所の疼痛緩和
- 筋緊張の緩和
- 神経‐筋の反応抑制および促通
- 運動による筋疲労軽減

2）効果

1 身体組織の温度低下とリウォーミング

- 寒冷刺激により組織温は低下し，冷却を止めると適用以前の温度に戻るリウォーミングが生じる．これは，30分のアイスパック*適用後で2時間以上を要する[6]．
- 皮膚温は20分で約50％低下するが，筋温は約10％しか下がらない．筋のリウォーミングは皮膚温より戻りが遅い（図2）[7]．
- クラッシュアイス*を用いた大腿前面のアイシングでは，皮膚温は10分で約13℃まで低下するのに対し，筋温は30分後に29〜31℃までしか低下しない[8]．また，アイシング中止後は皮膚温が急激に回復するのに対し，筋温は5〜7分間ほど下がり続ける．

＊アイスパックとクラッシュアイスは後述の図9，10を参照．

- アイスチップを用いた膝関節の冷却では，30分間で皮膚温は11.5℃になるが，筋温は22.5℃までしか下がらない（図3）[9]．
- 冷却と同時に圧迫を行うと，皮膚温は圧迫しない場合より低下し，筋温についても圧迫を加えることで顕著な低下が認められる[7,8]．

2 代謝の低下

- 寒冷刺激により血管が収縮すると血流が減少し，細胞組織代謝が抑制され酸素需要量を減少させる．

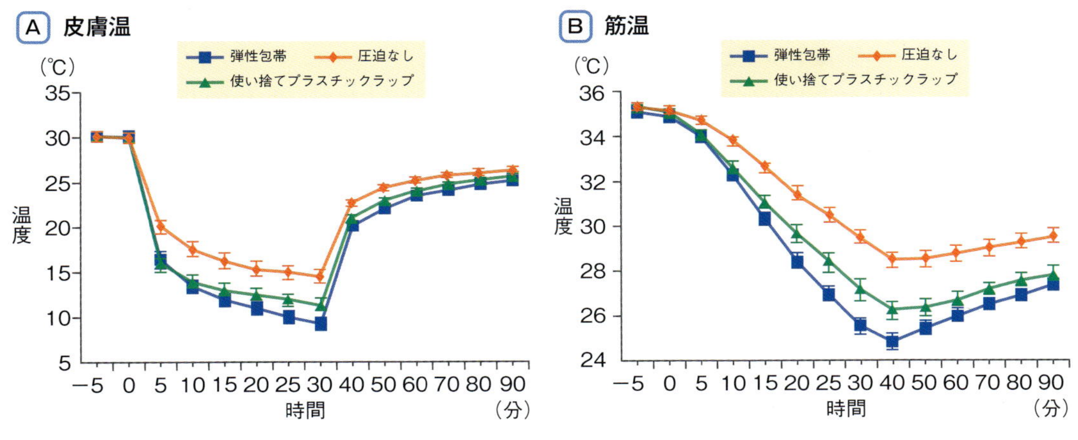

図2　寒冷療法による皮膚温と筋温の変化

アイスバッグ（図8A参照）は30分で取り除いている．筋温（B）は皮膚温（A）に比べて温度低下率は低く，冷却終了後も下降を続け，リウォーミングも遅いことがわかる．文献7より引用．

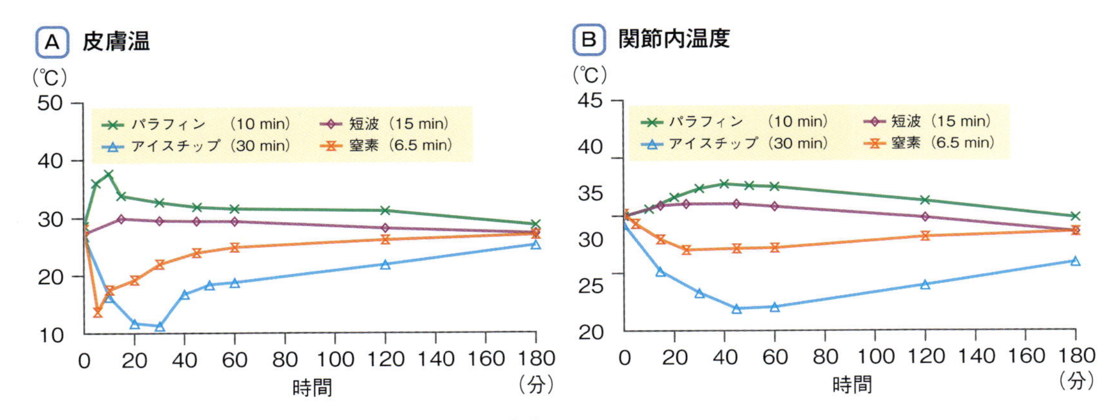

図3　寒冷療法による皮膚温と関節内温度の変化

アイスバッグ（中にアイスチップが入っている）は30分で取り除いている．関節内温度（B）は皮膚温（A）に比べて温度低下率は高いことがわかる．文献9より引用．

- 体温が1℃低下すると生体の酸素消費量は約6～9％下がり，ラットを用いた実験では，10℃低下すると脳酸素代謝量はほぼ半減する[10]．
- 新陳代謝や酵素活動を50％抑制するためには，10～11℃の皮膚温が適切であるといわれている[11]．
- 細胞組織を損傷せずに代謝レベルを低下させる至適冷却温度は10～15℃であり，間欠的方法が勧められている[12]．

3 炎症反応の抑制

- 炎症※1は外界から生体を守る応答として必須である．炎症局所は低酸素環境になると考えられ，細胞が生存するためには低酸素環境に適応することが求められる[13]．

- 寒冷刺激により血管が収縮すると血流が減少し，酵素活性が抑制され，血管透過性の亢進が軽減することで炎症反応が抑制される．
  - ラットの左長趾伸筋を損傷させた研究では，下腿を10℃で20分間冷却すると，毛細血管密度の減少や微小血管透過性の増大が正常に戻ることが示された[14]．
- 組織治癒に必要なインスリン様成長因子（IGF-1）は，炎症反応で分泌されるサイトカインによって刺激される．このことによって，組織治癒が促進される．
  - ヒトを対象とした研究では，運動に伴う筋損傷後に約5℃の冷水浴を20分行った群は，サイトカインの1つであるケモカインリガンド2（CCL2）の発現が低くなった[15]．
  - 筋損傷を起こしたラットに1℃前後のアイスパックを20分行った研究では，アイスパック実施群はIGF-1の発現が1～2日遅れ，筋再生も遅れた（図4）[16]．
- マウスを用いた研究では，低温である3℃や高温である37℃に比べて，27℃は血流量が保たれており，消炎効果を得つつ※2酸素供給や老廃物除去が期待できると報告された[17]．

補足

※1　炎症

炎症の5徴候として，発赤・腫脹・疼痛・熱感・機能障害が知られている．炎症のプロセスを概略すると，身体組織に侵害刺激が加わることで，ブラジキニンやヒスタミンなどの起炎因子が放出される．これらは疼痛を誘発するだけでなく，毛細血管を収縮させ，血管透過性が亢進することで血漿成分や白血球が血管外へ滲出する．血管外へ滲出した単球はマクロファージとなって破壊された組織などを清掃し，白血球は細菌などを捕食する．このように炎症は組織の恒常性を維持するための反応で，免疫システムの活性化，止血，創傷治癒などを促す．一方で，炎症は強い疼痛や腫脹による機能障害など負の側面もある．

※2　消炎が必要な理由

炎症は組織の恒常性を維持し，外界から生体を守るために必要な反応である．一方で，長期化する炎症そのものが生体防御の意味をなさない慢性炎症の病態となることが問題である．正常な炎症機能を阻害することなく，痛みや腫脹の軽減を図るといった対応が求められる．

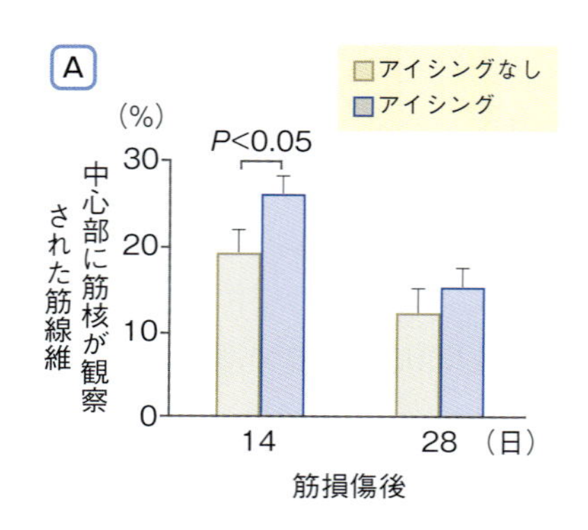

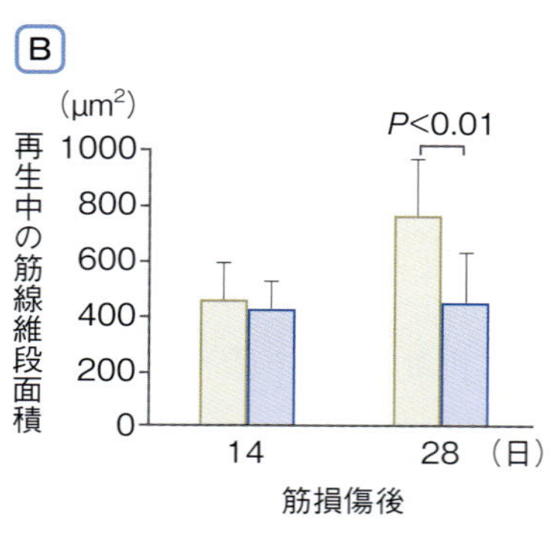

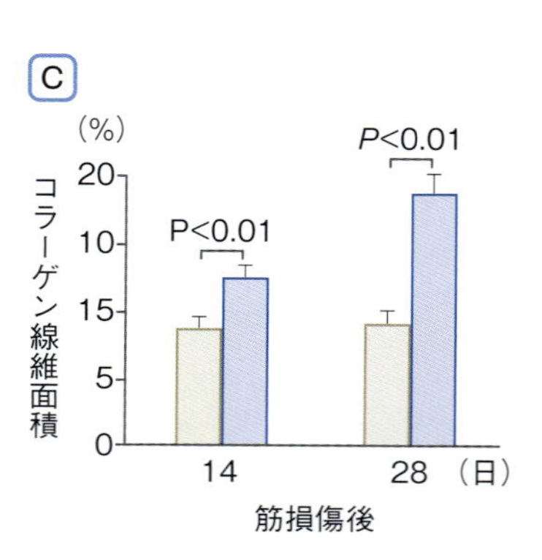

図4　寒冷療法がラット筋修復に与える影響

これらの結果は，ラット筋損傷直後にアイシングを施行すると筋修復が遅延し，過剰なコラーゲン沈着とともに筋肉の再生の障害を誘発したことを示唆する．A）損傷後14日での筋線維の中心核比率は，非アイシング群より高かった．B）損傷後28日での再生中の筋線維断面積は，非アイシング群より小さかった．C）損傷後14日と28日でのコラーゲン線維面積の比率は，非アイシング群よりも高かった．※未熟な筋線維や再生過程にある筋線維では，筋核が中心部に観察されるが，成熟した筋線維では筋核は周辺に分布している．文献16より引用．

4 神経伝導速度の減少と疼痛抑制

- 寒冷刺激により組織温度が低下すると，運動神経および感覚神経の伝導速度は直線的に減少し，刺激に対する閾値が上昇する．
- 神経伝導速度の減少や疼痛抑制に必要な皮膚温は，12.5℃以下で神経伝導速度が10％減少し[18]，局所の鎮痛のためには13.6℃以下といわれている[19]．
- クラッシュアイスを用いた足関節外果下端の冷却では，皮膚温が10℃で腓骨神経の神経伝導速度は33％減少し，疼痛閾値は89％上昇する[20]．

5 筋緊張※3の低下

- 疼痛により侵害受容器が刺激されると，γ運動神経が興奮し筋紡錘の感度が亢進するため，筋スパズム※4が増大する．
- 筋腱組織に冷却を加えると粘性は増加するが，運動神経の伝導速度は減少し，筋紡錘活動が抑制されることで筋緊張は低下する．
- 肩関節後方タイトネス※5に対し寒冷療法を行うと，内旋および水平内転の可動域が増大する[21]．20分間の冷却を伴うハムストリングスのストレッチングは，温熱療法を伴うストレッチングやストレッチングのみに比べて柔軟性が高まる[22]．
- 一方，異なる水温で握力を測定した研究では，18℃までは握力の低下が生じず14℃以下で筋力低下が生じた[23]．
- 短時間の冷却では筋温が低下しないため，皮膚からの求心性刺激が神経-筋活動を促通して筋力を増強させるとの報告もあるが[24]，一定時間以上の冷却は筋温を低下させ筋力を減じさせる可能性がある．

補 足

※3　筋緊張
持続的に生じている一定の筋の緊張状態．

※4　筋スパズム
痛みを伴う筋攣縮．断続的に生じる異常な筋緊張の亢進状態．

※5　タイトネス
緊張が高くなり硬く伸びにくい状態で，筋の場合は“筋タイトネス”と表現する．

6 疲労の回復

- 疲労回復（リカバリー）に関連するメタ解析では，全身を水に浸すアイスバス（後述）は，局所だけ浸すアイシングに比べて疲労などの回復に効果的である[25]．
- Verducci（ベルデュッチ）ら[26]は，野球のイニング間にアイシングを行うと疲労感が軽減され，パフォーマンスが向上することを示したが，関節固有感覚の低下と投球精度の低下も報告されている[27]．
- また，手掌を冷却すると血流量を減らすことなく深部体温が下がるため，疲労物質の蓄積を抑制することができると考えられている[28]．

3 寒冷療法の禁忌と注意事項

1）禁忌

- **寒冷過敏症（寒冷アレルギー）**：寒冷により血管性皮膚反応を発現する．皮膚より赤いか蒼白の斑点で，掻痒感（そうようかん）（むずむずしてかゆいこと）を伴う．
- **寒冷不耐症**：寒冷に対する反応として，疼痛やしびれ，色調変化が現れる．
- **レイノー症候群**：細動脈の収縮が正常より強くなる状態で，指のチアノーゼが現れる．原因のわからない原発性はレイノー病，続発性のものはレイノー現象とよばれる．
- **末梢血行障害**：寒冷刺激により血管収縮を起こし，循環不良を悪化させる．
- **感覚障害**：感覚鈍麻や脱失などの障害があると，凍傷のリスクが高くなる．
- **高血圧**：血管収縮により末梢血管抵抗が増大し，血圧が上昇する．
- **心疾患**：寒冷刺激により血圧が上昇することで，心臓に負荷がかかる．
- **再生中の末梢神経上**：局所の血管収縮または神経伝導速度の低下により，神経の再生が遅れる可能性がある．
- **開放性外傷**：出血性ショックや感染のリスクがあるため，止血を第一優先とする．

2）注意事項（図5）[29]

1 過剰に冷却し凍傷を引き起こすリスク

- 0℃以下の氷の使用は凍傷のリスクが高い．
  - ▶氷が融けて0℃の水に変わるときには，大きな熱量を必要とする．すなわち，0℃以下の氷を用いると，生体から過剰に熱を奪うおそれがある．
  - ▶冷凍庫など氷点下の氷を使うときは，水に通したり，タオルなどを間に置き直接皮膚に密着させない等の工夫をする[1) 29)]．
- モダリティ（冷却のための器具・装置）によって温度変化が異なる．
  - ▶アイスパック，コールドパック（後述の図8C参照），持続的冷却装置（後述の図13参照）の比較では，30分の冷却で皮膚温は氷を用いたアイスパックが9.4℃と最も低下する（図6）[30)]．

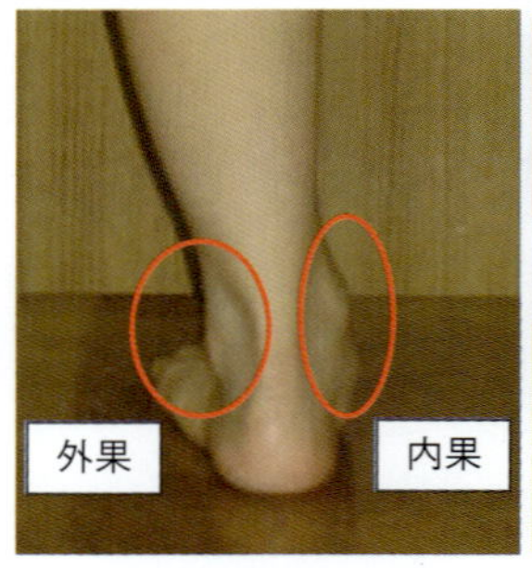

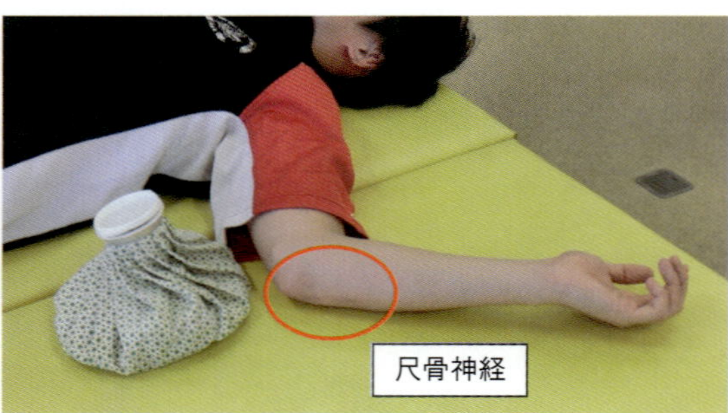

図5 局所的に低温となりやすい凹凸のある部位の例
文献29より引用．

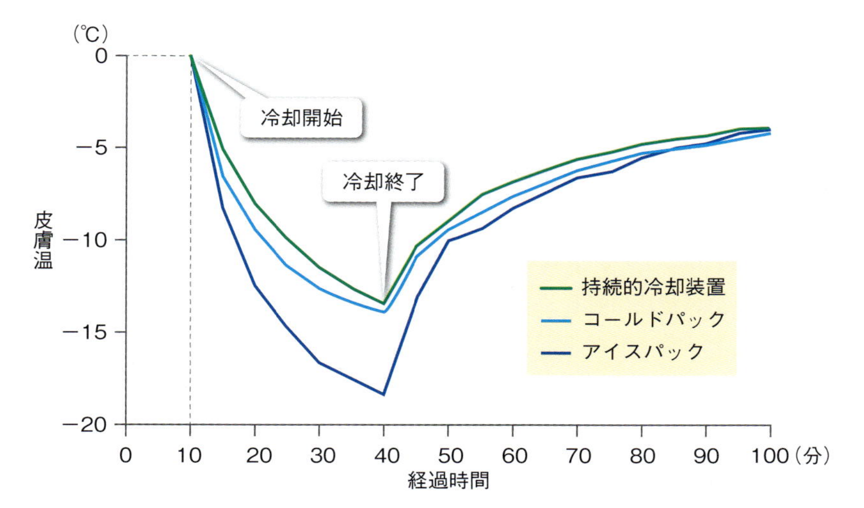

図6　冷却方法の違いによる皮膚表面温度の変化

縦軸は皮膚温低下をあらわし，アイスパックが最も温度低下率は高いことがわかる．持続的冷却装置：日本シグマックス社製で，冷却パッドを付属の不織布性カバーで覆った．コールドパック：酒井医療社製のコールドパックで直接冷却した．アイスパック：ビニール袋に氷500 gを入れて直接冷却した．文献30より引用．

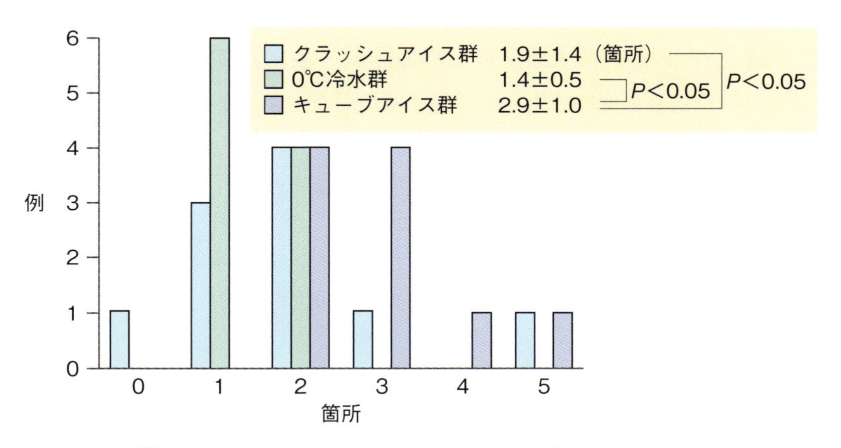

図7　凹凸部に対する寒冷療法時のcooled island

健常成人15名30肢をクラッシュアイス群，0℃冷水群，キューブアイス群の3群に分け，10分間の寒冷療法後のサーモグラフィ画像を解析した．箇所はcooled islandを示した部位の数，例は肢の数を示す．前距腓靱帯・踵腓靱帯部への寒冷療法では，0℃の冷水群で局所的に冷却されていることを意味するcooled islandが最も少なかった．文献31より引用．

- 凹凸のある部位は局所的に低温となる．
  - 0℃の冷水で前距腓靱帯・踵腓靱帯部の皮膚温が13～14℃に低下し，クラッシュアイスやキューブアイス（後述の図9B，C参照）よりも有効で，かつ局所的に冷却されていることを意味するcooled islandも少ない（図7）[31]．
- 圧迫を加えると，組織温度の低下が大きくなる．
  - 皮膚表面温度および筋温は，圧迫しない場合に比べて約5℃低下する[7]．

2 神経損傷のリスク

- 神経が表層を走る部位は，神経損傷が生じやすい．
  - 7℃の冷水に20分以上下肢を浸すと，神経麻痺を引き起こす可能性が高まる[32]．
  - 10℃以下の冷刺激はポリモーダル受容器を興奮させ，神経性炎症を引き起こすリスクがある．

3 寒冷に対する不安を抱える対象者

- 寒冷療法に対して不安や恐れを感じている対象者には，時間をかけて効果やリスクの説明をする．

4 寒冷療法の実際

- 寒冷療法は，広義には発熱時の冷却や熱傷時の冷却，移植臓器保全，術後の合併症管理など，広範囲に用いられている．
- モダリティも多いため，目的に合わせた適切な方法を選択することが重要である．

1）アイスパック（表1）

1 モダリティ（冷却するための器具・装置）の選択

- 皮膚表面温度に比べて，筋や関節内など深部になるほど温度の低下は緩徐で[7〜9]，モダリティによっても温度変化は異なる[30) 31]．
- また，圧迫を加えることで皮膚温や筋温の低下は大きくなるため[7) 8]，目的に応じたモダリティの選択が重要となる（図8）．
- アイスパックの内容物に関して，皮膚表面の冷却には，氷と水を混ぜたウエットアイスが，温度低下と冷却終了後の低温持続の観点から最も優れている[33]．

表1　アイスパックを用いたアイシングの具体的方法と留意点

■モダリティの選択
・皮膚表面の冷却には，ウェットアイスが優れている． ・筋内の冷却には，ウェットアイスとキューブアイスが優れている． ・キューブアイスを用いる場合は，適用部位の形状に合わせる． ・圧迫を加えると，温度が低下することに留意する．
■至適温度：10～15℃
・神経伝導速度の10％減少　12.5℃以下 ・局所の鎮痛　13.6℃以下 ・消炎効果と血流量保持　27℃ ・神経炎症や神経損傷のリスク　10℃以下
■冷却時間：10～15分程度
・くり返し行う必要がある場合は，1～2時間空ける． ・遅発性筋炎の緩和には，運動後4時間未満に行う． ・必要以上に継続せず，寒冷療法は短時間に留める．

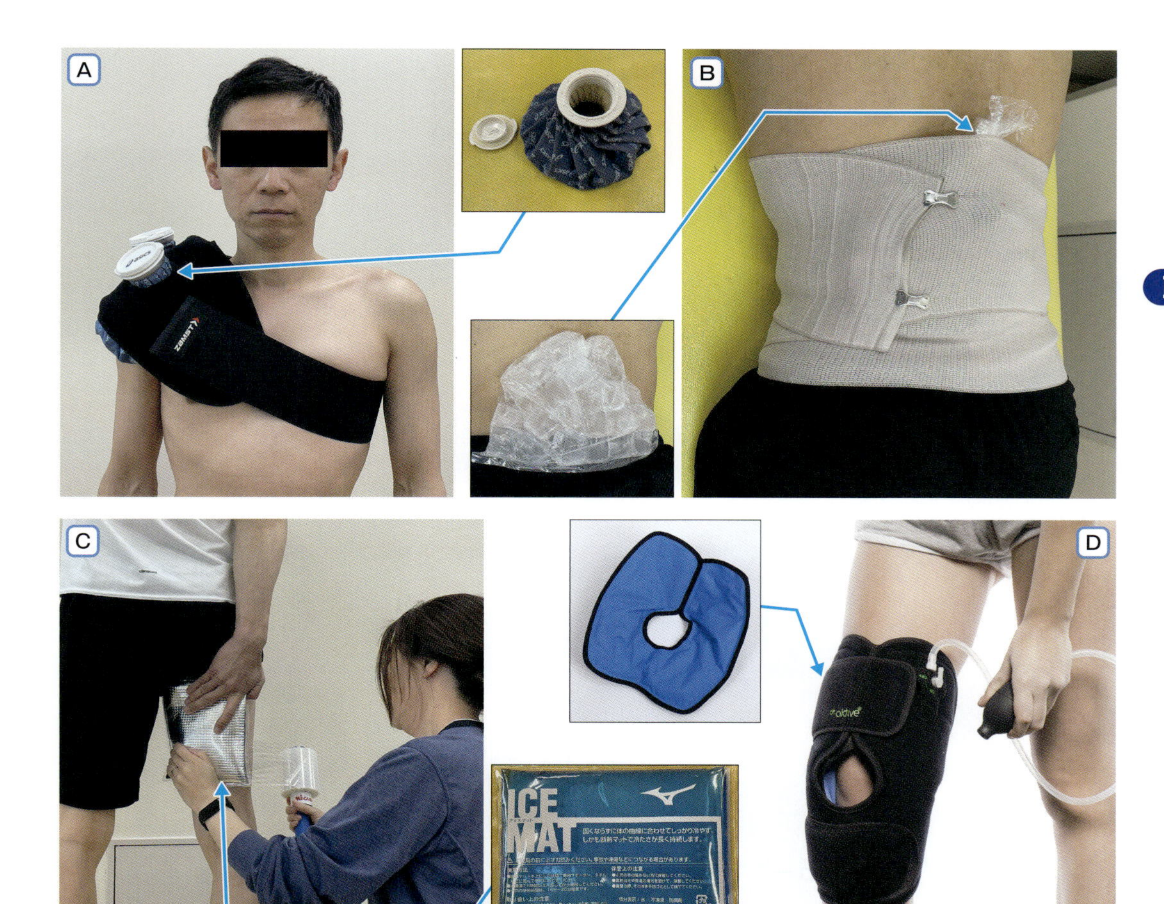

図8　目的に応じたモダリティの選択

A）アイスバッグ（アシックス社製）に氷を入れアイシングサポーター（IW-2，ザムスト社製）で固定．B）ビニール袋に氷を入れ弾性包帯で固定．C）アイシング用冷却材をラップで固定．写真はアイスマット，ミズノ社製．D）ドクターアクティブ コールドパッド（写真提供：酒井医療社）．

- 筋内の冷却はウエットアイスとキューブアイスが優れており，クラッシュアイスは冷却効率は悪いが密着性は高い（図9）．
- キューブアイスでアイスパックを作る際には，袋の空気を十分に抜いて平らにすることで患部に密着させる（図10）[1) 4)]．

2 至適温度と時間

- アイシングの至適温度は10～15℃で[12)]，神経伝導速度を10％減少させるためには12.5℃以下の皮膚温[19)]，局所の鎮痛のためには13.6℃以下[20)]が必要とされる．
- 10℃以下の冷刺激は神経性炎症や神経麻痺を引き起こす可能性があり[32)]，14℃以下では筋力低下が生じる[23)]．また，消炎効果を得つつ血流量を保つことができる温度は27℃である[14)]．
- 臨床現場で皮膚温を測定することは難しいが，過度な冷却は組織修復を遅らせることも考慮すると[15) 16)]，至適温度を念頭に置きつつ10℃以下を避ける必要がある[34) 35)]．

図9　アイスパックの内容物

A）ウエットアイス：氷に水を混ぜたもので，皮膚表面・筋内の温度低下と冷却終了後の低温持続に優れている．
B）キューブアイス：少し大きめのキューブ状の氷．筋内冷却に対して優れているが，凹凸のある部位には不向き．
C）クラッシュアイス：細かく砕いた氷．冷却効率は悪いが，凹凸のある部位には適している．

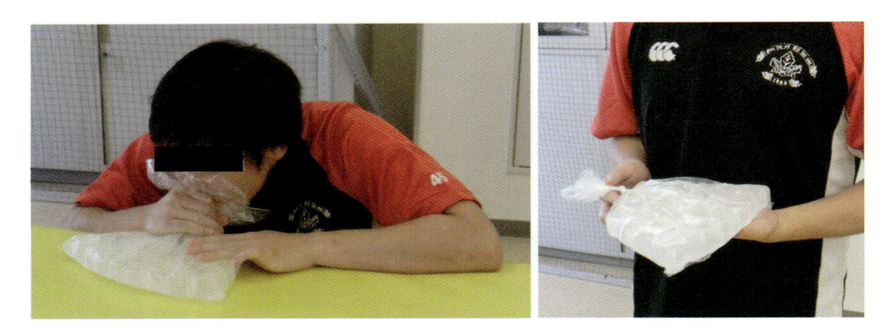

図10　キューブアイスを用いたアイスパックのつくり方

空気を十分に抜いて，平らになるよう形成する．文献4より引用．

❸ 冷却時間とインターバル

- 冷却時間は，10分間の間欠的な方法が最も効果的とされている[17) 36)]．熱感の有無，アイスパックの内容物や圧迫の程度などを総合的に判断し，10～15分程度で実施する．
- インターバル時間は，リウォーミングを考慮し1～2時間程度とする[6)]．
- 急性外傷後は，間欠的なアイシングを24～72時間続けるといわれてきた[31)]．しかし，組織修復の遅延や神経伝導速度の減少，筋力低下への影響を考慮し，現在では必要以上に継続しないこととされている．

2）アイスマッサージ（図11）

- アイシングとマッサージを組合わせた方法で，アイスカップやクリッカーを外傷・疼痛部位（トリガーポイント）に当てて動かす．アイスカップやクリッカーは小範囲の外傷・疼痛部位（トリガーポイント）に適しており，凹凸のある部位にも用いることができる．
- マッサージの速度は10～15 cm/秒で，1カ所に集中しないようにする．
- 一般的に4～5分程度で感覚がなくなるので，治療時間の目安は5分程度である．
- アイスカップは紙コップや専用カップで氷を作り，紙コップは飲み口を切り取り，専用カップはキャップを外して用いる．

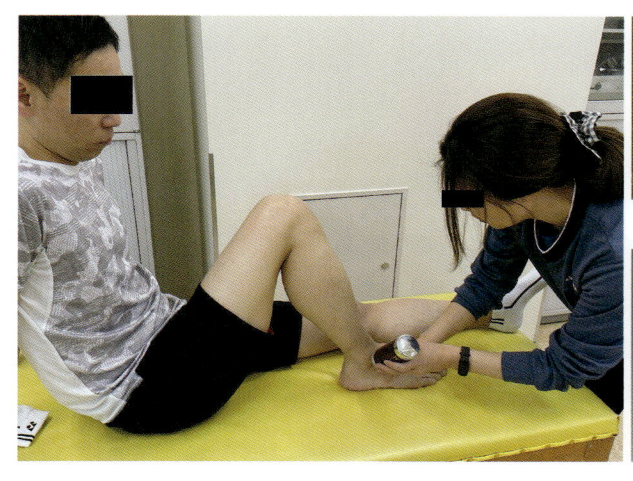

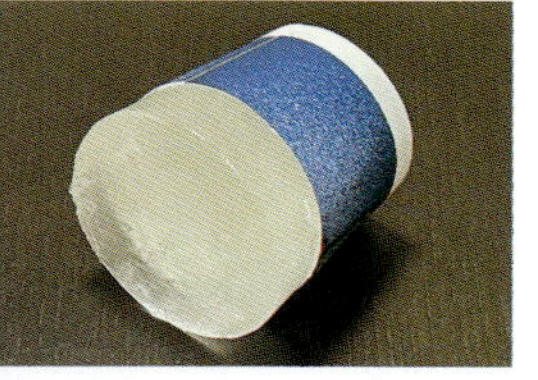

アイスカップ

クリッカー

図11　アイスマッサージ

マッサージの速度は10〜15 cm/秒で，1カ所に集中しないようにする．一般的に4〜5分程度で感覚がなくなるので，治療時間の目安は5分程度である．

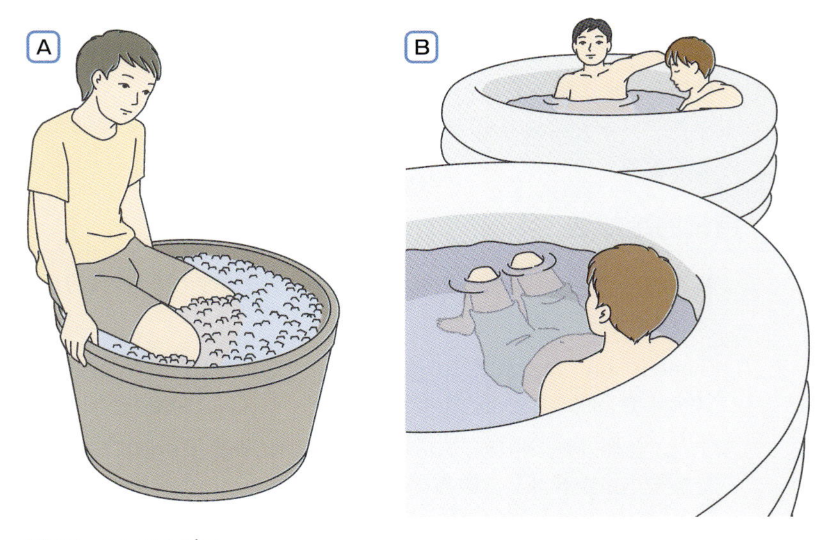

図12　アイスバス

A）局所アイスバス．B）全身アイスバス．Cryo Control Japanから販売されている製品は氷を用意しなくてもよい．

- クリッカーを用いる場合は，氷と塩を「3：1」の割合で封入すると，金属製ヘッドが－10℃以下まで低下し霜がつくので，滑剤を使って軽く圧しながらマッサージする．
- 疼痛軽減を目的とする場合，関節リウマチに対するアイスマッサージは，直後から1時間後まで極低温療法と同等の効果があり，握力の低下も認められない[37]．

3）アイスバス（図12）

- 局所アイスバスは，凹凸のある部位や変形の手指・足などに用いられる．患部全体が均一に冷却されるメリットがあると同時に，目的とする部位以外も冷却されることに留意する．

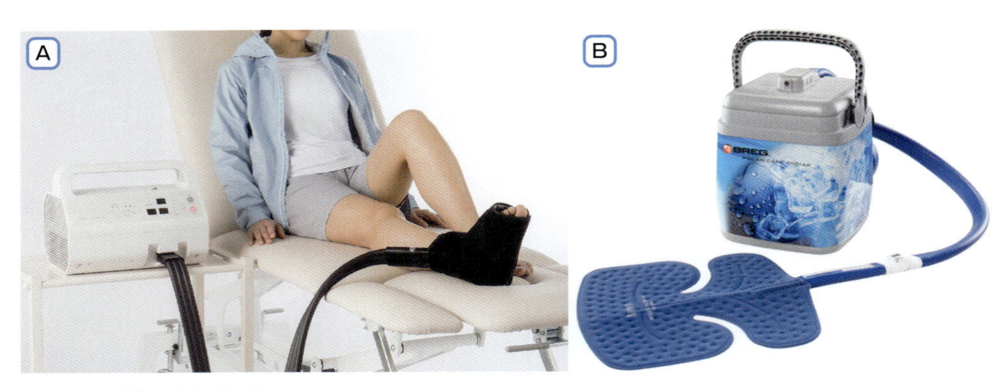

図13　持続的冷却装置

A）アイシングプロ（酒井医療社）：水道水をタンクに入れるだけで5〜13℃での冷却が可能で，圧迫・固定が同時に行える．タイマー設定で任意の治療時間が設定できる．B）ポーラケアコディアック（酒井医療社）：場所をとらず簡単な準備で起動できるため，術後からスポーツ現場まで幅広く使用できる．タンク部分に氷と水を入れ，先端の広がっている部分に冷水を循環させて患部を冷やす．写真提供：酒井医療社．

- 特に趾先などは，冷却により強い疼痛を訴えることがあるため，必要に応じてトウキャップなどを装着する．
- 全身アイスバスは疲労などの回復に効果的で[25)]，水温はアイシング同様10〜15℃，入水時間は5分程度とする．
- また，ラグビー練習後に5分間のアイスバスを行うことで走行速度が改善するという報告もある[38)]．

4）持続的冷却法（図13）

- 持続的冷却法は，特殊な機器で持続的に一定温度で冷却する方法で，圧迫を加えることのできる機種もある．
- Game Ready© は，氷水にて持続的かつ一定した温度で間欠的圧迫を加えながら冷却するシステムで，欧米を中心としてトップアスリートにも使用されている．
- また，各種外科手術後にも活用されており，脊椎手術後にGame Ready© を使用することで疼痛や出血が軽減し，鎮痛剤の使用や輸血の必要性を軽減することが報告されている[39)]．

5）極低温療法（extreme cryotherapy）

- 極低温療法は，専用のキャビンで全身を冷却する全身凍結療法（whole-body cryotherapy：WBC）と，部分的に冷却する局所凍結療法（partial-body cryotherapy：PBC）に分類される[40)]．
- 治療時間が短いことがメリットではあるが，専用の機器が必要となる（図14）．

❶ 全身凍結療法（WBC）

- Fonda（フォンダ）ら[41)] は，全身を−140℃と−195℃で3分間冷却するWBCが，遅発性筋炎（DOMS）に効果的であることを示した．
- 最近のメタアナリシスでは，DOMSへの影響は運動後6時間未満で正の効果がみられ，24時間以降に行われる寒冷療法はDOMSの緩和に効果がないことが示された[42)]．

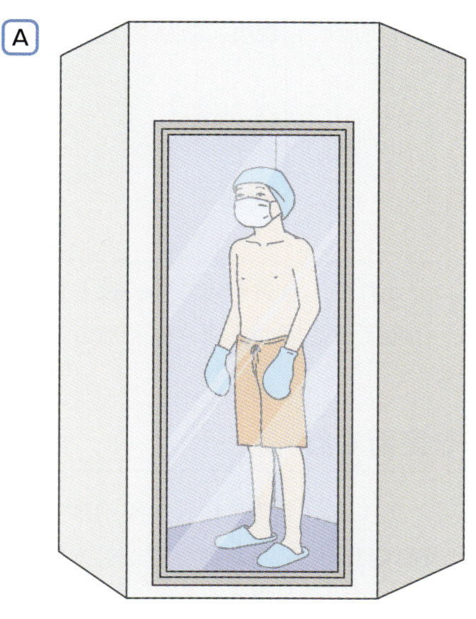

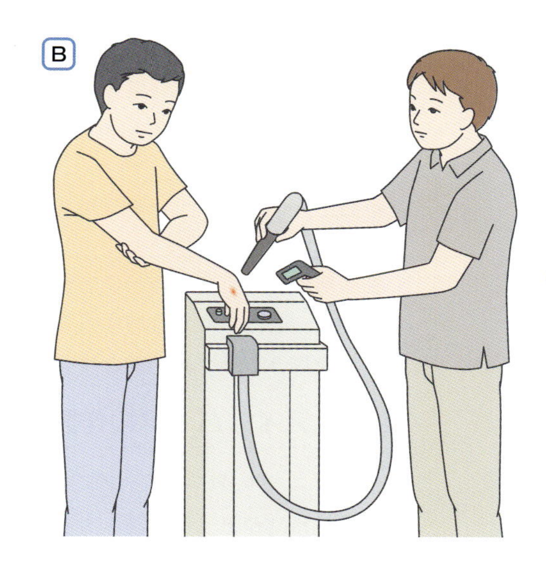

図14　極低温療法

A）全身凍結療法（WBC）．キャップ，マスク，手袋，スリッパ（トウキャップ）をつけて，専用キャビンで全身を冷却している．B）局所凍結療法（PBC）．噴霧型PBC装置を用いて，ノズルを動かしながら治療部位に冷気を噴霧している．極低温療法は，1970年前後から関節リウマチを中心としてその効果が報告されてきた．近年，日本ではPBC専用機器が生産中止になる傾向にあり，代わりに図13で示したようなさまざまな持続的冷却装置が開発されており，それらが治療に用いられている．

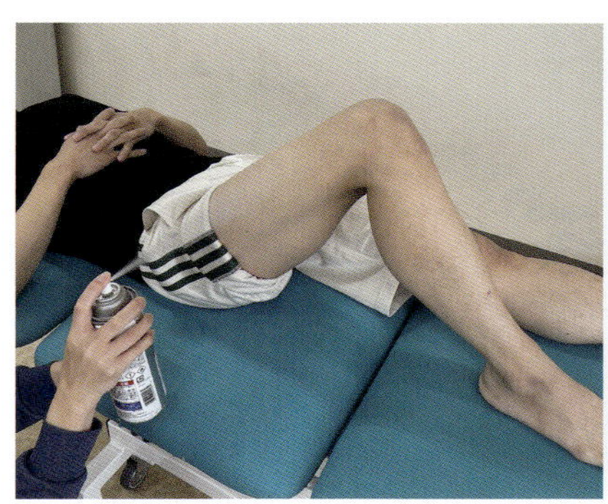

図15　冷却スプレー

使用に際しては噴霧する部位から20 cmくらい離し，凍傷のリスクを考慮して，噴射は3秒以内に留める．右の写真はスーパークーラントコールドスプレー，ミューラージャパン社製．

2 局所凍結療法（PBC）

- PBCは，専用キャビンで部分的に冷却する方法と，冷却空気を噴霧する方法がある．日本国内ではほとんどが噴霧型の機器である．
- 噴霧型PBCは，治療部位に合わせてノズル径を選択し，冷気放出口と治療部位を5～20 cm離して使用する．冷気放出中はノズルを絶えず動かし，治療部位全体に噴霧する．

6）冷却スプレー（図15）

- 冷却スプレーは液化石油ガス（LPG），エタノールなどが主成分で，メントールが含まれる場合は冷涼感を引き起こす．

● 製品によっては－30℃以下の冷気が噴射されるので，使用に際しては噴霧する部位から20 cmくらい離し，噴射は3秒以内に留める．

実験・実習

実習に際しては，治療者役と患者役に分かれて，全員がどちらの役も体験できるよう配慮する．また，ただ体験するだけでなく，治療者は患者の皮膚感覚や痛み，冷たさの感じ方などを聞き取り，経時的な変化を記録する．

実習① アイスパックの作製と適用を実習する

1. ビニール袋にキューブアイスを入れて，アイスパックを作製する（図10）．
2. 適用部位は，腰背部・大腿後面・足関節外側部・肘内側部などから選択し，神経が表層を走る部位やcooled islandなどの留意事項を再確認してから行う（図1，5，8）．

実習② アイスマッサージを実習する（図11）

1. 事前にアイスカップを作製するか，またはクリッカーに氷を入れる．
2. 適用部位は，腰背部・大腿後面・足関節外側部・肘内側部などから選択し，神経が表層を走る部位やcooled islandなどの留意事項を再確認してから行う（図5）．

実習③ 学内にある持続的冷却装置の使用方法を確認し，実際に体験する（図13）

1. 学内にある持続的冷却装置の使用方法を確認する．
2. 学内にある持続的冷却装置の適応に応じて，実施可能な部位に使用する．

実習④ 学内にある渦流浴装置などを活用し，アイスバスを体験する（図12）

1. 水温を10～15℃に設定し，局所アイスバスを体験する．
2. 水治療法設備などがある場合は，全身アイスバスを5分間体験する．

文献

1）加賀谷善教：寒冷療法．理学療法学，32：265-268，2005
2）Hayden CA：Cryokinetics in early treatment program. Phys Ther, 44：990-993，1964
3）山内寿馬，他：極低温療法の応用と運動療法─慢性関節リウマチを中心として─理・作・療法，15：497-501，1981
4）加賀谷善教：炎症症状の抑制を目的とした寒冷療法の実践方法と臨床効果．理学療法，29：987-993，2012
5）Mirkin G：Why Ice Delays Recovery（https://www.drmirkin.com/fitness/why-ice-delays-recovery.html），Drmirkin.com, 2021
6）「クライオセラピー スポーツ外傷の管理における冷却療法」（ケネス・L・ナイト／著，田渕健一／監，Sportsmedicine Quarterly／訳編），Book House HD，1997
7）Tomchuk D, et al：The magnitude of tissue cooling during cryothrapy with varied types of compression. J Athl Train, 45：230-237, 2010
8）Merrick MA, et al：The effects of ice and compression wraps on intramuscular temperatures at various depths. J Athl Train, 28：236-245, 1993
9）Oosterveld FG et al：The effect of local heat and cold therapy on the intraarticular and skin surface temperature of the knee. Arthritis Rheum, 35：146-151, 1992

10) Nordström CH, et al：Reduction of cerebral blood flow and oxygen consumption with a combination of barbiturate anaesthesia and induced hypothermia in the rat. Acta Anaesthesiol Scand, 22：7-12, 1978
11) Zachariassen KE：Hypothermia and cellular physiology. Arctic Med Res, 50 Suppl 6：13-17, 1991
12) Mac Auley DC：Ice therapy: how good is the evidence? Int J Sports Med, 22：379-384, 2001
13) Eltzschig HK & Carmeliet P：Hypoxia and inflammation. N Engl J Med, 364：656-665, 2011
14) Schaser KD, et al：Local cooling restores microcirculatory hemodynamics after closed soft-tissue trauma in rats. J Trauma, 61：642-649, 2006
15) Crystal NJ, et al：Effect of cryotherapy on muscle recovery and inflammation following a bout of damaging exercise. Eur J Appl Physiol, 113：2577-2586, 2013
16) Takagi R, et al：Influence of icing on muscle regeneration after crush injury to skeletal muscles in rats. J Appl Physiol, 110：382-388, 2011
17) Lee H, et al：Effects of cryotherapy after contusion using real-time intravital microscopy. Med Sci Sports Exerc, 37：1093-1098, 2005
18) McMeeken J, et al：Effects of cooling with simulated ice on skin temperature and nerve conduction velocity. Aust J Physiother, 30：111-114, 1984
19) Bugaj R：The cooling, analgesic, and rewarming effects of ice massage on localized skin. Phys Ther, 55：11-19, 1975
20) Algafly AA, et al：The effect of cryotherapy on nerve conduction velocity, pain threshold and pain tolerance. Br J Sports Med, 41：365-369, 2007
21) Park KN, et al：Comparison of the effects of local cryotherapy and passive cross-body stretch on extensibility in subjects with posterior shoulder tightness. J Sports Sci Med, 13：84-90, 2014
22) Brodowicz GR, et al：Comparison of stretching with ice, stretching with heat, or stretching alone on hamstring flexibility. J Athl Train, 31：324-327, 1996
23) Clarke RSJ, et al：The duration of sustained contractions of the human forearm at different muscle temperatures. J Physiol, 143：454-473, 1958
24) Clendenin MA, et al：Influence of cutaneous ice application on single motor units in humans. Phys Ther, 51：166-175, 1971
25) Poppendieck W, et al：Cooling and performance recovery of trained athletes: a meta-analytical review. Int J Sports Physiol Perform, 8：227-242, 2013
26) Verducci FM：Interval cryotherapy and fatigue in university baseball pitchers. Res Q Exerc Sport, 72：280-287, 2001
27) Wassinger CA, et al：Proprioception and throwing accuracy in the dominant shoulder after cryotherapy. J Athl Train, 42：84-89, 2007
28) Kwon YS, et al：Palm cooling delays fatigue during high-intensity bench press exercise. Med Sci Sports Exerc, 42：1557-1565, 2010
29) 加賀谷善教：RICEの科学.「スポーツ理学療法プラクティス 急性期治療とその技法」（片寄正樹，他/編），pp987-993，文光堂，2017
30) 坂本雅昭，他：寒冷療法と皮膚温の変化―3種類の冷却方法での比較―．理学療法科学，14：25-28，1999
31) 入江一憲：足関節外側部に対してのアイシングによる皮膚温分布と冷却効果―アイスパックの内容物による比較―．理学療法科学，21：163-167，2006
32) Meeusen R & Lievens P：The use of cryotherapy in sports injuries. Sports Med, 3：398-414, 1986
33) 加賀谷善教：スポーツ障害に対するアイシングの効果．臨床スポーツ医学，32：488-492，2015
34) 加賀谷善教：スポーツ障害に対する寒冷療法の効果．臨床スポーツ医学，3：66-77，2020
35) Dykstra JH, et al：Comparisons of cubed ice, crushed ice, and wetted ice on intramuscular and surface temperature changes. J Athl Train, 44：136-141, 2009
36) Bleakley C, et al：The use of ice in the treatment of acute soft-tissue injury: a systematic review of randomized controlled trials. Am J Sports Med, 32：251-261, 2004
37) Laktašić Žerjavić N, et al：Local cryotherapy, comparison of cold air and ice massage on pain and handgrip strength in patients with rheumatoid arthritis. Psychiatr Danub, 33 (Suppl 4)：757-761, 2021
38) Higgins TR, et al：A random control trial of contrast baths and ice baths for recovery during competition in U/20 rugby union. J Strength Cond Res, 25：1046-1051, 2011
39) De Bie A, et al：Enhanced recovery after lumbar fusion surgery: Benefits of using Game Ready©. Orthop Traumatol Surg Res, 107：102953, 2021
40) Bouzigon R, et al：Whole- and partial-body cryostimulation/cryotherapy: Current technologies and practical applications. J Therm Biol, 61：67-81, 2016
41) Fonda B, et al：Effects of whole-body cryotherapy on recovery after hamstring damaging exercise: a crossover study. Scand J Med Sci Sports, 23：e270-e278, 2013
42) Dupuy O, et al：An Evidence-Based Approach for Choosing Post-exercise Recovery Techniques to Reduce Markers of Muscle Damage, Soreness, Fatigue, and Inflammation: A Systematic Review With Meta-Analysis. Front Physiol, 9：403, 2018

第Ⅱ章 治療法各論

8 光線療法

A）光線の物理学

学習のポイント

- 光線の基本的知識を修得する
- 光線療法における生理学的作用（光化学作用と温熱作用）の基本を理解する

1 光とは何か

- 一般に光というと可視光をさすことが多いが，可視光は波長380～780 nmの電磁波である（図1）（第Ⅰ章-5-A参照）．
- 光線療法で主に使われている近赤外線の波長域は760～2,500 nmである．
- 波長は電磁波の山（谷）から山（谷）の距離で示され，空間的なくり返しの周期の長さ[1]である．周波数は1秒間にくり返す波の数（振動数）である．
- 波長を λ（m），周波数をf（Hz），1波長に要する時間を周期T（s），波の速さをv（m/s）とすると以下の式が成り立つ．

  f［Hz］＝1/T

  λ［m］＝v/f

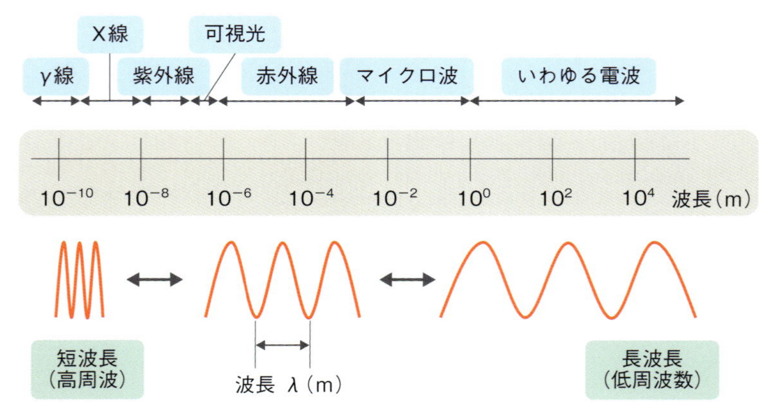

図1 電磁波の分類

赤外線，紫外線，放射線やテレビの電波などもすべて電磁波であり，その性質は波長により異なる．

補足

補助単位

補助単位は数値の倍率を示す．光線療法では波長の表現にμ（マイクロ，10^{-6}）やn（ナノ，10^{-9}）が使われる．物理療法ではm（ミリ，10^{-3}），k（キロ，10^{3}），M（メガ，10^{6}）なども用いられる．

2 光の波動性と粒子性

- 光エネルギーの最小単位Eは，E＝hνであらわされる．hはプランクの定数〔h＝6.626×10－34（Js)〕，ν（ニュー）は周波数である．νの振動数を有する光はhνであらわされるようなエネルギー粒子Eといえる．
- このような最小単位のエネルギーをもつ光の粒は光子[1]（photon）とよばれ，最小単位のエネルギーEを有する粒子である．空間的に小さな粒ではない．
- 光は波と粒子の性質を併せもつ．波動性と粒子性をもつものは量子とよばれ，光の量子が光子である．強い光は光子の数が多い．
- 光の波動性を考える場合は電磁波，粒子性を考える場合は光子として扱う．

3 波長とエネルギーの関係

- 光エネルギーはE＝hνであらわされる．エネルギーはν〔振動数（周波数)〕に比例するため，周波数が高い（波長が短い）ほどエネルギーは大きい．
- 波長が短い放射線や紫外線は，赤外線や可視光線に比べエネルギーが大きい．

4 光化学作用

- 電子は原子核の周囲にあり，通常はその束縛から逃れることはない．物質に光があたると電子が原子核の束縛から逃れ，自由に動き回るようになる（自由電子）．これを光電効果といい，光で自由になった電子は光電子とよばれ原子から放出される．
- 光電効果は物質が光子のエネルギーを吸収する一形態である．人間の体内でも光電効果により周囲の原子や分子と化学反応が起きる[2]．これを光化学作用（photochemical effect）といい光線療法の重要な作用である．

5 光線療法による生理学的作用

- 光線療法による生理学的作用は主に光化学作用（photochemical effect）と温熱作用（thermal effect）である．

1）光化学作用

- 光子が細胞に吸収され化学反応を生じ（光化学作用），次のような生理学的作用を生じる．

❶ 神経に対する作用

- 末梢神経の活動抑制と，神経機能を高めるという両方の報告がある[3)〜5)]．病的興奮状態の神経には抑制作用が働き，機能が低下した神経にはそれを高めると推察される．

❷ 末梢血管拡張作用

- 血管平滑筋に直接作用して弛緩させ血管を拡張する．
- また血管内皮細胞で産生される内皮由来弛緩因子（endothelium derived relaxing factor：EDRF）の産生に関与する．EDRFの本体は一酸化窒素（NO）である[6)]．NOは内皮細胞外側に存在する血管平滑筋を弛緩させる．低出力レーザー照射はこのNO産生に影響を与える[7)]．

❸ 炎症に対する作用

- 特に低出力レーザーによる炎症抑制効果が報告されている[8) 9)]．
- 浅層組織の炎症に対する報告が多いが，腎臓の炎症抑制も報告[10)]されている．

❹ コラーゲン生成作用

- mRNA産生によりコラーゲン産生を促し，損傷組織治癒を促進する．

❺ 殺菌作用・細胞障害作用

- 紫外線は波長が短く高エネルギーを有する．細菌への紫外線照射はDNAを損傷し殺菌的に作用する．人間の細胞でもDNA損傷を生じ細胞障害作用を生じる．
- 紫外線以外でも405〜607 nmのレーザー照射が細菌の成長を阻害する[11) 12)]．逆に810 nmの光線が大腸菌の成長を促したとの報告[13)]もある．

❻ アデノシン三リン酸生成作用

- 赤色や近赤外線の波長域はミトコンドリアのアデノシン三リン酸（adenosine triphosphate：ATP）生成を促進する[14)]．この作用は損傷組織修復促進や筋疲労抑制[15)]に働く．

2）温熱作用

- 温熱作用は主に赤外線で得られる．赤外線の周波数（振動数）は分子の固有振動数とおおむね一致し，赤外線照射により分子が赤外線と共振し運動（振動）する．この運動の摩擦熱で加温される．
- 紫外線などは波長が短く分子の固有振動数と合わないため，温熱作用はほとんどない．
- 遠赤外線は近赤外線に比べ皮膚での吸収率が高い．浅層で吸収され熱に変換されやすく浅層の温熱作用に優れるため，温感を得やすいという特徴がある．市販の暖房器具では遠赤外線を用いるものが多い．
- 近赤外線は皮膚浅層で吸収されにくい．また血液中の水分やヘモグロビンに吸収されにくいため，生体深達性が高く深部温熱作用に優れる．このため，物理療法における近年の赤外線治療器の多くが近赤外線を用いている．
- 光線で生じる熱は放射熱（輻射熱（ふくしゃ））である．光源から照射された光が直接的に被照射物を加温する．

6 強度の変化

- 照射部位における光線の強度は，さまざまな要因の影響を受けて変化する．特に，強度と距離および角度の関係が重要である．

1）光源からの距離と照射強度の関係

- 光源から照射面までの距離が長いほど，光エネルギー密度が低下する．
- 光源から照射面までの距離の二乗に反比例して強度が変化（増強，減弱）する．これを逆二乗の法則という（図2A）．通常，逆二乗の法則は，全方位に等しく，放射状に光を照射する光源に当てはまる．
- これは，球の中心にある光源から，半径rの球面状に光が照射されている状態と考えることができる．球の表面積Sは半径（光源からの距離）をrとすると，

  $4 \times r^2 \times 3.14$

  であらわされる．つまり，放射状に照射される光を受ける面積は，光源からの距離（r）の二乗に比例して大きくなる．
- 照射光の強度が一定の場合，距離（r）が大きくなるほど光の密度は小さくなる．すなわち，光源から離れるほど照射光の強度は減弱し，それは距離の二乗に反比例するということである．
- レーザーのように指向性の強い光線では，逆二乗の法則は成り立たない．

2）光線の角度と強度の関係

- 光線が照射面に対して直角（余弦角0°）に照射されている場合，強度は1.00（cos0°＝1.00）倍となり照射光の100％である．
- 光線が照射面に対して30°（余弦角30°）の角度では0.87（cos30°≒0.87）倍，45°（余弦

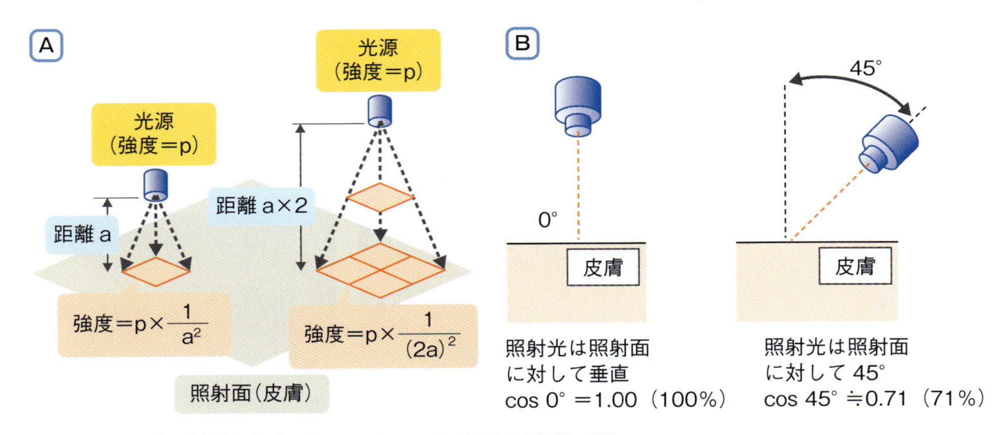

図2　逆二乗の法則（A）とLambertの余弦の法則（B）

A）強度は光源から照射面の距離の二乗に反比例する．本文では「球」で説明しているが，ここでは照射面（皮膚の表面）にあたる形を図示した．なお，この法則は指向性の強いレーザー光（図4A）では成り立たない（光が広がるように設計されているレーザー治療器や，レーザー以外の光線療法機器でも逆二乗の法則に当てはまらないものもある）．B）照射面に対して垂直にレーザー光が照射されている場合の強度を1.00とすると，垂線に対して45°の場合は0.71倍になる．

角45°）の角度では0.71（cos45°≒0.71）倍，60°（余弦角45°）の角度では0.50（cos60°≒0.50）倍の強度となる．

- 照射面に対する垂線と，光源と照射面を結ぶ線のなす角度の余弦に比例して強度が変化する．この法則をLambert（ランバート）の余弦の法則という（図2B）（第Ⅱ章-5参照）．

B）レーザー療法

学習のポイント

- レーザーが生体に与える影響，使用目的を理解する
- 出力（強度）の違い，連続照射とパルス照射の違いを理解する
- レーザー療法の適応，禁忌と注意事項について理解する
- レーザー療法を健常者に対して実施できる

1 レーザー光の物理学的性質

- レーザー（LASER）はlight amplification stimulation by emission of radiationの略語で，直訳では「誘導放射による光の増幅」となる．
- レーザーは人工的な光で，以下のような性質を有する．

1）単色性

- プリズムで分光すると，自然光は含まれる波長により異なる色の光が放出される（図3A）が，レーザー光は単色性がよいため入射光がそのまま放出される（図3B）．
- 波長が単一である性質を単色性といい，狭い範囲の波長だけを含むことを単色性がよいという．

2）指向性

- 光が直進する性質を指向性という．自然光は広がりながら進むが，レーザー光はほとんど広がらない（図4A）．光が広がるように設計されたレーザー治療器もある（図4B）．

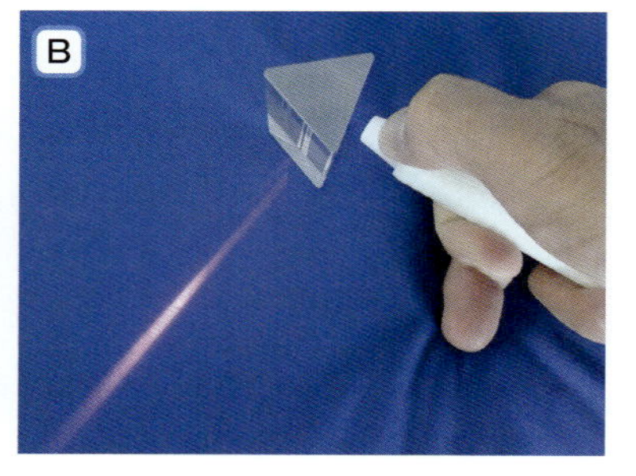

図3　プリズムによる分光

A）短波長成分（赤色）は屈折率が小さく，長波長成分（紫色）は屈折率が大きい．複合波長の太陽光は虹色に分光される．B）単波長のレーザー光はそのまま放出される．

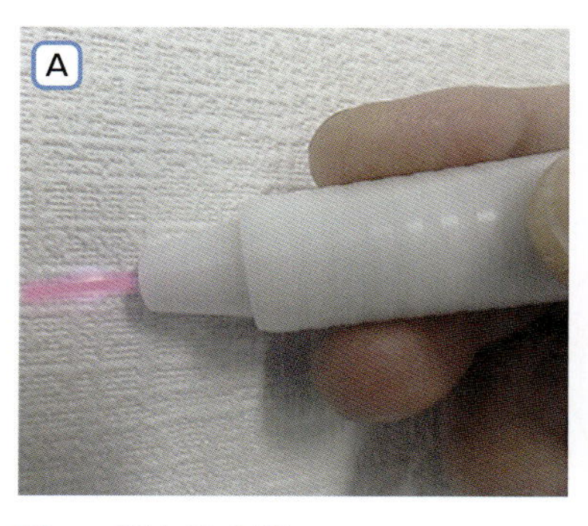

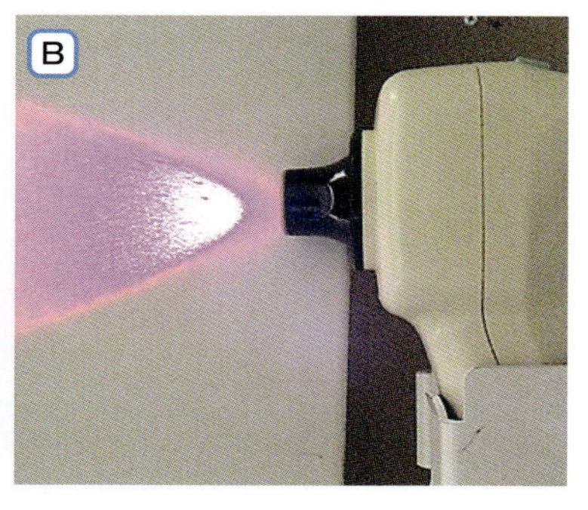

図4　指向性の違い

A）通常のレーザー光は指向性が強い（イメージ）．B）光が広がるように設計されたレーザー治療器．

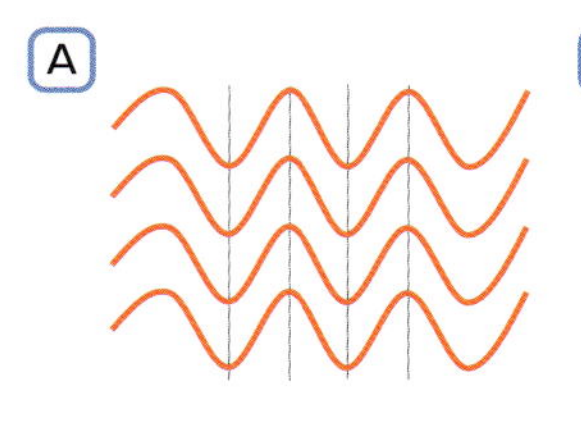

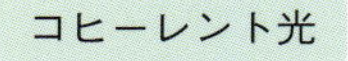

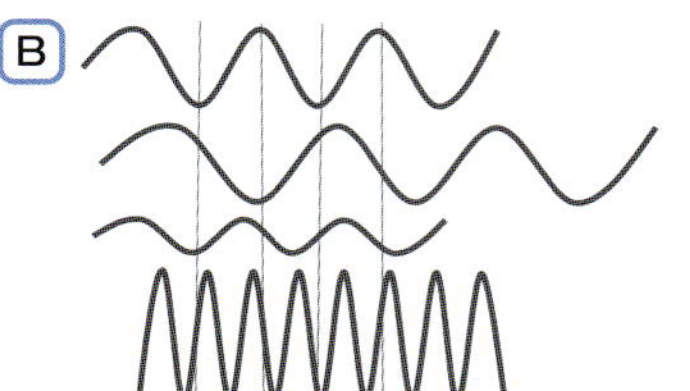

インコヒーレント光

図5　コヒーレントとインコヒーレント

A）コヒーレント光は位相が揃っている．B）自然光などのインコヒーレント光は位相が不揃いである．

- 指向性がよいということは，レーザー光が高い精度で平行光線である[16]ことを意味する．光が広がらないため，照射面での単位面積当たりのエネルギー密度が高い．
- レーザー光も厳密には多少の広がりをみせる．地球から約38万km離れた月に，地表面から直径約1 mm以下のレーザー光を照射すると月表面では直径約4 kmに広がる[17]．

3）干渉性

- 複数の波が互いに強めたり弱めたりする性質を干渉性（コヒーレンス；coherence）という．
- 2つの波の位相と振幅が等しい（波の山と山，谷と谷が揃っている）とき，波を重ねると振幅はもとの2倍になる．振幅が等しく山と谷が真逆の場合，波は消滅する．
- 位相が等しい場合をコヒーレント，不揃いな場合をインコヒーレントという（図5）．
- 国内では光線療法をレーザーや赤外線などと分けるが，カナダ理学療法士協会（CPA）のガイドライン[18]ではレーザーとイン（ノン）コヒーレント光として分類されている．
- コヒーレント光では，複数の光を重ねると影響を与え合う．この性質を可干渉性という．レーザー光は干渉性が非常に強く，位相が揃っている．

4）収束性とエネルギー密度

- レーザー光はすべての光を一点に収束できる（図6）．この性質を収束性という．
- 光を一点に収束すると，焦点のエネルギー密度はきわめて高く，高温状態になる．
- 出力が1,000 mWや10 Wの機器は，意図的に光を収束させないように設計され（図4B），焦点部分のエネルギー密度を低くして過度な温度上昇を防いでいる．

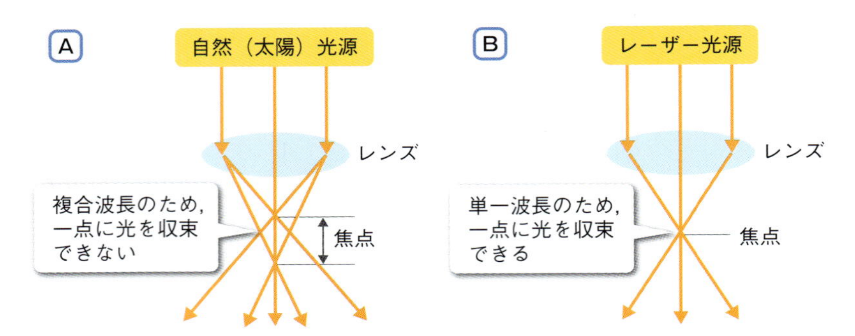

図6　自然光とレーザー光の収束性

A）複合波長の自然光はレンズで集光しても一点に収束できない．焦点温度は光源温度より低くなる．B）レーザー光は一点に光を収束できる．焦点温度は光源温度より高くなる．

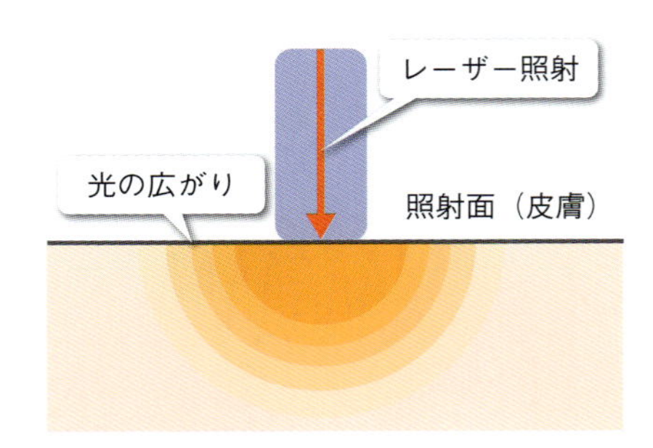

図7　光の広がり方のイメージ

生体にレーザーを照射すると同心円状に広がりをみせる．

5）組織におけるレーザー光の伝播

- 角膜などの透明組織を除いたほとんどの生体組織は強い散乱体である[19]ため，レーザー光は生体に照射されると同心円状に周辺部および深部へと拡散する[20][21]（図7）．
- 生体内では，吸収（absorption），透過（transmission），回折（diffraction），反射（reflection），散乱（diffusion）が生じる（図8）．
  - 光の一部は跳ね返され（反射），一部は吸収される．吸収されない波長の一部は物質を通り抜ける（透過）．
  - 光の進行の妨げになる物質にあたると，障害物を回り込むように進む（回折）．また入射光はさまざまな方向に進む（散乱）．
- レーザー光が生理学的作用を起こすには，光が吸収されてエネルギー変換が起こる必要がある．特に温熱作用は，光が吸収され熱エネルギーに変換される必要がある．
  - 低出力レーザーを黒い紙に照射すると，光が吸収されて発熱し発煙することがある（図9，関連動画①）．これは黒に近い色の方が光を吸収しやすく，高温になるためである．実際の治療では，肌の色が濃い部位やホクロ，体毛などに注意が必要である．

関連動画①

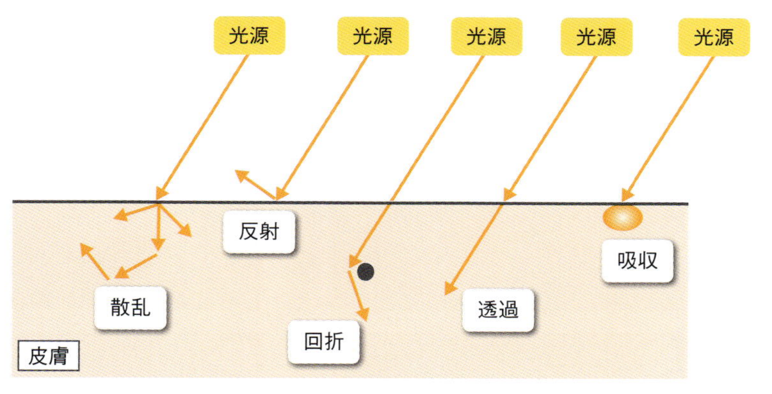

図8　皮膚表面でのレーザー光の伝播

光線が照射されると生体内ではさまざまな形で光が進行する．

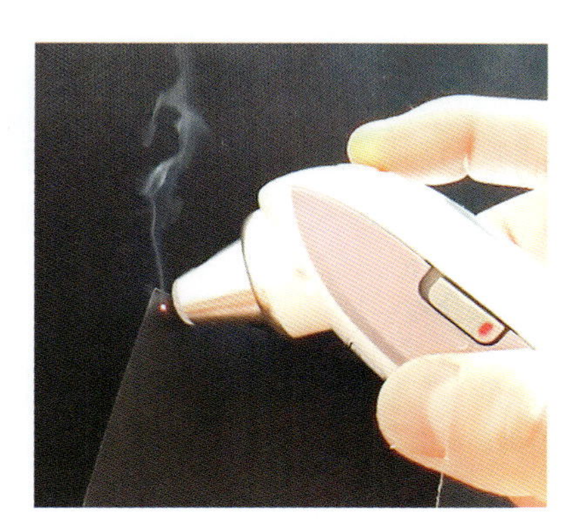

図9　黒い紙へのレーザー照射

色が濃いものは吸収の程度が大きい．黒い紙へエネルギー密度が高いレーザーを照射すると加熱し，発煙することもある．通常の方法で生体へ照射した場合は，散乱や反射，透過などにより熱傷や過度な熱感は生じにくい．ただし，ホクロや毛根などに注意が必要である．写真はソフトレーザリーJQ-W1，ミナト医科学社製，出力180 mW，エネルギー密度514 mW/mm^2，波長810 nm．

- 光の進行を考えるうえでは透過，回折，散乱が重要である．
  - 腰部交換神経節への光線療法では，腰椎腹側にある交感神経節に背側から光線を照射する方法[22]がある．一見すると脊椎に遮られ光が直線的に神経節に到達するのは難しいと考えられるが，近赤外線は骨の透過性が高く，加えて，回折や散乱も生じて神経節に到達すると考えられる．
  - レーザーを手掌面に照射して手背から近赤外線カメラで見ると，血管を確認できるが骨の陰影は描出されないことがわかる（図10A，B）．これは光が血液に吸収される一方で，骨は透過することや，回折や散乱が生じるためである．さらに照射部周辺の体表面には，広範囲に散乱光を確認できる（図10C，D，関連動画②③）．

関連動画②

関連動画③

  - 10 Wパルスレーザー〔0.65 W/cm^2（65 mW/mm^2）〕を生体に照射し，照射部位から離れた皮膚表面で散乱光強度を計測した実験では，10 cm離れた部位でも0.94 μW/cm^{2}の散乱光を確認した（図11）．ただし，どの程度の強度で治療目的となる生体反応が生じるのかは曖昧であり，今後の検討が必要である．

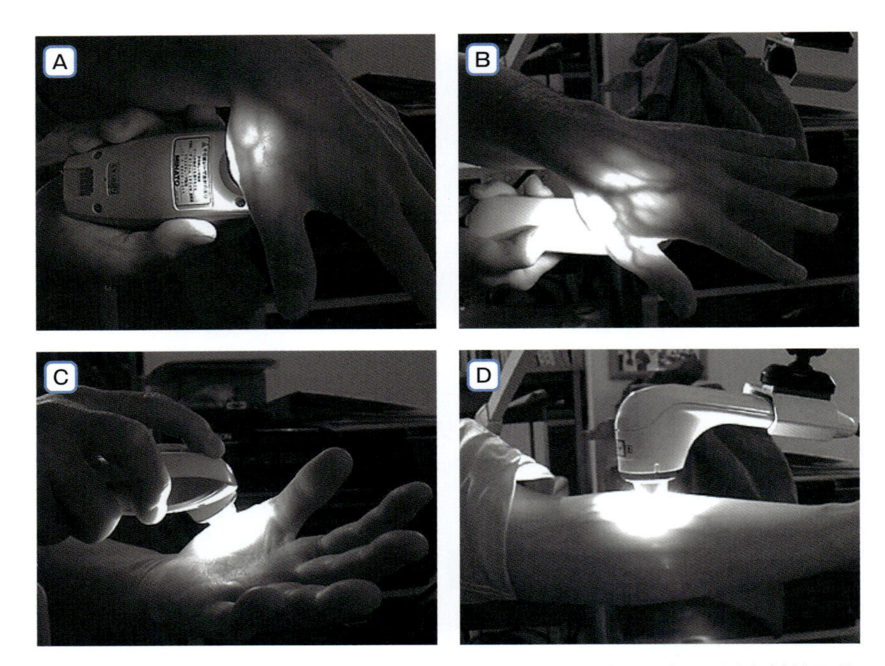

図10　レーザー照射による透過光（A，B）と散乱光（C，D）の近赤外線画像

A）とB）では血管の陰影を認めるが骨は描出されない．C）とD）では照射口径を大きく上回る散乱光を確認できる．A）180 mWレーザーによる透過光．B）10 Wパルスレーザーによる透過光．C）180 mWレーザーによる散乱光．D）10 Wパルスレーザーによる散乱光．A，C：ソフトレーザリーJQ-W1，ミナト医科学社製，出力180 mW，エネルギー密度514 mW/mm^2，波長810 nm．B，D：ファインレーザーEL-1000，オージー技研社製，最大出力10 W，最大エネルギー密度65 mW/mm^2，波長830 nm．

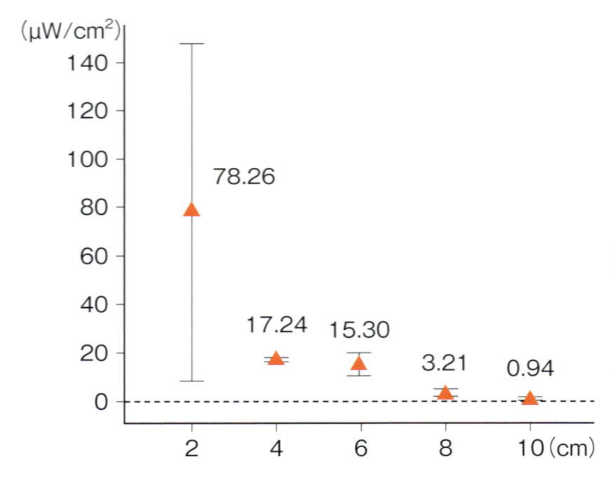

図11　照射部位からの距離と散乱光強度の関係（n＝7，平均値±95％信頼区間）

10 Wパルスレーザー（0.65 W/cm^2）を前腕掌側に照射し，2～10 cm離れた部位で測定したもの．
竹内伸行，他：第60回日本生体医工学会大会（2021）で発表したデータから10パルスにおける各最大値を抽出し，その平均値をグラフ化した．

2 レーザー光の発生

- レーザー光源は，反射率が100％の全反射ミラーと数％の部分反射ミラー，両ミラーに挟まれたレーザー媒質で構成される．光の色はレーザー媒質に含まれる原子の種類で決まる．
- 媒質中で生じた光が，2枚のミラー間で反射しながら往復し増幅される．
- 増幅された光の一部が部分反射ミラーからレーザー光として放出される（図12）．

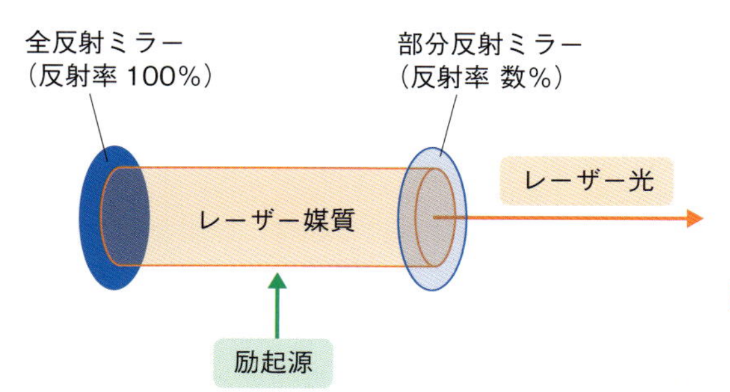

図12　レーザー発生機構

ミラー間で増幅された光の一部が部分反射ミラーから飛び出しレーザー光となる．

3　人体へのレーザー照射を考えるうえでの基本的知識

1）光エネルギー密度

- 光線療法の多くは，出力（強度），照射時間，照射口径，間欠照射やパルス照射の場合は照射（オン）時間と休止（オフ）時間（図13），パルス幅やパルス周波数など，さまざまな要素で照射条件が決まる．

＊物理療法（光線療法）の分野では，秒単位で照射と休止を繰り返すものを間欠照射，ミリ秒単位で繰り返すものをパルス照射ということが多い．

- 照射光のエネルギーがどの程度かを示すのが，光エネルギーと光エネルギー密度である．

光エネルギー（J）＝出力（W）×照射時間（s）

光エネルギー密度（J/cm^2）＝〔出力（W）×照射時間（s）〕/照射面積（cm^2）

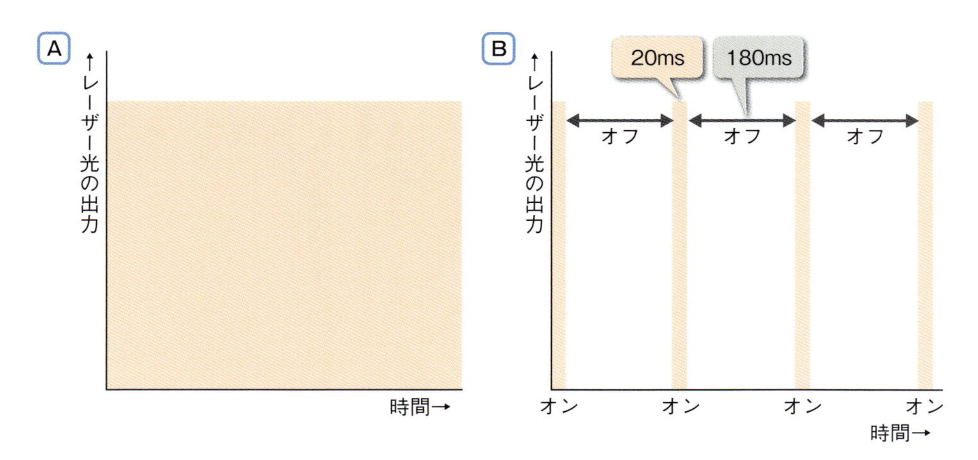

図13　連続照射（A）とパルス照射（B）

A）連続照射では，レーザー光は常に照射されている．B）パルス照射では，照射（オン）と休止（オフ）がくり返される（オン：20 ms，オフ：180 msの例）．

2）高出力化とパルス照射

- 出力100 mW前後の低出力レーザー（図14A）は，組織に対する温熱作用はない，あるいは小さいと考えられる．
- 出力100 mW前後の低出力レーザーは，肉眼的には非常に微弱な光として捉えられるため，治療のイメージをつかみにくい．しかし，近赤外線カメラを用いると明瞭な透過光，散乱光を認める（図10A，C，関連動画②）．

関連動画②

- 治療対象とする組織に光が到達していることと，治療効果として生体反応が生じるということは異なる．何らかの生体反応を生じるのに必要な光の強度がどの程度必要なのかは曖昧な部分も多い．
- 出力が数Wから10W程度の治療器（図14B，15）では，優れた温熱作用と高い生体深達性を有するが，熱傷リスクも高くなる．
- 生体深達性を確保し，熱傷リスクを低減する方法がパルス照射である（図13B）．
  - 現在，国内で用いられている出力10 Wのレーザー治療器は，照射（オン）と休止（オフ）を短時間（数msから数十ms）でくり返すパルス照射を行う（図14B，15）．生体深達性は出力に依存するため，最大出力のまま照射することができるパルス照射は高い深達性を維持できる．
  - 休止時間を設けることで全エネルギー量は減少し，熱傷リスクが低減する．
- レーザーメスでは，10 W × 0.1秒の照射で気管内チューブ穿孔の報告[23]があり，手術中の発火事例[24]もある．物理療法のレーザー治療器とレーザーメスでは，光エネルギー密度が大きく異なり単純比較はできないが重要な情報である．
- 出力が高いほど深層組織の治療が可能になる．ブタ肝臓を用いた実験[25]では，1,800 mWの近赤外線は照射面から30 mm深部で0.1度温度が上昇したが，100 mWレーザーは20 mm深部でも温度は上昇しなかった．

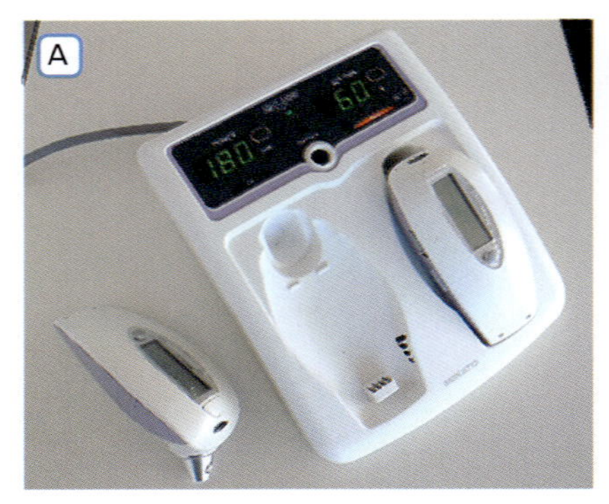

図14　主なレーザー治療器

A）出力を60 mW，100 mW，140 mW，180 mWに変更可能な半導体レーザー治療器（ソフトレーザリーJQ-W1．ミナト医科学社製）．B）最大出力10 W，パルス照射型の半導体レーザー治療器（ファインレーザーEL-1000．オージー技研社製）．

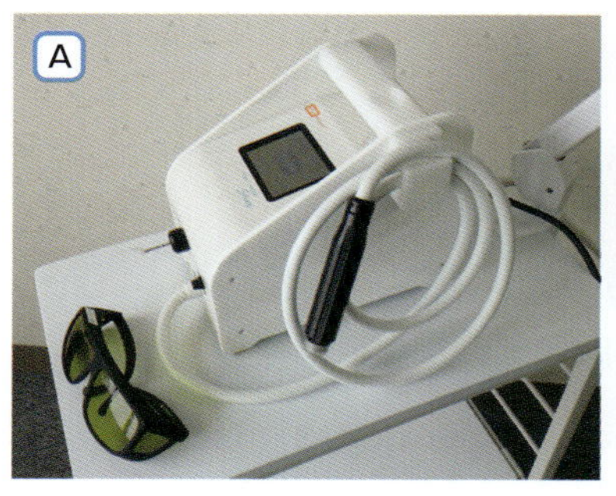
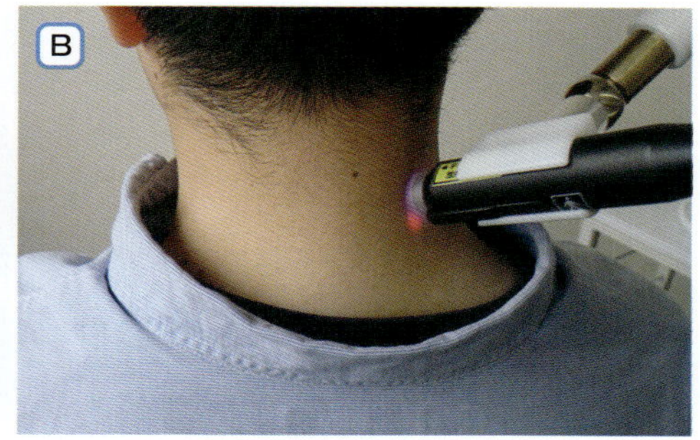

図15　最大出力10 Wのパルス照射型レーザー治療器
半導体レーザ治療器Sheep，ユニタック社製．A）レーザー治療器本体．B）僧帽筋への照射例（アームを用いた固定照射）．

3）レーザー治療器の分類

- 関連報告では，レーザー療法（laser therapy）と光線療法（light therapy，phototherapy）の表現が混在する．2013年に日本レーザー治療学会は，低反応レベルレーザー療法（low reactive level laser therapy：LLLT）と低反応レベル光線療法（low reactive level light therapy：LLLT）の分類を示したが，当分，用語統一はせず機器により使い分ける方針とした[26]．
- 物理療法分野におけるレーザー治療器の分類は，主に出力（強度）によるものと発光原理によるものに分けられる．

❶ 出力（強度）による分類

- 単純に数値的な出力（強度）による分類か，レーザー光に対する生理学的作用の強さで分類されている．
- 出力の違いでは低出力レーザー〔low level（power）LASER〕，高出力レーザー〔high level（power）LASER〕，強度の違いでは低強度レーザー（low intensity LASER），高強度レーザー（high intensity LASER），生理学的作用の違いでは低反応レーザー（low reactive LASER），高反応レーザー（high reactive LASER）などとよばれている．なお出力と強度は同じ意味で用いられることが多い．
- 一般に，低出力（低強度）レーザーは数10～200 mW程度，高出力（高強度）レーザーは数～10 W程度である．また出力1,000 mWのレーザー治療器を中出力レーザーとよぶことがある．
- ただし，連続照射とパルス照射の違いや，光線の密度の違いにより，平均出力や総エネルギー量は異なるため，単純に出力の数値のみで，治療効果や適応と禁忌などを判断することは避けるべきである．

❷ 発光原理の違いによる分類

- 光線療法では主に半導体レーザーが使用され，一部にガス（気体）レーザーがある．他に固体レーザーや液体レーザーがある．どれも発光原理の違いによるもので，異なる波長のレーザー光を発生する．ここでは半導体レーザーとガスレーザーについて述べる．

①半導体レーザー

- レーザー媒質に半導体を用いたのが半導体レーザーである．

- 特にガリウム（Ga），アルミニウム（Al），ヒ素（As）による半導体が多くGa-Al-Asレーザーとよばれる．
- 近赤外線領域のレーザー（波長810 nm，830 nmなど）である．

②ガスレーザー

- レーザー媒質にガスを用いたのがガスレーザーである．
- 波長はガスに含まれる元素により異なる．ヘリウム（He）とネオン（Ne）の混合ガスによるHe-Neレーザーが多い．
- 可視光線領域（赤色，波長632.8 nm）のレーザーである．

4）誤照射防止機能

- 多くは誤照射防止の安全装置が備わっている．
- プローブ先端を患部に押し当て先端が押し込まれると照射されるタイプや，先端のタッチセンサーに皮膚が触れたときだけ照射するタイプ，レーザー光とは別に微弱な赤外線を照射して皮膚接触を感知するタイプなどがある．

5）照射方法

1 接触照射法と非接触照射法

- プローブを皮膚に接触させる接触照射法（接触法）と，接触させない非接触照射法（非接触法）がある（図16）．
- 通常は接触法が選択されるが，感覚過敏や感染可能性のある部位などでは非接触法で照射する．
- 非接触法では，プローブを皮膚から数mm～数cm離して照射する．
- 誤照射防止機能により非接触法が実施できない場合は，誤照射防止機能が機械式に押し込むタイプの機種では治療者の手指で押し込んで，またタッチセンサータイプの機種では治療者の手指で触れて，誤照射防止機能を解除すると照射可能なことがある（図16B）．非接触照射を手元で操作できるスイッチを備えた機種もある（図16C）．
- 非接触照射法では，患部以外への照射や強度の変化に注意が必要である．

2 固定照射法と手持ち照射法

- 照射プローブはストレート型やL型がある（図17A～C）．またプローブを固定するアームが装備されているものがある．

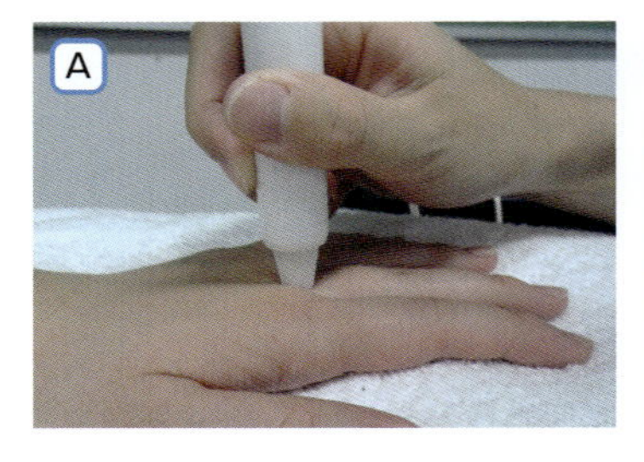

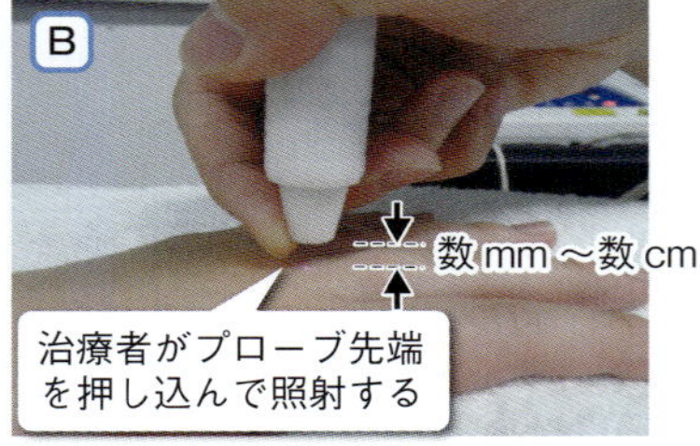

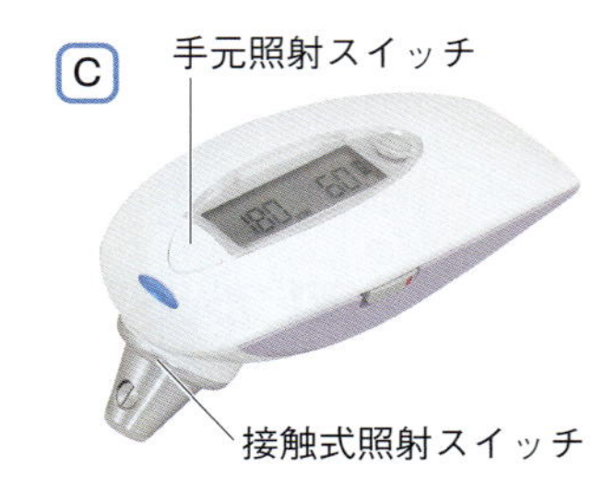

図16　接触照射法（A）と非接触照射法（B）（C）

左中指MP関節への照射例．A）接触法では誤照射防止機能解除のため照射部位を圧迫しなければならない機種もある．B）非接触法では逆二乗の法則による照射強度の変化に注意する．C）非接触照射を手元で操作できるスイッチを備えた機種もある（ソフトレーザリーJQ-W1，ミナト医科学社製，文献27より転載）．

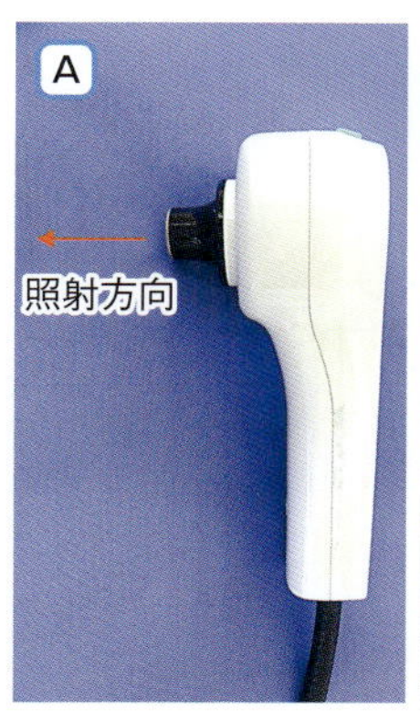

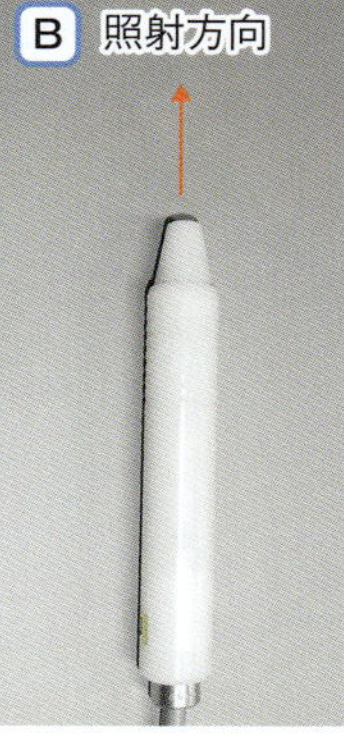

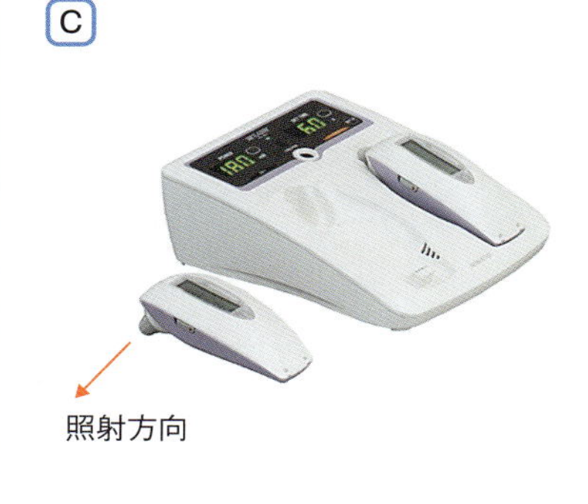

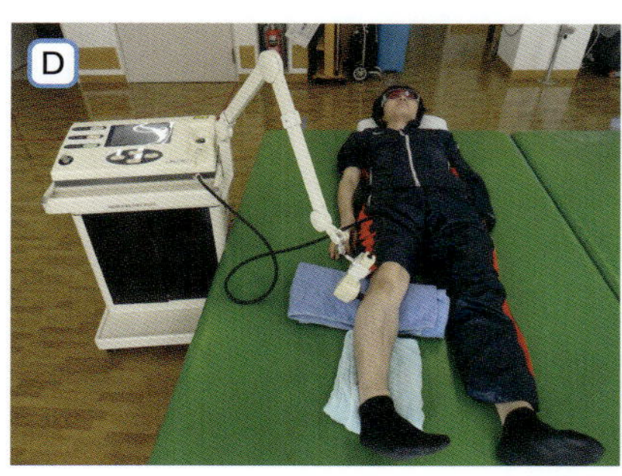

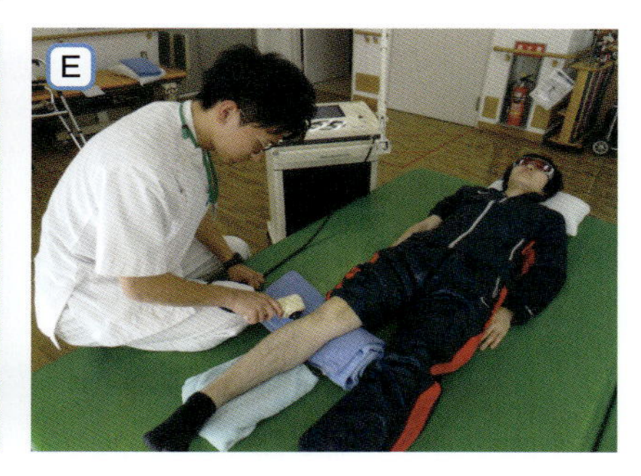

図17　照射プローブの形状と照射方法

L型（A），ストレート型（B），コードレスタイプ（C）．固定照射法（D）と手持ち照射法（E）による腓骨神経への照射例．A，D，E：持田シーメンスメディカルシステム社，メディレーザソフト1000．B：ソフトレーザリーJQ310，ミナト医科学社製．C：ソフトレーザリーJQ-W1，ミナト医科学社製，文献27より転載．

- 限局範囲への照射では固定照射法が適している（図17 D）．治療者の負担や，治療者ごとの照射技術の影響が少ないという長所がある．一方，広範囲照射に向かない，プローブがずれた場合に再固定が必要，誤照射防止機能が作動した場合は再スタートが必要，照射中の異常に気がつきにくいなどの短所もある．
- 治療者がプローブを把持する照射法を手持ち照射法といい，通常，数秒ごとに複数カ所を移動しながら照射する（図17 E，18，関連動画④⑤）．広範囲の照射に適するが広すぎると標的組織に対する照射量が減少し，治療に必要な光エネルギー量を得るために照射時間を長くする必要が生じる．

関連動画④

関連動画⑤

- 手持ち照射法は照射中の変化に気がつきやすい，その変化にもとづき照射条件を変えやすい，固定照射法に比べ出力を高く設定可能，などの長所がある．短所は治療者の負担が大きくなることがあげられる．

6）眼球保護ゴーグル

- 通常，患者と治療者の双方が眼球保護ゴーグルを装着して照射する（図19）．
- レーザー療法に用いる眼球保護ゴーグルには波長吸収特性がある．使用するレーザー治療器用のゴーグルを用いることが重要である．レーザー治療器の波長とゴーグルの波長吸収特性が異なると，効果がない，あるいは効果が低下するということがある．

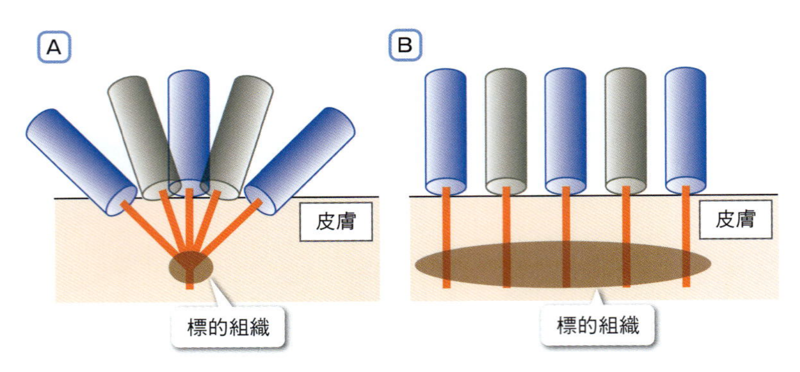

図18　移動照射法による限局部位（A）と広範囲（B）への照射

光線は生体内で同心円状に広がるが，図は説明のために照射光を直線的に表現している．A）プローブを移動しながら放射状に照射する．皮膚に対するエネルギーを分散し熱傷リスクを低減しながら，標的組織には集中照射する．B）神経や筋の走行に沿って照射する場合は垂直に照射する．

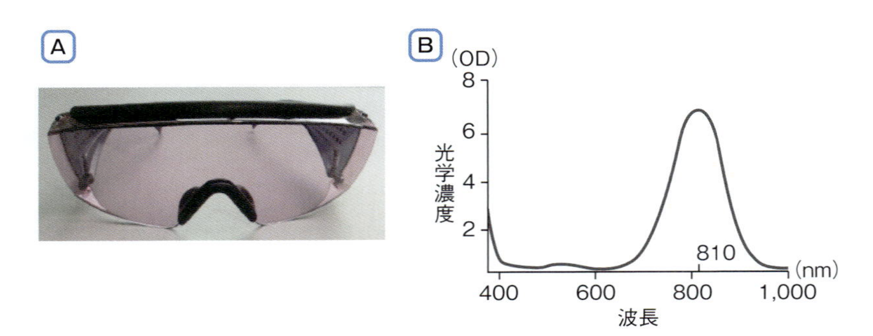

図19　眼球保護ゴーグル

レーザーの波長に適合したゴーグルを用いる．波長810 nmのレーザー用ゴーグル（A）とその波長吸収特性（B）．光学濃度の値が大きいほど，その波長の光の透過率が低い．YL331S，山本光学社製，取扱説明書より転載．

4 レーザー療法の作用と適応

1）レーザー療法の作用

- レーザー療法では，温熱作用と光化学作用による効果を考える．
- 一般に，組織レベルの温熱作用は中出力（数100～1,000 mW程度）あるいは高出力（数～10 W）のレーザー治療器で得られると考えられている．
- 出力が100 mW前後のレーザー治療器では細胞レベルでの温熱作用が生じることも推察されるが，明確なエビデンスはない．
- 光化学作用はレーザー療法全般で期待できる効果である．出力100 mW未満の低出力レーザー治療器では主たる作用と考えられている．高出力のレーザー治療器でも光化学作用が得られるが，温熱作用との明確な区別は困難なことが多い．

2）対象となる疾患・障害

- 温熱作用では，主に軟部組織伸張性低下，局所の循環障害，疼痛，創傷，軟部組織損傷，末梢神経の異常（過活動，低活動），交感神経系の異常興奮，筋緊張亢進などが適応である．
- 光化学作用では主に局所循環障害，疼痛，皮膚創傷，軟部組織損傷，末梢神経の異常（過活動，低活動），交感神経系の異常興奮，筋緊張亢進，炎症などが適応である．

3）適応となる病態～研究報告

- **循環障害**：局所循環障害にレーザー療法は有効である．しかし，健常者では効果を認めなかったとの報告がある[28]．適応病態に関するさらなる研究が求められる．
- **急性外傷，急性炎症**：低出力レーザー療法で急性炎症の抑制が期待できる[29) 30]．ただし温熱作用を有するレーザー照射は原則禁忌である．
- **皮膚疾患，開放性皮膚損傷など**：皮膚障害に対して低出力レーザー療法は有効である．糖尿病患者の足部潰瘍（図20）に低出力レーザー療法を行った研究では，潰瘍面積縮小を認めている[31]．
- **疼痛**：主に光化学作用による受容器と求心性神経線維の閾値上昇，興奮性低下により疼痛が緩和される．急性痛に関与する求心性神経線維は主にＡδ線維，慢性痛に関与するのは主にＣ線維である（**第Ｉ章-2**参照）．レーザー療法はＡδ線維とＣ線維の興奮抑制に作用する[32) 33]．なお，レーザー療法は侵害受容性神経活動を選択的に抑制[34)～36]し，触覚などの通常の神経活動には影響を与えない特徴がある．こうした作用は温熱刺激でも期待でき，温熱作用を有するレーザー治療器では，光化学作用と温熱作用で同様の効果が生じると思われる．さらに局所循環改善による発痛物質の除去や，温熱刺激の入力によるゲートコントロール理論の関与，下行性疼痛抑制系の賦活なども疼痛緩和に働く．
- **免疫に対する作用**：上記の低出力レーザー療法での急性炎症の抑制に関する報告[29]は，関節リウマチの消炎に関する研究である．関節リウマチは自己免疫疾患のため，レーザー療法が免疫に与える影響も推察されるが現状では曖昧である．

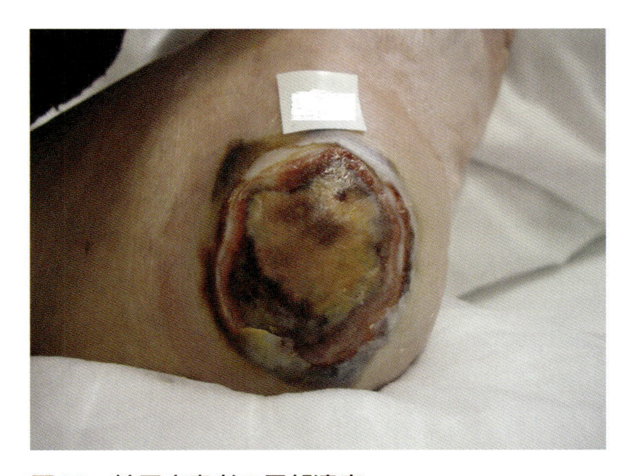

図20　糖尿病患者の足部潰瘍

5 レーザー療法の禁忌および注意を要する病態

- 禁忌は，他の光線療法，温熱療法と同様であるが根拠が曖昧なものもある．
- CPAのガイドライン[18]では，低出力レーザー療法について以下のような禁忌と注意すべき病態が示されている．
  - **眼窩部**：動物実験では網膜損傷が報告されている．
  - **妊娠中**：妊娠35週までの妊婦の腰部，腹部，骨盤部は胎児への影響が考えられる．
  - **悪性腫瘍**：腫瘍細胞へ照射すると細胞の異常増殖を促す可能性がある．
  - **出血傾向**：出血を助長する可能性がある．
  - **感染症**：結核患者では，細菌増殖に影響を与える可能性があり照射すべきではない．他の感染症では十分な観察が必要である．
  - **深部静脈血栓症**：血栓が剥離し他の血管を閉塞する可能性がある．
  - **生殖器**：生殖器官や精子形成などへの影響は曖昧であるが照射は避けるべきである．
  - **放射線療法を受けた組織**：細胞の異常増殖や組織損傷の徴候に十分な注意を払う必要がある．
  - **コミュニケーション障害や認知障害**：認知障害の患者や感覚障害部位へ照射する場合，過度な熱感や異常に対する反応が乏しくなるため，慎重な治療条件設定や観察が必要である．
  - **光線過敏症**：低強度，低エネルギー密度の条件で開始し，十分な観察のもとに2～3日の間隔を開けて行うことが推奨される．
  - 甲状腺，眼球，精巣などの**乏血組織**や浮腫など，**循環障害部位**への照射は，熱の停滞により過度な加温を招く恐れがある．また血管透過性亢進により浮腫が悪化する恐れがある．
  - **高齢者や著しく体力が低下した患者**は，温熱による代謝亢進に伴うエネルギー消費増大に注意する．具体的には，患者の疲労の訴えや，バイタルサインの大幅な変化が認められた場合は，中止する．
  - **急性炎症部位**は，温熱による血管拡張や血管透過性亢進により炎症が悪化する恐れがある．ただし温熱を伴わない低出力レーザー療法では消炎作用が期待できる[29) 30)]．
  - ホクロやアザなどで**肌の色が濃い部位**は，過度な加温を生じる恐れがある．

6 レーザー療法の実際

1）インフォームドコンセント

- 治療前に目的，方法，治療時間，生じる反応，可能性のある副作用，被照射感（特に出力が100 mW前後の低出力レーザーは被照射感が生じにくい）などを説明し同意を得る．温熱作用が強い場合は，温感，熱感に対する説明を十分に行う．
- 緊急停止スイッチが装備されている場合は使用法を説明する．
- 眼球保護ゴーグル装着の必要性を説明する．また照射光を直視しないように説明する．
- 照射中はできる限り動かないように説明するとともに，安楽な姿勢を保てるように配慮する．痛みなどにより一定の姿勢や肢位の保持が困難な場合は，手持ち照射法で照射するとともに，誤照射の対策としてタオルをかけるなど安全に配慮する．

- はじめて行う患者では，治療者の手掌に光を当てて説明し，次いで患者の手掌などで光線照射を体験してもらうと不安をとり除きやすい．
- 星状神経節や顔面への照射は患者の不安が大きく，事前説明は重要である（図21参照）．

2）効果の評価方法

- 単回の照射で効果を認めることがある（即時効果）．治療継続で生じる累積効果もある．
- 即時効果と累積効果は，毎回の照射前後に評価する．炎症抑制の即時効果発現は困難なこともあるが，疼痛緩和や循環改善，軟部組織伸張性向上などは即時効果を認めることも多い．

1 疼痛の評価

- 疼痛は問診で主な評価ができる．疼痛の程度，質，頻度，どのような状況で痛みが生じるのか，日常生活活動（ADL）の影響などを詳細に評価する．
- 疼痛の程度を数値化したい場合はVAS（Visual Analogue Scale）やNRS（Numerical Rating Scale）が使いやすい（**第I章-3**参照）．
  - VASは100 mmの直線を用いて0（直線の左端）を「全く痛みがない」，100（直線の右端）を「我慢できない痛み」とし，現在の痛みを患者に記載してもらう方法である．0から100（101段階）の段階付けが可能である．しかし，筆記具が必要であること，患者に記載してもらう必要があるなどの短所がある．
  - NRSは0を「全く痛みがない」，10を「考えられる最悪の痛み」とした場合の現在の痛みを，患者に数値で答えてもらう方法である（全11段階）．
- 疼痛に関する評価機器が使用可能であれば，電気刺激を用いた知覚痛覚定量分析装置や圧痛計による客観的評価も有用である．

2 循環改善の評価

- 患者が感じている温（冷）感を聴取し，皮膚の温度や色調を視診や触診で評価する方法が簡便である．
- 指尖部末梢循環の評価法として，毛細血管再充満時間（capillary refilling time：CRT）がある．指の爪を圧迫すると圧迫部が阻血され蒼白になるが，末梢循環が保たれていれば，圧迫除去後2秒以内にピンク色に戻る．蒼白のまま戻らない，または回復に2秒以上要する場合は末梢循環不良と判断する．救急医療などで用いられるが，簡便なため物理療法の効果判定でも活用できる．

3 軟部組織伸張性の評価

- 触診により組織の伸張性，柔軟性，硬さを評価する．
- 標的組織が関節可動域（ROM）の制限因子の場合は，ROM測定でその伸張性を間接的に評価できる．

4 筋緊張の評価

- 他動運動による筋伸張（被動性試験）に対する筋の反応を評価する．また触診や伸張反射検査も有用である．痙縮ではModified Ashworth Scaleなどの主観的評価指標も利用できる．
- 筋緊張亢進の原因を考えることが重要である．

- 対象筋がROMの制限因子の場合は，ROM測定により筋緊張の一面を評価できる．

3）運動療法の併用

- レーザー療法と運動療法の併用に関する報告は多い．ここではその一部を紹介する．

1 疼痛に対するレーザー療法と運動療法の併用

- 結合組織炎患者に対する低出力レーザーとストレッチングの併用と，ストレッチング単独の効果に関する報告では，ともに疼痛緩和を認めたがストレッチングに対するレーザーの相加的作用は認めなかった[37]．
- Gurらの研究では，慢性腰痛症患者にレーザー療法と運動療法を施行した結果，レーザー療法は疼痛緩和に有効であるが，運動療法の効果を高める作用は認めなかった[38]．
- これらから疼痛にレーザー療法は有効であるが，運動療法との相加的効果は得られないと思われる．ただし即時的に痛みが改善する場合は，レーザー療法で痛みを緩和した状態で他の治療プログラムを行うことができ，臨床的有用性がある．

2 ROM制限に対するレーザー療法と運動療法の併用

- 日本理学療法士学会による肩関節周囲炎の理学療法診療ガイドライン[39]では，レーザー療法の推奨グレードはB（行うように勧められる科学的根拠がある）で，エビデンスレベルは2（1つ以上のランダム化比較試験による）である．
- 根拠となる報告の1つは，低出力レーザー単独の効果を検討している．この報告では，疼痛は軽減したがROM改善は認めなかった[40]．低出力レーザーは温熱療法のような組織伸張性に影響するものではないと考えられ，治療により改善する疼痛は肩関節のROM制限とはあまり関連しないことを示唆している[41]．
- インピンジメント症候群患者に低出力レーザーと運動療法の併用と，プラセボレーザーと運動療法の併用を比較した報告では，両群ともにROM改善を認めたが，レーザー併用群がプラセボ併用群に比して有意にROMが改善したと述べられている[42]．
- これらから低出力レーザー療法単独によるROM改善は期待できないが，運動療法の併用で，より効果的に治療できると考えられる．

模擬実習

1）患者へのオリエンテーション

1 目的

- ロールプレイ（役割演技）により，オリエンテーションを体験的に学習する．

2 方法

- 治療者役と患者役に分かれ，実際の治療開始前に行われる説明と，それにもとづいて同意を得る過程を想定して行う．
- 表1に実施例を示すが，この他にさまざまな場面を想定しロールプレイを実施してほしい．シナリオをつくらなくてもよい．

表1　レーザー療法のオリエンテーションのロールプレイ（交通事故で頸椎症性神経根症により右上肢にしびれを生じている患者に対する星状神経節へのレーザー照射の例）

	治療者	患者
①	今日から担当させていただく理学療法士の＊＊です．確認のためにお名前をフルネームで教えていただいてもよろしいでしょうか？	
②		○○○○です．よろしくお願いします．
③	○○さんは，右の肘から手にかけてしびれがあると聞いていますが，今はいかがですか？	
④		今もしびれています．感覚も鈍いです．
⑤	そうですか，それはたいへんですね．早くよくなるとよいのですが，そのために私もお手伝いさせていただきますね．今日は主治医の先生から首にある神経にレーザー療法を行うように指示がきています．お話は聞いていますか？	
⑥		はい，診察室で簡単な説明は聞いてきました．
⑦	首に交感神経が通っているのですが，この神経が異常な活動をしているようなんです．レーザー療法には，この神経の異常な活動を抑える効果があります．	
⑧		でも首にレーザーを当てるなんて，なんだか怖いです…．
⑨	そうですよね．今回，使用するのはこの治療器です（使用するレーザー治療器を見せる）．このように手に当ててみても，ほとんど何も感じないか，少し温かさを感じる程度です（電源を入れ，実際にレーザー光を照射させ，自分の手掌に当てながら）．○○さんも，手で試していただけますか？	
⑩		はい（左の手を差し出す）．
⑪	それでは，当ててみますね（患者の手掌にレーザー光を照射して，体験してもらう）．いかがですか？	
⑫		確かに，何も感じませんね．あっ，でも少し温かくなってきました．
⑬	熱くないですか？	
⑭		熱くはないです．
⑮	このレーザーを5分間，首の神経に照射するのですが，よろしいでしょうか？（レーザー光を停止して）	
⑯		はい．これなら大丈夫そうです．特に怖いものではなさそうですね．
⑰	念のため目を保護する眼鏡をかけていただく必要があります（眼球保護ゴーグルを見せる）．また何か異常を感じたら，このスイッチを押してください（緊急停止スイッチを渡す）．レーザーは止まります．	
⑱		わかりました．
⑲	他に何かわからないことや不安なことはありますか？	
⑳		大丈夫です．
㉑	治療中は，私もそばにいますので，何かあれば遠慮せずにおっしゃってください．特に，過度な熱さを感じたり，症状が悪化した場合はすぐに教えてください．また，できるだけ動かないでもらいたいのですが，同じ姿勢でいることで辛くなってしまう場合も遠慮しないでくださいね．では，治療をはじめさせていただきたいのですが，よろしいでしょうか？	
㉒		はい，お願いします．

※シナリオをつくらずに自然の流れで進めてみてもよい．

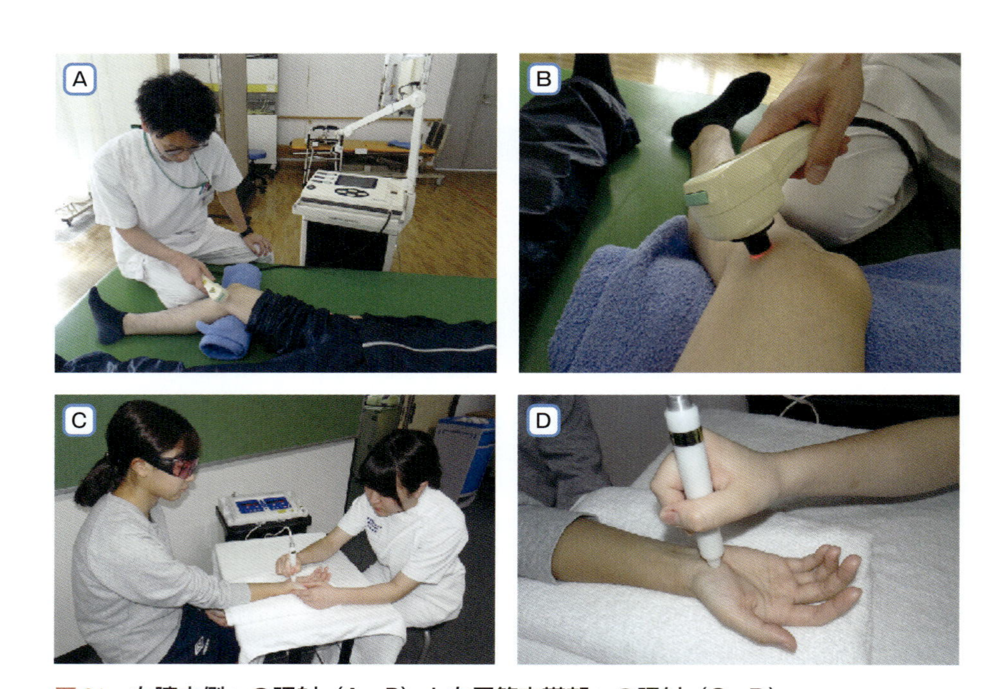

図21　右膝内側への照射（A，B）と右屈筋支帯部への照射（C，D）

A）B）持田シーメンスメディカルシステム社，メディレーザソフト1000．C）D）ミナト医科学社，ソフトレーザリーJQ310．

2）模擬患者による実習

1 変形性膝関節症

診断名：右変形性膝関節症

概略：右膝内側の痛みを自覚し，1カ月後に変形性膝関節症と診断された．消炎鎮痛剤の内服とともに理学療法が処方され，右膝内側へのレーザー療法も指示された．

実施内容：右膝内側へのレーザー療法（背臥位で5分間）．

照射条件：1,000 mW，5分間，手持ち照射により照射する（図21A，B）．

＊ここでは1,000 mWレーザー治療器の例を示す．

2 手根管症候群

診断名：右手根管症候群

概略：右正中神経領域のしびれと異常感覚がある．主治医は外科的治療を提案したが患者が拒否したため，理学療法が処方され屈筋支帯部への低出力レーザー療法の指示が出た．

実施内容：右屈筋支帯部に対する低出力レーザー照射（座位で5分間）．

照射条件：100 mW，5分間，手持ち照射により照射する（図21C，D）．

＊ここでは出力100 mWの設定における治療例を示す．

3 左視床出血の後遺症

診断名：左視床出血後遺症（右上肢の浮腫と痛み）

概略：左視床出血により保存的加療後，回復期リハ病棟に転院した．右上肢の感覚障害，右

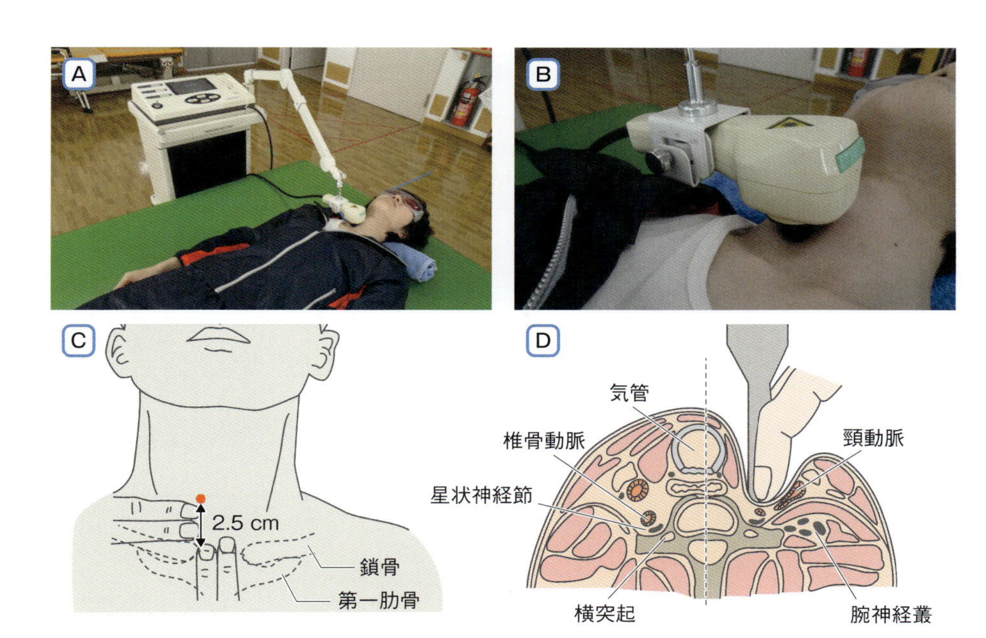

図22　右星状神経節への照射

A) B) タオルなどを丸めて頸部に挿入し頸椎軽度伸展位で行う．持田シーメンスメディカルシステム社，メディレーザソフト1000．C) D) 星状神経節の位置．文献43より引用．照射側胸鎖関節から2横指（約2.5 cm）頭側，正中線から約1.5 cm外側に胸鎖乳突筋を触れる．この位置でプローブ先端により胸鎖乳突筋を外側へ圧排し固定する．

肩関節痛，右前腕から手指の浮腫を認める．これらの症状に対し右星状神経節へのレーザー照射が処方された．

実施内容：右星状神経節へのレーザー療法（背臥位にて5分間）．

照射条件：1,000 mW，5分間，固定照射で行う（図22）．

＊ここでは1,000 mWレーザー治療器の例を示す．

C）赤外線療法

学習のポイント

- 赤外線が生体に与える影響，その使用目的を理解する
- 赤外線療法の適応，禁忌と注意事項について理解する
- 赤外線療法を健常者に対して実施できる

1　赤外線の基本的知識

- 赤外線は波長760 nm～1,000 μmの電磁波で，可視光の赤の外側（長波長側）にあるため赤外線とよばれる（図23）．近赤外線（760～2,500 nm），中間赤外線（2,500～4,000 nm），遠赤外線（4,000 nm～1,000 μm）に分けられる．

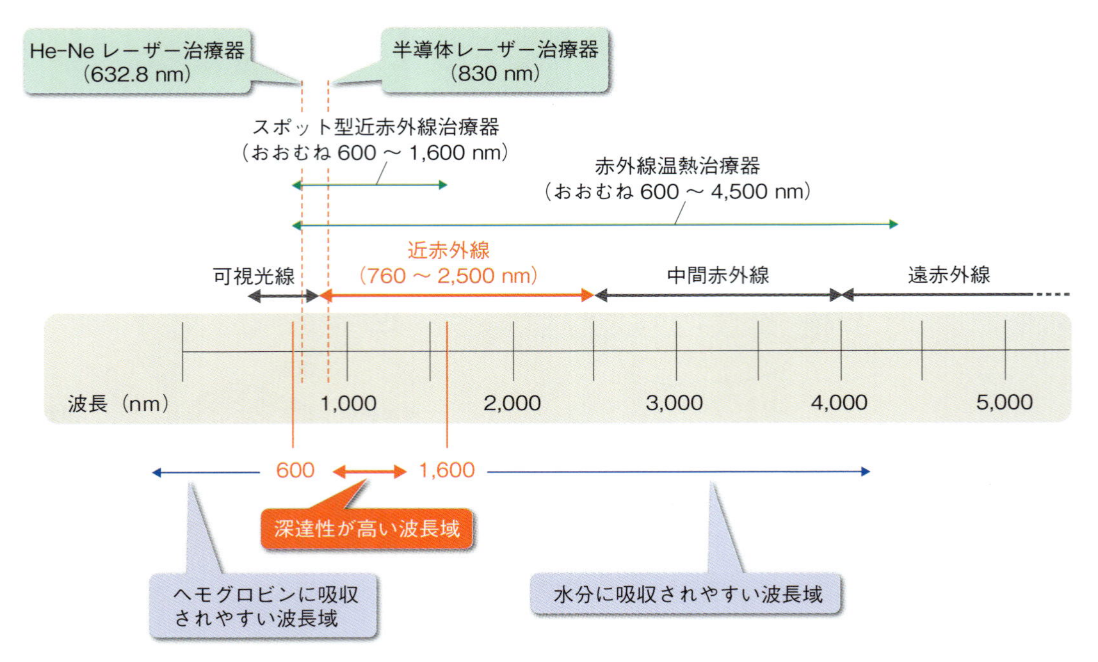

図23　赤外線治療器の波長特性

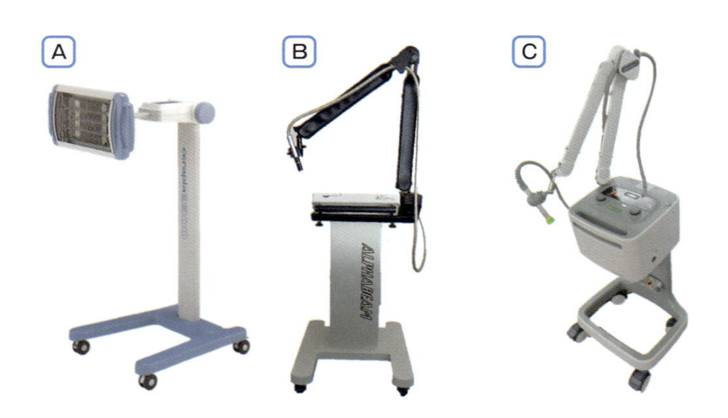

図24　赤外線温熱治療器（A）とスポット型赤外線治療器（B，C）

A）セラピア3300，波長2,500～4,500 nm，日本メディックス社製．文献44より転載．B）光近赤外線治療器，アルファビーム ALB-P1，波長700～1,600 nm，最大出力2,350 mW，ミナト医科学社製．C）高強度パルス照射型直線偏光近赤外線治療器，SUPER LIZER PX，波長600～1,600 nm，最大出力10 W，東京医研社製．

- 以前は中間赤外線を照射する治療器（図24A）が一般的であったが，現在は近赤外線をスポット照射する治療器が多い（図24B，C）．本項では前者を赤外線温熱治療器，後者をスポット型赤外線治療器として扱う．
- 遠赤外線は近赤外線に比べ皮膚で吸収されやすいため透過深度が小さい．また，皮膚にある神経終末の温度受容器が反応しやすいため，温感を得やすい特徴がある．この特性を利用して，家庭用暖房器具では遠赤外線を用いた物が多い．
- 一方，物理療法では赤外線療法として主に近赤外線と中間赤外線が利用される．特に近年は，生体深達性が高い近赤外線を照射する赤外線治療器が普及している．

- スポット型近赤外線治療器は主に波長600～1,600 nmの近赤外線を照射する．600 nmより短い波長は血中ヘモグロビンに吸収されやすく，1,600 nmより長い波長は水分に吸収されやすい（図23）．

2 赤外線温熱治療器

- 照射光は主に近赤外線～中間赤外線である．比較的広範囲に照射するものが多く光エネルギー密度は小さい．主に表在性温熱療法と考えるべきである．

3 スポット型近赤外線治療器

- スポット型近赤外線治療器の照射口径は数～10 cm程度である（図26参照）．
- スポット型近赤外線治療器は（無偏光の）近赤外線治療器（図24B）と直線偏光近赤外線治療器（図24C）に大別される．
- スポット型赤外線治療器は波長600～1,600 nmの近赤外線を照射する．この波長域は深達性が高く，深部温熱作用に優れる．
- 出力は機種により異なるがおおむね2,000 mW～10 Wで，光線療法のなかでは比較的高出力である．
- 出力2,000 mW程度のものは，連続照射と間欠照射（照射と休止を数秒ごとにくり返す）が可能なものが多い（図24B）．10 Wのものはパルス照射を行うものが多い（図24C，25A）．
- 以下に直線偏光近赤外線治療器について概説する．
  - ▶自然光は電場と磁場がさまざまな方向に振動するランダム光である．直線偏光フィルターにランダム光を通過させることで一定方向の振動成分をとり出せる．これを直線偏光[45]という（図25B）．偏光方式には他に円偏光，楕円偏光がある．

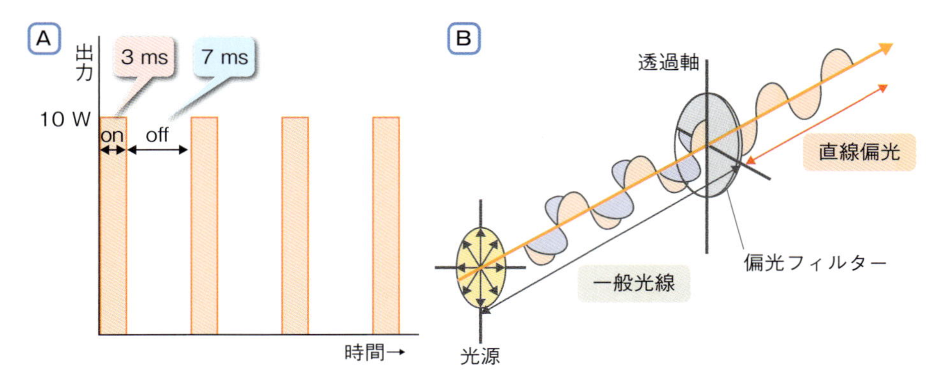

図25　直線偏光（A）とパルス照射（B）

A）3 ms照射，7 ms休止のパルス照射の例．B）ランダム光が偏光フィルターを通過すると，特定の振動方向成分のみ取り出せる．文献45より引用．

▶偏光の有無や違いが生体に与える効果は明確ではないが，直線偏光の光による創傷治癒促進効果が報告されている[46]．

4 スポット型近赤外線療法の作用と適応・治療対象

- 温熱作用と光化学作用による効果を期待する．
- 温熱作用では，軟部組織伸張性低下，局所循環障害，疼痛，皮膚創傷，軟部組織損傷，末梢神経の異常（過活動，低活動），交感神経系の過活動，筋緊張亢進などが適応である．
- 光化学作用では，局所循環障害，疼痛，皮膚創傷，軟部組織損傷，末梢神経の異常（過活動，低活動），交感神経系の過活動，筋緊張亢進，炎症などが適応である．
- ただし，急性期の病態は禁忌になることが多い．以下に，適応についてやや具体的に列挙する．
  - ▶**循環障害**：局所循環障害に有効である．
  - ▶**外傷，炎症**：炎症メディエーターの低減が期待される．ただし，急性期は炎症を助長する可能性があるため禁忌とすべきである．
  - ▶**皮膚疾患，開放性皮膚損傷など**：開放性皮膚損傷，褥瘡，皮膚潰瘍，熱傷，手術後の縫合創などに有効である．特に直線偏光近赤外線療法が有効とされている．
  - ▶**疼痛**：温熱作用と光化学作用で受容器や求心性神経線維の閾値上昇，興奮性低下が生じ，疼痛が緩和される．また局所循環改善による発痛物質除去や，温熱刺激入力によるゲートコントロール理論の関与，下降性疼痛抑制系の賦活も考えられる．
  - ▶**筋緊張亢進**：筋緊張亢進の神経学的要素，非神経学的要素に対する効果が認められる．

5 スポット型近赤外線療法の禁忌および注意を要する病態

- **眼窩部，眼球**：レーザー療法と同様の理由で禁忌とすべきである．
- **妊娠中**：胎児への影響が考えられる．
- **悪性腫瘍**：細胞の異常増殖や成長を促す可能性がある．
- **出血傾向**：出血を助長する可能性がある．
- **感染症**：細菌の増殖に影響を与える可能性がある．
- **深部静脈血栓症**：血栓が剥離し他の血管を閉塞する可能性がある．
- **生殖器**：生殖器官や精子形成などに与える影響は明確になっていないが，照射は避けるべきである．
- **放射線療法を受けた組織**：細胞異常増殖や組織損傷の徴候に十分な注意を払う必要がある．
- **コミュニケーション障害や認知障害の患者，感覚障害部位**：過度な熱感や照射中の異常に対する反応が乏しくなるため，慎重な治療条件の設定や観察が必要である．
- **光線過敏症**：低強度，低エネルギー密度の条件で開始し，十分な観察のもとに2～3日の間隔を開けて行うことが望ましい．

- 甲状腺，眼球，精巣などの**乏血組織**や浮腫などの**循環障害部位**へ施行すると，熱の停滞が生じ過度な加温を招く恐れがある．また照射により浮腫が悪化する恐れがある．
- **高齢者や極度の体力低下状態**では，温熱による代謝亢進に伴うエネルギー消費増大が生じるため注意する．具体的には，患者の疲労の訴えや，バイタルサインの大幅な変化が認められた場合は中止する．
- **急性炎症部位**は，炎症の悪化を招く恐れがある．
- ホクロやアザなどで**肌の色が濃い部位**は過度な加温を生じる恐れがある．

6 スポット型近赤外線療法の実際

1）インフォームドコンセントの実施

- 治療の目的，照射方法，照射時間，生じる反応，可能性のある副作用，被照射感などを十分説明し，同意を得る．基本的にレーザー療法と同様である．
- 緊急停止スイッチの操作法や目的を説明する．
- 眼球保護ゴーグルが設定されている治療器の場合は，その装着法と目的，および照射光を直視しないように説明する．ゴーグルが設定されていない治療器では，照射光を直視しないように説明する．
- はじめて治療を受ける場合は，事前に治療者の手掌などに光線をあて説明し，次いで患者の手掌で光線照射を体験してもらうと，不安をとり除きやすい．

2）照射方法

- 固定照射法，手持ち照射法，移動照射法，接触法，非接触法などを検討する（関連動画⑥⑦）．基本的にレーザー療法と同様である．

関連動画⑥

関連動画⑦

模擬症例による実習

1）アキレス腱断裂による腱縫合術後

診断名：右アキレス腱断裂

概略：右アキレス腱断裂の縫合術を施行した患者．現在，術後理学療法を実施中である．足関節背屈可動域制限と腱伸張痛がある．

実施内容：右アキレス腱に対する直線偏光近赤外線照射（右上側臥位で5分間）

照射条件：8 W，5分間，手持ち照射により右アキレス腱部へ照射する（図26A，B）．

＊ここでは最大出力10 W治療器を用いて，出力8 Wの設定による治療例を示す．

2）正中神経麻痺

診断名：左橈骨尺骨骨折，正中神経麻痺

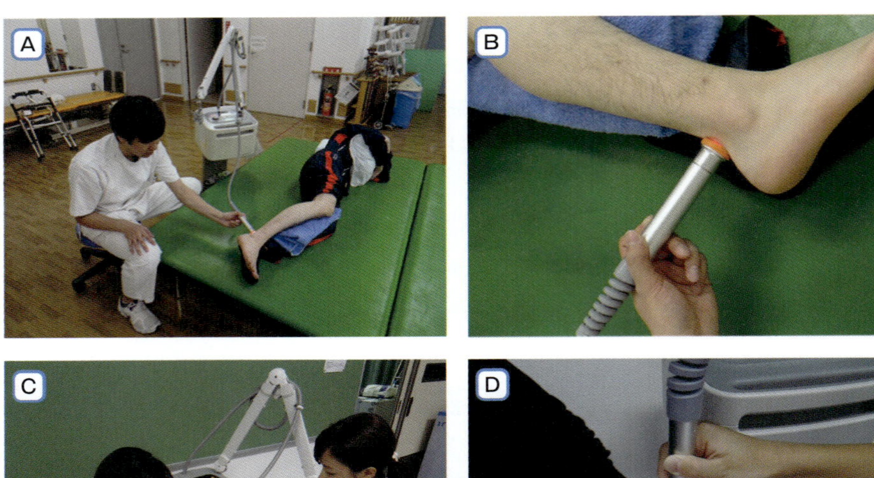

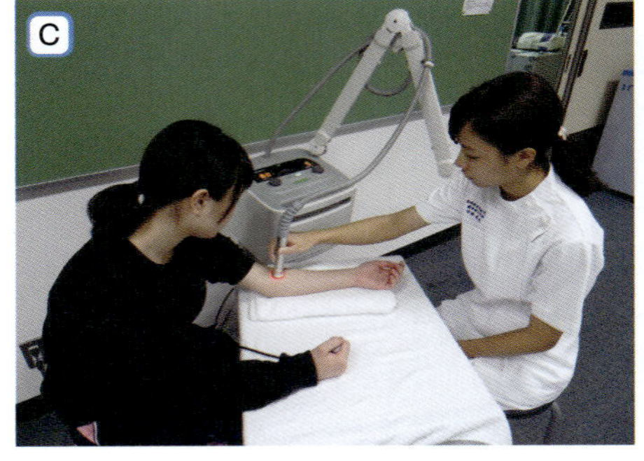

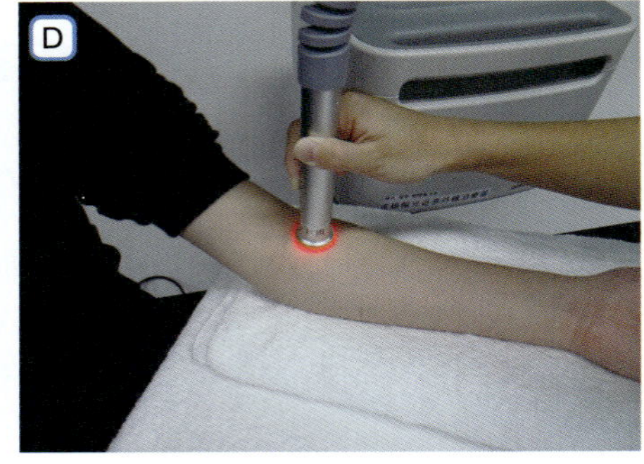

図26　右アキレス腱への照射（A，B）と左正中神経への照射（C，D）

高強度パルス照射型直線偏光近赤外線治療器，SUPER LIZER PX，東京医研社，最大出力10 W．ここでは8 Wで用いている．A) B）アキレス腱の長軸方向に3～4カ所を移動しながら照射する．1カ所3秒程度照射し，プローブ1個分遠位に移動する．C) D）正中神経に沿って照射する．1カ所3秒照射し，プローブ1個分遠位に移動し照射する（計3カ所程度）．

概略：交通事故で上記を受傷し，骨折に対して観血的整復固定術を施行した．現在，手指屈筋群の収縮不全と正中神経領域の感覚鈍麻を認める．

実施内容：左正中神経（肘関節遠位，前腕近位）に直線偏光近赤外線を照射する（座位で5分間）．

照射条件：8 W，照射口径20 mmのプローブ使用，5分間，手持ち照射（座位）（図26C，D）．

＊ここでは最大出力10 Wの治療器を用いて，出力8 Wの設定による治療例を示す．

D）紫外線療法

学習のポイント

- 紫外線が生体に与える影響，その使用目的を理解する
- 紫外線療法の適応，禁忌について理解する

1 紫外線の基本的知識

- 紫外線（ultraviolet：UV）の波長は10～380 nmであり，近紫外線（near ultraviolet：200～380 nm）と遠紫外線（far ultraviolet：10～200 nm）に分けられる（図27A）．

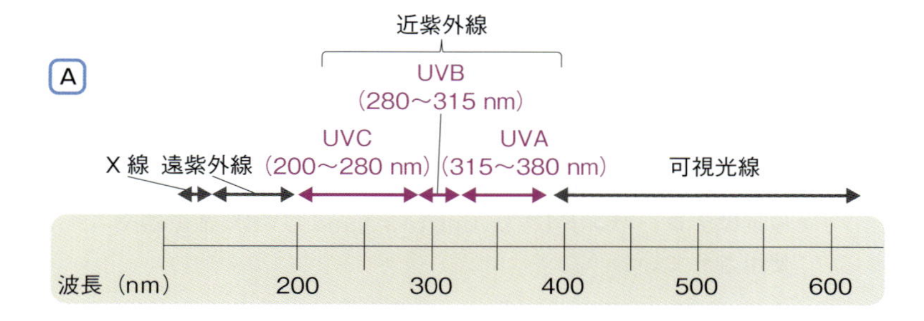

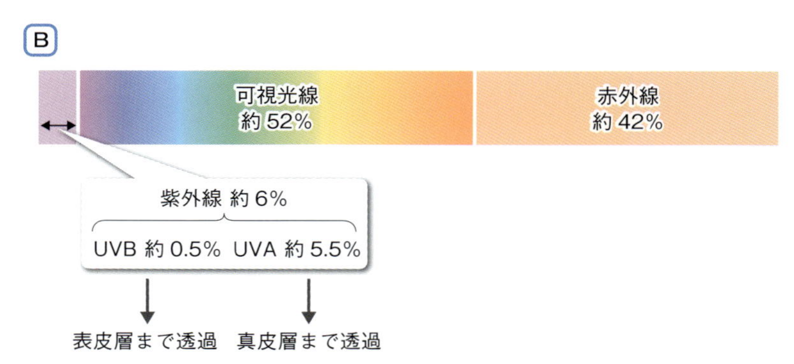

図27　紫外線の波長域（A）と地表に到達する太陽光の構成（B）

A）近紫外線は紫外線A波，B波，C波（UVA，UVB，UVC）に分けられる．B）太陽光のうち紫外線は6％である．5.5％のUVAが真皮層まで透過し，0.5％のUVBは表皮層まで透過する．UVCは大気で吸収され地表まで到達しない．

- 近紫外線は，紫外線A波（UVA，315〜380 nm），紫外線B波（UVB，280〜315 nm），紫外線C波（UVC，200〜280 nm）に分けられる（図27A）．
- UVAは長波紫外線，UVBは中波紫外線，UVCは短波紫外線とよばれる．
- 太陽光の紫外線のうちUVCは大気に吸収されほとんど地表に届かない．UVAとUVBは地表に到達する（図27B）．
- 紫外線療法では細胞障害性が弱いUVAとUVBが用いられる．
- UVAは真皮層まで到達し，紫外線のなかでは皮膚透過性が最も高いが，電離作用※1はない．
  - UVA-1（340〜380 nm）とUVA-2（315〜340 nm）に細分類される．
- UVBはほとんど表皮で吸収される．UVAよりも短波長のためエネルギーはUVAよりも強く日焼けの原因になる．またDNA損傷を生じるため皮膚がんのリスクファクターとなる．電離作用はない．
- UVCは，近紫外線のなかで最も短波長でエネルギーが大きく電離作用がある．皮膚がんのリスクファクターになるが，この特性を利用し紫外線殺菌装置に応用されている．
- 遠紫外線は近紫外線に比べ波長が短く，高エネルギーを有しており電離作用がある．

補足

※1　電離作用

放射線や紫外線などの電磁波が，物質中を通過して原子あるいは分子から電子を弾き飛ばして電離させる作用を電離作用という．

2 紫外線治療器

- これまで，主に紫外線に加えて赤外線の温熱作用も期待できる熱石英水銀蒸気灯や，UVCによる殺菌作用を目的とする冷石英水銀蒸気灯が利用されてきた．
- 最近はナローバンドUVB（narrow band UVB）治療器やエキシマランプが皮膚科領域で使用されている．
- ナローバンドUVB治療器は，皮膚疾患に有効な波長311 ± 2 nmの紫外線を選択的に照射する．エキシマランプは，光源の小型化で限局部位への照射を可能にしており，他への無用な照射を避けることができる．

3 紫外線療法の適応・禁忌，作用

1）適応・禁忌

❶ 適応

- 主に皮膚科疾患に対して行われる．乾癬，掌蹠膿疱症（しょうせきのうほうしょう），アトピー性皮膚炎，褥瘡，円形脱毛症などである．

❷ 禁忌

- 急性期の皮膚疾患，皮膚悪性腫瘍，悪性腫瘍のハイリスク患者，強い出血傾向，高度の光過敏症，妊娠中および授乳中の女性などは禁忌である．
- 小児，体力が低下した高齢者，重篤な肝障害や腎障害などは注意が必要である．

2）生理学的な作用

❶ 紅斑作用

- 紫外線照射の反応として紅斑（erythema）がある．真皮の真皮乳頭と乳頭下層で毛細血管の拡張と充血により生じる紅色の斑をいう．
- 紫外線を受けて紅斑が生じる反応をサンバーン（sunburn）という．主にUVB曝露で生じる．紅斑の出方には個人間で差がある．
- 紫外線照射で生じる紅斑量の判断基準を表2に示す．紅斑量の基準にはE_0～E_5の6段階がある．
- この基準でE_1の反応を最小紅斑量（minimal erythema dose：MED）といい，MEDを判定するテストを最小紅斑量テスト※2という．
- 最小紅斑量テストで明らかになったE_1を基準に治療を開始する．治療開始時は，E_1の1/2程度から照射されることが多い．

❷ 色素沈着

- 色素沈着（suntan）は，通常，紫外線照射後2日以内に生じる反応で，紅斑消失後に生じる．いわゆる日焼けである．
- UVAは基底層のメラニン生成細胞（メラノサイト）に作用してメラニン色素の生成を促す．このメラニン色素は細胞の核を紫外線（主にUVB）の曝露から守る役割を果たす．

表2　紫外線照射による紅斑の判断基準

判定	反応	持続時間	視覚反応	皮膚剥離	色素沈着	疼痛
E_0	反応なし	—	発赤なし	—	なし	なし
E_1	最小紅斑	24～36時間	軽度の発赤あり	なし	なし	なし
E_2	軽度日焼け	2～3日	発赤あり	粉のように白くなる	軽度	軽度
E_3	著明な日焼け	1週間	発赤・熱感，浮腫後水泡	紙のように剥離する	深部におよぶ沈着	あり
E_4	破壊	2週間	水泡水腫	深部におよぶ剥離	深部におよぶ沈着	あり
E_5	E_4の2倍の照射量をあらわす	—	—	—	—	—

3 殺菌作用・細胞障害作用

- 主にUVBとUVCにより生じるが，特に短波長のUVCに強い作用がある．
- 紫外線照射でDNA構造が破壊され，細胞増殖が抑えられる．

4 ビタミンD生成作用

- 皮膚にあるプロビタミンD3（7－デヒドロコレステロール）が，紫外線照射でビタミンDに変換される．
- ビタミンD欠乏はくる病の原因となる．薬物療法の発達で紫外線療法の重要度は低いが，UVB照射により骨粗鬆症患者のビタミンDが増加したとの報告がある[48]．

5 免疫抑制作用

- 皮膚有棘層の免疫細胞（抗原提示細胞）のランゲルハンス細胞は，紫外線感受性が高く紅斑を生じるUVB線量の半分程度で損傷を受ける．
- UVAは真皮層毛細血管中にある免疫細胞のナチュラルキラー細胞（natural killer cell：NK細胞）を損傷させることがある．

補足

※2　最小紅斑量テスト（図28）

以下に，前腕掌側でテストを行う場合の実施手順を示す．

①テストの目的，方法などを説明し，同意を得る．
②前腕部を流水でよく洗い，乾燥させる．
③紫外線用の眼球保護ゴーグルを着用する．
④厚紙を2枚用意し，1枚は1～2 cm四方の穴を複数あけておく．
⑤穴をあけた厚紙を前腕掌側に固定する．同時に無用な紫外線曝露を防ぐために，手掌その他は遮光性の布などで覆っておく．
⑥紫外線ランプを垂直にセットする．照射強度計で照射強度（約3 mW/cm^{2}が適切）を測定する[47]．
⑦紫外線照射を開始したら，もう1枚の厚紙を30秒ごとにずらしながら穴を順に覆っていく（30秒，60秒，90秒…）．厚紙をずらす間隔は必ずしも30秒ごとである必要はない．また穴の数と厚紙をずらす間隔の組合わせによって，紫外線照射量を幅広く検討できる．
⑧照射後は，その後の判定部位特定のために穴部分の皮膚にマーキングしておく．
⑨24時間後に紅斑が認められる部位のなかからE_1（MED）を判定し，その部位の照射時間を確認する．
⑩E_1の紅斑が認められた部位の照射量を算出する．
照射量（mJ/cm^2）＝1 MEDの時間×3（mW/cm^2）[47]（テストで用いた照射強度）

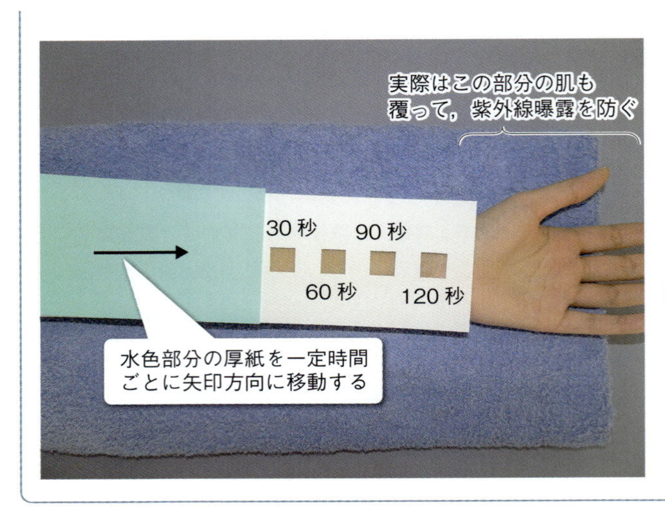

図28　最小紅斑量テスト

説明のために手指を露出しているが，実際は遮光性布で覆うか紫外線遮光クリームを塗布し無用な紫外線曝露を防ぐ.

6 皮膚肥厚作用

- 基底細胞が急激に活動すると皮膚肥厚が生じる．この作用で皮膚の紫外線透過量は減少するため，紫外線曝露に対する生体の正常な反応と捉えることもできる．
- 肥厚した角質層はいずれ落屑（らくせつ）として失われる．その後の紫外線曝露には注意が必要である．

4 紫外線療法の展望と課題

- 紫外線療法は，今日の医療では欠くことのできない治療の1つである．しかし，本邦では紫外線療法に理学療法士がかかわることはきわめて稀である．今後，理学療法士が扱う物理療法のなかでどのように扱っていくかは議論が必要である．

文献

1）「光の小さな粒 新世紀を照らす近接場光」（大津元一／著），pp1-18，裳華房，2001
2）吉田英樹：光線療法．「テキスト 物理療法学 基礎と臨床」（濱出茂治，烏野 大／編著），pp166-172，医歯薬出版，2016
3）片岡洋祐：神経への低反応レベルレーザー作用の基礎科学．日本レーザー治療学会誌，8：36-40，2009
4）竹内伸行，他：直線偏光近赤外線照射が脳血管障害片麻痺患者の痙縮に与える影響－無作為化比較試験による神経照射と筋腹照射の検討－．理学療法学，35：13-22, 2008
5）吉田憲司：三叉神経損傷の光線照射療法．日本レーザー治療学会誌，5：90-95，2006
6）戸田 昇：内皮由来弛緩因子（EDRF）と血管攣縮．日本内科学会雑誌，80：1969-1974，1991
7）Maegawa Y, et al：Effects of near-infrared low-level laser irradiation on microcirculation. Lasers Surg Med, 27：427-437, 2000
8）Silveira PC, et al：Low-level laser therapy attenuates the acute inflammatory response induced by muscle traumatic injury. Free Radic Res, 50：503-513, 2016
9）Albertini R, et al：Anti-inflammatory effects of low-level laser therapy（LLLT）with two different red wavelengths（660 nm and 684 nm）in carrageenan-induced rat paw edema. J Photochem Photobiol B, 89：50-55, 2007
10）大和正典，他：近赤外低反応レベルレーザー照射による腎炎抑制効果．日本レーザー医学会誌，34：402-405，2014
11）Guffey JS & Wilborn J：Effects of combined 405-nm and 880-nm light on Staphylococcus aureus and Pseudomonas aeruginosa in vitro. Photomed Laser Surg, 24：680-683, 2006
12）Kim S, et al：In vitro bactericidal effects of 625, 525, and 425 nm wavelength（red, green, and blue）light-emitting diode irradiation. Photomed Laser Surg, 31：554-562, 2013

13) Nussbaum EL, et al：Effects of low-level laser therapy (LLLT) of 810 nm upon in vitro growth of bacteria：relevance of irradiance and radiant exposure. J Clin Laser Med Surg, 21：283-290, 2003
14) Passarella S, et al：Increase of proton electrochemical potential and ATP synthesis in rat liver mitochondria irradiated in vitro by helium-neon laser. FEBS Lett, 175：95-99, 1984
15) Ferraresi C, et al：Low-level laser (light) therapy (LLLT) on muscle tissue：performance, fatigue and repair benefited by the power of light. Photonics Lasers Med, 1：267-286, 2012
16)「図解入門 よくわかる光学とレーザーの基本と仕組み 光の性質と応用 第2版」(潮 秀樹／著), pp249-288, 秀和システム, 2010
17)「トコトンやさしい光の本」(谷腰欣司／著), pp64-84, 日刊工業新聞社, 2004
18) ELECTROPHYSICAL AGENTS-Contraindications And Precautions：An Evidence-Based Approach To Clinical Decision Making In Physical Therapy. Physiother Can, 62：1-80, 2010
19) 粟津邦男：生体組織の光学特性値計測・算出. 光学, 41：444-449, 2012
20) 大城貴史, 他：レーザー光による光活性化作用－LLLTによる創傷治癒促進効果の正しい理解のために－. 日本レーザー歯学会誌, 27：27-31, 2016
21) Mantineo M, et al：Low-level laser therapy on skeletal muscle inflammation：evaluation of irradiation parameters. J Biomed Opt, 19：098002, 2014
22) 湯浅敦智, 吉田英樹：腰部交感神経節近傍へのキセノン光照射の効果－自律神経機能, 疼痛, 運動機能による検討－. 理学療法科学, 23：759-763, 2008
23) 佐藤洋子, 他：医用レーザー外科診療における安全看護管理の検討：レーザーメスによる気管内チューブ発火例と安全対策. 北海道大学医療技術短期大学部紀要, 4：117-127, 1991
24) 鈴木泰明, 他：電気メス, レーザー等を用いた手術に関連するインシデントについて. 日本レーザー歯学会誌, 25：136-139, 2014
25) 近藤宏明：直線偏光近赤外線治療器の紹介. ペインクリニック, 18：903-907, 1997
26) 日本レーザー治療学会HP (http://jalta-jp.com/)
27) ミナト医科学社HPソフトレーザリーJQ-W1 (http://www.minato-med.co.jp/medical/products/physical/jqw1.php)
28) Heu F, et al：Effect of low-level laser therapy on blood flow and oxygen- hemoglobin saturation of the foot skin in healthy subjects：a pilot study. Laser Ther, 22：21-30, 2013
29) 小山田喜敬, 伊豆 悟：慢性関節リウマチ (RA) 及びリウマチ周辺疾患における低出力レーザー照射の検討. 日本レーザー医学会誌, 6：375-378, 1986
30) Albertini R, et al：Anti-inflammatory effects of low-level laser therapy (LLLT) with two different red wavelengths (660 nm and 684 nm) in carrageenan-induced rat paw edema. J Photochem Photobiol B, 89：50-55, 2007
31) Kajagar BM, et al：Efficacy of low level laser therapy on wound healing in patients with chronic diabetic foot ulcers-a randomised control trial. Indian J Surg, 74：359-363, 2012
32) 竹内伸行, 松本昌尚：10W半導体レーザーのパルス照射が電流知覚閾値と電流痛覚閾値に与える即時効果－健常成人を対象とした基礎的検討－. 日本レーザー医学会誌, 40：309-313, 2020
33) 大野達朗：低出力半導体レーザー照射の疼痛抑制に関する研究 ラット脊髄後根神経節内サブスタンスPの定量的検討. 日医大誌, 64：395-400, 1997
34) Tsuchiya K, et al：Diode laser irradiation selectively diminishes slow component of axonal volleys to dorsal roots from the saphenous nerve in the rat. Neurosci Lett, 161：65-68, 1993
35) Tsuchiya K, et al：Laser irradiation abates neuronal responses to nociceptive stimulation of rat-paw skin. Brain Res Bull, 34：369-374, 1994
36) Sato T, et al：Ga-Al-As laser irradiation inhibits neuronal activity associated with inflammation. Acupunct Electrother Res, 19：141-151, 1994
37) Matsutani LA, et al：Effectiveness of muscle stretching exercises with and without laser therapy at tender points for patients with fibromyalgia. Clin Exp Rheumatol, 25：410-415, 2007
38) Gur A, et al：Efficacy of low power laser therapy and exercise on pain and functions in chronic low back pain. Lasers Surg Med, 32：233-238, 2003
39) ガイドライン特別委員会 理学療法診療ガイドライン部会：4. 肩関節周囲炎.「理学療法診療ガイドライン 第1版 (2011)」(社団法人日本理学療法士協会), pp234-276, 2011
40) Stergioulas A：Low-power laser treatment in patients with frozen shoulder：preliminary results. Photomed Laser Surg, 26：99-105, 2008
41) 村木孝行：肩関節周囲炎 理学療法診療ガイドライン. 理学療法学, 43：67-72, 2016
42) Abrisham SM, et al：Additive effects of low-level laser therapy with exercise on subacromial syndrome：a randomised, double-blind, controlled trial. Clin Rheumatol, 30：1341-1346, 2011
43)「スーパーライザー神経照射法」(村上誠一／監), pp32-35, 真興交易医書出版部, 2000
44) 日本メディックス社製品カタログ (https://www.nihonmedix.co.jp/products/details/prd_000107.php)
45) 近藤宏明：直線偏光近赤外線治療器の紹介. ペインクリニック, 18：903-907, 1997
46) 御子柴憲彦, 他：偏光した近赤外発光ダイオード光による創傷治癒効果の基礎研究. 日本レーザー医学会誌, 6：179-182, 1986
47) 杉元雅晴：第6章 光線療法Ⅲ. 各種光線療法の実際：紫外線療法.「標準理学療法学 物理療法学 第4版」(奈良 勲／監, 網本 和, 菅原憲一／編), pp176-184, 医学書院, 2013
48) Micić I, et al：The effect of short-term low-energy ultraviolet B irradiation on bone mineral density and bone turnover markers in postmenopausal women with osteoporosis：a randomized single-blinded controlled clinical trial. Srp Arh Celok Lek, 141：615-622, 2013

第Ⅱ章 治療法各論

9 電気を用いた治療

A）電気を用いた治療の基本

学習のポイント

- 電気の基礎知識，生体の反応を理解する
- 電気を用いた治療のしくみと種類，パラメータ，目的を理解する
- 電気を用いた治療の禁忌と注意点，手順を理解する

- 電気刺激療法とは，電気エネルギーによって起こる生体反応を治療に応用したものである．
- 電気刺激は，鎮痛効果，筋緊張の緩和，関節可動域（ROM）の改善，筋力増強，神経筋再教育，萎縮の予防，循環改善，創傷治癒，薬剤運搬促進，痙縮の改善，動作・歩行機能の再建，浮腫の改善などさまざまな分野に応用されている．
- 刺激波形による分類として，低周波治療器，高電圧パルス電流，直流，交流（中周波，ロシアン電流），マイクロカレント，干渉波などがある．
- また，治療方法や目的による分類として，治療的電気刺激（therapeutic electrical stimulation：TES），機能的電気刺激（functional electrical stimulation：FES）がある．
- TESのなかでも，主に筋力増強や神経筋再教育を目的とした電気刺激を神経筋電気刺激（neuromuscular electrical stimulation：NMES）（第Ⅱ章-9-C参照），鎮痛を目的とした電気刺激を経皮的電気刺激（transcutaneous electrical nerve stimulation：TENS）（第Ⅱ章-9-B参照）とよぶ．
- FESとは疾病により障害された器管の機能を，本来の制御指令と近似した電気刺激による神経刺激にて合目的的に失われた機能を代償あるいは補完（補綴（ほてつ））しようとするものである（図1）（第Ⅱ章-9-C-3参照）．
- 応用例として，心臓ペースメーカー，聴覚補綴，上下肢のFES，感覚代行などがあり，表面から刺激するものと体内に埋め込むものが存在する．現在，リハビリテーションの分野で活用されているほとんどのFESは表面電極によるものである．
- 上下肢のFESは，電気刺激によって筋収縮を誘発し，リーチや把握動作を再建する，あるいは歩行遊脚期の足関節背屈などを補助するものがある．それら刺激のスイッチはハンドスイッチで徒手的に操作するものや，フットセンサーや傾斜センサー，筋電図センサーなどで自動的にオンオフをコントロールするものがある．
- その他，治療対象筋の筋電図をモニターしながら，ある一定の閾値を超えると電気刺激が出力される筋電図誘発型電気刺激（electromyography-triggered neuromuscular electrical

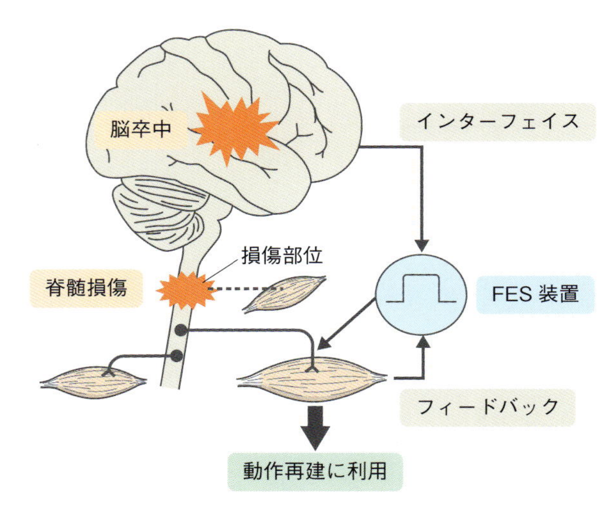

図1　機能的電気刺激（FES）の原理
脳卒中や脊髄損傷などの上位運動ニューロン障害では，下位脊髄の運動単位の損傷がないため，電気刺激によって筋収縮が可能となり，動作の再建に活用することができる．ただし，脊髄損傷の場合，損傷髄節部位の前角細胞が損傷されてしまうと筋収縮が誘発されなくなる．文献1をもとに作成．

stimulation：ETMS），筋電図に比例してリアルタイムに電気刺激が出力される随意介助型電気刺激（integrated volitional control electrical stimulation）がある（**第Ⅱ章-9-E**参照）．

- 直流電流を使用した治療法として，電気エネルギーを利用して薬物の生体膜透過性を高めるイオントフォレーシス（**第Ⅱ章-9-D**参照），微弱な電流を流すことで組織の修復を早める創傷治癒のための電気刺激療法（**第Ⅱ章-9-F**参照）がある．
- なお，筋肉の活動電位を検出して，患者に対して適切な運動のフィードバックを与えたり，過剰な筋緊張をリラックスさせる筋電図フィードバックも電気を用いた治療法の1つである（**第Ⅱ章-9-E**参照）．

1 電気とは

- 物質の微小単位である原子には，原子核と電子が含まれる．
- 原子核は，プラス（+）の電荷をもつ陽子と電荷のない中性子からなり，電子はマイナス（−）の電荷をもっている．
- 異なる符号の電荷間には引き合う力，同じ符号の電荷間には反発する力が作用し，これをクーロン力とよぶ．
- クーロン力が作用する空間を電場あるいは電界とよぶ．
- 電荷の位置を電位という．1クーロン（C）の電荷を移動するときに消費するエネルギーが1ジュール（J）のときの電位差（電圧）を1ボルト（V）という．
- 原子核の周囲を回転する電子以外に，軌道を離れた電子を自由電子という．
- 電気とは自由電子の動きをいう．この電荷の時間的変化量が電流である．
- 毎秒1Cの電荷が運ばれる場合の電流を1アンペア（A）という．
- 導体中に電荷の流れを妨げる障害の大きさ，抵抗Rをオーム（Ω）という．
- 電圧E，電流I，抵抗Rの関係をオームの法則といい，I = E/R（A = V/Ω）とあらわせる（図2）．
- 例えば，5Vの電池の回路に5Ωの抵抗をつなげると，電流は1Aになる．

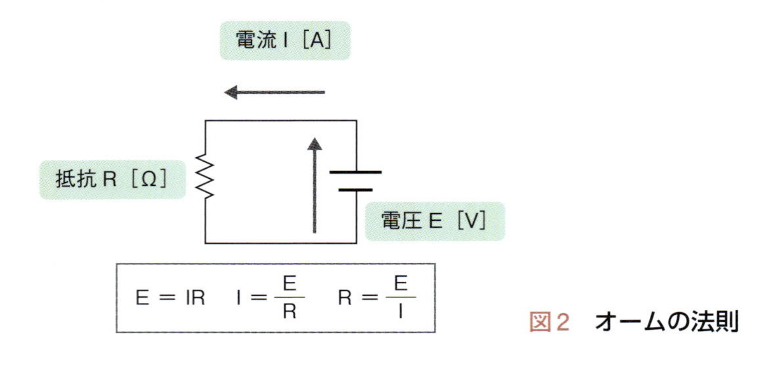

図2　オームの法則

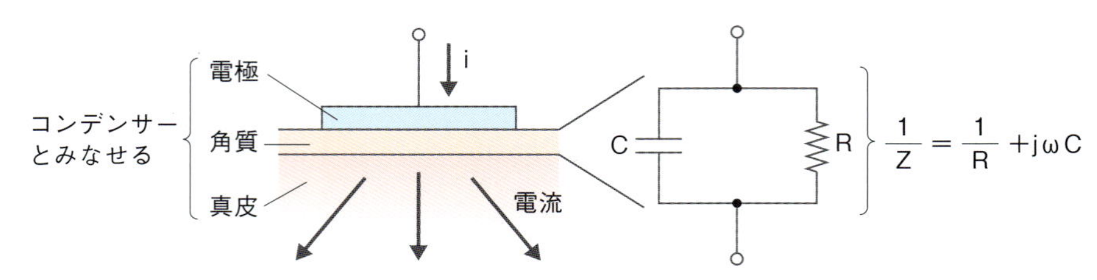

図3　皮膚インピーダンス

i：電流，R：皮膚抵抗，C：皮膚の静電容量，f：周波数，ω＝2πf：電流の角周波数，Z：皮膚のインピーダンス，j：虚数．文献2をもとに作成．

- 交流回路では，抵抗Rと類似した意味でインピーダンス（Ω；オーム）が電流を制限し，電圧Vと電流Iの比であらわされる．
- 生体では皮膚，特に角質層の抵抗は大きい．経皮的に電気を流そうとしたとき，真皮以下を電極に，角質層を誘電体とみなすことができ，皮膚表面においた電極と合わせてコンデンサーCが形成される．この等価回路は，直流では抵抗Rとして，交流ではインピーダンスZになる（図3）．
- この等価回路のインピーダンスZは，直流では抵抗Rとして働き，周波数が増加すると低下する．低周波でも，パルス時間（パルス幅）を狭くし，周波数を高くすることでインピーダンスZを低下させることができる．

2 電気刺激によって神経が興奮するメカニズム

- 神経細胞の内側にはカリウムイオン（K^+）が，外側にはナトリウムイオン（Na^+）が多数存在している．もともと，細胞内の電位は細胞外に対して約70 mV低く保たれており，これを静止膜電位とよぶ（図4）．
- 末梢神経が走行している皮膚にあてて，神経線維を電気刺激したとすると，電流は刺激電極の陽極（＋）から，神経細胞膜の抵抗（Rm）を横切って神経細胞内へと進み，陰極（－）へと到達する[3]．オームの法則（電圧＝電流×抵抗）からわかるように，電流と抵抗との積で電圧が発生する．電流の方向を考慮すると陽極側では細胞内の方がマイナスになり，つまり過分極が生じる．一方，刺激電極の陰極側では，細胞内に入った電流が，細胞内の抵抗（Ra）を通して膜抵抗を通り陰極に流れる．ここで，膜抵抗を介して電流が流れるが，

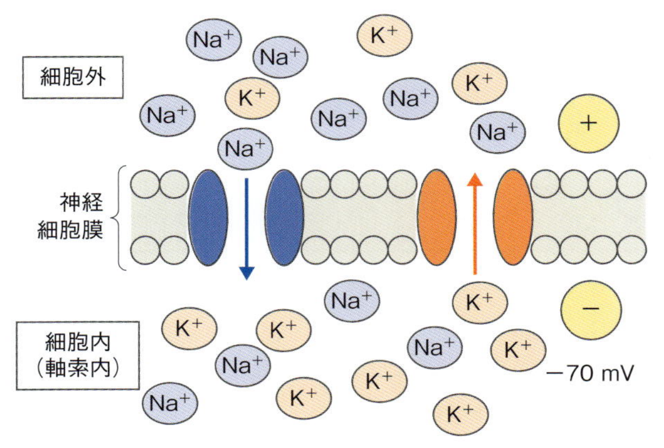

図4　静止膜電位

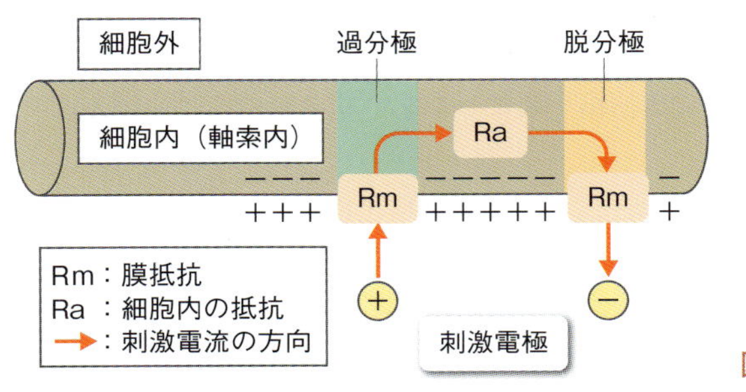

図5　電気刺激による極性興奮

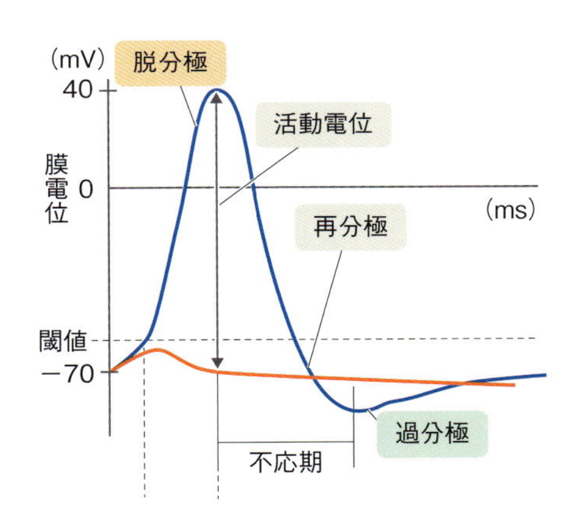

図6　活動電位

細胞外を基準電位（0 mV）としたときの細胞内電位を示す．閾値を超えない脱分極では活動電位は生じない（—）．活動電位が生じたあと，静止膜電位の絶対値が大きくなる現象を過分極といい，プラスに転じた膜電位が再び静止膜電位に戻ることを再分極という（—）．活動電位発生直後は大きい刺激がきても活動電位が生じない期間があり，これを不応期という．文献4をもとに作成．

このときは電流の方向からみて細胞内が細胞外に比べプラスとなる．つまり，静止電位であった膜電位が脱分極する．これらを極性興奮の法則という（図5）．

- 脱分極とは，細胞膜の透過性が変化してイオンチャネルを介してNa^+が細胞内に流入し，K^+が細胞外に流出することで，細胞内の電位が約40 mVまで上昇する現象である（図6）．
- 神経線維の興奮は刺激が加わった位置から両方向に伝わる．このことを両側性伝導という．つまり，末梢神経を刺激した場合，興奮は刺激した部位から求心性（脊髄の方向）と遠心性（筋の方向）に向かう．
- 電気刺激にて後述する直流電流や単相矩形波で刺激する場合は，この生理学的反応を考慮する必要がある．電気刺激による感覚入力を治療に応用する場合，神経の近位部に陽極を置くと，遠位部の刺激によって生じた神経の興奮が，近位部の陽極の過分極によりブロックされてしまうからである．

3 電流のタイプ

- 電流には，大きく分けて直流と交流がある．

1）直流

- 直流は一方向に持続的に流れる電流である（図7）．電極のプラスとマイナスの極性が固定されている．
- 直流電流は創傷治癒や脱神経筋の刺激に使用されるが，その他，直流電流の特性を生かした方法として，イオントフォレーシスや前庭神経刺激，経頭蓋直流電気刺激がある（図8）．
- しかし，直流電流は皮膚損傷を起こしやすいリスクの高い治療方法であるため，注意が必要である．
  - ▶直流電流を皮膚に流すと，プラス極は塩化物イオン（Cl^-）のようなマイナスイオンを引き寄せる．Cl^-は水中の水素イオン（H^+）と結合し，結果的にプラス極下に塩酸（HCl）が蓄積すると皮膚への酸性化学反応が生じる．
  - ▶一方，マイナス極はナトリウムイオン（Na^+）のようなプラスイオンを引き寄せ，水中の水酸化物イオン（OH^-）と結合し，結果的にマイナス極下に水酸化ナトリウム（NaOH）を蓄積すると皮膚へのアルカリ性化学反応が生じる．この強アルカリ反応は化学火傷を引き起こすため，直流電流による治療の際は，実施中の刺激強度，抵抗，実施直後の皮膚状態に注意しておく必要がある．

2）交流

- 交流は流れる方向が交互に逆転する電流である．電極のプラスとマイナスの極性が交互に

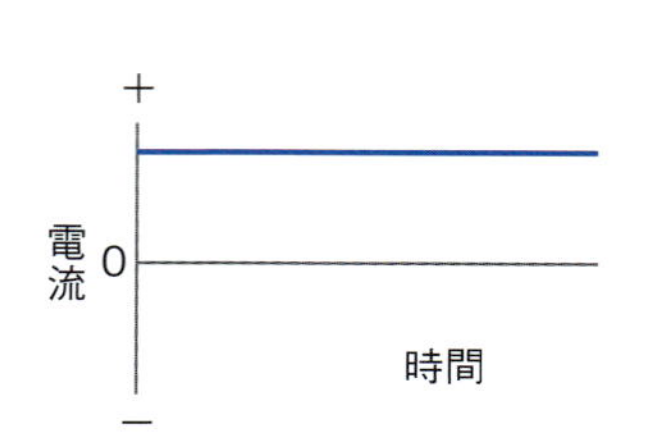

図7　直流電流
文献5をもとに作成．

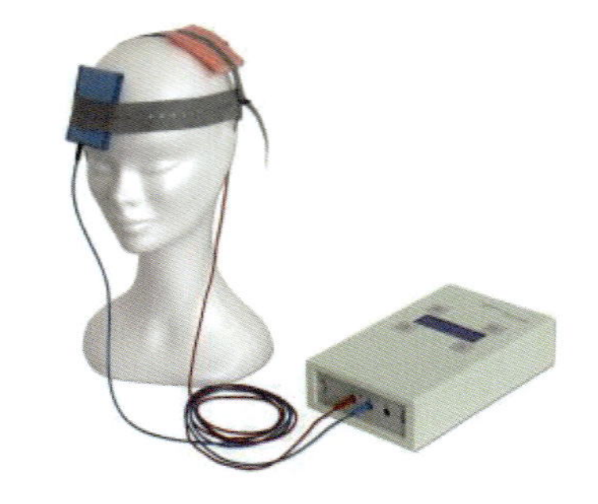

図8　経頭蓋直流電気刺激装置
頭蓋骨に経皮的に微弱な電流を流すことで電極直下にある大脳皮質の興奮性を変調することが知られており，脳卒中後の運動障害やうつ病などの精神障害の改善に応用されている．DC-STIMULATOR Plus，neuroConn GmbH 社製．文献6より引用．

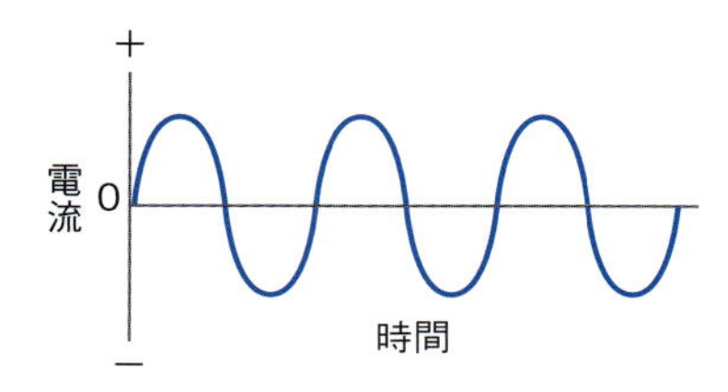

図9　**交流電流**　文献5より引用.

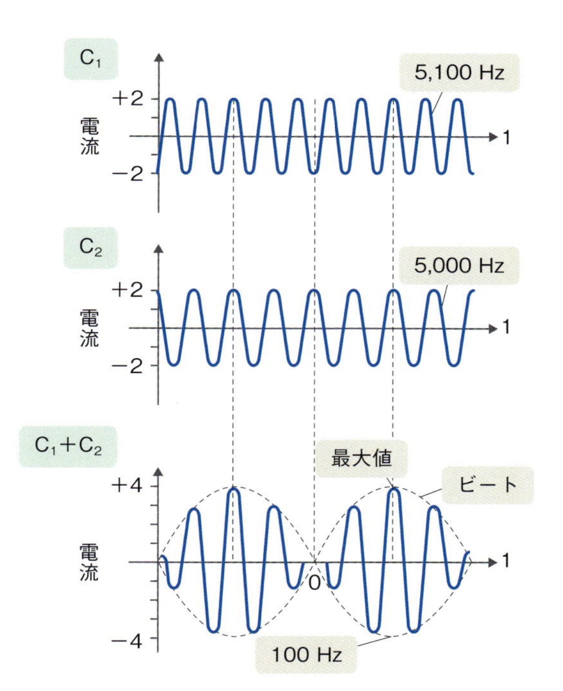

図10　**干渉波**　文献5より引用.

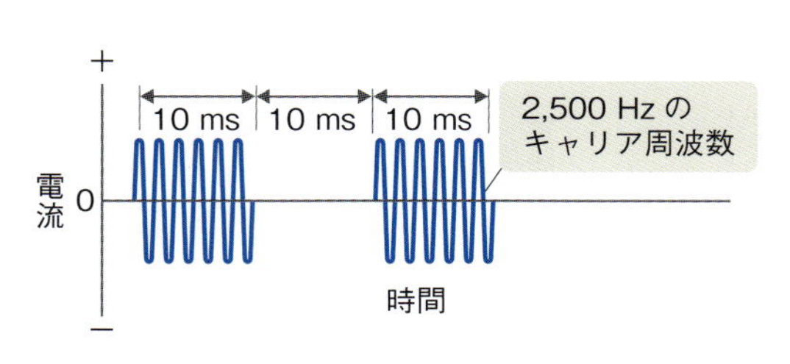

図11　**ロシアン電流**　文献5より引用.

変化するようなサイン波である（図9）.

- 交流電流は極性が入れ替わるために皮膚への化学反応が少ない.
- 交流電流を利用した電気刺激治療として，干渉波，ロシアン電流を用いるものなどがある.

1 干渉波

- 干渉波とはNemecにより開発された異なる2種類の交流波形（1,000～10,000 Hzの中周波帯域）が干渉することで生じる低周波（ビート周波数）を活用した電気刺激である（図10）.
- 干渉波は他の波形よりも痛みが少ない，深部組織を刺激可能とし，より大きな領域の刺激が可能とされているが詳細は不明である.
- 2010年のシステマティックレビューでは，干渉波単独刺激とプラセボ刺激を比較して有意な鎮痛効果があったが，標準的治療と標準的治療に干渉波を追加して実施した場合との比較では効果は不明であり，さらに他の物理療法と比較した場合も有意差を認めなかったと報告されている[7].

2 ロシアン電流

- 2,500 Hzのキャリア周波数の交流波形を1秒間に50バースト（1バーストが2,500 Hzの交流波形10 ms分）生成することで，低周波成分をつくり出す方法である[8]（図11）.
- 交流波形を用いてインピーダンスを下げることで皮膚刺激を最小にし，かつ50 Hzのバースト波によって効率よく筋収縮を惹起させる方法として，1977年にKotsによって考案された.
- 伝統的にさまざまな神経筋電気刺激機器に搭載されている方法であるが，近年のレビューによると交流電流はパルス電流よりも同等またはそれ以下の筋トルク生成で，不快感は同等であっても疲労が強いことが報告されており，筋力増強練習において交流電流がパルス電流よりも優れているという根拠は示されていない[9].

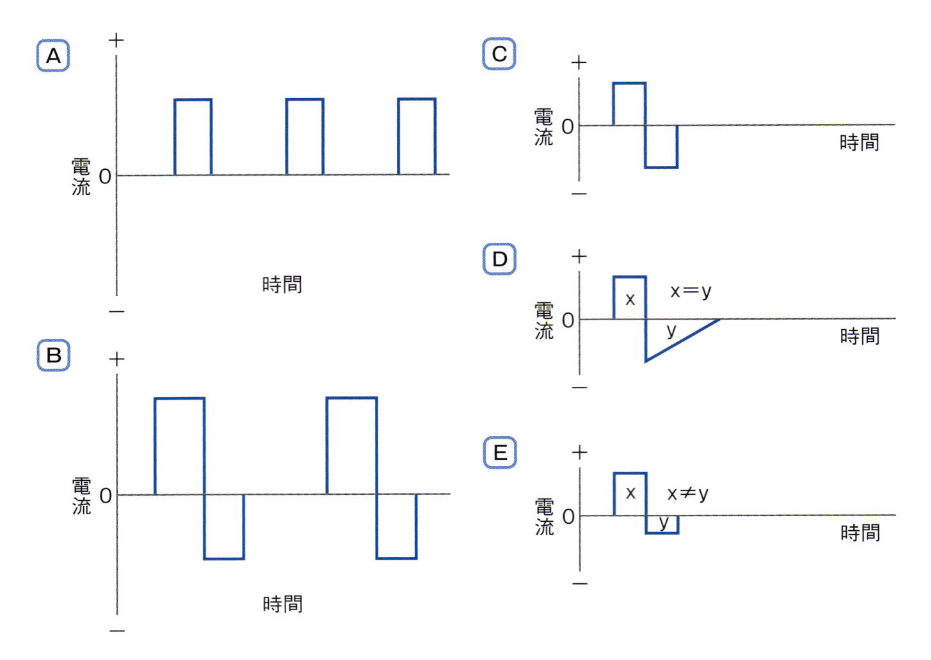

図12　パルス電流（パルス波）

A）単相パルス波．B）二相性パルス波．C）対称性二相性パルス波．D）非対称性二相性パルス波（均衡）．E）非対称性二相性パルス波（不均衡）．文献5より引用．

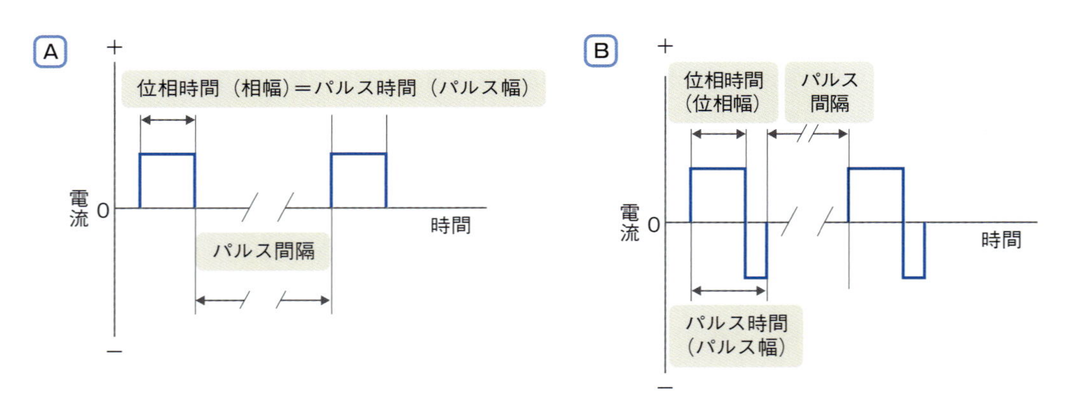

図13　パルス波の用語

A）単相パルス波の用語．B）二相性パルス波の用語．文献5より引用．

3）パルス電流

- パルス電流（パルス波）とは，短時間で急峻な変化をする電流（波形）信号の総称である．一方向への極性のみのパルス波を単相（monophasic）パルス波，二方向へのパルス波を二相性（biphasic）パルス波とよぶ（図12）．二相性パルス波では対称的なものや非対称的なものなどがある．1パルスの長さをパルス時間（pulse duration）やパルス幅（pulse width），次のパルスまでの時間をパルス間隔（pulse interval）とよんでいる（図13）．

- 近年の治療機器は二相性パルスを出力する機器が多い．それは，長時間の使用にて電極直下の化学反応（イオン化）を防ぐためとされている．

4 強さ—時間曲線（SD曲線）

- 神経線維や筋を興奮させるのに必要なパルス時間（パルス幅）と電流強度との関係を示したグラフを強さ—時間曲線〔strength duration（SD）curve；SD曲線〕という（図14）．パルス時間が十分だとすると，閾値が最も低いのはAβ感覚線維であり，電気刺激の刺激強度を上昇させていくとまずはじめに必ず感覚刺激が惹起される．
- さらに強度を上げると運動神経の閾値に到達し，筋収縮が惹起される．
- 運動神経の閾値よりさらに強度を上げると，痛覚神経であるAδ線維の閾値に到達し，鋭い痛みを惹起させる．
- 上記の特性を以下のように応用することで，さまざまな治療が可能となる．
  - 例えば，術後早期のTENSにおいて，筋収縮を惹起せずに感覚刺激だけ入力したいとなれば，パルス時間を50～100μsに設定し，運動神経の反応しない範囲で可能な限り強度を上げることで，筋収縮を生じさせず感覚入力を最大限高めることができる．
  - 筋収縮の惹起を目的とした神経筋電気刺激の場合は，200～400μsのパルス時間が用いられる．これは，痛みの原因となるC線維を反応させないようにするためである．しかし，痛覚線維であるAδ線維は運動神経の閾値に近しく，強度を上げれば鋭い痛みは惹起してしまう．これが，電気刺激のアドヒアランスを低下させる原因の1つとなる．
  - 脱神経筋の閾値は，この曲線が右上方に移動し，パルス時間が10 ms以上ないと筋収縮しない場合が多い．
  - パルス時間の増大は，C線維の閾値にも到達するため，強い痛みを伴う．
  - また，抵抗が増大しやすく，かつ直流に近くなり，熱傷やアレルギー反応が生じやすくなるため，実施には十分な注意が必要である．

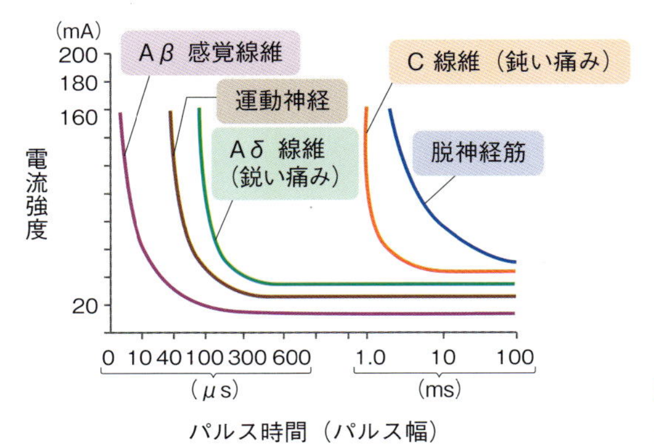

図14　強さ—時間曲線
文献5より引用．

5 刺激パラメータ

- 電気刺激療法で最も重要なことは刺激パラメータの意義を理解することである．これを理解することで，すべての疾患・病態に対して，安全かつ効果的に電気刺激療法が応用可能となる．

1）波形

- 対称性二相性波形：電荷が生体に残りにくい．すなわち，長時間，高強度で実施しても皮膚反応が起こりにくい．
- 単相矩形波の場合：陰極（－），陽極（＋）の位置が重要となる．陰極直下で脱分極が起こるため，神経刺激にて感覚入力を期待する場合は陰極を近位に，筋刺激にてモーターポイント（後述）を刺激する場合はモーターポイント上を陰極にする．
- 対称性二相性波形の場合，陰極，陽極の違いは単相矩形波より明確ではないが，上記と同じように設定することが望ましい．
- 多くの機器の場合，低周波治療器には長時間使用時の電極直下の化学反応を防ぐ目的から対称性二相性パルス波が用いられている．

補足

矩形波
長方形の波形で一般的にTENSやNMESで用いられる（図12A）．

三角波
ピーク電流まで緩やかに立ち上がるため痛みが生じにくいとされている（図16参照）．

2）電流強度（刺激強度）

- 神経線維にある程度の電流強度で通電し，閾値を超えると感覚神経の場合は感覚入力が惹起され，運動神経の場合は筋収縮が起こる．
- 弱い電流でも閾値の低い神経線維は興奮する．また，神経幹のように多数の閾値の違う神経線維を含んでいると，電流強度を上げることによって興奮する神経線維の数が増加し，感覚入力や筋収縮力も強くなる．
- TENSでは，感覚レベルで実施するものと運動レベルで実施するものがある．
- NMESでも同様に，感覚レベルで実施するものと運動レベルで実施するものがある．一般的に筋肥大や筋力増強を目的とした場合は，最大強度で実施する．感覚レベルのNMESとは，電気刺激の感覚入力によって下行性入力の増大を期待した介入方法である[10]．
- 機器によって定電圧制御と定電流制御の2つの制御方式があり，強度設定に電流（A）で調整するものと電圧（V）で調整するものがある．
  - 定電流制御：一般的な治療機器に多い．電極と皮膚接触面が減少した場合に，結果として電流密度が上がり，熱傷などの副作用を増強させる．
  - 定電圧制御：皮膚抵抗により刺激の安定性が左右される．抵抗が上がると電流値は下がり，熱傷のリスクは少ない．スポット治療には向いている．

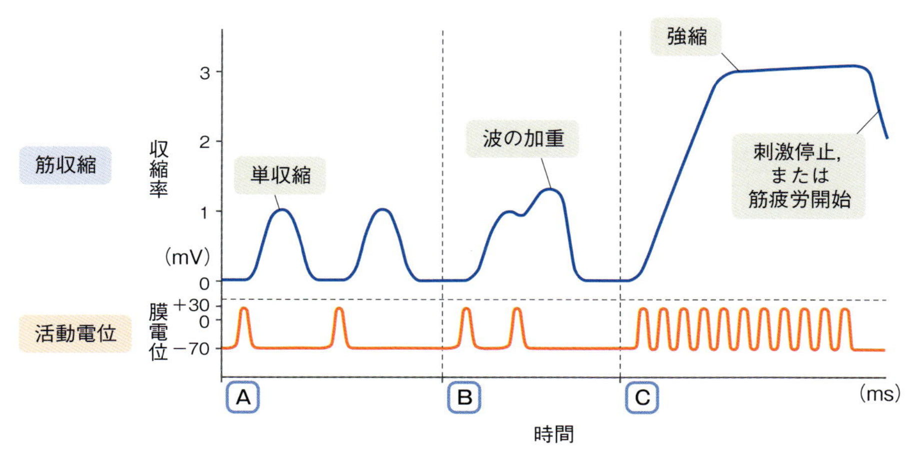

図15　周波数

詳細は本文参照．A）1 Hzの刺激．B）2 Hzの刺激．C）20 Hz以上の刺激．

3）パルス時間（パルス幅）

- パルス時間が増大すれば少ない強度で運動神経を脱分極させることが可能となる．しかし，同時に感覚線維も刺激することになり，筋収縮量を増大させるが痛みも引き起こしやすくなる（図15）．
- また，パルス時間の増大は抵抗を増大させることになり，痛みや熱傷，皮膚症状のリスクが高まる．
- したがって，筋収縮を目的とした神経筋電気刺激で用いられるパルス時間は200～400 μsが多い．
- パルス波における感覚入力の効果を最大限期待するのであればパルス時間1 ms（1,000 μs）が効果的とされる[11) 12)]．
- 末梢神経損傷のある萎縮筋や廃用性筋萎縮を含む中枢性の運動麻痺筋ではパルス時間が小さいと筋収縮が得られない場合がある（4参照）．その際は，パルス時間を増大させて対応する．

4）周波数

- 交流ではHz，パルス波ではpps（pulse per second）であらわすが，パルス波でも便宜上Hzを使う場合が多い．
- 神経が活動電位を起こすかどうかは，パルス時間や強度に依存し，周波数は関与しない．
- 周波数が増えることにより活動電位の頻度が増加し，頻度の増加により加重が生じることでより大きな筋収縮が生じる（図15）．
  - 1 Hzで刺激すると，活動電位が発生し，筋が1回単収縮（twitch）して，その後に弛緩する．次に2 Hzで刺激すると，最初の筋収縮が起こり，弛緩する前に引き続いて刺激されるので収縮が加重され，筋収縮力が大きくなる．
  - このように，同じ強さの電流強度であれば，周波数を上昇させると筋収縮力が大きくなるが，同一の運動単位を反復して興奮させるため疲労も早く起こることになる．

▶強縮（Tetanus）は通常約20 Hz以上で生じる．そのため，筋収縮を目的とした神経筋電気刺激や機能的電気刺激は20 Hz以上で実施している．しかし，50 Hz以上100 Hzまでの高周波数になると筋収縮力には差異がないとの報告も多い．

5）立ち上がり時間，立ち下がり時間

- 立ち上がり時間とは図16のように1パルスにおいて電流強度がピークになるまでの時間をいい，立ち下がり時間とはピークからゼロになるまでの時間をいう．
- 矩形波では立ち上がり時間がゼロに近いため，急激な刺激による不快感や強い痛みが生じる場合がある．
- 一方，三角波ではゆっくりと立ち上がることで順応が生じ，神経の興奮が起こりにくくなる．これは，Na^+チャネルの不活性化過程が起こることや，K^+イオンの透過性増大によって閾値が増大するためと考えられている．

6）変調

- 交流やパルス波などの振幅，パルス波やサイクルの周波数，持続時間を変化させることである（図17）．
- 一定の強さの刺激を持続して与えると，神経や筋の受容器からの活動電位の発射頻度が低下する．このことを順応（adaptation）とよんでいるが，変調することによって順応を予防可能と考えられている．
- TENSでは周波数の違いによって，鎮痛にかかわる内因性オピオイドの放出が異なることが知られているため，変調が用いられることが多い．

7）バースト波，バースト周波数

- バースト波とは，一連のパルス波の塊をパッケージ（バースト）とする波形である（図18）．
- バースト周波数とは，1秒間にくり返されるバースト波の数である．
- バースト波は，ロシアン電流といった筋力増強に用いられたり，TENSで順応を防ぐために用いられる．

8）オン—オフ時間（サイクル時間）

- パルス波の列が生じる時間をオン時間，休止時間をオフ時間という．サイクル時間ともいう（図19）．

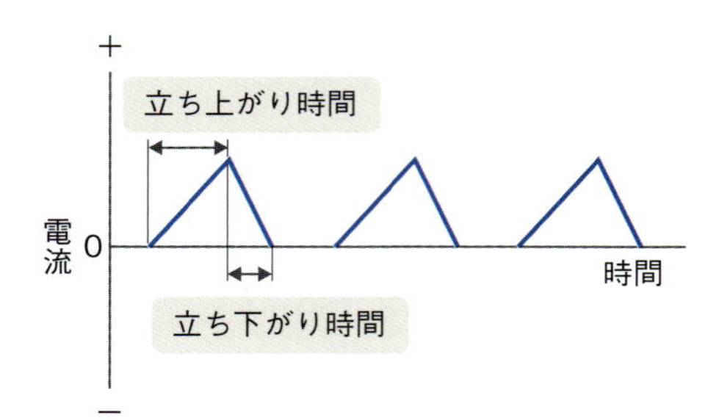

図16　立ち上がり時間と立ち下がり時間
文献5より引用．

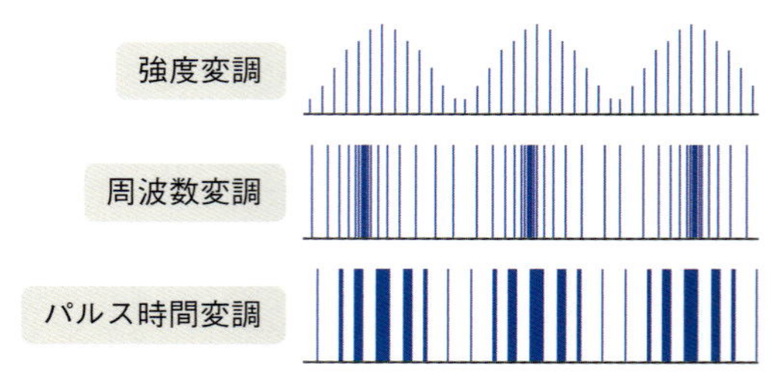

図17　変調
刺激パラメータにおける強度，周波数，パルス時間を変調させることが可能．機器に寄ってはこれらを組合わせることもできる．主にTENSで利用される．文献5より引用．

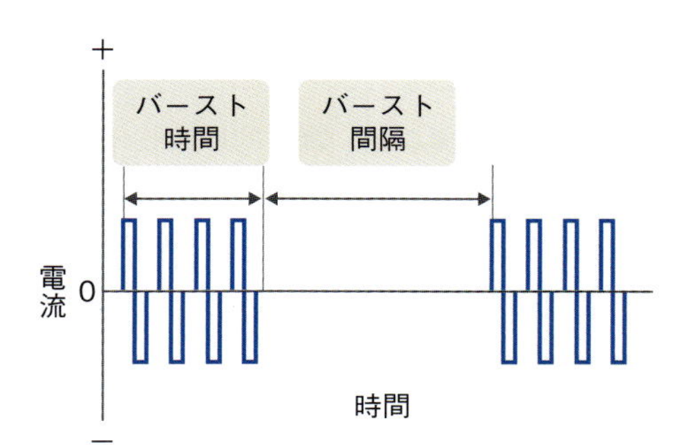

図18　バースト波
文献5より引用.

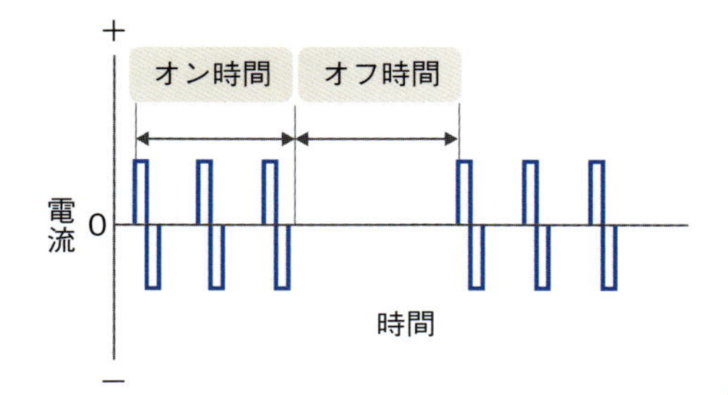

図19　オン―オフ時間（サイクル時間）
文献5より引用.

- 神経筋電気刺激にて筋収縮を惹起する場合は，オン―オフ時間の設定が重要である.
- オン時間が長く，かつオフ時間が少ないと筋疲労を生じてしまう．オン―オフ時間の割合は1：1～1：5までが一般的で，トレーニング初期時はオフ時間を長く設定し，徐々に疲労が少なくなればオフ時間を少なくする．例：初期は4秒オン20秒オフ（1：5）→慣れてきたら4秒オン8秒オフ（1：2）.

9）デューティーサイクル（duty cycle）

- サイクル時間の比をあらわす．正確にはパルス時間をパルス周波数で割った値をさすが，電気刺激療法ではオン―オフ時間の比で用いられる.

10）ランプアップ，ランプダウン

- バースト波（パルスの列）などにおいて，刺激強度のピークまでかかる全体的な時間をランプアップ時間，ピークからゼロまでの全体的な時間をランプダウン時間という（図20）.
- 一般的にランプアップが長いほど不快感が少なく，痛みに耐えやすい.
- FESでは，ランプアップおよびダウンの時間調整によって運動を制御する場合がある.
  - ▶例：下垂足に対する総腓骨神経刺激のFESの場合，遊脚期で刺激がオンになり踵接地と同時にオフになる．このときランプダウン時間を長くすることによって，踵接地から立脚中期まで刺激を緩徐に落とすことが可能となる.

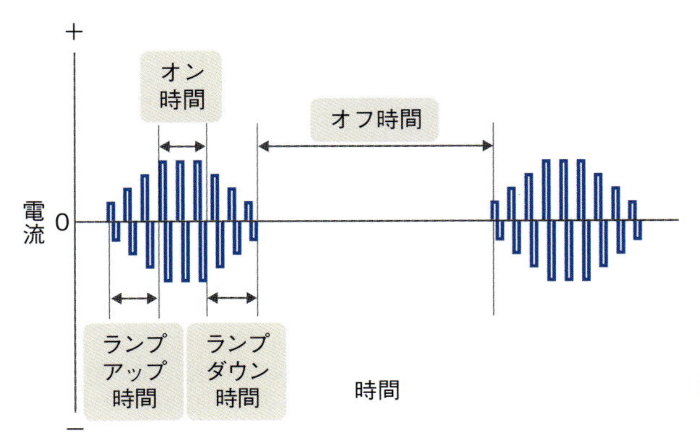

図20　ランプアップ，ランプダウン
文献5より引用.

11）電極

- 一般的な電極には，自着性電極，スポンジ電極など，経皮的に四肢体幹に用いられるものがあり，さまざまな部位に対応できるよう異なる大きさがある（図21）.
- モーターポイント探索用電極や骨盤底筋群刺激用電極，イオントフォレーシス専用電極，SSP（silver spike point）電極などの治療目的に特化した専用の電極がある.
- 電極の選定で考慮すべきは電流密度である.
- 電流強度を一定にした場合，電流密度は電極の面積に依存する．つまり，大きければ大きいほど電流密度が低くなり，小さければ小さいほど電流密度は高くなる.
- 例えば5 cm^2の電極に20 mAの電流を流すと，電極直下の電流密度は4 mA/cm^2になる．このように，治療対象となる部位の面積と必要な電流密度を考慮して電極の大きさを決定する.
- 神経刺激の場合，解剖学的に運動神経が表層を通る部位に小さい電極を貼付し，目的とする筋のモーターポイント周辺に大きい電極を貼付すると筋収縮を得やすい.
- また，電極間の距離が長ければ長いほど電流がより深部を流れると考えられているため，治療目的を考えて貼付する.
- 大腿四頭筋などの大きい筋はモーターポイントの分布も広く，大きい電極を用いるとよい．上肢の筋の場合は，筋の大きさを考慮して電極を設定する必要がある．大きい電極は目的とする筋以外の筋あるいは神経を刺激する恐れがあるため，刺激中の反応を十分観察する必要がある.

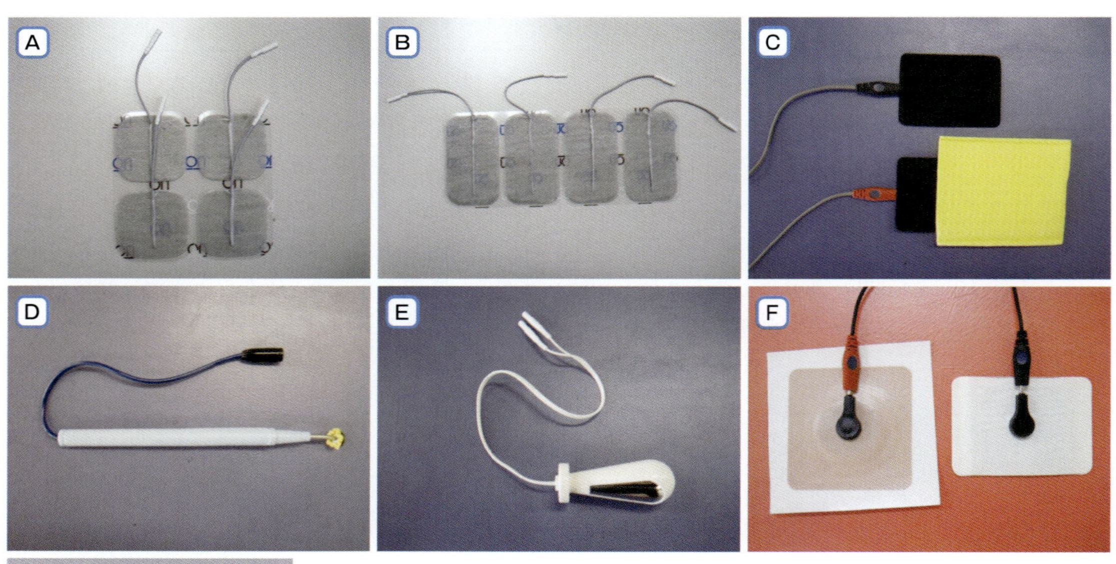

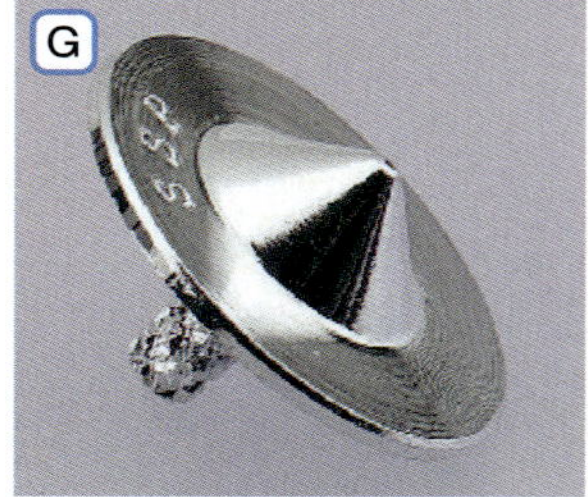

図21　電極

A）B）自着性電極，Axelgaard社製．Aは5 cm×5 cm．Bは5 cm×9 cm．C）～F）Intelect Advanced Combo（Chattanooga社製）のオプション電極．Cはスポンジ電極．Dはペンシル型電極（モーターポイント探索用電極）．Eは骨盤底筋群専用電極．Fはイオントフォレーシス専用電極．G）SSP（silver spike point）電極．日本メディックス社製．B～Fは文献13より引用．Gは文献14より転載.

- 前述したように大きい電極の方が電流密度が低くなるため，電極直下の皮膚刺激も少なくなる．そのため，痛みが強い場合は電極を大きくするとよい．
- 電気刺激実施中は，電極がしっかりと貼付されているかを確認する必要がある．特に自着性電極は複数回の利用によって粘着性が低下し，電極がはがれてしまうことがある．その場合，目的とする面積より小さくなることで電流密度が思いがけず高くなってしまい，痛みや皮膚症状を惹起する恐れがある．したがって，治療実施中はしっかりとモニタリングしながら実施する．また，患者が自主的に実施する場合はテープや弾性ベルトで固定する処置を追加するとよい．
- 自着性電極には導電性ゲルが含まれているが，長期間の使用によって水分が蒸発する，ゲルの劣化により粘着性がなくなる，通電性が悪くなるなどの問題が生じる．また，使用後は皮脂や角質，体毛などが粘着し，電極表面が汚れることでも通電性が低下する．これらはすべて抵抗を余分に高くすることを意味し，そのまま電流を流してしまうと過度に電圧が高くなり副作用を生じさせるリスクが高くなる．したがって，使用前には電極の劣化や汚れに注意し，古くなっていれば新しいものに交換すべきである．
- また同一の電極による他者間での使用は感染のリスクがあるため，対象者ごとに用いるべきである．スポンジ電極の場合は，使用後に洗浄，消毒することが望ましい．
- 電極の直下には体表から順に表皮，真皮，脂肪層，筋，骨が存在する．そのため，経皮的電気刺激では皮膚組織にある感覚神経が刺激されやすいのは免れない．脂肪層が厚い場合，神経・筋までの距離が遠く，抵抗となる組織も多くなる．そのため，電気刺激強度を上げないと筋収縮が得られない場合がある．その際は，電極を圧迫し，神経・筋まで距離を縮めて皮下組織を圧縮すると反応が得られやすい場合がある．ただし，過度な圧迫による循環障害には注意が必要である．

12）モーターポイント

- 筋には電気刺激に対して最も反応しやすい部位が存在し，それをモーターポイント（運動点）とよぶ．筋を支配している神経の筋枝が筋に入り込む部位で，神経筋接合部が集まっている部位と考えられている．
- 筋収縮を目的とする場合，モーターポイントに電気刺激する方が，より少ない刺激強度で筋収縮を効率的に惹起することが可能であり，余計な痛みを起こさせないためにも臨床上非常に重要なポイントである．
- 代表的なモーターポイントを図22に示すが，個人差があるため，症例ごとに確認する．

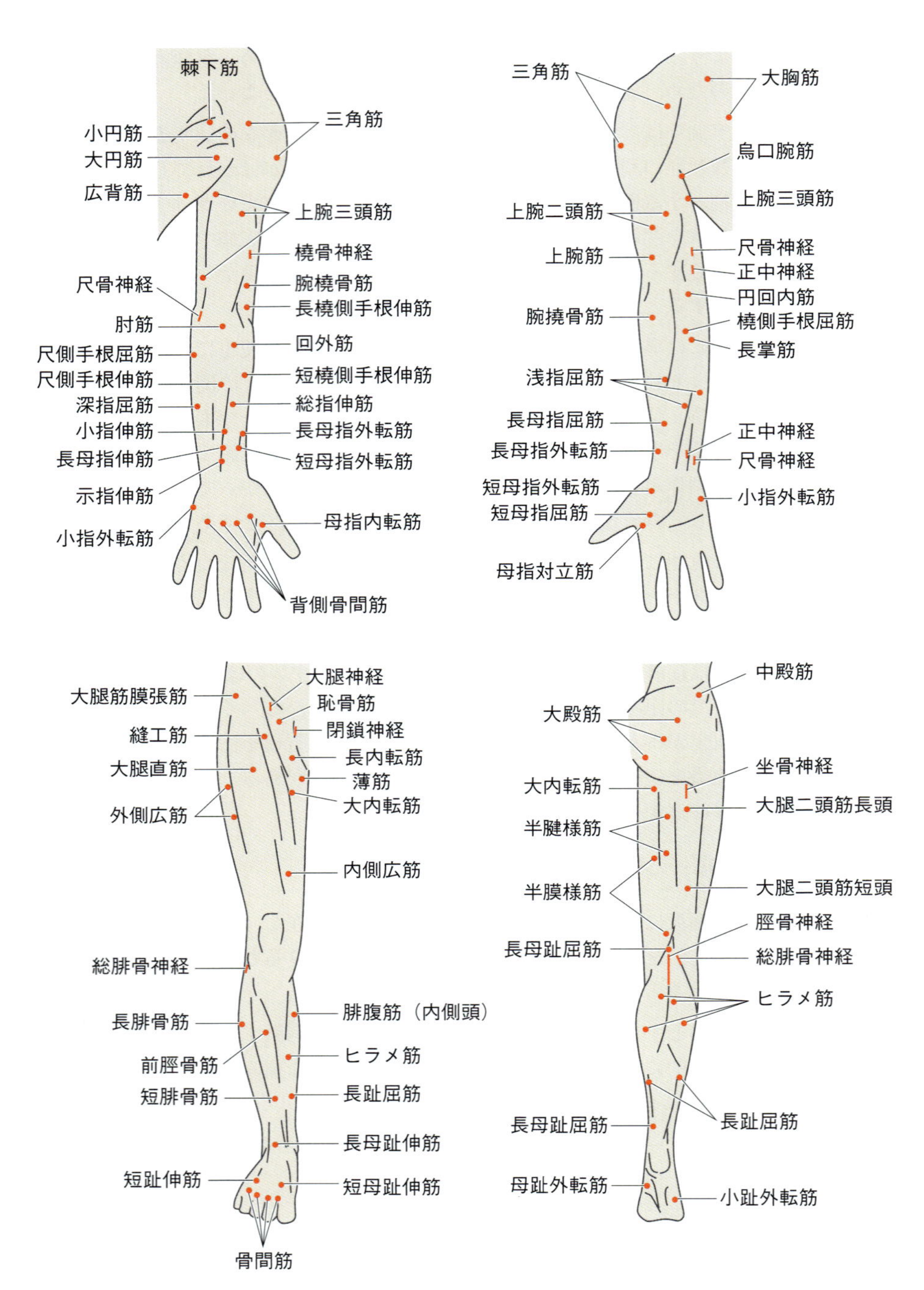

図22　上肢下肢のモーターポイント

文献4より引用.

6 安全に実施するために～禁忌・注意点・一般的手順

1）禁忌[15)]

- 電気刺激の禁忌を以下に示す．事前にカルテや問診などの情報収集を行い，必ず主治医の指示を仰ぐこと．
  - **ペースメーカー**など，体内に**電気刺激装置**を埋め込んでいる症例
  - **圧可変式シャントバルブ近傍**（術式・挿入機器などを医師に確認）：機器の誤作動の恐れがあるため．
  - **頸動脈洞**への電気刺激：頸動脈洞反射を誘発する恐れがあるため．
  - **妊婦の腹部や腰背部**：胎児への影響が懸念されるため（ただし，感覚レベルのTENSは軽度から中等度の陣痛の軽減には安全とされている）．
  - **深部静脈血栓（DVT）**や血栓性静脈炎のある症例：電気刺激による筋収縮によって血栓が遊離する恐れあり（ただし，DVT予防としての電気刺激は臨床実践されている）．
  - **心臓をまたぐ電極配置**：不整脈を惹起する恐れがあるため．
  - **悪性腫瘍**：電気刺激ががん細胞の浸潤や成長を早める可能性が指摘されているが，詳細は不明である．近年がん性疼痛に対するTENSは報告されている[16)]．
  - **コントロールされていない出血部位**：筋収縮により血液量が増加するため．
  - **感染症，骨髄炎，結核**：電気刺激によって血流が増大することによる炎症悪化の恐れあり．
  - **てんかん患者への頭部，体幹への刺激**（ただし，動物実験ではてんかん異常波が電気刺激により軽減したという報告があり詳細は不明）
- これらの禁忌は後に安全性が確認されて実施可能となる可能性も考えられる．今後も注意して情報を収集すること．

2）注意点[15)]

- 電気刺激の注意点は以下の通りであるが，注意点を守れば実施可能である．実施する場合は主治医の指示を仰ぐこと．
  - **感覚障害のある症例**：痛みを感じずに電気刺激強度が上がりすぎる恐れがある．
  - **認知機能に問題のある症例**：患者が電極をはがしてしまう，または異なる部位に電極を貼付する可能性．
  - **心疾患のある症例**：バイタルサインを確認しつつ，心負荷に注意する．
  - **皮膚が敏感な症例**：アレルギーも含む．疼痛や皮膚の異常に気をつける．
  - **痛覚過敏のある症例**：電気刺激で疼痛を誘発する恐れがある．
  - **創傷治癒目的の電気刺激時の感染**
  - なお，骨折後の金属インプラント（ピンニング，プレート，人工関節など）は問題なく実施可能である．

3）実施手順

- 電気刺激によって生じるリスクとして，アレルギー反応，熱傷，痛みがある．これらは実

施手順を遵守することで十分管理することが可能である．

- ①実施前に禁忌や注意点にかかわる項目がないかを確認する．
- ②感覚のスクリーニングテストを行い，正常かを確認する．
- ③皮膚状態を確認する．
- ④皮膚が汚れていたり，乾燥したりすると抵抗が高くなるので，アルコール綿で皮脂や汚れを清拭し，アルコールが乾いた後に電極を貼付する．
- ⑤実施中は，皮膚状態と痛みに注意する．
- ⑥実施中は電極がはがれていないかどうか確認する．特に運動療法と併用する場合などは電極がはがれないようサージカルテープなどで固定するとよい．
- ⑦実施後は再度皮膚状態を確認する．

- 電気刺激の波形によっては副作用を起こしやすい波形（直流）があるため，使用機器の仕様は事前に確認しておくこと．

4）保守点検

- 電気刺激装置の点検を説明書に記載されている期間に忘れずに行うこと．
- 治療実施前には異常音がしないか，きちんと出力されているかを確認すること．
- 電極が古くなっていないか，汚れていないかを確認すること．
- 自着性電極の場合は，感染の問題から使い回しをしないこと．スポンジ電極の場合は，使用後に十分洗浄・消毒を実施すること．

文献（第Ⅱ章-9-Aの文献）

1）伊橋光二：機能的電気刺激の効果と課題．理学療法学，33：245-247，2006
2）高見正利：電気物理学.「物理療法マニュアル」（嶋田智明，他／著），pp1-24，医歯薬出版，1996
3）「臨床電気神経生理学の基本」（橋本修治／著），診断と治療社，2013
4）村岡慶裕，石尾晶代：電気刺激とは何か？．「リハビリテーションのための臨床神経生理学」（正門由久／編），pp35-50，中外医学社，2015
5）「Physical Agents in Rehabilitation：From Research to Practice 4th Edition」（Cameron MH/ed），Saunders，2012
6）neurocare HP（https://www.neurocaregroup.com/dc_stimulator_plus）
7）Fuentes JP, et al：Effectiveness of interferential current therapy in the management of musculoskeletal pain: a systematic review and meta-analysis. Phys Ther, 90：1219-1238, 2010
8）Ward AR & Shkuratova N：Russian electrical stimulation：the early experiments. Phys Ther, 82：1019-1030, 2002
9）Vaz MA, Frasson VB：Low-Frequency Pulsed Current Versus Kilohertz-Frequency Alternating Current：A Scoping Literature Review. Arch Phys Med Rehabil, 99：792-805, 2018
10）Bergquist AJ, et al：Neuromuscular electrical stimulation：implications of the electrically evoked sensory volley. Eur J Appl Physiol, 111：2409-2426, 2011
11）Collins DF：Central contributions to contractions evoked by tetanic neuromuscular electrical stimulation. Exerc Sport Sci Rev, 35：102-109, 2007
12）Kaelin-Lang A, et al：Modulation of human corticomotor excitability by somatosensory input. J Physiol, 540：623-633, 2002
13）「最新物理療法の臨床適応」（庄本康治／編），文光堂，2012
14）日本メディックス社HP（https://www.nihonmedix.co.jp/en/products/details/000022.html）
15）Rennie S：ELECTROPHYSICAL AGENTS-Contraindications And Precautions：An Evidence-Based Approach To Clinical Decision Making In Physical Therapy. Physiother Can, 62：1-80, 2010
16）Loh J & Gulati A：The use of transcutaneous electrical nerve stimulation（TENS）in a major cancer center for the treatment of severe cancer-related pain and associated disability. Pain Med, 16：1204-1210, 2015

B) TENS

学習のポイント

- TENSが生体に与える影響とその目的を理解する
- TENSの適応と効果，禁忌と注意事項を理解する
- TENSの理論にもとづき，症例に合わせた電極貼付やパラメータ設定ができる
- TENSを健常者に対して実施できる

1 経皮的電気刺激（TENS）とは

- TENS（transcutaneous electrical nerve stimulation）は，疼痛軽減を目的とする電気刺激療法である．

1）ゲートコントロール理論

- TENSの代表的な鎮痛メカニズムは，電気刺激によって侵害刺激を伝えるゲート（ペインゲート）をコントロールして疼痛を軽減させるというものである（ゲートコントロール理論）（図1）.
- 疼痛と関係しない直径の太い神経線維をTENSで刺激することによって，細い神経線維によって伝導される侵害刺激の上位中枢への伝達が減少するというのが，ゲートコントロールの古典的理論である．

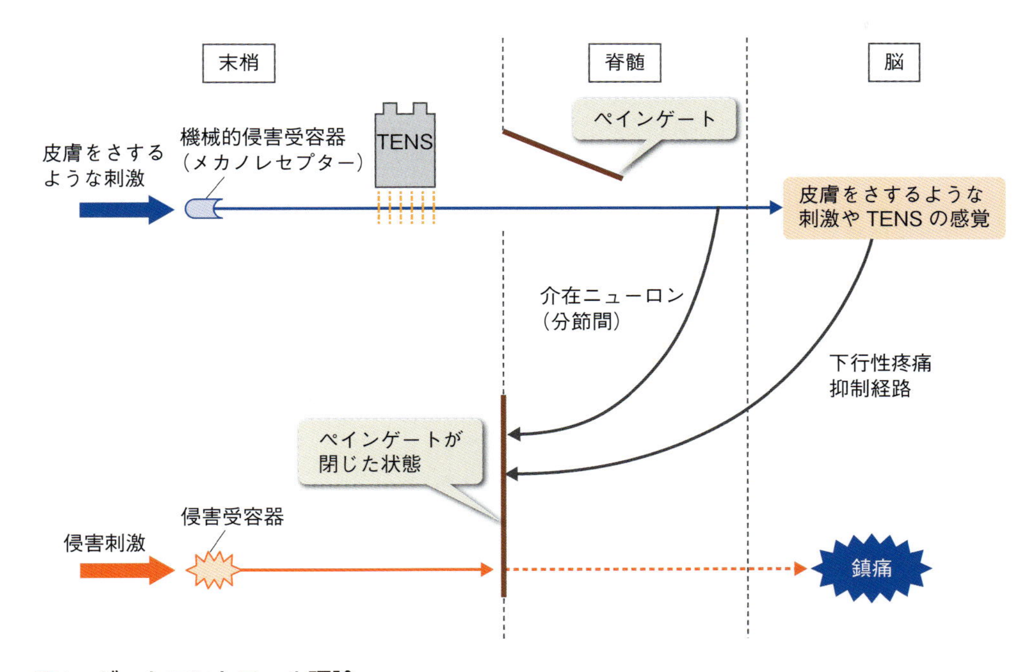

図1　ゲートコントロール理論
ペインゲートが開いているときは侵害刺激が伝達されやすく，他の刺激によってペインゲートを閉じると侵害刺激が伝達されにくい．文献1をもとに作成．

- 辺縁系や縫線核，網様体系といった高次脳中枢からの下行経路も痛覚に影響をおよぼすことが報告された（下行性疼痛抑制経路）．そのため現在では末梢から中枢への上行ニューロンによる影響だけでなく，感情や認知の要素を含む中枢からの下行ニューロンも影響する理論であると修正されている（図1）．

2）内因性オピオイド

- TENSのその他の鎮痛のしくみとして周波数に依存して，脳脊髄液内への内因性オピオイド放出による鎮痛が誘発されるというものがある[2]．
- 1～4 Hz前後の低周波TENS時にはベータエンドルフィンやエンケファリンの，40～200 Hz前後の高周波TENSではダイノルフィンの脳脊髄液内の濃度が上昇したとの複数の報告がある[3]．
- 200 Hz以上の高周波TENSではセロトニンやノルアドレナリンなどの神経伝達物質が鎮痛にかかわっているという報告もある[4]．
- 低周波，高周波のおのおののTENSを別々で分けて実施するよりも同時に実施した方が，脳脊髄液内のベータエンドルフィンやエンケファリン，ダイノルフィンの濃度が増大したとの報告[5]や低周波と高周波を変調させて実施するとより効果的であったとの報告[6]がある．

3）下行性疼痛抑制機構（第Ⅰ章-2参照）

- 低周波TENSでは，下行性疼痛抑制経路によるセロトニン放出増大，中脳中心灰白質（periaqueductal grey：PAG）や吻側延髄腹内側部（rostral ventromedial medulla：RVM）経路によって鎮痛させる．この場合，オピオイド（特にμオピオイド受容体），ガンマアミノ酪酸（gamma-aminobutyric acid：GABA），セロトニン，ムスカリン受容体を活性化する．
- 高周波TENSではオピオイド受容体（特にδオピオイド受容体），ムスカリン受容体，GABA受容体などを含めた内因性抑制メカニズムを活性化して鎮痛させると考えられている．
- 低周波・高周波TENSの双方が，神経伝達物質を介して脊髄後角ニューロンの活動を抑制し，痛覚過敏の減少を引き起こすことが報告されている（表）[7]．

表　TENSに関与している神経伝達物質

神経伝達物質	低周波TENS（5 Hz前後まで）	高周波TENS（80～200 Hz前後まで）
オピオイド	μオピオイド受容体（脊髄と脊髄上位）	δ，κオピオイド受容体（脊髄と脊髄上位）
GABA（ガンマアミノ酪酸）	GABAの濃度上昇	GABAの濃度上昇，GABA（A）受容体（脊髄）
グリシン	影響なし	影響なし
セロトニン	セロトニン濃度（5-HT）上昇，5-HT，5-HT受容体（脊髄）	—
ノルアドレナリン	α2受容体（末梢神経）	α2受容体（末梢神経）
アセチルコリン	ムスカリン，ムスカリン受容体（脊髄）	ムスカリン，ムスカリン受容体（脊髄）
アスパラギン酸 グルタミン酸	—	高周波TENSではアスパラギン酸とグルタミン酸の減少がみられるが，高周波と低周波TENSを同時に実施すると濃度が上昇する

5-HT：5-ヒドロキシトリプトアミン

文献7より引用．

- TENS実施時の脳活動を磁気共鳴機能画像法（functional magnetic resonance imaging：fMRI）で解析した研究では，TENSによって痛みに特異的な脳領域の活動が有意に減少し，痛みの変化と脳活動変化に有意な相関があったことが報告されている[8]．

4）TENSの分類

1 感覚レベルTENS

- 国際疼痛学会（international association for the study of pain：IASP）では，50～100 Hz前後の高周波数，低強度（疼痛と筋収縮を伴わない，感覚レベルの刺激），パルス時間（パルス幅）が50～200 μsのTENSをさす．筋収縮を引き起こさずに鎮痛させたい場合に使用するが，運動療法との同時実施も可能である．文献ではconventional TENS，高周波TENS（high-frequency TENS：HF TENS）と記載されていることも多い．図2に鎮痛メカニズムを示す．

2 運動レベルTENS

- IASPでは，2～4 Hz前後の低周波数，高強度（不快でない範囲での最大電流強度で筋収縮が起こる），パルス時間が100～400 μsのTENSをさす．文献ではacupuncture-like TENS，低周波TENS（low-frequency TENS：LF TENS）と記載されていることも多い．図3に鎮痛メカニズムを示す．

＊感覚レベルTENS，運動レベルTENSともに末梢神経系システムと中枢神経系システムの双方が鎮痛メカニズムにかかわっているが，作用機序は異なる（図2，3）．

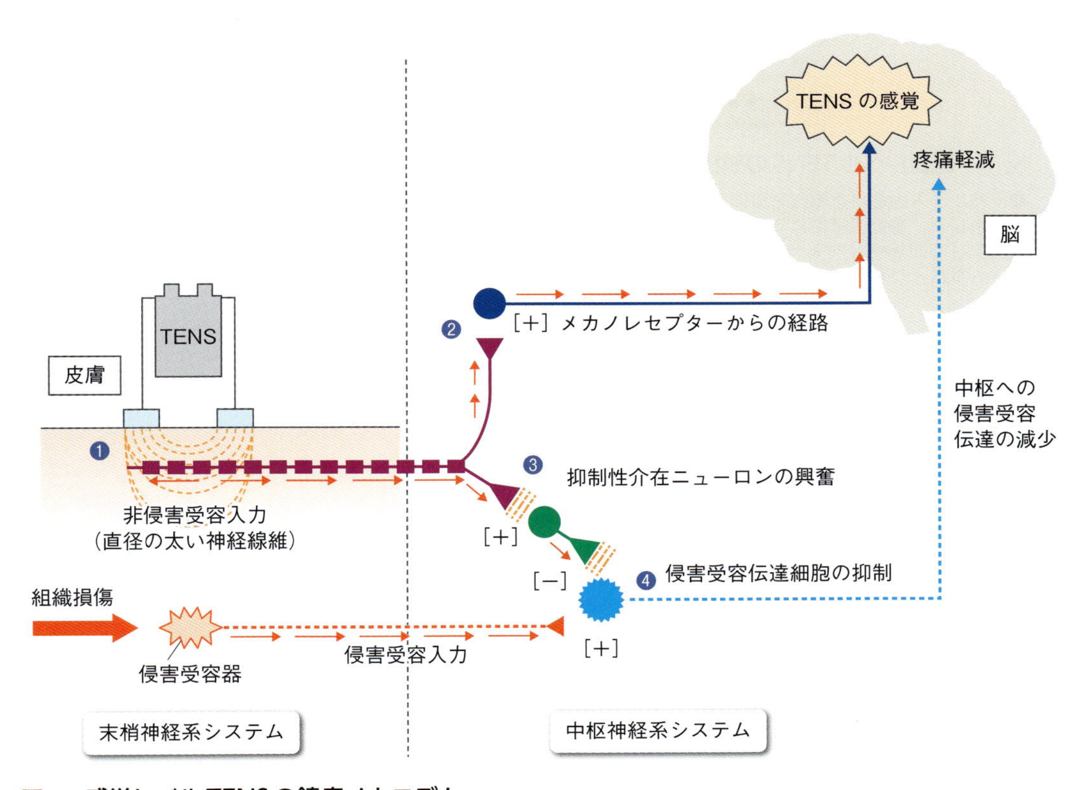

図2　感覚レベルTENSの鎮痛メカニズム

❶電気刺激が皮膚から入力される．❷脳までの求心性経路を活性化させて，電気刺激感覚を入力する．❸抑制性介在ニューロンを興奮させる．❹脊髄の侵害受容伝達細胞の活動を抑制する．興奮性神経伝達物質［+］，抑制性神経伝達物質［−］の放出によって神経伝達をコントロールしている．文献9をもとに作成．

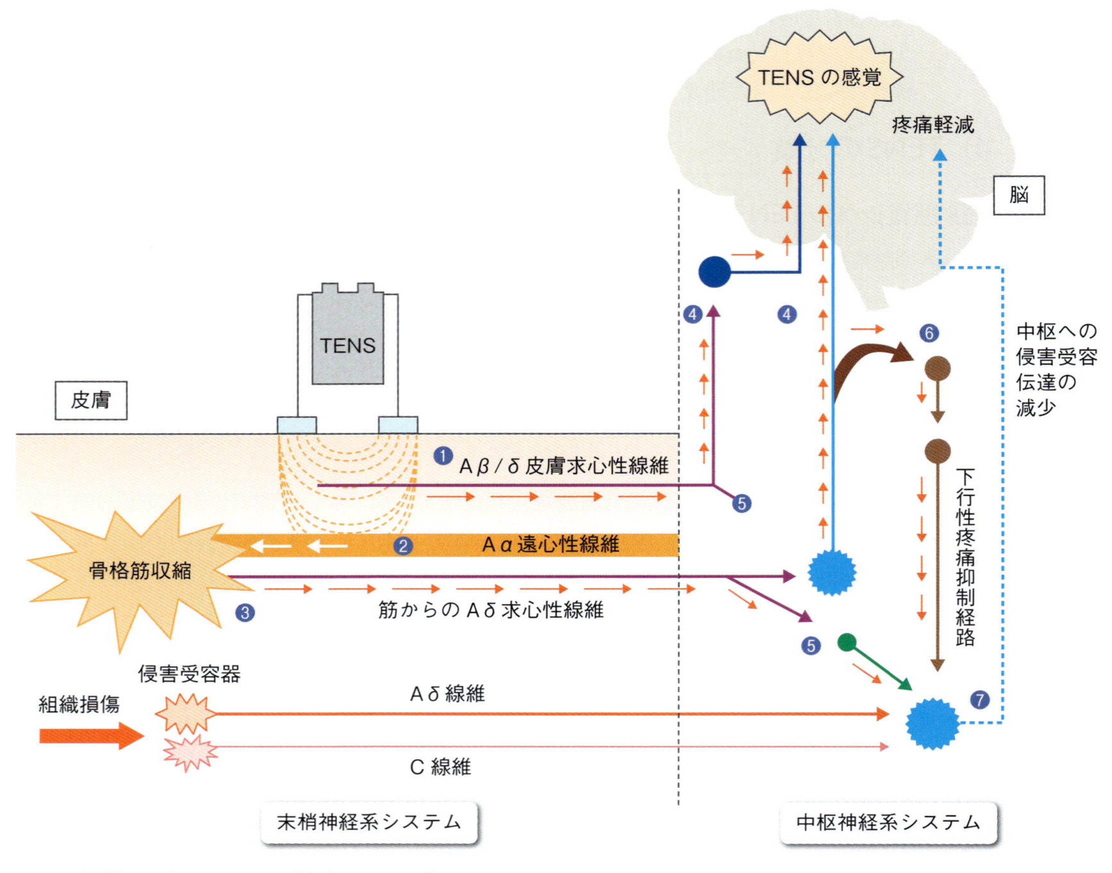

図3　運動レベルTENSの鎮痛メカニズム

❶皮膚から入力された電気刺激によってAβ/δの求心性線維が活性化する．❷同時にAαの遠心性線維も活性化して筋収縮が生じる．❸筋収縮による筋収縮感覚が求心性線維を活性化させる．❹脳までの求心性経路を活性化させて，電気刺激感覚および筋収縮感覚を入力する．❺抑制性介在ニューロンを興奮させる．❻侵害受容細胞の活動を抑制するために脊髄へフィードバックする．❼脊髄の侵害受容伝達細胞の活動を抑制する．文献10をもとに作成．

2 TENSの適応と効果

1）TENSの適応

- 疼痛を訴える症例は全般的に適応となるが，疼痛の原因や対象者の特徴を評価したうえで見極める必要がある．
- 後述するようにTENSの基礎研究，臨床研究は無数に存在するが，鎮痛メカニズムおよび実施方法や効果について明確に証明されているものは多くない．一つひとつの研究を吟味すると，TENSの実施方法（電極貼付部位，電流強度や時間など）や対象者選定（サンプルサイズ，取り込み基準など），評価項目など，研究デザイン上に問題がある報告も多い．Bennett（ベネット）らも，TENSのランダム化比較試験（RCT）は方法論的な質が低いために否定的な結果につながっている研究が多いと指摘している[11]．システマティックレビューでさえも，研究デザイン上の問題があるRCTを含んだ解析結果であることを忘れてはならない．

- 以上のようにTENSの方法論が確立されていない状況のため，ネガティブな報告のある例でも，実施方法を少し工夫するだけで効果が異なる場合や症例によって絶大な鎮痛効果を示す場合もある．疾患や症状に応じてテーラーメイドの方法を考慮して実施することが重要である．
- 本邦で実施されることはおおむね皆無であるが，海外では手術後の鎮痛目的にTENSが多く実施されている．
- 臨床研究は，急性痛に対する鎮痛効果が高く，慢性痛に対する鎮痛効果は低いとの報告が多い．
- 以下では，臨床でTENSを実施するに際して一助となる先行研究を紹介する．

2）腹部・胸部外科手術後

- 外科手術全般の術後TENSのメタアナリシスでは，TENSによる鎮痛効果が認められたと報告されている[12]．また，TENSと併用される鎮痛薬の使用量に関して，十分な電流強度（不快でない耐えられる最大強度，15 mA以上）のTENSを実施すれば平均35.5％（14～51％）の軽減が見込め，十分な電流強度で実施していない方法での実施では平均4.1％（－10～29％）の軽減しか見込めないと言及されている．
- 開胸術後に限定したTENSについてのシステマティックレビューでは，鎮痛に効果的であると報告されている[13]．また，呼吸筋活動を改善させる効果[14]や咳嗽時痛（がいそうじつう）や体位変換時の鎮痛効果[15]，インターロイキン6，10，腫瘍壊死因子（TNF－α）などの炎症性サイトカインを減少させる効果が報告[16]されている．
- 腹部外科術後TENSでも安静時痛，咳嗽時痛，起居動作時痛が減少し，肺活量と咳嗽能力が増大したと報告されている[17]．

3）整形外科手術後

- 肩関節術後のTENSによって安静時や運動時の鎮痛が可能であり，急性期（術後3日以内）症例では，鎮痛薬使用量が減少したことも報告されている[18]．
- 腰椎固定術症例に対して術前，術後にTENSを継続して実施すると，術後からTENSを開始するよりも有意に鎮痛でき，先取り鎮痛※1の意義が示されている報告もある[19]．
- 人工膝関節全置換術後のTENSの効果について，疼痛破局的思考※2や不安感が少ない症例は鎮痛効果が高く，疼痛破局的思考や不安感が強い症例では鎮痛効果が十分に得られないことを報告している[20]．

補足

※1　先取り鎮痛

1988年Wall（ウォール）は「痛みが記憶されないように，痛み刺激の進入前に鎮痛処置をすれば，術後の痛みは抑制される」との考えから先取り鎮痛（pre-emptive analgesia）の概念を提唱し，1996年にKissin（キーシン）は「術後疼痛の防止または減少の目的で術前に鎮痛処置を施すこと」と定義している．現在，侵害刺激（疼痛刺激）が加わる前に鎮痛処置を行った方が刺激後に行うより効果的であり，周術期（侵害刺激中）の疼痛を抑制すると考えられている．

※2　疼痛破局的思考

痛みに対する破局的思考は痛みのことが頭から離れない状態の「反芻」，痛みに対して自分では何もできないという状態の「無力感」，痛みそのものの強さやそれにより起こりうる問題を現実より大きく見積もる「拡大視」の3要素からなる．痛みに対する破局的思考は疼痛破局的思考尺度（pain catastrophizing scale：PCS）によって評価できる（**第Ⅰ章-3**参照）．

4) 整形外科疾患

- 変形性膝関節症に対するTENSのシステマティックレビューでは，TENSは膝痛の軽減に効果があり，TENSと運動療法を併用することで，中長期的な機能障害や歩行能力の改善にも有用であると報告されている[21].
- 肋骨骨折に対するTENSは，非ステロイド性抗炎症薬（non-steroidal anti-inflammatory drugs：NSAIDs）よりも鎮痛できたと報告されている[22].
- 慢性腰痛に対するTENSは，システマティックレビューで鎮痛効果がないと報告されている．頸部痛や肩痛に対するTENSも鎮痛効果がないと報告されている[23].
- 慢性的な腰痛や頸部痛，肩痛に対するTENSに関して，慢性痛マネジメントに関するアメリカのガイドライン[24]では，TENSが奏功する場合もあるが，一般的な多くの治療手段のうちの1つに過ぎず，特に推奨できる治療手段ではないと位置づけられている．

5) 神経障害性疼痛

- 神経障害性疼痛に対するTENSのシステマティックレビューでは，鎮痛に有用である可能性はあるが，方法論的に質の低い研究が多いため，さらなる研究が必要であるとされている[25].
- 動物実験では末梢神経損傷後早期にTENSを実施すると痛覚過敏の改善を認めた．そのメカニズムとして，脊髄後角内のオピオイド受容体を介して，グリア細胞の活性化を抑制し，炎症性サイトカインの減少および二次ニューロンの感受性亢進を抑制する可能性が示唆されている[26].
- 糖尿病性末梢性神経障害性疼痛に対するTENSはプラセボ治療よりも鎮痛効果があったと報告されている[27].
- 脊髄損傷後の神経障害性疼痛に対する低周波TENSが鎮痛に有効であったと報告されている[28].
- 脊髄損傷後の慢性痛治療に関するシステマティックレビューでは，TENSによる鎮痛効果はないと報告されている[29].
- 複合性局所疼痛症候群（complex regional pain syndrome：CRPS）モデルの動物実験では，健側肢に対して高周波TENSを実施すると触覚アロディニア※3，低周波TENSを実施すると温熱アロディニアを軽減させたと報告している[30]．ヒトでのCRPS症例に対するTENSでも鎮痛に効果的であったとの報告もある[31].

> 補足
>
> **※3 アロディニア**
>
> 「通常では痛みをもたらさない程度の微小刺激を強い疼痛として認識する感覚異常」と定義されている．感覚の質が変容し，感覚種別の特異性が欠損している状態で，感覚過敏や痛覚過敏とは異なる．病態は末梢性感作と中枢性感作が関与している．確立された治療法がない難治性疼痛の1つとされている．

- 帯状疱疹後神経痛に対するTENSに関して，Barbarisi（バルバリーシ）らは薬物療法の補助としてTENSが有効であることを報告[32]し，Kolsekらは予防にTENSが有用であったことを報告[33]している．
- 中枢性神経障害性疼痛よりも末梢性神経障害性疼痛の方がTENSによる鎮痛効果が大きいと報告されている[34].

6) がん性疼痛

- 骨転移性がん性疼痛に対するTENSの効果について，安静時痛と運動時痛の鎮痛に有用であったと報告されている[35]．
- 肉腫様がんに関連した疼痛に対するTENSが有用である可能性が報告されている[36]．
- 乳がん後の慢性疼痛に対するTENSは，プラセボ治療と鎮痛効果に差がなかったと報告されている[37]．
- がん性疼痛に対するTENSに関しては，RCTによる研究も少なく，システマティックレビューでは効果は不明とされている[38]．
- オピオイド薬を投与されている症例が多いが，オピオイド薬の多くがμオピオイド受容体に結合する．長期間投与やオピオイドローテーションを実施している症例ではμオピオイド受容体に耐性が生じてしまい，オピオイド薬と同様の鎮痛メカニズムを呈する低周波TENSが無効となる．その場合は100～200 Hz前後の高周波TENSを実施して，δオピオイド受容体を介して鎮痛させることが望ましい[39, 40]．

7) 幻肢痛

- 幻肢痛に対するTENSのシステマティックレビューでは，鎮痛できる可能性があるが，RCTによる研究が少ないため不明であるとされている[41]．
- 急性皮膚炎症を惹起させた動物へのTENSでは，健側肢への電極貼付により炎症部位の一次性知覚過敏を軽減できたと報告されている[42]．
- 両側性痛覚過敏をもった慢性筋炎症を惹起させた動物へのTENSでは，炎症筋または炎症のない反対側筋のどちらへの電極貼付でも，二次的な痛覚過敏を軽減できたと報告されている[43]．
- 動物実験の結果から，健側肢へのTENSが幻肢痛を軽減させるという報告が多い[44, 45]．

8) 生理痛

- 生理痛に対するTENSのシステマティックレビューでは高周波TENSは鎮痛効果が高く，低周波TENSでは鎮痛効果がないと報告されている[46]．

9) その他

- その他にも線維筋痛症，産科領域，歯科領域，狭心症など多数のTENS実施報告がある[47]．

3 TENSの禁忌と注意事項

- 電気刺激治療に関する一般的な禁忌に準ずる（**第Ⅱ章-9-A参照**）.
- 術後鎮痛目的に介入する場合は，**創部感染**にも注意する.
- 周術期医療機器の**EMC規格**※4も確認する.
- **電気刺激に対する受け入れが不良である患者**や**恐怖心がある患者**には注意する．特に**知覚過敏**や**痛覚過敏**の症例には，電気刺激による疼痛の増悪にも注意する.

補 足

※4　EMC規格

EMCとは，electromagnetic compatibilityの略で電磁両立性とよばれている（**第Ⅰ章-5-A参照**）．装置やシステムにおいて電磁妨害を与えず，逆に受けたとしても妨害に耐えて，機能する能力のことである．電子機器から発生する電磁波が他の電子機器の機能に影響を与える問題に対して，薬事法下のクラスⅠを除いて，すべての医療機器に平成19年4月よりEMC規格の適合が義務付けられた.

4 TENSの実際

- ここでは，TENSに関するさまざまな先行研究の結果からエビデンスを総合的に加味したうえで，現時点で最良と考えられる実施方法について記載する．パラメータの設定に関しては，使用機器によって制限される要素も大きいが，おのおのの症例に合わせて理論にもとづいた方法で実施することが望ましい.
- TENSで鎮痛するだけでなく，鎮痛を図ったうえで対象者に合わせてどのようなアプローチを実施するかが重要である．TENS実施中に鎮痛しながら運動療法や日常生活活動（ADL）練習，呼吸リハビリテーションを実施することが望ましいが，もち運びしにくいなど使用機器の制限で実施困難な場合は，TENS終了直後から鎮痛効果の認められている間にアプローチすることが重要である.

1）TENS実施方法

❶ インフォームドコンセント

- TENSの実施方法や効果について十分な時間をかけて説明することが重要である.
- TENSの説明によって，プラセボ効果やノセボ効果※5が作用してTENSの効果にも影響するため，対象者がTENSに対して否定的な印象をもたないように注意する.
- 各症例によって痛みの捉え方は異なるが，疼痛破局的思考や不安感，うつ傾向が強い場合はTENSの鎮痛効果が得られにくいことを考慮するべきである.

補 足

※5　ノセボ効果

効かないはずの治療が悪い結果を招くことをさす．例えば，ある薬物に副作用があると思い込むことで，偽薬でも副作用が出現することがある．プラセボ効果の対義語である.

2 電極貼付部位の決定

- ゲートコントロール理論によるペインゲートを効果的に反映するため，痛み刺激が入力される髄節レベル（脊髄の位置）を特定したうえで，デルマトーム※6（図4）を考慮して電極貼付部位を決定することが重要である．
- 術後急性期の疼痛であれば，皮切部位や切離した筋が痛みの原因であることが多く，術創部と同一のデルマトーム内に電極設置部位を決定する．皮膚や筋肉からの痛み刺激はデルマトームと同一の髄節レベルに入力されるからである．痛み刺激と電気刺激が同一の髄節レベルに入力されることとなり，効果的にペインゲートが反映される．実際に，肩関節術後症例に対するTENSで疼痛部位のデルマトームと同一デルマトームに電極を貼付すると，それ以外のデルマトームに電極を貼付するよりも有意に鎮痛できたことが報告されている．
- 神経障害性疼痛のCRPSや幻肢痛などで患側肢への電極貼付が困難な場合は，健側肢などの同一のデルマトーム内に電極貼付することが重要である（図5）．実際に，動物実験では，TENS実施時の電極貼付部位が患側肢の同一のデルマトームよりも健側肢の同一のデルマトームの方が，侵害受容性を抑制できたと報告している．
- 骨関節系の疼痛は，スクレロトーム※6（図6）を考慮して痛み刺激が入力される髄節レベルを特定する．骨折の場合にも骨折部のスクレロトームを考慮することは重要である．実際に，変形性膝関節症に対するTENSでスクレロトームと同一髄節のデルマトーム内に電極貼付すると，スクレロトームと一致しないデルマトーム内に電極貼付するよりもTENSの鎮痛効果が有意に高かったことが報告されている．

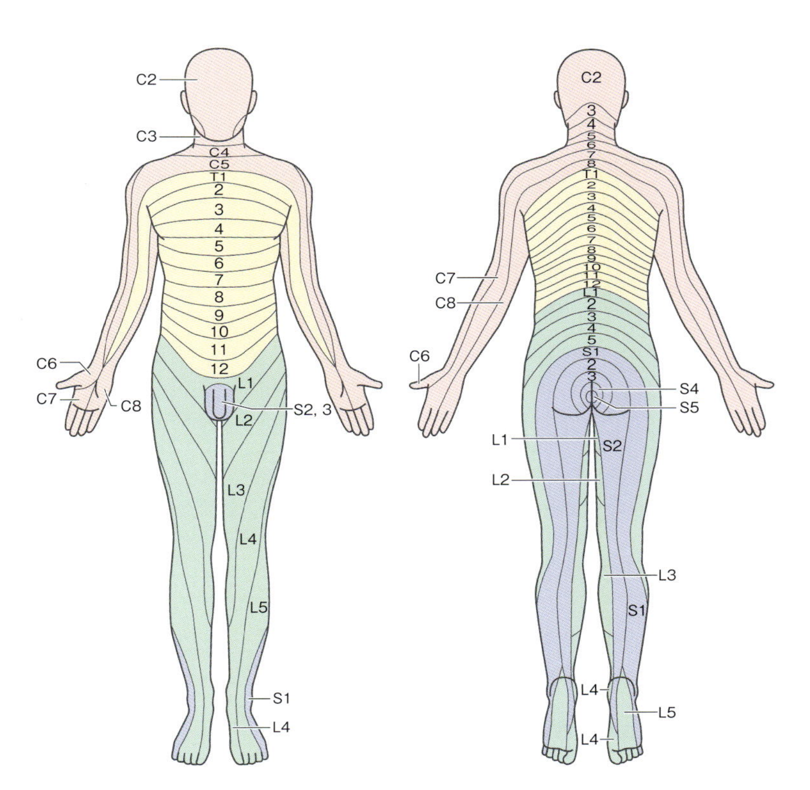

図4　Keeganらのデルマトーム
文献48をもとに作成．

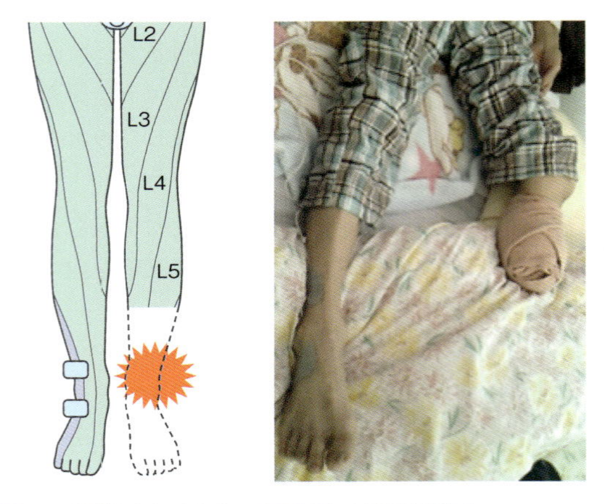

図5　幻肢痛に対するTENSの実施場面

幻肢痛の出現部位は切断肢であるが，健側肢の同一デルマトーム内に電極を貼付する．

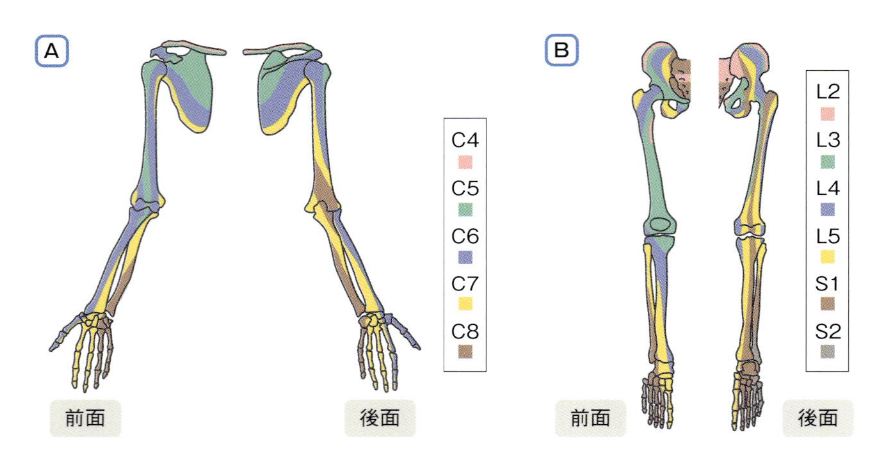

図6　スクレロトーム

A）上肢．B）下肢．文献49より引用．

> 補足
>
> **※6　デルマトームとスクレロトーム**
>
> 脊髄の支配する知覚分布には一定の範囲があるが，皮膚における分節を皮膚分節（デルマトーム，dermatome），骨膜や関節包，滑膜，靭帯などにおける分節領域を硬節（スクレロトーム，sclerotome）とよんでいる．図4と図6はそれぞれの分節と髄節レベルの対応を示している図である．

- ペインゲートを考慮した電極貼付ではなく，経穴点や神経幹に電極貼付することを推奨している先行研究もある（図7）．

3 電極の選定（第Ⅱ章-9-A参照）

- 電極のサイズは電流強度と密接にかかわっており，電流強度を十分に上昇させたい場合は電極を大きくした方がよい．例えば25 mAの電流に設定した場合，5 cm × 5 cm = 25 cm^2の電極では1 cm^2あたりの電流量（電流密度）は1 mAであるが，5 cm × 9 cm = 45 cm^2の

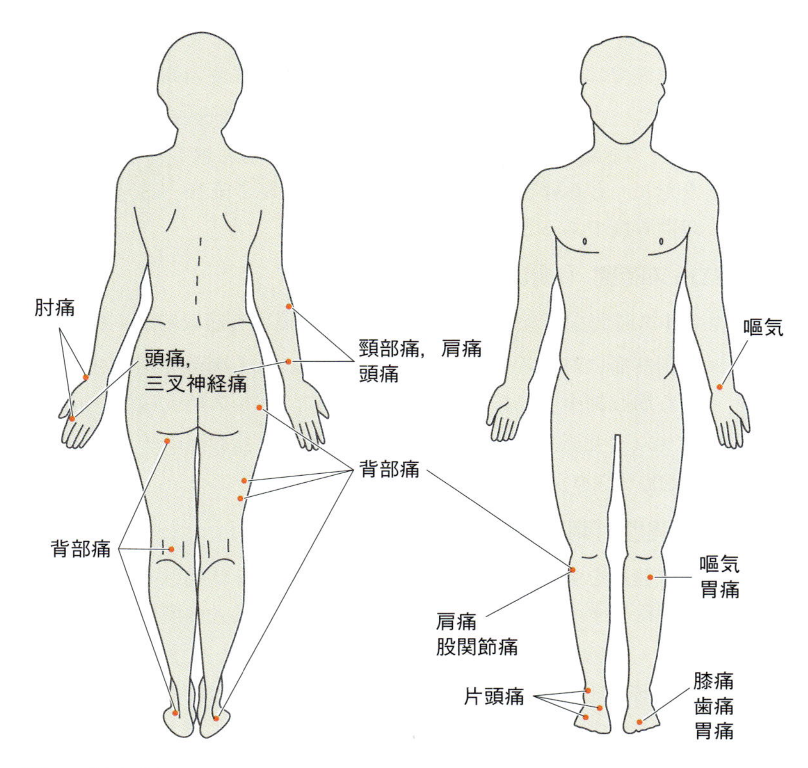

図7　経穴点

文献50をもとに作成.

電極では1 cm²あたりの電流量は約0.56 mAとなり，大きい電極の方が1 cm²あたりにかかる皮膚への負荷が小さくなり強い電流強度に設定しやすくなる.

- 自着性電極を使用する場合がほとんどである．皮膚への刺激が少ない電極を使用し，皮膚と完全に接触していることが重要である．電極が外れかけて接触面積が少なくなると，その部分の電流密度が上昇し，痛みや皮膚トラブルを引き起こす可能性もあるので注意が必要である.
- 電極と皮膚のインピーダンス（抵抗成分）を極力最小限にするために，電極を貼付する前に皮脂やほこりなどの異物をアルコール綿や湿らせたペーパータオルなどで払拭することも重要である.

4 波形の設定

- 波形における研究報告は少ないが，大半の先行研究で皮膚へのイオン化などが生じにくい二相性パルス波を使用することが多い.

5 周波数の設定

- 低周波と高周波を変調させることで内因性オピオイドが効果的に放出されて鎮痛効果は高くなり，前述したオピオイド受容体の耐性を遅延させることが可能と報告されていることを考慮すると，周波数が変調可能な機器を使用することが望ましい.
- 使用機器の制限により周波数変調が困難な場合は，2チャネル別々の周波数に設定し，低周波と高周波で同時に刺激する方法や，低周波刺激と高周波刺激の機器をおのおの1台ずつ併用してもよい.

- オピオイド薬を投与されている症例では，オピオイド薬と同様の鎮痛メカニズムを呈する低周波では無効となるので，100〜200 Hz程度の高周波に設定することが望ましい．
- TENSによって放出される脳脊髄液内の内因性オピオイドの半減期は約4.5時間との報告があり，TENS終了後も鎮痛効果が持続するもち越し効果に影響していると考えられている．ただし，もち越し効果に関してはTENS終了後10〜30分程度との報告が多く，長くても1時間程度であると考えられる．

6 パルス時間（パルス幅）の設定

- パルス時間を大きく設定することで低強度でも筋収縮が生じやすくなる（第Ⅱ章-9-A参照）．
- 術創部痛に対するTENSなどで筋収縮による刺激で疼痛を助長してしまう場合は，高強度でも筋収縮を生じにくくさせるために，パルス時間は100 μs以下に設定するべきである．
- 筋スパズムの改善を目的とする場合など，筋収縮を生じやすくしたい場合は，パルス時間は200〜500 μsに設定する．

7 電流強度（刺激強度）の設定

- 電流強度を強くすることで多数の神経線維を活動させることが可能となり，高い鎮痛効果が期待できるため，各対象者の耐えられる最大強度にまで上昇させて実施する．
- ほとんどの症例でTENSの実施回数を重ねるたびに電気刺激に順応して鎮痛効果への耐性※7が生じるが，強度を徐々に増大させることで鎮痛効果の耐性を遅延することが可能と報告されており，TENSの実施中でも漸増的に増大させる必要がある．強度の変調が可能な機器であれば強度を変調させることでも耐性を遅延することができると考えられる．
- TENSを実施するチャネル数を増やすことで，電気量の総和が大きくなるため，高い鎮痛効果が望める．また対象肢だけでなく，反対側肢にも電極を貼付して両側TENSを実施すると鎮痛効果が高くなることを示唆した報告もある．

8 治療時間の設定

- 感覚レベルTENSでは数時間実施しても問題ないが，運動レベルTENSでは長時間の実施によって筋疲労や筋肉痛も起こりうることを考慮する．
- 術後の急性期の鎮痛に対しては，感覚レベルTENSを長時間実施した方が望ましいが，1〜2時間ごとに10〜15分の休憩をはさみ，皮膚状態や電極のコンディションを確認することが推奨される．
- 運動レベルTENSは20〜40分/回で，1日に数回実施することが推奨される．
- 鎮痛効果は直後から作用することもあるが，30分以上かかる場合もあり，TENS実施中に評価する必要がある．

補足

※7　TENSの耐性

TENSのパラメータ設定を一定にして連日実施すると，5日目以降は鎮痛効果が減弱することが報告されている[51]．ある期間で継続的にTENSを実施する場合は，周波数や強度を一定の設定にせず，TENSの鎮痛効果を持続させることが重要となる．

2）肩関節術後の実施例

- 図8の肩関節術後症例では，痛みの原因となる部位のデルマトームはC5領域と特定できる．痛み刺激はC5髄節レベルに入力されるので，電極をC5領域に貼付することで電気刺

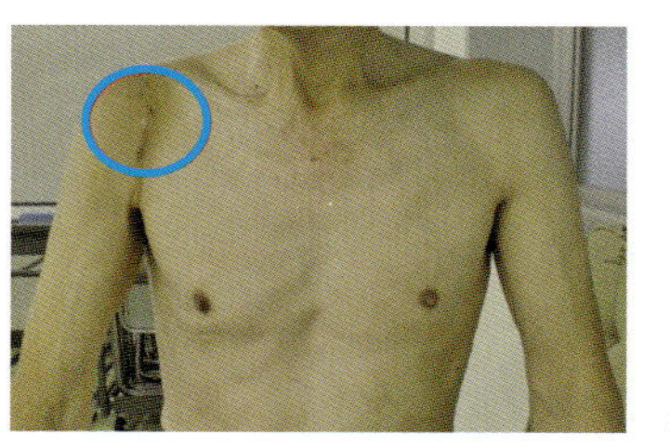
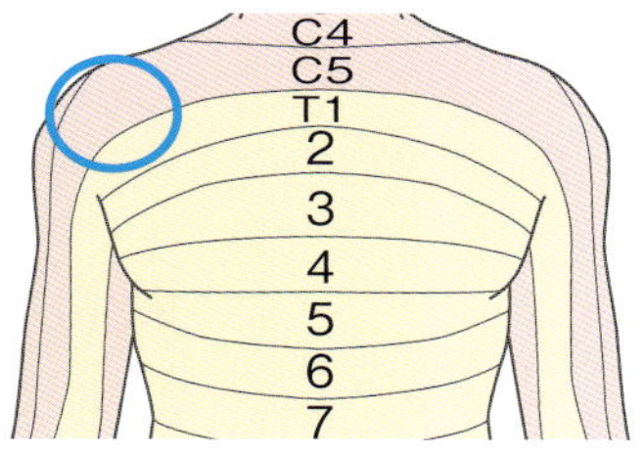

図8　痛みの発生部位とデルマトームの特定

○が術創部（痛みの発生部位）で，C5領域である．文献52をもとに作成.

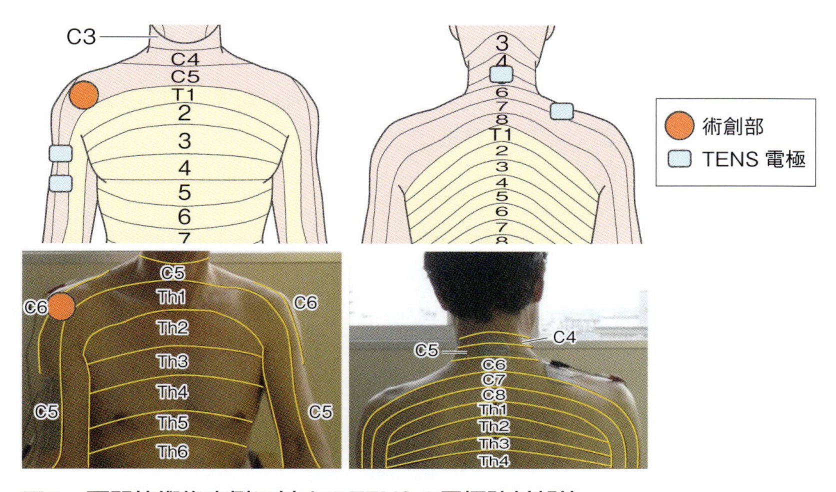

図9　肩関節術後症例に対するTENSの電極貼付部位

文献52をもとに作成.

激もC5髄節レベルに入力されることとなり，効果的な鎮痛が期待できる（図9）.

- 周波数は多種のオピオイド放出を反映できるように1～200 Hzで変調させる．急性期の場合は，筋収縮を伴わせると痛みが増強することもあり，術創部の保護のため，感覚レベルTENSで実施した方がよい．したがって，対称性二相性パルス波，パルス時間100 μs，筋収縮の伴わない範囲で不快のない最大の電流強度で実施する．亜急性～回復期になってくると術創部付近の筋スパズムが出現していることも多いので，運動レベルTENSへ変更してもよい．パルス時間200～300 μsで電流強度に変調を加えると，筋収縮の強弱が生じて，マッサージ様の効果も期待できて対象者の受け入れがよいことが多く，筋疲労の軽減や耐性を遅延できることも利点となる．関節可動域練習などの運動療法はTENS中に実施することが望ましい.
- 治療時間は感覚レベルTENSでは運動療法中は終始実施していることが望ましく，運動レベルTENSでは運動療法前に疲労の程度を確認しながら，20分程度実施してもよい.

3）腹部外科手術後の実施例

- 腹部外科手術後症例では，手術直後からTENSを実施するが，感覚レベルTENSから開始し，痛みの増悪が起こらなければ電流強度を可能な限り上昇させ，軽い筋収縮を引き起こす運動レベルTENSを実施する．刺激波形は皮膚への悪影響が少ない対称性二相性パルス

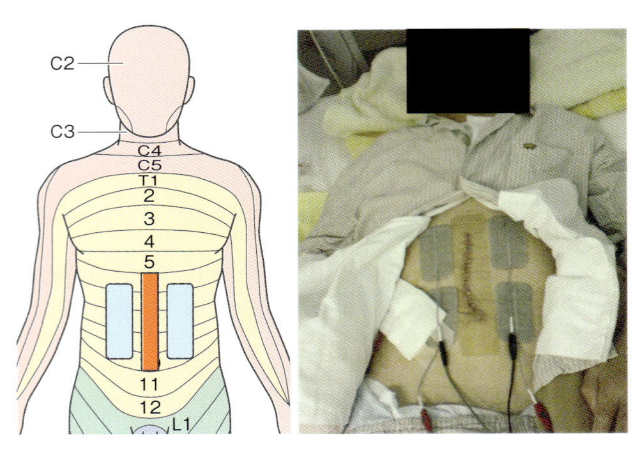

図10　腹部外科術後症例に対するTENSの電極貼付部位

文献53をもとに作成.

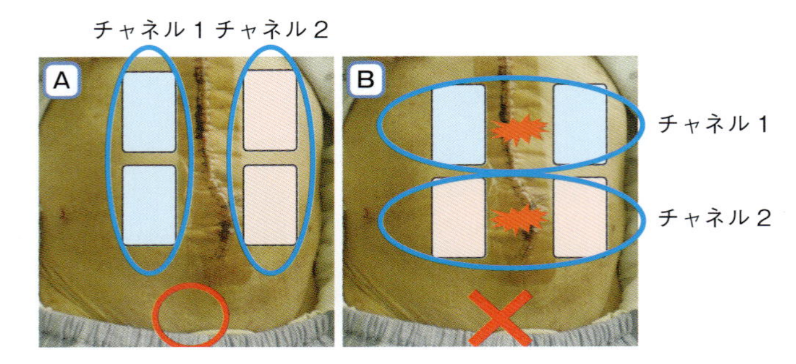

図11　TENSの電極貼付の注意点

術創部をまたいで電極貼付すると術創部への刺激が強くなり，不快感を招くことが多い．○で囲んだ電極間に電流が流れる．Aがよい例．Bがダメな例．文献52と53をもとに作成.

波，周波数は1～200 Hzで変調，パルス幅100～200 μs，不快感を伴わないレベルでの最大電流強度で実施する．周波数変調が機器側で困難であれば，低周波刺激と高周波刺激の機器をおのおの1台ずつ使用してもよい．

- 電極貼付部位は図4を参考に，術創部の同一デルマトーム内に平行に貼付する（図10）．ただし，不快感をまねかないようにするため，術創部をまたがないように配慮する（図11）．感染のリスクを低下させ，電極を除去するときの創離開を予防するためには，術創部と5 cm程度離して電極を貼付すればよいが，チャネル数を増加した方が提供する総電気量が増大し，結果として鎮痛しやすい．また，腹部ではなく，同一デルマトーム内の腰部に電極を貼付しても鎮痛効果が期待できる（図12）．
- 治療時間は24時間実施している先行研究もあるが，術直後から術後48時間前後は1～2時間を数セット実施してもよい．また，ポータブル型のTENS機器を使用して，起居動作時，歩行時，呼吸理学療法時（特に咳嗽時）に実施することが望ましい．
- 鎮痛効果はTENS開始直後から認められるが，治療開始後30分から1時間程度でほとんどの症例で十分な鎮痛が認められる．自己調節鎮痛法（patient controlled analgesia：PCA）を実施している場合は，最初にTENSを実施し，鎮痛効果をさらに獲得しようとする場合

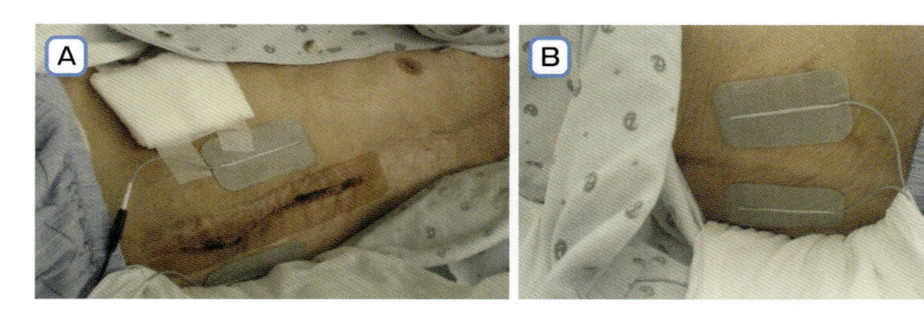

図12　腹部外科術後症例に対するTENSの電極貼付部位の別例

術創部と同一デルマトームへの腰部にも電極を貼付する．A）腹部．B）腰部．文献52と53をもとに作成．

に補完的に鎮痛薬を投与するように指導すれば，鎮痛薬使用量を減少でき，結果的に副作用を減少させることも可能である．

4）変形性膝関節症（膝内反変形）への実施例

- 変形性膝関節症（膝内反変形）症例では，痛みの原因となる部位のスクレロトームはL3/4領域である（図13）．そのため，電極はデルマトーム上のL3/4領域に貼付する（図14）．
- 筋スパズムが生じている場合が多いので，運動レベルTENSを実施する．したがって，周波数は1～200 Hz，パルス時間200～300 μs，強度は不快でない最大の強度とし，治療時間は20分とする．他症例のTENSと同様，TENS中およびTENS後の鎮痛されている間に運動療法を実施することが望ましい．

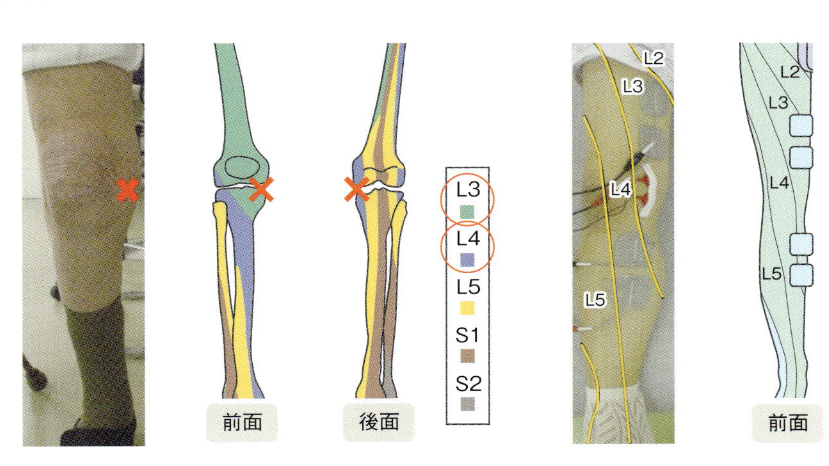

図13　変形性膝関節症の痛みの原因部位

右膝内反変形の場合の痛みの原因部位はスクレロトームではL3/4領域となる．文献52をもとに作成．

図14　変形性膝関節症症例に対するTENSの電極貼付部位

文献52をもとに作成．

5）大腿骨転子部骨折術後への実施例

- 大腿骨転子部骨折術後症例では，痛みの原因は骨折による痛みと術侵襲による痛みが混在している．骨折による痛みの原因となる部位のスクレロトームはL3/4/5領域で，術侵襲による痛みの原因となる部位のデルマトームはL3/4/5領域となる．そのため，電極はデルマトーム上のL3/4/5領域に貼付する（図15）

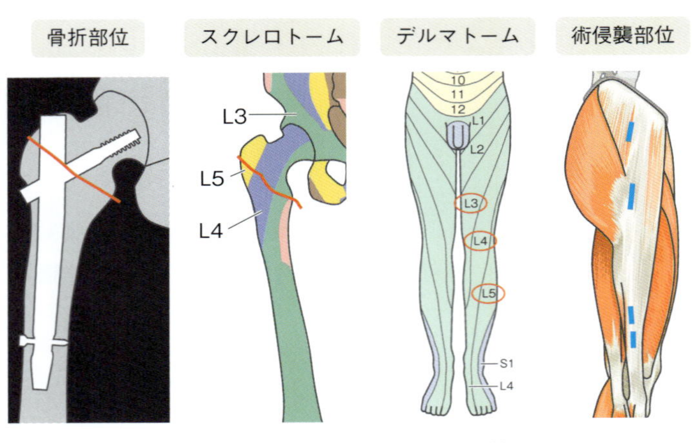

図15　大腿骨転子部骨折術後の痛みの原因部位

- 術後の急性期では術侵襲部位（術創部付近）の筋収縮が生じることで痛みを助長してしまう場合があるため，感覚レベル TENS を実施する．術創部が治癒した後や筋スパズムが生じている場合は，運動レベル TENS に設定することが望ましい．

6）骨転移性がん性疼痛への実施例

- 骨転移性がん性疼痛に対する TENS は，転移した骨のスクレロトームを特定し，同一髄節のデルマトーム内に電極貼付するとよい．
- 電流強度は強いほど鎮痛効果があるが，骨強度に問題がある場合の運動レベル TENS は禁忌である．皮膚の問題などで電極貼付できない場合は，反対側肢の同一部位，傍脊柱部位に電極貼付して TENS を実施することで鎮痛する場合も多い．前述したが，オピオイドに耐性のある症例では，オピオイドと同様の鎮痛メカニズムを呈する低周波 TENS が無効であると報告されているので，高周波 TENS の実施が望ましい．

実験・実習

- 実習では理学療法士として TENS を実施し，患者として TENS を体験すること．
- TENS が圧痛閾値（pain pressure threshold：PPT）に与える影響について体験する．

❶鵞足（がそく）（L3/4 領域）の圧痛閾値を圧痛計にて測定し，数値を記録しておく（図16）．

❷電極を L3/4 デルマトーム内に貼付する（図17）．

❸ TENS 刺激パラメータを対称性二相性パルス波，パルス時間 100 μs，周波数 1 ～ 200 Hz 変調，耐えられる最大電流強度で 30 分間実施する（機器で変調できない場合は，2 チャネル使用して 10 Hz と 200 Hz に設定する）．

❹ TENS 中や TENS 終了後に，鵞足の圧痛閾値を測定し，TENS 前の数値と比較する．10 分ごとに圧痛を測定して，TENS の効果の経時的変化を体験してもよい．

❺電極貼付部位やチャネル数（図18），電流強度などのパラメータ設定を変更して，圧痛閾値への影響を体験してもよい．

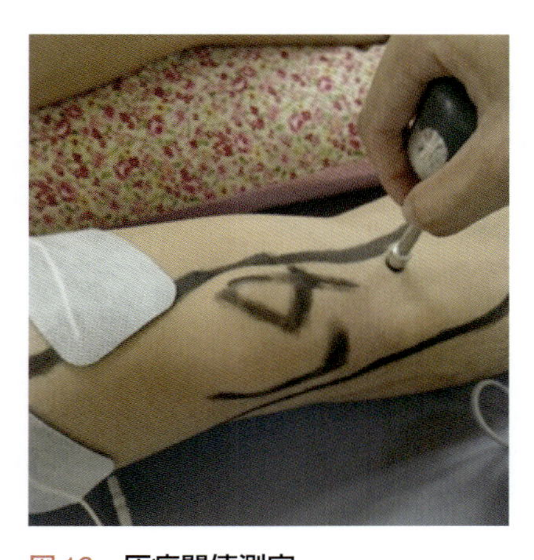

図16　圧痛閾値測定
鵞足に圧痛計を当てて，垂直方向に5N/sの速度で加圧していく．

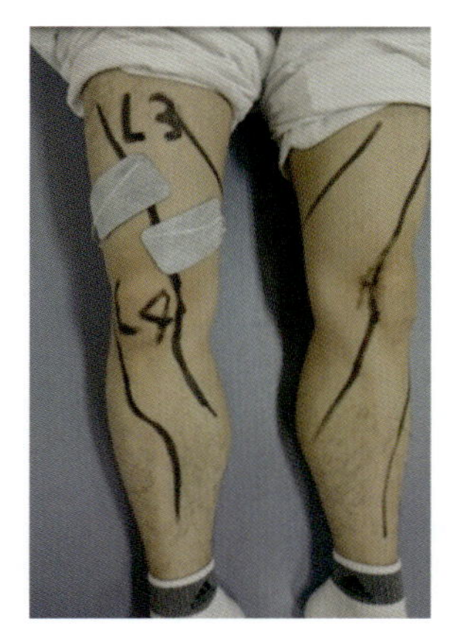

図17　L3/4デルマトーム内への電極貼付

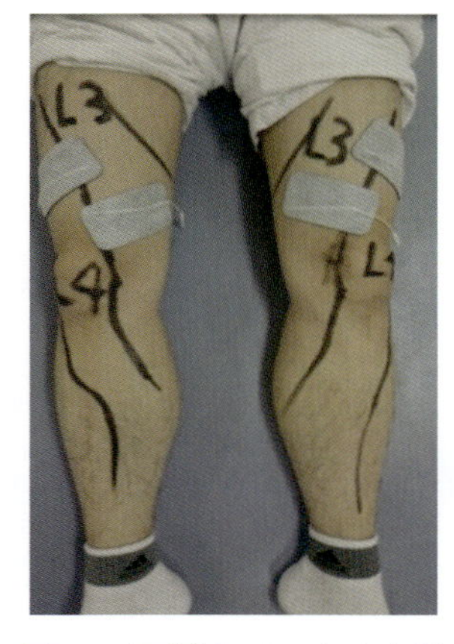

図18　両側2チャネルを使用した電極貼付

■ 文献（第Ⅱ章-9-Bの文献）

1）「Transcutaneous Electrical Nerve Stimulation（TENS）：Research to support clinical practice」（Johnson MI/ed），p7, Oxford University Press, 2014
2）Han JS, et al：Effect of low- and high-frequency TENS on Met-enkephalin-Arg-Phe and dynorphin A immunoreactivity in human lumbar CSF. Pain, 47：295-298, 1991
3）Han JS & Terenius L：Neurochemical basis of acupuncture analgesia. Annu Rev Pharmacol Toxicol, 22：193-220, 1982
4）Pert CB & Snyder SH：Opiate receptor：demonstration in nervous tissue. Science, 179：1011-1014, 1973
5）Hamza MA, et al：Effect of the frequency of transcutaneous electrical nerve stimulation on the postoperative opioid analgesic requirement and recovery profile. Anesthesiology, 91：1232-1238, 1999
6）Desantana JM, et al：Modulation between high- and low-frequency transcutaneous electric nerve stimulation delays the development of analgesic tolerance in arthritic rats. Arch Phys Med Rehabil, 89：754-760, 2008
7）「Transcutaneous Electrical Nerve Stimulation（TENS）：Research to support clinical practice」（Johnson MI/ed），p187, Oxford University Press, 2014
8）Kocyigit F, et al：Functional magnetic resonance imaging of the effects of low-frequency transcutaneous electrical nerve stimulation on central pain modulation：a double-blind, placebo-controlled trial. Clin J Pain, 28：581-588, 2012
9）「Transcutaneous Electrical Nerve Stimulation（TENS）：Research to support clinical practice」（Johnson MI/ed），p173, Oxford University Press, 2014
10）「Transcutaneous Electrical Nerve Stimulation（TENS）：Research to support clinical practice」（Johnson MI/ed），p174, Oxford University Press, 2014
11）Bennett MI, et al：Methodological quality in randomised controlled trials of transcutaneous electric nerve stimulation for pain：low fidelity may explain negative findings. Pain, 152：1226-1232, 2011
12）Bjordal JM, et al：Transcutaneous electrical nerve stimulation（TENS）can reduce postoperative analgesic consumption. A meta-analysis with assessment of optimal treatment parameters for postoperative pain. Eur J Pain, 7：181-188, 2003
13）Sbruzzi G, et al：Transcutaneous electrical nerve stimulation after thoracic surgery：systematic review and meta-analysis of 11 randomized trials. Rev Bras Cir Cardiovasc, 27：75-87, 2012
14）Melzack R & Wall PD：Pain mechanisms：a new theory. Science, 150：971-979, 1965
15）Tonella RM, et al：Transcutaneous electrical nerve stimulation in the relief of pain related to physical therapy after abdominal surgery. Rev Bras Anestesiol, 56：630-642, 2006
16）Fiorelli A, et al：Control of post-thoracotomy pain by transcutaneous electrical nerve stimulation：effect on serum cytokine levels, visual analogue scale, pulmonary function and medication. Eur J Cardiothorac Surg, 41：861-868, 2012
17）Tokuda M, et al：Effect of modulated-frequency and modulated-intensity transcutaneous electrical nerve stimulation after abdominal surgery：a randomized controlled trial. Clin J Pain, 30：565-570, 2014
18）Likar R, et al：Postoperative transcutaneous electrical nerve stimulation（TENS）in shoulder surgery（randomized, double blind, placebo controlled pilot trial）. Schmerz, 15：158-163, 2001
19）Unterrainer AF, et al：Postoperative and preincisional electrical nerve stimulation TENS reduce postoperative opioid requirement after major spinal surgery. J Neurosurg Anesthesiol, 22：1-5, 2010
20）Rakel BA, et al：Transcutaneous electrical nerve stimulation for the control of pain during rehabilitation after total knee arthroplasty：A randomized, blinded, placebo-controlled trial. Pain, 155：2599-2611, 2014

21) Wu Y, et al：Effects of transcutaneous electrical nerve stimulation（TENS）in people with knee osteoarthritis: A systematic review and meta-analysis. Clin Rehabil, 36：472-485, 2022

22) Oncel M, et al：Transcutaneous electrical nerve stimulation for pain management in patients with uncomplicated minor rib fractures. Eur J Cardiothorac Surg, 22：13-17, 2002

23) Khadilkar A, et al：Transcutaneous electrical nerve stimulation（TENS）versus placebo for chronic low-back pain. Cochrane Database Syst Rev, CD003008, 2008

24) American Society of Anesthesiologists Task Force on Chronic Pain Management, et al：Practice guidelines for chronic pain management：an updated report by the American Society of Anesthesiologists Task Force on Chronic Pain Management and the American Society of Regional Anesthesia and Pain Medicine. Anesthesiology, 112：810-833, 2010

25) Gibson W, et al：Transcutaneous electrical nerve stimulation（TENS）for neuropathic pain in adults. Cochrane Database Syst Rev, 9：CD011976, 2017

26) Matsuo H, et al：Early transcutaneous electrical nerve stimulation reduces hyperalgesia and decreases activation of spinal glial cells in mice with neuropathic pain. Pain, 155：1888-1901, 2014

27) Jin DM, et al：Effect of transcutaneous electrical nerve stimulation on symptomatic diabetic peripheral neuropathy：a meta-analysis of randomized controlled trials. Diabetes Res Clin Pract, 89：10-15, 2010

28) Celik EC, et al：The effect of low-frequency TENS in the treatment of neuropathic pain in patients with spinal cord injury. Spinal Cord, 51：334-337, 2013

29) Boldt I, et al：Non-pharmacological interventions for chronic pain in people with spinal cord injury. Cochrane Database Syst Rev, CD009177, 2014

30) Somers DL & Clemente FR：Transcutaneous electrical nerve stimulation for the management of neuropathic pain：the effects of frequency and electrode position on prevention of allodynia in a rat model of complex regional pain syndrome type II. Phys Ther, 86：698-709, 2006

31) Bilgili A, et al：The effectiveness of transcutaneous electrical nerve stimulation in the management of patients with complex regional pain syndrome：A randomized, double-blinded, placebo-controlled prospective study. J Back Musculoskelet Rehabil, 29：661-671, 2016

32) Barbarisi M, et al：Pregabalin and transcutaneous electrical nerve stimulation for postherpetic neuralgia treatment. Clin J Pain, 26：567-572, 2010

33) Kolšek M：TENS - an alternative to antiviral drugs for acute herpes zoster treatment and postherpetic neuralgia prevention. Swiss Med Wkly, 141：w13229, 2012

34) Kılınç M, et al：Effects of transcutaneous electrical nerve stimulation in patients with peripheral and central neuropathic pain. J Rehabil Med, 46：454-460, 2014

35) Bennett MI, et al：Feasibility study of Transcutaneous Electrical Nerve Stimulation（TENS）for cancer bone pain. J Pain, 11：351-359, 2010

36) Loh J & Gulati A：Transcutaneous electrical nerve stimulation for treatment of sarcoma cancer pain. Pain Manag, 3：189-199, 2013

37) Robb KA, et al：Transcutaneous electrical nerve stimulation vs. transcutaneous spinal electroanalgesia for chronic pain associated with breast cancer treatments. J Pain Symptom Manage, 33：410-419, 2007

38) Hurlow A, et al：Transcutaneous electric nerve stimulation（TENS）for cancer pain in adults. Cochrane Database Syst Rev, CD006276, 2012

39) Léonard G, et al：Reduced analgesic effect of acupuncture-like TENS but not conventional TENS in opioid-treated patients. J Pain, 12：213-221, 2011

40) Chandran P & Sluka KA：Development of opioid tolerance with repeated transcutaneous electrical nerve stimulation administration. Pain, 102：195-201, 2003

41) Johnson MI, et al：Transcutaneous electrical nerve stimulation（TENS）for phantom pain and stump pain following amputation in adults. Cochrane Database Syst Rev, 8：CD007264, 2015

42) Ainsworth L, et al：Transcutaneous electrical nerve stimulation（TENS）reduces chronic hyperalgesia induced by muscle inflammation. Pain, 120：182-187, 2006

43) Sabino GS, et al：Release of endogenous opioids following transcutaneous electric nerve stimulation in an experimental model of acute inflammatory pain. J Pain, 9：157-163, 2008

44) Giuffrida O, et al：Contralateral stimulation, using TENS, of phantom limb pain：two confirmatory cases. Pain Med, 11：133-141, 2010

45) Mulvey MR, et al：Transcutaneous electrical nerve stimulation for phantom pain and stump pain in adult amputees. Pain Pract, 13：289-296, 2013

46) Proctor ML, et al：Transcutaneous electrical nerve stimulation and acupuncture for primary dysmenorrhoea. Cochrane Database Syst Rev, CD002123, 2002

47)「Transcutaneous Electrical Nerve Stimulation（TENS）Research to support clinical practice」（Johnson MI/ed）, pp147-169, Oxford university press, 2014

48)「Emergency Management of Skeletal Injuries」（Ruiz E & Cicero JJ/eds）, Mosby-Yearbook, 1995

49) McCredie J & Willert HG：Longitudinal limb deficiencies and the sclerotomes. An analysis of 378 dysmelic malformations induced by thalidomide. J Bone Joint Surg Br, 81：9-23, 1999

50)「Transcutaneous Electrical Nerve Stimulation（TENS）：Research to support clinical practice」（Johnson MI/ed）, p76, Oxford University Press, 2014

51) Liebano RE, et al：An investigation of the development of analgesic tolerance to TENS in humans. Pain, 152：335-342, 2011

52)「最新物理療法の臨床適応」（庄本康治／編）, p153, 文光堂, 2012

53) 徳田光紀：腹部外科手術後のTENSの効果. 理学療法ジャーナル, 50：255-260, 2016

C) NMES

学習のポイント

- NMESが生体に与える影響とその目的を理解する
- NMESの適応と効果，禁忌と注意事項を理解する
- 筋力低下，中枢性運動麻痺，痙縮について理解する
- NMESを健常者に対して実施できる

1 神経筋電気刺激（NMES）とは

- NMES（neuromuscular electrical stimulation）は体表に貼付した表面電極を介して神経筋に電気刺激を加え，他動的に筋収縮を誘発するものであり，筋力増強や筋萎縮の予防，神経筋再教育，痙縮抑制などを目的として実施されている．
- NMESは積極的な運動療法が実施できない対象者に対して，運動の代替手段として筋力増強トレーニングを行うことができる．
- NMESと随意的な筋収縮を組合わせることで筋力増強効果の底上げが期待できる．

2 筋力増強のためのNMES

1）筋力増強のためのNMESの適応と効果

1 対象となる機能障害

- 筋力低下が起きる要因は，中枢神経障害や末梢神経障害，手術による侵襲，長期間のベッドレストやギプス固定で生じる廃用によるものなど多岐にわたる（表1）．
- 内部障害分野では，単なる廃用ではなく，多様な要素（慢性炎症や低栄養など）が絡み合うサルコペニア※1，悪液質（カヘキシア）※2，PEW（protein-energy wasting）※3，ICU-AW（ICU acquired weakness）※4といった筋力低下の著しい病態が注目されており，その対応としてNMESが用いられている．
- その他，摂食・嚥下障害の要因となる嚥下筋群の筋力増強としてNMESが用いられている．

補足

※1　サルコペニア
サルコペニアは，加齢による骨格筋の衰えを疾患概念として扱うためにつくられた造語で，高齢者における筋量や筋力の減少による身体能力の低下に深く関連する病態である．

※2　悪液質（カヘキシア）
悪液質は，慢性消耗疾患〔慢性心不全，慢性腎不全，がん，慢性閉塞性肺疾患（COPD）など〕をベースとして生じる．筋肉量の減少を主徴とした複合的な代謝異常の症候群で，身体機能の低下，QOLの悪化，治療毒性の増強，予後の悪化をもたらす．悪液質の発生機序には，慢性的な炎症性サイトカインの活性化が筋タンパク質分解亢進や食欲不振などをもたらし，これに加齢や治療などの要因が加わっている．

表1　筋力低下の要因

要因	内容
上位運動ニューロン障害	脳・脊髄血管障害，脊髄炎，変性疾患，多発性硬化症など
下位運動ニューロン障害	①脊髄前角細胞の障害 ②神経根障害：椎間板ヘルニアなど ③神経叢障害：胸郭出口症候群など ④末梢神経障害： 免疫性（ギランバレー症候群） 代謝性（糖尿病，栄養障害など） 中毒性（重金属，薬物） 変性性（シャルコー・マリー・トゥース病など） 血管性（膠原病など） 腫瘍性（レックリングハウゼン病） 物理的要因（絞扼性，圧迫）
神経筋接合部の障害	①自己免疫性：重症筋無力症，多発性筋炎など ②遺伝性神経筋伝達障害：アセチルコリン再合成障害など ③中毒・薬物：ボツリヌス中毒など
筋の障害	①遺伝性：筋ジストロフィー，先天性ミオパチーなど ②外因性：物理的外因 ③炎症性：筋感染症など ④内分泌性：甲状腺機能亢進・低下など ⑤悪性腫瘍に伴うミオパチー ⑥廃用

文献1をもとに作成.

補足

※3　PEW（protein-energy wasting）

PEWは，急性腎障害および慢性腎臓病患者にみられるタンパク質とエネルギー源の蓄積が減少した状態とされている．栄養不足や尿毒症，全身炎症，代謝性アシドーシス，インスリン抵抗性などさまざまな要因が複雑に絡み合っている．

※4　ICU-AW（ICU acquired weakness）

全身炎症，不活動，高血糖，ステロイド使用，神経筋阻害剤使用，低栄養が要因となり，全身性の筋力低下（左右対称性の四肢麻痺）が生じる．

2 基礎・臨床研究報告

①NMESの生理学的作用

- 随意収縮では，小さい運動単位（遅筋線維）から大きい運動単位（速筋線維）へと動員されるが，電気刺激による収縮は，すべての運動単位を同期的に動員させる．その特性から随意収縮と組合わせることで広範囲に運動単位を動員でき，筋への負荷を高めることができる[2]．
- NMESは，筋再生系に関与する筋内のサテライト細胞の増殖を促し，筋線維の増殖を刺激する[3]．
- NMESによる筋力増強には，筋タンパク質合成・分解系も関与している．
  - ▶NMESは，筋タンパク質合成系に関与するインスリン様成長因子（insulin-like growth factor-1：IGF-1）を増加させる．

- ▶ またNMESは，筋タンパク質分解系に関与するユビキチン－プロテアソーム系の活動を抑制する[4]．

- NMESは，求心性の感覚入力により中枢神経系を促通し，その結果，上位中枢からの下行性入力を増大させ，筋出力を増加させる[5]．

②運動器疾患に対するNMES

- Talbot（タルボット）らは，変形性膝関節症患者に対して，大腿四頭筋へのNMESを12週間実施した結果，非実施群では膝伸展筋力が7％減少したのに対して，実施群では膝伸展筋力が9.1％増加したと報告している[6]．
- Stevens（スティーブンス）らは，人工膝関節術後早期から大腿四頭筋に対するNMESを6週間実施した結果，非実施群より膝伸展筋力と6分間歩行が有意に改善したと報告している[7]．
- Yoshidaらは，人工膝関節全置換術後早期の患者を対象に，周波数100 Hz，パルス幅1,000 μ秒の二相性パルス波を用いたNMESを実施し，筋収縮を起こさない刺激強度であっても筋力増強効果が得られたと報告している[8]．
- Hauger（ハウガー）らは，前十字靱帯術後患者に対するNMESのメタ解析の結果，標準的な理学療法とNMESの併用は，標準的な理学療法のみと比較して，術後早期の大腿四頭筋筋力および身体機能を有意に改善すると報告している[9]．

③内部障害に対するNMES

- Vivodtzev（ビボドトゼブ）らは，重度COPD患者に対して週5日6週間のNMESを実施した結果，非実施群より膝伸展筋力と6分間歩行が有意に改善したと報告している[10]．
- Dobsák（ドブサック）らは，重度の慢性心不全患者に対して，大腿四頭筋・腓腹筋へのNMESを4～6週間実施した結果，非実施群より膝伸展筋力と最高酸素摂取量が有意に改善したと報告している[11]．
- Michael（マイケル）らは，アメリカ理学療法士協会のガイドラインにて安定した慢性心不全患者に対するNMESはエビデンスの質Ⅰ，推奨強度A-Strongとし，処方すべきであると報告している[12]．
- Dobsákらは，人工透析患者に対して，下肢伸展筋へ20週間のNMESを実施した結果，筋力や身体機能，QOL，透析効率（尿素クリアランス）が改善したことを報告している[13]．
- Valenzuela（ヴァレンズエラ）らは，人工透析患者に対するNMESのメタ解析の結果，NMESは通常ケアと比較して膝伸展筋力，立ち上がりテスト，6分間歩行距離を有意に改善したと報告している[14]．
- Routsi（ローティ）らは，ICU入院中の患者に対してNMESを実施した結果，非実施群よりICU入院期間，人工呼吸器管理期間が短縮したと報告している[15]．
- Segers（セヘルス）らは，ICU入院中の患者に対してNMESを実施したが，浮腫が強く至適な筋収縮が得られなかった群では筋力の改善を認めなかったと報告している[16]．
- Liu（リュー）らは，ICU-AWに対するNMESのメタ解析の結果，通常ケアと比較して筋力や在院日数，ADLは有意に改善したが，死亡率は有意差を認めなかったと報告している[17]．
- Miyamotoらは，2型糖尿病患者に対して食後に下肢筋へのNMESを実施した結果，血糖を低下させたと報告している[18]．
- Teschler（テシュラー）らは，サルコペニア患者に対して4週間の全身性のNMESを通常リハに併用した結果，通常リハのみより筋力，立ち上がりテスト，6分間歩行を有意に改善したことを報告している[19]．

④嚥下障害に対するNMES

- Freed(フリード)らは，摂食・嚥下障害患者に対してNMESを実施した結果，冷圧覚刺激群と比較して有意に嚥下機能が改善したと報告している[20]．
- Maedaらは，摂食・嚥下障害患者に対して感覚強度の干渉波を用いたNMESを嚥下練習に併用した結果，嚥下練習のみより咳嗽反射および栄養状態が有意に改善したことを報告している[21]．

2）筋力増強のためのNMESの禁忌と注意事項

1 禁忌（第Ⅱ章-9-Aも参照）

- **心臓ペースメーカーを含む体内の電気的装置の誤作動となる部位**：下肢に対するNMESは問題なしとの報告もある．
- **妊娠中の女性の腰部，腹部や経穴点**：発育中の胎児や妊娠子宮への影響がある．
- **悪性腫瘍**が確認されている，または疑われる部位
- **深部静脈血栓**や**血栓性静脈炎**
- **出血部位や出血性疾患**が治療されていない患者
- **感染部位，結核や骨髄炎**
- **最近，放射線治療を受けた部位**：放射線を当てた部位の皮膚は日焼けしたようになり刺激に弱くなる．
- **心不全，不整脈のある患者の胸部**：不安定な不整脈を増悪させる可能性がある．
- **けいれん発作のある患者の胸部**：血流増大に伴いけいれんを悪化させる可能性がある．
- 専門的トレーニングを受けずに行う**頭蓋**や**生殖器**：過量の電流が流れると機能不全を起こす可能性がある．
- **眼やその近傍**
- **前頸部や頸動脈洞**
- **皮膚損傷部位**：過量の電流が流れる可能性があり，損傷を増悪させる．

2 注意事項

- **急性期・重症例の心疾患患者や呼吸器患者**では循環動態の変化に注意する．
  - ▶刺激中は循環動態をモニタリングし，血圧や心拍などの著明な変化がないか確認する．変化が生じた場合は負荷量を調節する．
- **熱傷**：総電流量が増加すると生じる場合がある．
  - ▶一定の部位に電流密度が増加しないようにする．電極の劣化がないか確認，大きな電極を用いて皮膚に密着させる．
- **電極に対するアレルギー**：皮膚過敏症または炎症が電極配置部位に生じる場合がある．
- **疼痛（遅発性筋肉痛）**：NMESは随意収縮より大きな筋損傷を誘発し，遅発性筋肉痛が生じやすいと報告されている．数日間かけて徐々に電流強度を増加させるとよい．

3）筋力増強のためのNMESの実際

- NMESは，その特性を熟知し，治療目的に応じて効果が最大限に得られる方法，パラメータを各症例において選択していくことが重要である．

1 電極配置

- 電極は支配神経幹やモーターポイントを捉えて配置するとよい（第Ⅱ章-9-A-図22参照）.
- モーターポイントは神経筋接合部が集積している場所であり，興奮閾値が低く，筋収縮を誘発しやすい.
- 筋腹のみの電極配置では，表層の部分的な刺激になる，同一の部位しか刺激できない，同期的に動員され疲労しやすい，電気刺激による不快感が強いといった制限を受け十分な負荷とならない場合がある.
- モーターポイントの位置は対象者によって異なる．ペンシル型電極にて対象筋が最も収縮する部位を探索し，モーターポイントを同定することが重要である（図1）（関連動画①）.
- 大きい骨格筋へは，電極は大きめのものを使用した方が，疼痛や不快感を抑え，十分な筋収縮を誘発することができる.

関連動画①

2 NMESパラメータ（表2）

①波形

- 二相性対称性パルス波とロシアン電流とよばれる中周波バースト変調交流である（第Ⅱ章-9-A参照）.
- 二相性対称性パルス波は安定して筋収縮が得られ，また身体に大きな電荷を残さないことから筋力増強として用いやすい.

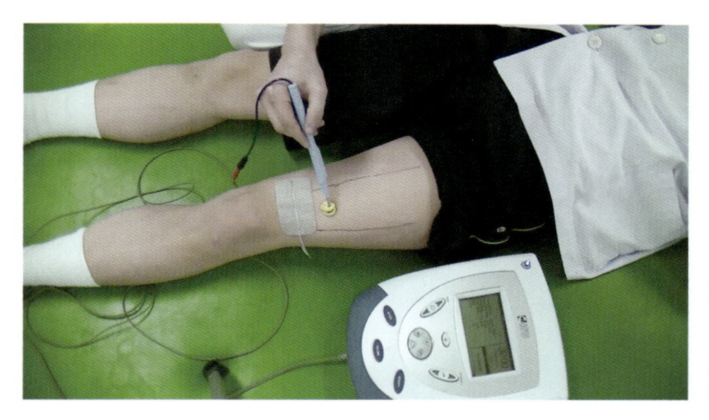

図1　支配神経幹やモーターポイントの探索

図中の製品はIntelect Mobile Stim, Chattanooga社製.

表2　筋力増強として推奨されるNMESパラメータ

波形	対称性二相性パルス波
周波数	50～100 Hz
オン—オフ時間	1：1～5が多い（5～10秒オン/10～50秒オフ）
パルス時間（パルス幅）	200～500 μs
電流強度	不快感のない耐性可能な最大強度
電極サイズ	大きめの自着性電極（5 cm × 9 cm など）
電極配置	支配神経幹上，モーターポイント
治療時間	20～60分間/日

②周波数

- 筋力増強を図るためには単収縮では不十分であり，強縮（tetanus）を誘発させる方がよい．
- 強縮は20 Hz以上の周波数にて生じる．さらに周波数がより高い方が完全な強縮に近づき，より強い筋収縮を誘発させることができる．
- 高周波数で刺激した方が低周波数より筋力の改善が大きかったとの報告もあり，筋力増強に用いられる周波数は，50～100 Hzが多く用いられている．

③オン－オフ時間

- NMESは筋疲労が生じやすい特性があり，筋疲労を抑制するために，オン－オフ時間を適切に設定する必要がある．
- オン時間を5～10秒，オフ時間を10～50秒と，オン：オフ比が1：1～5程度に設定されていることが多く，休息時間を長く設定することで筋疲労を抑制することができる．

④パルス時間（パルス幅）

- 筋力増強に用いられるパルス時間は，200～500 μs程度が多く用いられている．
- パルス時間は，短い方が疼痛などの不快感は生じにくいが，長いほど誘発する筋出力は大きくなる．
- 筋萎縮が著明で，筋収縮が誘発されにくい場合は，パルス時間を可及的に長くすることで筋動員することができる．

⑤電流強度

- 筋力増強効果を目的とするうえでは，最大耐性可能な強度に設定し，誘発される筋収縮を大きくする必要がある．
- 電流強度は，疼痛や不快感が耐性できる最大強度に設定している報告が多い．

現場のコツ・注意点

電流強度は可能な範囲で患者自身に機器に触れてもらい上げてもらう．恐怖感を与えず，早期に慣れてもらうことで，強い電流強度に上げることができる．

⑥強さ－時間曲線（SD曲線）（図2）

- SD曲線とは，神経や筋を脱分極させるのに必要な電流強度とパルス持続時間の関係をあらわしたものである（第Ⅱ章-9-Aも参照）．

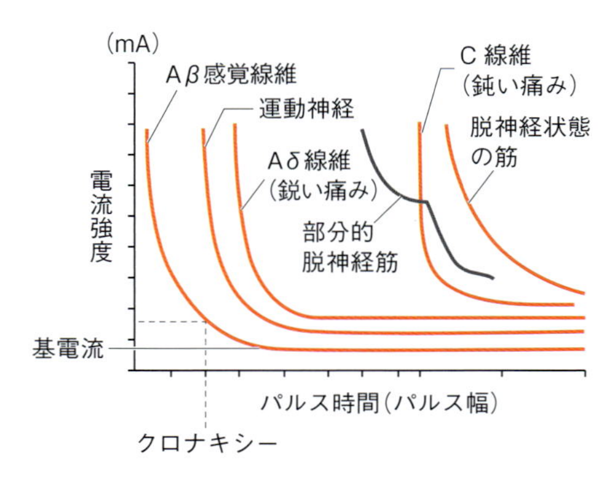

図2　SD曲線

文献22をもとに作成．

- SD曲線上で，それ以上パルス時間を延長しても，興奮が起こりはじめる強度に変化がみられない電流を「基電流」といい，基電流の2倍の電流を流したときに興奮しはじめるパルス持続時間を「クロナキシー」という．
- 電流強度を上げていくと，まずAβ線維が興奮しピリピリとした感覚が生じる．さらに強度を上げていくと運動神経線維が興奮し筋収縮が生じる．引き続き電流強度を上げていくと，運動神経線維がより興奮し強い筋収縮を誘発できるが，Aδ線維も興奮しはじめるため痛みが生じる．
- パルス時間を長くすると小さい電流強度で筋収縮を誘発できるが，Aδ線維も興奮しやすくなり痛みが伴いやすくなる．
- 脱神経筋を収縮させる場合，筋膜を直接刺激して興奮させるため，強い電流強度，長いパルス時間を設定することができる機器が必要となる．
- 部分的脱神経筋や神経再生途中の筋では，SD曲線は通常の脱神経筋よりも左下方に移動するが，折れ目が認められる．
- これらを踏まえたうえで，患者の病態を正確に捉え，快適かつ効率よく筋収縮が得られる設定にする．

⑦実施肢位

- **大腿四頭筋**：背臥位または座位にて，タオルや枕を膝窩部に入れ，膝関節軽度屈曲位で，電気刺激が入るとともに膝関節伸展運動を行う（図3，関連動画②）．さらに運動負荷を上げる場合は重錘による抵抗を加える．

関連動画②

- **下腿三頭筋**：背臥位または立位にて，バランスボールによる抵抗を加え，電気刺激が入るとともに足関節底屈運動を行う（図4）．カーフレーズ運動と併用して実施してもよい．
- **中殿筋**：側臥位や背臥位または立位にて，重錘による抵抗を加え，電気刺激が入るとともに股関節外転運動を行う（図5）．荷重練習と併用して実施してもよい．

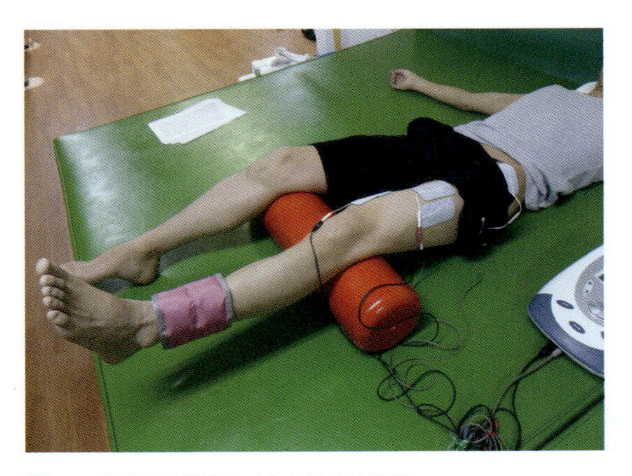

図3　大腿四頭筋に対するNMES

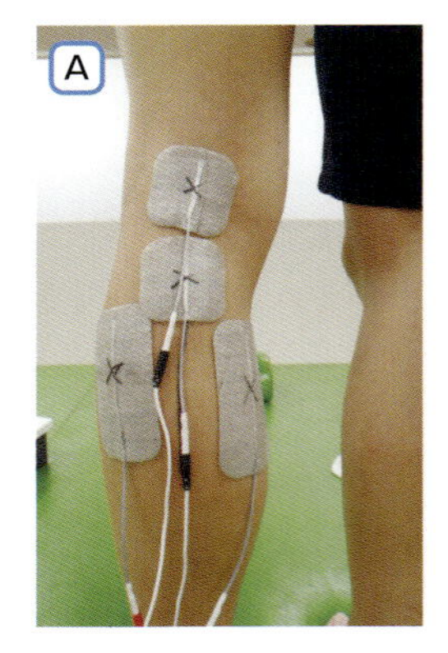

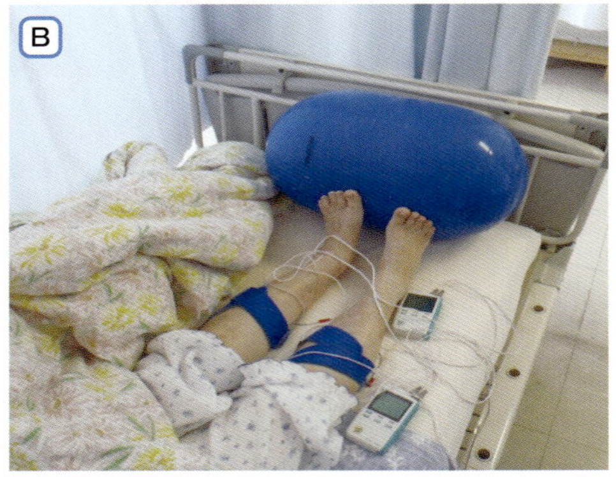

図4　下腿三頭筋へのNMES

A）電極配置．B）背臥位にてバランスボールによる抵抗を加えた状態での実施．

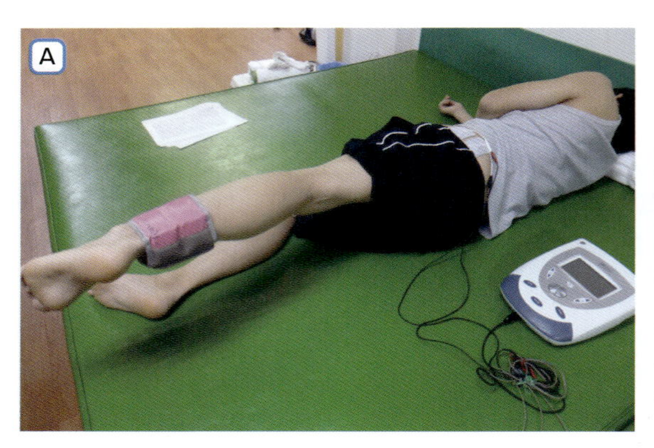

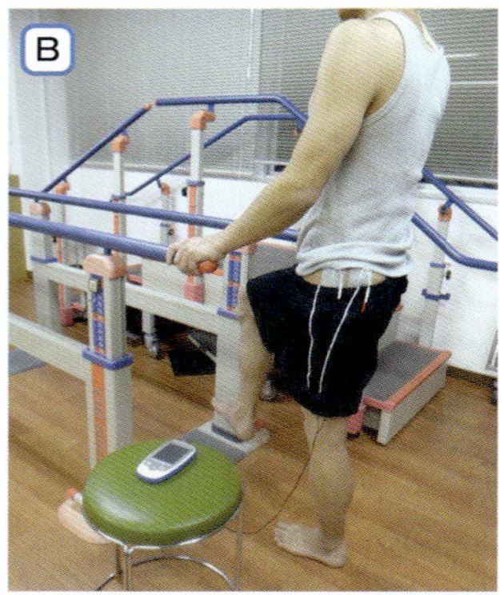

図5　中殿筋に対するNMES

A）側臥位にて重錘による抵抗を加えた状態での実施．B）片足立ちの立位での実施．

実験・実習

1）目的

- 筋力増強を目的とするNMESを体験し臨床への応用を理解する．
- この実習では変形性膝関節症や前十字靱帯再建術後により長期間の膝関節ギプス固定を余儀なくされた患者を想定し，筋力増強を目的とする大腿四頭筋へのNMESを体験する．

2）準備

- NMES装置，電極（5 cm × 9 cm 自着性電極，ペンシル型電極），水またはジェル，重錘またはゴムチューブ，アルコール綿．

3）手順

❶実施肢位は背臥位または端座位とする．重錘またはゴムチューブにより抵抗をかけてもよい．

❷電流抵抗を減らすために，大腿部をアルコール綿で清拭する．

❸ペンシル型電極に水またはジェルを付け，対象神経筋（大腿神経幹，大腿直筋，内側広筋，外側広筋）の走行上に押し当て，ゆっくりと動かし，筋収縮が最も強く観察される位置（モーターポイント）を同定する．周波数は単収縮が起きる1～20 Hz，パルス時間300 μsに設定し，電流強度は収縮が起きるまで上昇させる（関連動画①）．

❹同定された大腿神経幹とモーターポイントに電極を貼り付ける．

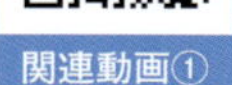
関連動画①

❺周波数80 Hz，パルス時間300 μsとする．

❻電流を耐性可能な強度まで最大に上昇させる（筋収縮が生じる強度から他動的に膝伸展運動が生じる強度を体験する）．

❼パラメータを変更できる機器であれば，周波数やパルス時間を変え，収縮の変化を体験する．

関連動画②

❽電気刺激による収縮に合わせて随意的に膝伸展運動を行い，トレーニング方法を体験する（関連動画②）．

4）実習後

- 筋力増強のためのNMESの体験を通して，運動療法と併用することの意義と臨床への応用を考察する．

3 中枢性運動麻痺に対するNMES

1）中枢性運動麻痺と電気刺激療法

❶ 中枢性運動麻痺とは

- 脳卒中などの中枢神経損傷後の障害構造を図6に示す．
- 中枢神経損傷後の運動麻痺はリーチ・把握・把持動作や立位・歩行動作などの基本的動作の障害の主たる原因となる重要な項目である．
- 中枢神経損傷後の運動麻痺の病態として，中枢レベルでは主に皮質脊髄路の損傷による下行性インパルスの減少に伴って，運動単位の減少や発火頻度の低下による筋の弱化（weakness）が生じる[23]．結果として筋収縮の強度や頻度を低下させるため，末梢レベルでは筋萎縮が進行し，筋力・筋持久力が低下する[24]．

❷ 中枢性運動麻痺に対する電気刺激

- 表面からの経皮的な電気刺激は，ある一定の強度に達すると電極直下の感覚神経および運動神経を脱分極させる．脱分極した神経の興奮は両方向に伝播し，末梢神経の興奮が遠位に伝播すると，筋収縮を誘発する（遠心性効果）（図7）．一方，感覚神経の興奮は末梢神経を上行し，脊髄後根から介在ニューロンを介して視床に到達し，感覚野に伝わる．この感覚野への入力は，皮質間の連絡線維を通じて運動野の興奮性を変調させる（求心性効果）．
- NMESは神経・筋の運動制御を改善させるために用いる電気刺激をさすが，中枢神経疾患に対しては，“遠心性効果”および“求心性効果”を症例の病態に合わせて適応させることが重要である．

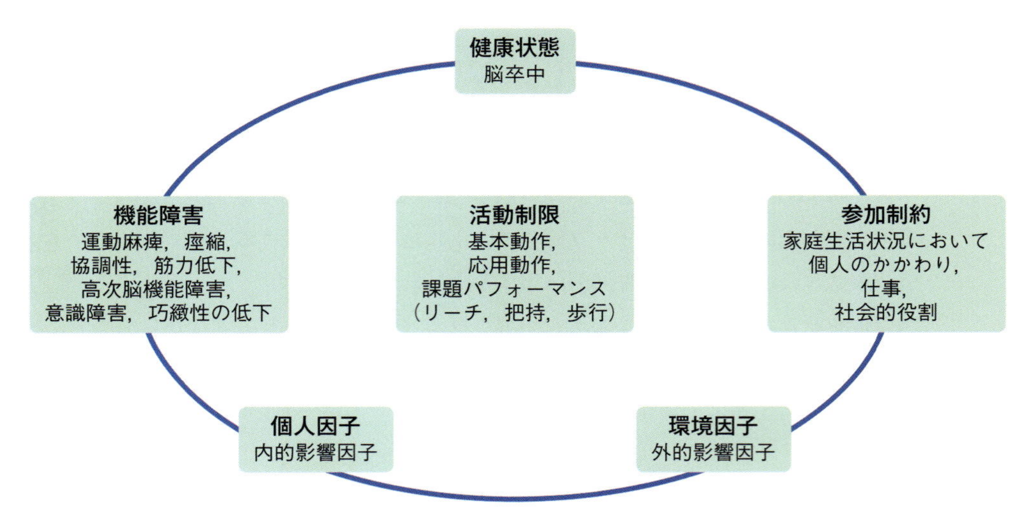

図6　脳卒中後の障害構造例（国際生活機能分類 ICF に準じて）

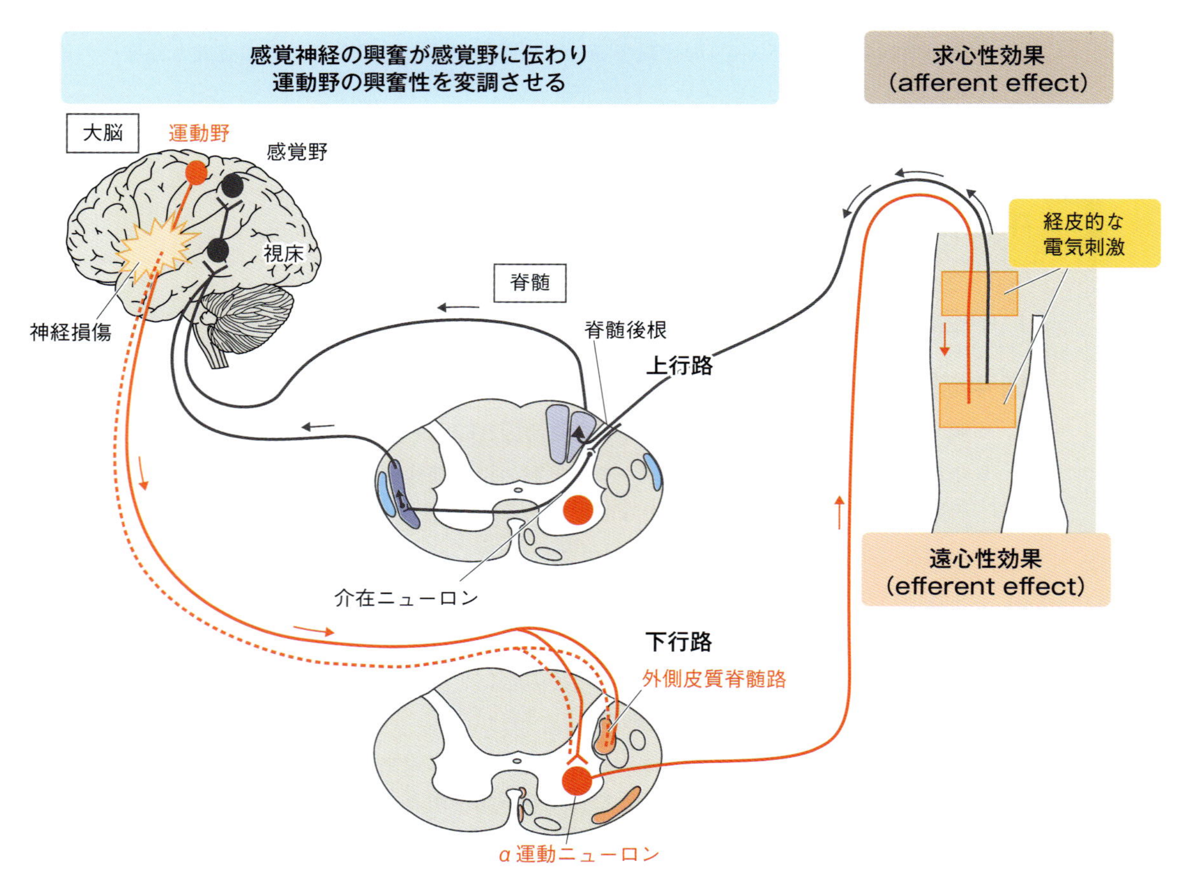

図7　電気刺激の遠心性効果と求心性効果

詳細は本文参照．

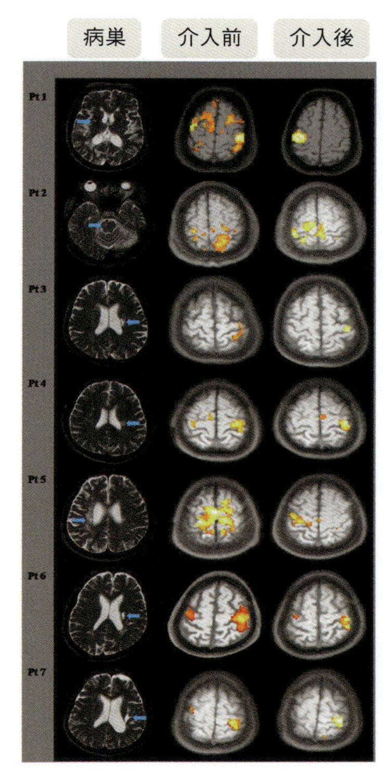

図8　脳卒中患者に対するNMES介入前後の手関節背屈時の脳活動（fMRI）の変化

7例の治療前後のBOLD反応の変化．青色矢印は病巣を示す．介入前は運動野ではない領域の脳活動が多くみられるが，介入後には運動野に限局されるようになっている．NMESと随意運動の併用治療は機能改善とともに皮質再構成が生じる．写真は文献25より引用．

- 例えば，脳卒中発症後急性期は医学的治療のため安静臥床を強いられる場合がある．さらに，運動麻痺は随意運動を困難にするため，自ずと筋収縮の頻度は低下する．したがって，発症後早期より末梢の筋萎縮は進行してしまう．これに，NMESにおける遠心性効果を適応することで，早期から筋萎縮を予防することができる可能性がある．
- 求心性効果に関しては，損傷後は損傷側の運動野以外に広範囲に脳活動がみられるようになってしまうところ，NMESの感覚入力と随意運動の組合わせによる神経筋再教育によって損傷側の感覚運動野に脳活動が限局されることが報告されている[25]（図8）．何もしなければ運動麻痺によって生じた運動障害を代償運動によって補填するようになりやすいが，この代償運動の定着が臨床上問題となる．NMESはこれら過剰な代償運動を軽減させ，本来の機能回復を最大化させるという視点で用いることが望ましい．

3 中枢性運動麻痺に用いられる電気刺激療法

- 中枢性運動麻痺に対しては神経筋電気刺激（NMES），機能的電気刺激（FES），筋電図誘発型電気刺激（ETMS），随意介助型電気刺激（IVES）などが用いられる．本項では，中枢性運動麻痺に対する電気刺激という視点で，NMESだけでなく，他の電気刺激療法も紹介する．
- 従来，電気刺激によって生成された筋収縮によって動作を再建するFESは，いわば補装具のように機能的代償を行うツールとして用いられてきた．
- しかしながら，FESによって機能回復が生じる例がいくつも報告されてきた．近年の経頭蓋磁気刺激や脳イメージング研究から，FESを活用したトレーニングによって皮質再構成が生じることが明らかになってきた．

- 電気刺激を随意運動に同期させることで，より皮質興奮性が増大し，治療効果を高めると考えられている[26]．
- 中枢性運動麻痺に対する電気刺激療法の戦略を図9に示す．運動麻痺の重症度に応じて，治療目的に応じて，適切なモダリティを選択するとよい．より重要なことは，刺激パラメータを一様に実施するのではなく，治療目的や患者の病態や状況によって柔軟に調整することである．明確な治療仮説を立てたうえで適切なアウトカムを用いて仮説検証的に電気刺激を実施していくことが肝要である．

2）中枢性運動麻痺に対するNMESの効果と適応，治療の実際

1 上肢運動障害に対する電気刺激

①重度運動麻痺

- 上肢運動麻痺は主に皮質脊髄路損傷によって引き起こされ，皮質脊髄路の損傷程度はリハビリテーション効果に強く影響を与える[27]．
- 重度運動麻痺の改善には，損傷側の皮質脊髄路以外に非損傷半球からの同側性経路の機能的代償が寄与する[28]．
- リハビリテーション戦略として，損傷側の皮質脊髄路の興奮性を高めるアプローチが重要である一方で，同側性経路の代償を適正化していくことが求められる．
- 2010年のシステマティックレビューでは，ロボット治療※5と電気刺激療法が重度運動麻痺に対する治療手段として採択されており，電気刺激療法は限定されたエビデンスであるが，治療効果は大きいとされている[29]．
- 重度上肢運動麻痺を呈する回復期脳卒中患者に対して，棘上筋と三角筋，または前腕背屈筋群に電極を貼付して，随意運動に同期させたNMESにて5秒オン・5秒オフで1日30分のNMESを週5回3週間実施したランダム化比較対照試験（RCT）では，NMES実施群が有意なフーゲルマイヤーアセスメント（Fugl-Meyer Assessment）※6の改善を示した[30]．これは，重度運動麻痺に対する神経筋再教育には電気刺激を併用する方が運動麻痺改善効果が高いことを示すエビデンスである．
- 重度運動麻痺患者への手指装着型電極（FEE）（療法士が装着する）を用いた多部位への臨床実用性の高い電気刺激方法がある[31]（図10）．

補足

※5　ロボット治療

ロボット治療とは電気機械的にロボットが上肢や下肢の動きをサポートして種々の練習を実施する治療のことで，世界中で多くの機器が開発されている．療法士の介助では実施困難な難易度調整や運動の実現が可能で，重度の運動障害があっても運動量を確保できるという利点があるが，機器が高価であり十分普及していないのが現状である．

※6　フーゲルマイヤーアセスメント（Fugl-Meyer Assessment）

脳卒中患者の身体機能について定量化するために開発された評価法である．上肢・下肢・感覚障害・バランス・関節可動域からなる5項目で評価する．上肢は66点満点，下肢は34点満点の100点である．臨床で簡便に運動麻痺の重症度を測定する評価として全世界で使用されており，高い再現性，反応性が確認されている．

重度運動麻痺（筋萎縮・弛緩性麻痺・亜脱臼）

NMES あるいは FES
- 神経筋再教育との併用.
- ミラーセラピー，両側運動，交互運動との併用.
- 筋萎縮の予防と運動単位の増大を図る.

中等度運動麻痺（分離困難・痙縮増大）

NMES，FES，ETMS，IVES を検討
- 痙縮抑制.
- 課題指向型動作練習に併用.
- 問題点に限局した電気刺激.
- さらなる運動単位の増大や巧緻性・協調性の改善を図る.

軽度運動麻痺

末梢神経感覚電気刺激
- CI 療法といった麻痺肢積極的課題指向型練習や行動療法に補助的に電気刺激による感覚入力を付加し，ADL 上の使用頻度を増大させる.

図9　中枢性運動麻痺に対する電気刺激療法の戦略

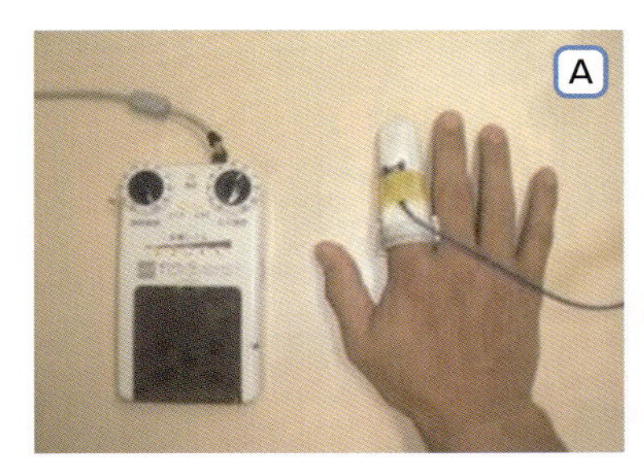

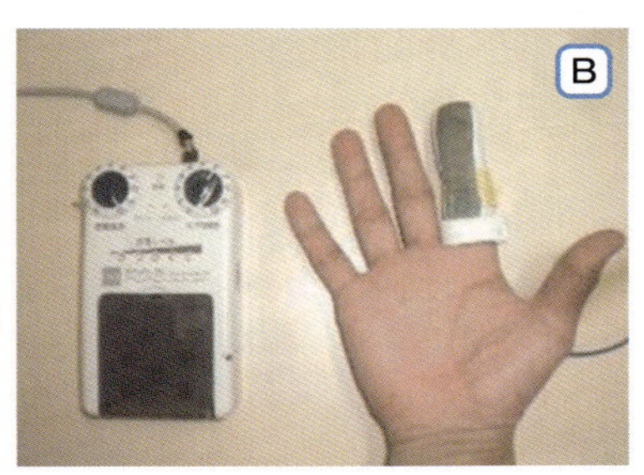

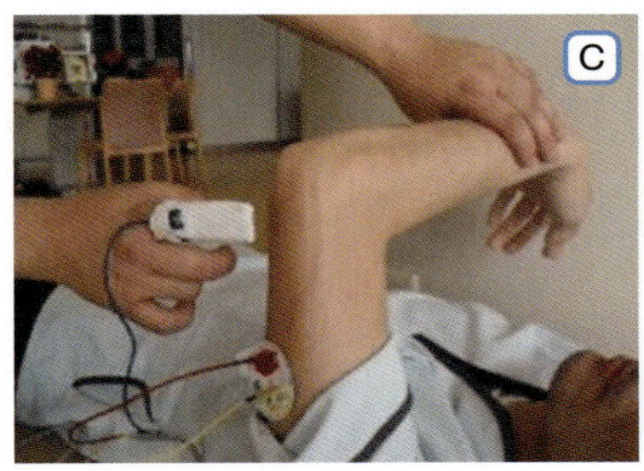

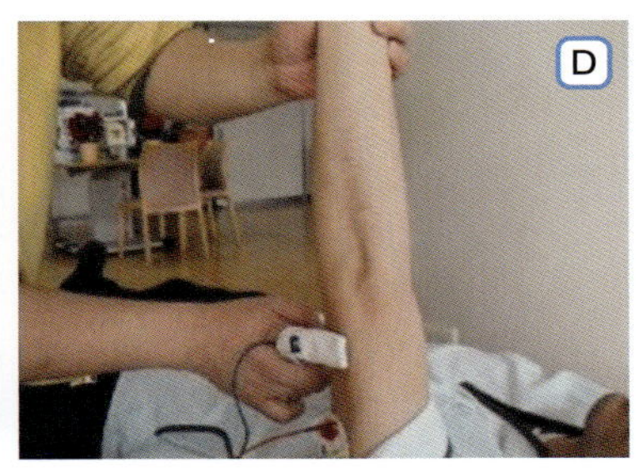

図10　手指装着型電極（FEE）による随意運動（自動介助運動）との併用治療

A）B）手指装着型電極（FEE）を装着したところ．C）D）背臥位にて肘屈曲位から抗重力肘伸展運動に上腕三頭筋への電気刺激を併用している例．文献31より引用．

②麻痺側肩関節亜脱臼と痛み

- 脳卒中後の肩の痛み（post-stroke shoulder pain：PSSP，あるいはhemiplegic shoulder pain：HSP）の有病率は研究によって差があるが，5～84％にも到達するとされる[32]．
- 脳卒中後の肩の痛みはADLやリハビリテーション自体を制限させ，ひいてはQOLを低下させる[33]．
- 脳卒中後の肩の痛みに関連する要因は，重度の運動麻痺，肩関節の可動域制限，次いで，亜脱臼，感覚の低下であると報告されている[34]．
- 亜脱臼と肩の痛みとは相関しないとの報告もあるが，相関するとの報告もあり矛盾している[35]．しかし，長期の亜脱臼は微細な軟部組織の損傷を引き起こす原因となりうるため，早期に改善が必要である．

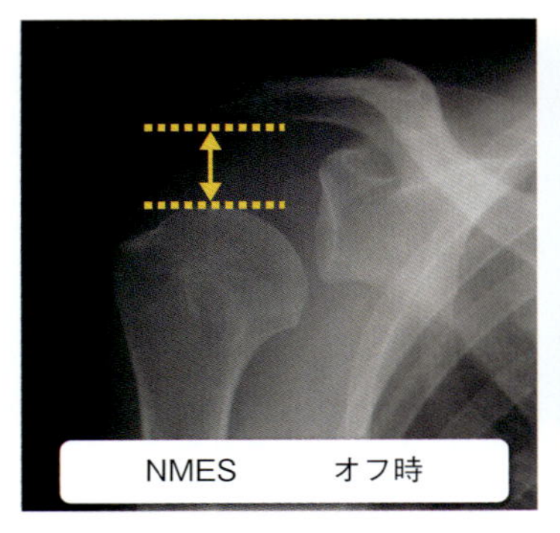

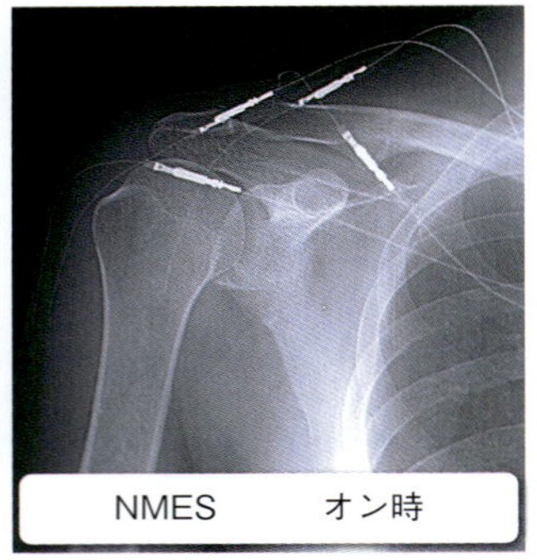

図11 肩関節亜脱臼に対するNMES
棘上筋と三角筋後部線維に電極を貼付している．NMESオン時に関節窩に上腕骨頭が整復される．

表3 肩関節亜脱臼に対するNMESの報告

著者	年	対象	デザイン	治療期間	評価	追跡評価	結果
Baker LL & Parker K	1986 (36)	N＝63 急性期・慢性期	RCT	－	－	3カ月	有効
Faghri PD, et al.	1994 (37)	N＝26 急性期	RCT	6週間 (1日6時間)	X線 (前後)	3カ月	有効
Chantraine A, et al.	1999 (38)	N＝120 急性期	RCT	－	－	6カ月 1，2年	有効
Kobayashi H, et al.	1999 (39)	N＝17	RCT	－	－	3カ月	有効
Linn SL, et al.	1999 (40)	N＝40 急性期	RCT	4週間	X線 (前後)	8週間	有効 (長期効果なし)
Wang RY, et al.	2000 (41)	N＝32 急性期＝16 慢性期＝16	A-B-A デザイン	6週間	X線 (前後)	なし	有効 (急性期のみ)
Yu DT, et al.	2001 (42)	N＝8 慢性期	前後評価	6週間	X線 (前後)	3カ月	有効
Fil A, et al.	2011 (43)	N＝48 急性期～回復期	RCT	1～3週間	X線 (前後)	なし	有効

・RCT：ランダム化比較対照試験．対象者を治療群と比較対照群に無作為に割り付け，治療効果を判定する研究手法である．
・A-B-Aデザインとは，シングルケースデザインの一種で，A期に通常の治療（基礎水準期），B期に比較したい治療（操作導入期）を実施し，A期にもどす．各期の治療効果を比較することで単一症例であっても治療効果の評価が実施可能となる．
・前後評価は単に治療前後で治療効果を比較しただけの研究デザインで主に症例報告にて実施される．
＊（ ）内の数字は参考文献の番号

関連動画③

- この亜脱臼の改善にNMESが活用できる（図11）．肩関節亜脱臼に対するNMESの参考文献を示す（表3）．NMESは主に棘上筋と三角筋後部線維に実施されているものが多い（図12，関連動画③）．肯定的な報告が多い一方で，もち越し効果が少ない，すなわちNMESを撤回すれば亜脱臼が再発するエビデンスも明らかにされている．
- Leeらによる2017年のシステマティックレビューによると，短期間または長期間の亜脱臼に対するNMESは，急性期または回復期脳卒中患者の亜脱臼の軽減に有効であることが示されている[44]（図13）．
- しかしながら，慢性期患者では有効性は示されておらず，上肢機能や肩の痛みに対しての

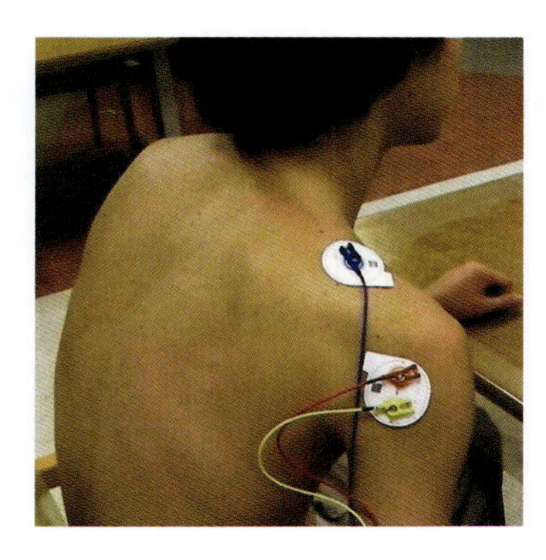

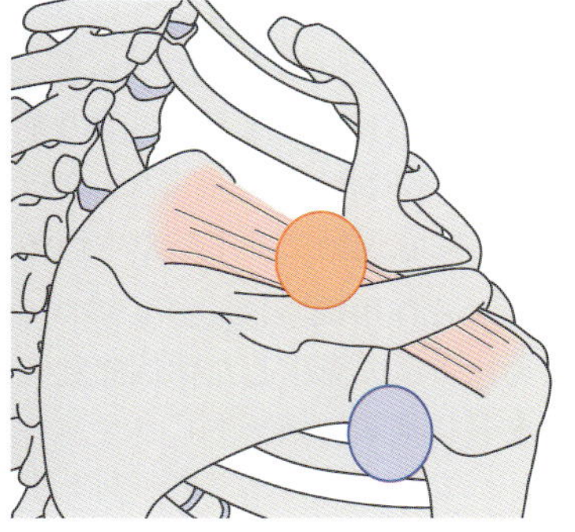

図12　亜脱臼に対する電極貼付部位

棘上筋（◯）と三角筋後部線維（◯）に貼付している．棘上筋部は肩甲上神経を刺激すると筋収縮を得られやすい．近位部への貼付によって僧帽筋上部線維の収縮が生じるため注意が必要．

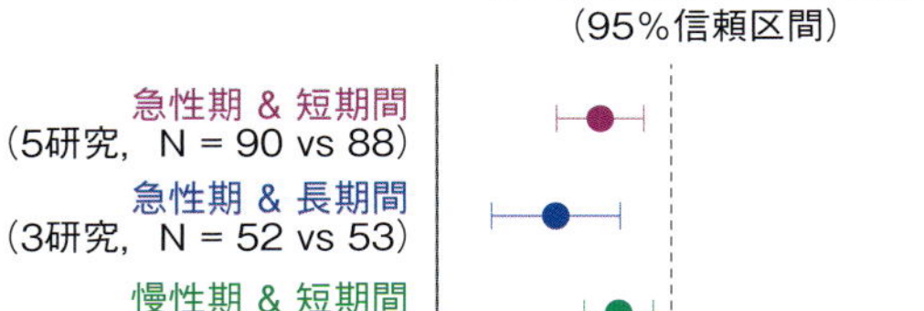

【推奨パラメータ】

周　波　数：10〜36 Hz
パルス時間：200〜250 μs
時　　　間：60分以上（可能であれば）
オン-オフ：1：5から1：1へ
頻　　　度：週3〜7回
期　　　間：4〜8週間
刺 激 部 位：棘上筋，三角筋後部線維

図13　亜脱臼に対するNMESのメタアナリシス

亜脱臼に対するNMESにおいて，病期（急性期，慢性期）および介入期間（短期間，長期間）で介入効果を検討したサブグループ解析の結果を示している．標準化平均差とは，平均差（研究開始から研究終了までの変化の平均値）を当該研究における対照群の標準偏差で割ることによって，平均差を標準化したものである．エラーバーは95％信頼区間を示す．この信頼区間が0をまたいでると介入の効果が有意ではないことを示す．0からの数値（絶対値）が大きいほど効果が大きいことを示す．文献44をもとに作成．

有効性も明らかではない．

- これら先行研究から，麻痺側亜脱臼に対するNMESは，可能な限り早期から予防的に介入し，かつ積極的な運動療法と併用して上肢の運動麻痺自体を改善させる必要が考えられる．
- NMESに併用可能な運動療法として，両側上肢運動，ロボット治療がある．特に両側性上肢運動は重度運動麻痺を呈していても自主トレーニングとして実施可能であり，臨床実用性が高い方法である．

③中等度運動麻痺

- 中等度運動麻痺例では随意運動は行えるが分離運動ができない，痙縮に関連した運動障害，動作時に代償運動を過剰に伴うといった現象が観察される．
- 随意性をさらに高めるためにNMES, ETMS, IVESが有用である．
- ある程度随意性が保たれているのであれば，機能が低下している部位を補うようなNMESの設定にて課題指向型練習に併用するとよい（関連動画④⑤ 脳梗塞片麻痺（手指麻痺）症例のNMESなし／ありでの物品把持練習）．

関連動画④

関連動画⑤

- ETMSとは，治療対象筋に電極を装着し，電極を見ながら機器の聴覚信号（もしくは視覚信号）に合わせて随意運動を行うという治療法である．運動時の筋電が設定した閾値を超えると電気刺激が誘発される．NMESでは電気刺激のオン―オフのタイミングに合わせて自らが同期させる努力が必要になるが，ETMSの場合は，ある設定の筋電閾値を超えると電気刺激がオンになるため，随意運動と併用しやすいという利点がある．
- ETMSが運動麻痺を改善させる作用機序は，損傷側の感覚運動皮質の賦活によるものであると考えられている．運動によって発生した体性感覚刺激が体性感覚野にくり返し入力されることにより感覚運動皮質に長期増強を生じさせ，これを反復練習することにより運動学習効果を促進し，結果としてパフォーマンスが向上するというものである．このETMSは単関節運動以外にもさまざまな治療との親和性が高く，両側上肢運動との併用[45]やミラーセラピーとの併用[46]が報告されている．
- IVESとは村岡らによって開発されたETMSの短所を改善したものであり，随意運動とより自然な形で同期した刺激が可能で，かつ課題指向型練習との親和性が高い治療機器である[47]（関連動画⑥⑦ 脳梗塞片麻痺（近位筋麻痺）症例のIVESなし／ありでのペットボトルの把持・挙上）．詳細は第Ⅱ章-9-Eを参照．

関連動画⑥

関連動画⑦

④軽度運動麻痺

- 軽度運動麻痺では，ある程度分離運動が可能であるものの拙劣さが残存する，あるいは日常生活での麻痺側上肢の使用頻度が少ないといった問題点を抱える場合が多い．この日常生活での使用頻度の低下は，学習性不使用（learned-non-use）を生じさせ，麻痺側の機能回復を阻害する[48]．
- 現在のエビデンスでは，軽度運動麻痺に対してはCI療法※7が最も有効とされているが，このCI療法を補助する目的として末梢神経電気刺激が活用できる．
- 末梢神経電気刺激とは，経皮的に末梢神経から長時間感覚閾値強度の電気刺激を与える方法である．これにより感覚皮質を介した皮質間連絡により運動野の興奮性が増大するとされている[49]．
- 正中神経への長時間の末梢神経電気刺激により，ピンチ力の向上や上肢機能的動作能力の改善が報告されている[50]．
- また，積極的な課題指向型練習と末梢神経電気刺激を併用することで，課題指向型練習の効果を高めることが報告されている[51]．
- 末梢神経電気刺激に用いられるパラメータを表4に示す．

補足

※7　CI療法

CI療法（constraint-induced movement therapy）とは，Taub（タウブ）らによって開発された脳卒中片麻痺患者の上肢機能障害に対する治療方法の1つであり，shapingとよばれる機能改善を目的とした段階的使用と，task-practiceとよばれる機能を生活動作に応用するための長時間の課題指向型練習と，その結果獲得した機能や活動を実生活に転移するための行動心理学的な戦略であるtransfer packageから構成されている．本邦の脳卒中ガイドライン2015[76]においても高いエビデンスが報告されている治療法である．

表4 末梢神経電気刺激の刺激パラメータ例

波形	非対称性二相性パルス波
パルス時間（パルス幅）	1 ms
周波数	10 Hz
バースト周波数	1 bps（500 ms オン/500 ms オフ）
電流強度	刺激神経支配領域の感覚閾値（痛みなし，筋収縮が目視できない）
電極サイズ	5 cm × 5 cmの自着性電極
電極配置	麻痺側正中・尺骨神経同時刺激
治療時間	60分（1セッション）（同時に課題指向型練習実施）

Intelect Mobile Stim, Chattanooga社製の例

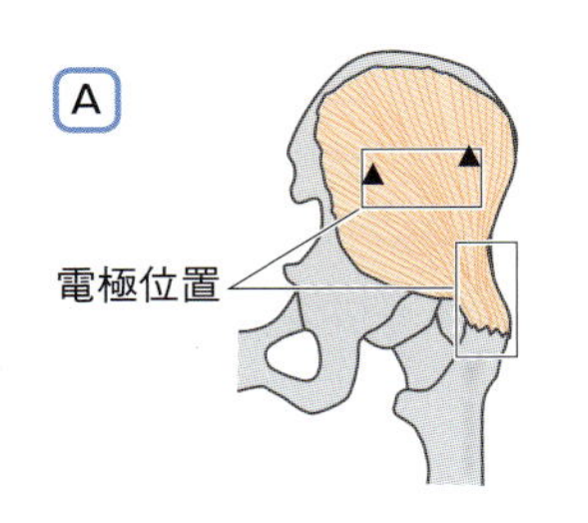

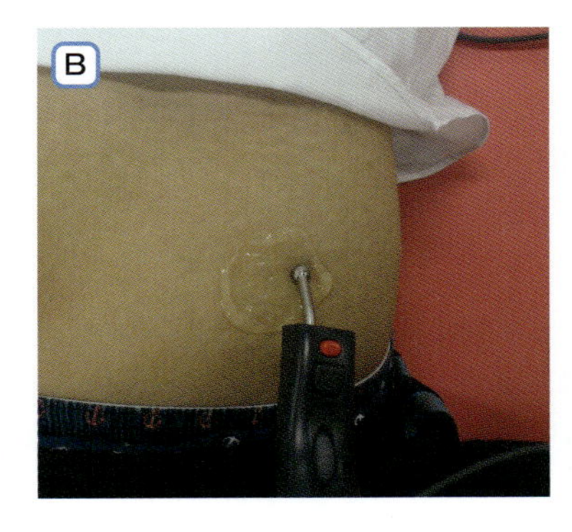

図14 中殿筋への電気刺激

A）中殿筋のモーターポイントと電極位置．内側，外側に複数存在するため，大きい電極を用いて，モーターポイントを含むよう貼付すると大きな筋収縮を得られやすい．もう一方の電極は筋腹遠位の大転子直上に貼付する．B）モーターポイントの探索．ペンシル型電極などで事前にモーターポイントを探索しておくとよい．

2 下肢運動障害に対する電気刺激

①重度運動麻痺

- 下肢においても重度運動麻痺に対しては上肢と同様に，まずは運動単位の増大と筋萎縮の予防を図る必要がある．下肢においては大きい筋が多いため，大腿四頭筋や殿筋群に対しては大きな電極（5 cm × 9 cmなど）を用いるとよい（図14）．また，モーターポイントだけでなく，神経幹に刺激した方がより強い収縮が得られるため，大腿四頭筋や足関節背屈筋群，底屈筋群の刺激の際は，大腿神経，総腓骨神経，脛骨神経をそれぞれ刺激する（第Ⅱ章-9-A-図22参照）（関連動画⑧ 重度運動麻痺に対するNMESによる筋力増強練習）．

関連動画⑧

- ハンドスイッチ型FESの場合，重度運動麻痺者においても動作に併用させて電気刺激が実施可能である．内側・外側広筋に対称性二相性パルス，パルス時間（パルス幅）220 μsにて，膝伸展が生じる最小の強度にて歩行の立脚期や体重移動の際にタイミングよく治療者が電気刺激を実施する．この治療において，コントロール群と比較して介入群に運動単位の動員の増加がみられた報告がある[52]．
- 股関節周囲筋の運動麻痺によって歩行時麻痺側立脚期の支持性の低下がある場合，中殿筋への電気刺激が有用である可能性がある[53]．麻痺側立脚期にハンドスイッチにてタイミングよく刺激する．その他，課題指向型練習や神経筋再教育と併用してもよい．

②軽度～中等度運動麻痺

- 軽度～中等度運動麻痺に対してはさらなる分離運動や運動単位の増大のため，電気刺激を併用することで改善が期待できる．

- 代表的な電気刺激に足関節背屈不全に対するFESがある．歴史的には，Liberson（リバーソン）らが脳卒中片麻痺患者の足関節背屈不全（foot drop）に対して，表面電極とフットスイッチを用いて総腓骨神経を電気刺激し，歩行時の足関節背屈を補助した研究にはじまっている[54]．
- 足関節背屈に対するFESの使用前後での歩容の変化を動画で示す（関連動画⑨）．歩行遊脚期に足関節の背屈不全や内反尖足を示す症例では，FESによる足関節の背屈補助によりスムーズな遊脚期が可能となり，それによって立脚期の前方重心移動が改善する場合もある．

関連動画⑨

- Kluding（クルーディング）らによる短下肢装具（AFO）とFESの効果を比較した大規模RCTでは[55]，197名の維持期脳卒中患者に対する30週間のAFOとFESのおのおのの治療プログラムの効果を多施設で実施し，介入前後においてAFO群（0.12→0.18 m/s），FES群（0.11→0.17 m/s）と，ともに群内で有意な歩行速度改善を示したが，AFO群とFES群の群間には改善度に差はなかった．一方，満足度に関しては，AFO群よりもFES群で有意に高かった．
- アメリカ理学療法士協会によるAFOとFESの使用ガイドラインが2021年に発表されており，AFOとFESは両者ともQOL，歩行速度，移動能力，バランス，持久力の向上に対して提供すべきであると推奨されている[56]．両介入ともに歩行関連指標には改善効果があり，AFOとFESの優劣は明確ではない．
- しかし，FESを長期に使用すると下肢運動野の皮質再構成が生じる報告[57]や，急性期において有意な機能改善（背屈筋力，歩行速度）を認めた報告[58]もあり，FESは決してAFOと相反するものではなく，治療目的に応じて柔軟に介入あるいは撤回すべきである．また，単独で用いるよりも，積極的に運動療法と併用しながら実施した方がよい[59]．
- 脳卒中患者において，麻痺が重症なほど前方推進力の非対称性が強く，歩行速度に影響している[60]．歩行速度を改善させるためには，前方推進力に関連する足関節底屈筋活動を高める必要がある．
- 麻痺側の前方推進力を高めるために，足関節底屈・背屈筋へのFESが実施される[61]（関連動画⑩）．

関連動画⑩

- この足関節底屈・背屈筋へのFESとトレッドミルトレーニングの併用によって，約10%の足関節底屈モーメントが増大し，約15%のエネルギーコストの削減が生じる[62]．これらのFESはハンドスイッチ型のFESで実施可能である．
- 久保田ら[63]は，遊脚期に前脛骨筋を，立脚後期に腓腹筋を刺激するFESの即時的効果について，三次元動作解析および内側感覚運動皮質のヘモグロビン濃度変化を計測した．この研究では，FES実施前と比較してFES実施中および実施後には，歩行速度や麻痺側立脚期の股関節屈曲モーメント，膝関節伸展モーメントおよび足関節底屈モーメントが改善し，FES実施中の非損傷半球の内側感覚運動皮質の酸素化ヘモグロビン濃度が加速期・定速期とも有意に低下していたことを報告している．
- これは，FESを用いることで，正常な運動パターンに近づいた結果，非損傷半球の過剰な脳活動が抑制された可能性を示している．
- つまり，FESを用いた歩行トレーニングは，過剰な代償運動を軽減しつつ良好な運動の再学習を促すことができるきわめて合理的な介入方法といえる．

3）中枢性運動麻痺に対するNMESの禁忌と注意事項

- 禁忌と注意事項は**第Ⅱ章-9-A**を参照.

現場のコツ・注意点

電気刺激と運動との併用による評価

電気刺激により弱化した筋トルクを補うことで生じる運動の変化から，動作分析において主たる原因である問題点を分析することが可能となる．例えば，関連動画⑥⑦の症例は安静時に肩関節亜脱臼を生じており，随意運動時では整復するものの，麻痺側上肢での操作を実施すると著明な肩甲骨挙上による代償運動や肩関節の痛みが観察された．そこで，随意介助型電気刺激を棘上筋と三角筋前部線維に実施し，肩関節屈曲時に痛みなく亜脱臼が整復，かつ関節運動が行える強度でペットボトルの把持・挙上動作を実施した．その結果，電気刺激なしでは肩甲骨の挙上による代償や肩関節の痛みを生じたのに対し，電気刺激ありでは，肩甲骨の挙上が抑制され，痛みなくペットボトルを把持し操作できるようになった．このように，電気刺激は動作上問題となっている筋の弱化したトルクを，電気刺激による筋収縮によって得られた筋トルクにて援助することが可能であり，どの筋が弱化したのかの評価としても活用できる側面を有している．

関連動画⑥

関連動画⑦

実験・実習

- 実習では患者の気持ちになって，以下2つの電気刺激を体験してみる．

❶**上肢へのNMESと課題指向型練習の併用治療**（関連動画④⑤）

電極を総指伸筋に貼付し，低周波治療器を用いて，対称性二相性パルス，パルス時間300 μs，周波数30 Hzとし，5秒オン，5秒オフに設定する．電流強度を関節運動が生じるまで上げる．手関節背屈，MP関節の伸展が生じている際に物品を把持してみる．

関連動画④

関連動画⑤

❷**下肢（腓骨神経）のモーターポイント探索**（関連動画⑪）

電極の位置を前脛骨筋のモーターポイントに貼付し，もう一方を総腓骨神経，浅腓骨神経，深腓骨神経で変化させてみる．足関節の外反，内反，背屈が切り替わるのを確認し，前脛骨筋，長・短腓骨筋，長趾伸筋の収縮程度の変化を観察する．症例では，麻痺や筋萎縮の程度によって反応が異なることに注意．

関連動画⑪

4 痙縮抑制のためのNMES

1）痙縮とは

- 痙縮は，脳卒中，脊髄損傷，脳性麻痺などの上位運動ニューロンの障害によって生じる「上位運動ニューロン症候群の一要素で，伸張反射増強の結果として腱反射亢進を伴って生じる，他動伸張時の速度依存性筋緊張亢進」であると定義される[64]．すなわち速い速度での伸張に対する伸張反射の亢進を示す運動障害である（関連動画⑫）．

関連動画⑫

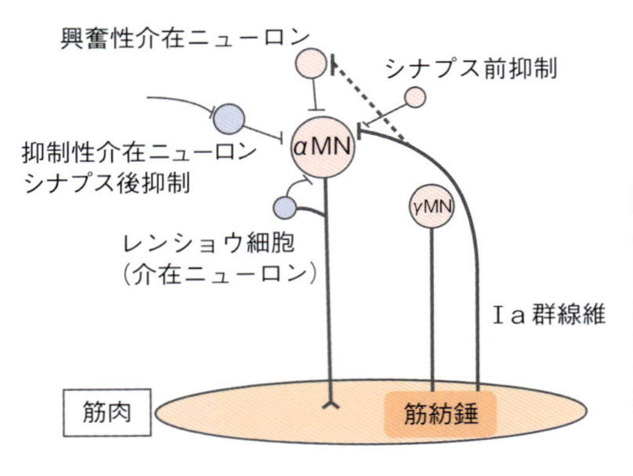

図15　伸張反射のメカニズム

筋が素早く伸張されると筋紡錘からの入力が脊髄α運動ニューロン（αMN）を興奮させ，筋収縮を発生させる反射が起きる．γ運動ニューロン（γMN）は筋紡錘の感受性を調節している．○は興奮性，○は抑制性介在ニューロンを示し，伸張反射回路は，複数の神経機構により制御されている．文献65をもとに作成．

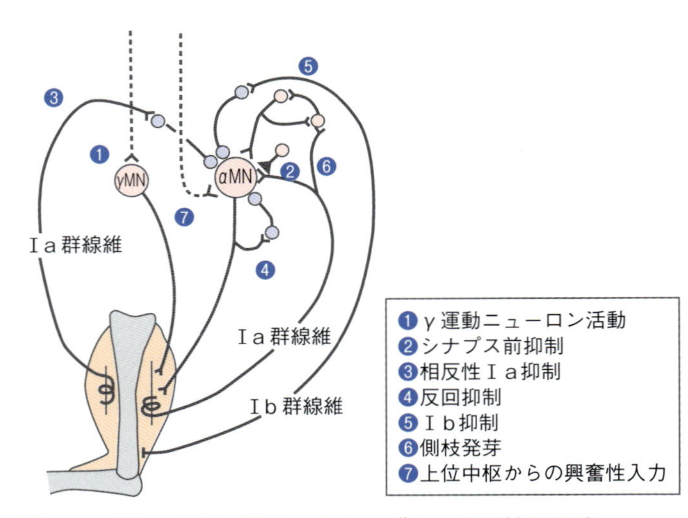

図16　痙縮の出現に関与するさまざまな脊髄神経経路

痙縮の発現には多様なメカニズムが関与している可能性が示されており，脊髄神経回路の障害だけでなく，上位中枢からの影響も受ける．文献66と文献67をもとに作成．

- 伸張反射は，素早い伸張が生じると，筋紡錘からの入力が脊髄α運動ニューロンを単シナプス性に興奮させ，筋収縮を発生させるというしくみで生じる（図15）[65]．
- 痙縮は，上位運動ニューロンの損傷によるシナプス前抑制や相反抑制（図16）[66) 67]，PAD（post-activation depression）※8の低下[71]などの障害により生じると考えられている．
- 上位運動ニューロンのなかで，皮質脊髄路の損傷は，痙縮に直接的には関与していないことが示唆されている[72]．
- 伸張反射を制御する脊髄反射回路の興奮性は，促通と抑制機能によってバランスが保たれており，それらのバランスが破綻し，興奮性の増大により痙縮が生じると考えられる（図17）[73]．

補足

※8　PAD（post-activation depression）

PADとはシナプス前神経線維が発火した後に，その後数秒間にわたり，シナプス前神経終末の伝達が減少し，次の発火反応が低下する現象である．PADは，シナプス前神経終末の伝達物質の枯渇によって起こる反射の低下であることが解明されており[68]，脳卒中患者や脊髄損傷，多発性硬化症などの痙縮患者では，PADが減弱していることが報告されている[69) 70]．

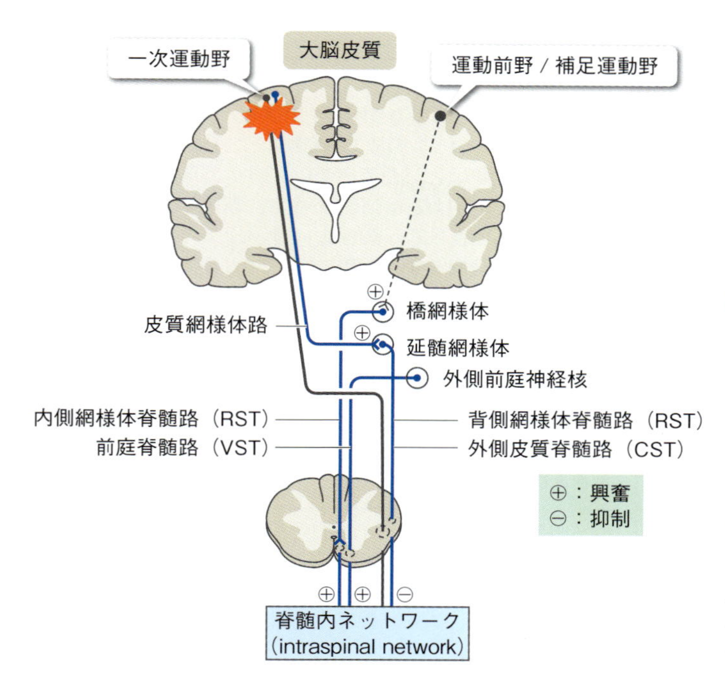

図17　脳卒中後の痙縮に関与する脊髄上位の制御

皮質網様体路は両側性の投射があるが，側性の優位性があるとされる．橋網様体路は，主に同側の運動前野/補足運動野からの入力を受けるとされる．この橋網様体からの内側網様体脊髄路（RST）や前庭脊髄路（VST）は，脊髄反射回路の興奮性を促通させる機能を担っている．一方，背側網様体脊髄路（RST）は抑制性の機能を有しており，対側の一次運動野から主に入力を受ける．そのため脳卒中などによって外側皮質脊髄路や皮質網様体路の損傷を受けると，背側網様体脊髄路が機能低下し，脊髄反射回路は脱抑制となり，興奮性が促通されてしまう．文献73より引用．

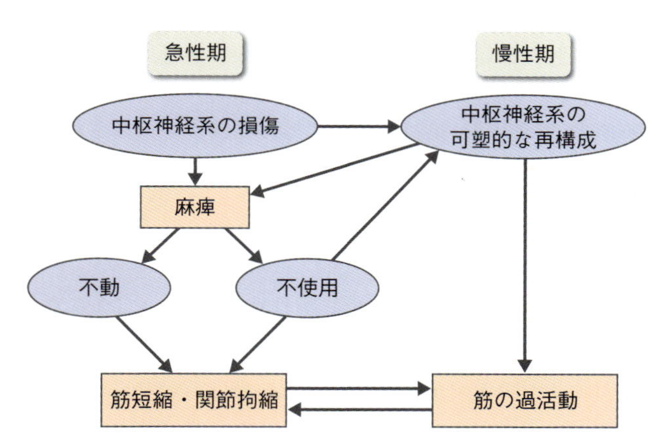

図18　痙性麻痺の病態

痙縮は，中枢神経系の損傷だけに由来するわけではなく，麻痺による二次的な関節拘縮などの末梢性の変化も影響する．末梢性の変化がさらに麻痺肢の使用を妨げ，関節拘縮なども助長することで，痙縮が増大される．文献74と文献75をもとに作成．

- また運動麻痺による不動や不使用により末梢の筋や腱などの軟部組織の線維化や短縮，関節拘縮をきたすことにより，末梢の組織が弾性を失うことで，筋紡錘の興奮性が増大し，わずかな伸張刺激にも筋紡錘が過敏に反応して反射活動の亢進が生じ，痙縮が増大すると考えられている（図18）[74) 75)]．そのため，痙縮に対するアプローチを検討する場合には，中枢性の問題だけでなく，拘縮のような末梢の問題に対しても検討する必要がある．
- 痙縮に対しては，ボトックス[※9]や髄腔内バクロフェン[※10]埋込療法といった薬物療法，選択的脊髄後根遮断術などの手術療法や装具療法，ストレッチングなどの運動療法，温熱療法や電気刺激療法などの物理療法がある．電気刺激療法は非侵襲的で，副作用が少なく，患者負担の少ない治療であり，他の治療との併用も行いやすい．

補足

※9　ボトックス

痙縮に対するボトックス（ボツリヌス療法）にはA型毒素製剤を用いる．ボトックスは，末梢の運動神経の神経筋接合部におけるアセチルコリンの放出を抑制することで，神経筋伝達を阻害し，筋弛緩作用を示すものである．効果は2，3日で出現し，3～4カ月持続するとされている．2～3カ月を過ぎると阻害された神経は軸索の発芽が生じ，新たな接合部を形成する．また阻害されていた神経終末の機能も回復してくるため，ボトックスの作用は消退する．痙縮が抑制された状態で，運動療法や物理療法などを実施することが重要である．

※10　バクロフェン

バクロフェンは抑制性伝達物質のGABA誘導体で，代表的な中枢性弛緩薬である．バクロフェンは脳血管関門の通過が困難で，経口では脊髄で十分な濃度にならず，重度の痙縮への効果は不十分である．そのため，重度な痙縮に対しては，薬剤を髄腔内に持続投与可能な埋め込み型ポンプを植込む髄腔内バクロフェン療法が行われる．なお，経口のバクロフェンでは眠気や悪心，頭痛などの副作用が生じる可能性がある．

2）痙縮に対するNMESの適応と効果

1 対象となる疾患・機能障害

- 適応となる疾患は，痙縮を生じる脳卒中や脊髄損傷，多発性硬化症や脳性麻痺などの中枢神経疾患である．
- 治療部位は上肢では，肘関節屈曲筋，手関節掌屈筋や手指屈曲筋の痙縮に対して実施されることが多い．下肢では，膝関節屈曲筋や足関節底屈筋の痙縮に対して実施されることが多く，股関節内転筋の痙縮抑制に拮抗筋の股関節外転筋にも実施されている（図19）．

2 基礎・臨床研究

- 本邦の脳卒中治療ガイドライン2021において，「経皮的末梢神経電気刺激（TENS）を行うことは勧められる（推奨度A エビデンスレベル高）」，とされている[76]．
- 脊髄損傷患者に対する研究では，Ping（ピン）らは総腓骨神経に対して60分間，100 Hz，15 mAのNMESを行い，プラセボ群と比べて，即時的な痙縮抑制効果があったことを報告している[77]．
- 脳卒中後の痙縮に対するシステマティックレビューでは，NMES単独の実施よりも何らかの治療と併用した方が効果があるとしている[78]．また運動療法との併用に関して，プラセボの電気刺激療法と比較して，電気刺激療法と他の運動療法を併用した方が痙縮抑制効果

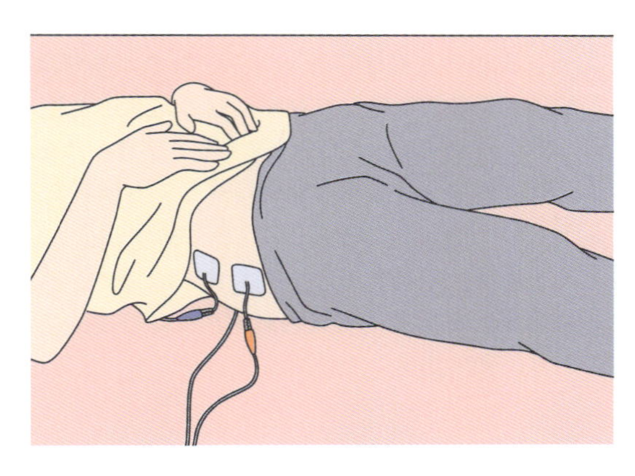

図19　股関節外転筋への電極設置（股関節内転筋の痙縮抑制）

股関節内転筋の痙縮抑制のために，拮抗筋の股関節外転筋である中殿筋に電極を設置している．中殿筋は，脂肪組織にあまり覆われておらず，刺激がしやすい．

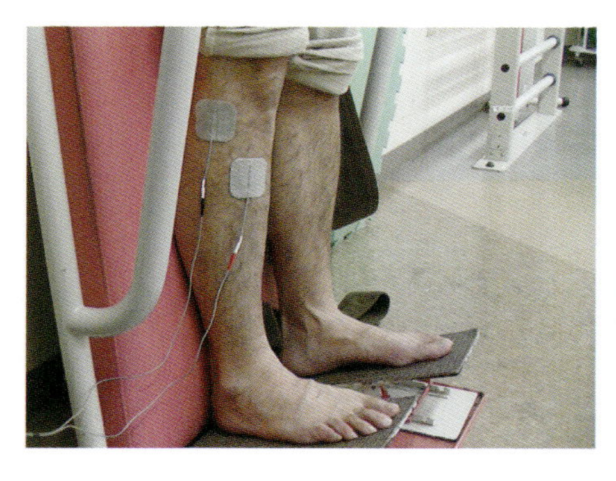

図20　NMESとストレッチングの併用（下腿三頭筋の痙縮抑制）

NMESを総腓骨神経と前脛骨筋に実施した状態で，起立矯正台で立位保持を行うことで下腿三頭筋の痙縮を抑制する．

が高いとされ[79]，運動療法時に併用したり，運動療法前の準備として実施することが望ましい．

- 山口らは，健常者において随意的な手関節屈曲運動に正中神経への感覚閾値強度のNMESを併用することで，皮質脊髄路の興奮性や相反抑制機構を増大させることを報告しており[80]，運動との併用による利点を示している．
- Oo（オウ）らは，脊髄損傷患者に対して，理学療法の前に両側の総腓骨神経に対するNMESを60分間実施することで，理学療法単独よりも，即時的かつ15セッションの治療の後に，有意な痙縮の改善がみられたとしている[81]．
- 中村らは脳卒中患者の下腿三頭筋の痙縮に対して，ストレッチング単独に比べて，総腓骨神経－前脛骨筋への電気刺激を併用した際に痙縮抑制の即時的効果が大きくなることを報告している[82]（図20）．
- Ng（ン）らは，課題志向型練習と感覚閾値のNMESを併用することで，痙縮抑制効果が増大するだけでなく，運動療法単独よりも歩行能力や足関節背屈筋力の向上もみられたことを報告している[83]．
- また，NMESと薬物療法の併用による利点も示されている．下腿三頭筋の痙縮に対して，腓腹筋にボトックスを行い，NMESを併用したところ，痙縮抑制効果が高く，抑制期間も延長されていた[84]．NMESを併用することで，ボトックスの効果を延長することができる可能性がある．

3 痙縮に対するNMESの効果

①刺激部位（電極配置）

- 電気刺激には，痙縮筋に行う方法や拮抗筋に行う方法などがあり，それぞれでメカニズムが異なる．
- 脊髄損傷患者を対象とした研究では，NMESを痙縮筋に行った場合と拮抗筋に行った場合のいずれも痙縮が抑制されたが，痙縮筋に行った方が抑制されることが報告されている．しかし，これらの方法の違いによる差はわずかであり，どのような手段が適切かは十分に明らかではないといえる．
- 拮抗筋に対するNMESによる痙縮抑制は，相反抑制機構の動員による効果である（図21）[85]．つまり，下腿三頭筋の痙縮を抑制する場合には，拮抗筋である前脛骨筋とその支配神経である総腓骨神経に対してNMESを行うとよい．
- 痙縮筋へのNMESによる痙縮抑制は，反回抑制による効果であると考えられている[86]（図22）．反回抑制は，運動神経からの側副枝の入力がレンショウ細胞を介して，自らの運動ニュー

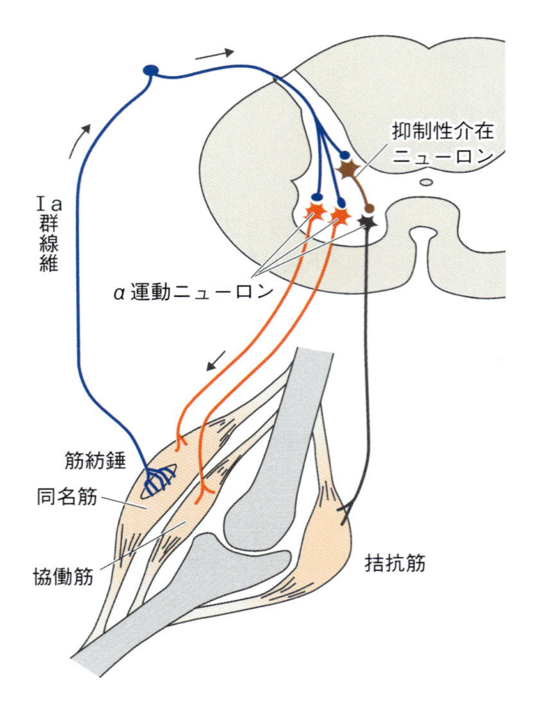

図21　相反抑制

筋紡錘からのインパルスはⅠa群線維を上行し，α運動ニューロンを興奮させると同時に抑制性介在ニューロンを介して拮抗筋を抑制する．文献85をもとに作成．

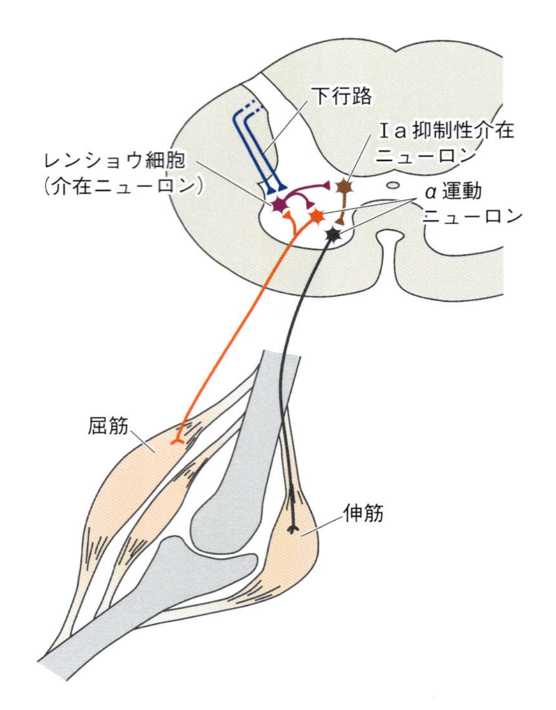

図22　反回抑制

反回抑制は，脊髄介在ニューロンであるレンショウ細胞により引き起こされる．レンショウ細胞は，α運動ニューロンの軸索側枝からの入力によって興奮し，同じα運動ニューロンを抑制する．このネガティブフィードバックシステムがα運動ニューロンの興奮性を制御している．文献87をもとに作成．

ロンを抑制する回路である．また，レンショウ細胞は，協働筋や拮抗筋α運動ニューロンに投射するⅠa抑制性介在ニューロンにも軸索側枝を送っている．レンショウ細胞の興奮性を変化させることにより各関節の周辺のα運動ニューロンの興奮性を調節している[87]．

②刺激強度（電流強度）

- 刺激強度は，筋収縮を伴わない感覚閾値強度であっても，痙縮抑制の効果があるとされる[88]．感覚閾値強度であれば，患者負担が少なく他の治療を阻害しにくい．
- 脳卒中患者において，感覚閾値強度，筋収縮を生じる強度，全関節運動を生じる高強度の電気刺激の痙縮抑制効果を比較した研究では，いずれの強度でも痙縮抑制がみられたが，高強度では終了から2週間後にも効果が持続しており，運動機能の向上もみられたとしている[89]．
- 併用する運動療法を阻害しないようであれば，刺激強度を高く設定した方がよいと思われる．
- 運動閾値以上の電気刺激を持続的に行うと疲労が出現するため，オン－オフ時間を設定するとよい．筋収縮が生じる強度であれば，1秒オン1秒オフの時間でも疲労を訴えられることは少ない．

③周波数

- 周波数は，多くの研究で，100 Hz以上に設定されており，1～2 Hzといった周波数では，痙縮抑制効果が乏しい[90) 91]．周波数の設定が可能であれば，100 Hz以上に設定するとよい．

④治療時間，期間

- 治療時間は10～60分と報告によって差があるが，即時的な変化は，ストレッチングと併用した場合には，5分程度でみられることもある．
- Mahmood（マムード）らは，システマティックレビューにおいて，脳卒中後の痙縮に対する電気刺激は，30分間が望ましいことを示しているが，対象である研究数が少なく，明らかではない[79]．
- Aydin（アイディン）らは，脊髄損傷患者を対象に，反復的に電気刺激を実施することで，単一回よりも即時的効果や持続効果が高くなるとしている[92]．そのため，反復的に実施し，その効果をみることも重要である．
- またAydinらは経口バクロフェンとの比較も行っており，電気刺激群と経口バクロフェン群では同等の効果が得られている[92]．NMESは一部の薬物療法の代替手段としても使用可能であり，副作用や患者負担の少ない方法であるといえる．

3）痙縮に対するNMESの禁忌と注意事項

- 禁忌，注意点は一般的な電気刺激療法と同様である（**第Ⅱ章-9-A**参照）．運動療法と併用する場合には，電極が外れてしまわないように，サージカルテープで固定するといった配慮が必要である．

4）痙縮に対するNMESの実際

- まずは問題となっている動作の観察や治療対象となる痙縮の程度をMAS（Modified Ashworth Scale）※11（表5）[93]やMTS（Modified Tardieu Scale）※12（表6）[94]を用いて評価する．評価にはMASが使用されることが多いが，MTSについての報告も増えており，MASよりも詳細な評価が可能である．
- MTSでは，ゆっくりと動かした際のひっかかりの生じたROM（R2）から，できるだけ速く動かしたときの引っかかりの生じた角度（R1）の差分（R2－R1）を評価する．これが小さい場合は，速度を変えた場合の引っかかりが生じる角度に差がないということになり，痙縮の非反射性要素の影響が大きく，大きい場合には速度を変えた場合の引っかかりが生じる角度に差が大きく，痙縮の反射性要素の影響が大きい可能性があると評価できる．
- 痙縮に対するNMESは，即時的に効果が出やすいため，治療前後の変化を評価しておくことが重要である．
- 電極は，神経やモーターポイントの直上に設置する．あらかじめモーターポイントの同定をしておくとよい（関連動画⑬）．

関連動画⑬

- 電極の設置部位を消毒用アルコールを用いて清拭し，その部位に適したサイズの電極を設置する．必要であればサージカルテープなどで固定する．使用機器が電気刺激パラメータの設定変更が可能なものであれば，表7を参考に刺激周波数やパルス時間（パルス幅），オン－オフ時間を設定する．
- 刺激強度を徐々に上げていく．実施中は適宜，疼痛や不快感の訴えを確認しつつ，当該部位に刺激ができているかを確認する．
- もし，何度か行っても痙縮に変化がみられないようであれば，刺激強度や刺激部位を変更するなどの実施方法の再考を検討する．

表5 MAS（Modified Ashworth Scale）

0	筋緊張の亢進がない.
1	軽度の筋緊張亢進があり，catch and release あるいは，可動域の終末でわずかな抵抗がある.
1＋	軽度の筋緊張亢進があり，catchと引き続く抵抗が残りの可動域（1/2以内）にある.
2	さらに亢進した筋緊張が可動域（ほぼ）全域にあるが，他動運動はよく保たれる（easily moved）.
3	著明な筋緊張亢進があり，他動運動は困難である.
4	他動では動かない（rigid）.

文献93より引用.

表6 MTS（Modified Tardieu Scale）測定時の注意点

測定時の注意
・測定は一日のなかで常に同じ時間に行う. ・四肢の測定肢位は常に一定とする. ・他の関節，特に頸部は測定中は一定の肢位を保たなければならない. ・それぞれの筋群について，定められた速度で伸張したときの反応を2つのパラメータ（X，Y）で評価する. ・筋の最大短縮肢位から測定する．股関節以外のすべての関節は解剖学的な安楽肢位に対応する.
筋の伸張速度
V1：できるだけゆっくり（対象とする体節が重力で自然に落下する速度よりも遅く） V2：対象とする体節が重力で落下する速度 V3：できるだけ速く（対象とする体節が重力で自然に落下する速度よりも速く） ※ある測定で用いた伸張速度は，その後の測定も同一の速度を用いる. **※V1でのROMをR2，V3をR1とし，"R2－R1"の角度が小さいと非反射性要素を反映し，大きいと反射性要素を反映する.**
X：筋の反応の質
0：他動運動中の抵抗を感じない 1：他動運動中のわずかな抵抗を感じるが，明らかな引っかかりはない 2：他動運動に対する明らかな引っかかりがある 3：持続しない（伸張し続けた場合に10秒に満たない）クローヌスがある 4：持続する（伸張し続けた場合に10秒以上の）クローヌスがある

Y：筋の反応が生じる角度．文献94をもとに作成.

現場のコツ・注意点

※11 MAS（Modified Ashworth Scale）

臨床上よく使用される痙縮の評価である．痙縮は伸張速度に依存するため，運動速度を規定して評価する必要がある．辻らはMASの実施方法を規定した際の，検査の信頼性が高いことを報告しており[93]，これを参考にするとよい.

※12 MTS（Modified Tardieu Scale）

MTSは，速度を変えて他動運動を行った際の抵抗感や，抵抗感が生じた角度を計測することで，痙縮における反射要素と拘縮の要素の優先度を評価するというものである．MASよりも詳細な評価が可能である[94].

実験・実習

- 実習では，仮想の理学療法士と患者となって，以下2つのNMESを体験してみる．

❶足関節底屈筋の痙縮抑制のためのNMESを実施する

関連動画⑭

刺激部位は総腓骨神経および前脛骨筋に対して実施する．電気刺激パラメータは，表7を参考に設定する．実施前後での他動での足関節背屈運動を行い，その際のend feel（他動運動の最終域で感じる抵抗感）や関節可動域（ROM）の変化を捉える（関連動画⑭）．

❷ハムストリングスの痙縮抑制のためのNMESを実施する

関連動画⑮

刺激部位は大腿神経および内側広筋・大腿直筋が望ましいが，大腿神経への刺激が困難である場合には，大腿直筋と内側広筋を刺激する．電気刺激パラメータは，表7を参考に設定する．実施前後で他動での下肢伸展挙上テスト（SLR）を行い，end feelやROMの変化を捉える（関連動画⑮）．

表7　痙縮抑制のための電気刺激パラメータ

項目	内容
波形	二相性パルス波
電流強度	感覚閾値以上で，疼痛や不快感のない範囲で，極力強くする．
周波数	20～100 Hz
パルス時間（パルス幅）	300～1,000 μs
オン―オフ時間	感覚閾値強度であれば連続刺激． 筋収縮を伴う程度であれば，オン1秒オフ1秒でも疲労は少ない．
治療時間	1日に10～60分間．一定期間，反復的に実施する．

文献（第Ⅱ章-9-Cの文献）

1）「EBM物理療法 原著第3版」（Cameron MH／著，渡部一郎／訳），医歯薬出版，2010
2）Bickel CS, et al：Motor unit recruitment during neuromuscular electrical stimulation：a critical appraisal. Eur J Appl Physiol, 111：2399-2407, 2011
3）Kern H, et al：Electrical stimulation counteracts muscle decline in seniors. Front Aging Neurosci, 6：189, 2014
4）Strasser EM, et al：Neuromuscular electrical stimulation reduces skeletal muscle protein degradation and stimulates insulin-like growth factors in an age- and current-dependent manner：a randomized, controlled clinical trial in major abdominal surgical patients. Ann Surg, 249：738-743, 2009
5）Collins DF：Central contributions to contractions evoked by tetanic neuromuscular electrical stimulation. Exerc Sport Sci Rev, 35：102-109, 2007
6）Talbot LA, et al：A home-based protocol of electrical muscle stimulation for quadriceps muscle strength in older adults with osteoarthritis of the knee. J Rheumatol, 30：1571-1578, 2003
7）Stevens-Lapsley JE, et al：Early neuromuscular electrical stimulation to improve quadriceps muscle strength after total knee arthroplasty：a randomized controlled trial. Phys Ther, 92：210-226, 2012
8）Yoshida Y, et al：Comparison of the effect of sensory-Level and conventional motor-Level neuromuscular electrical stimulations on quadriceps strength after total knee arthroplasty：a prospective randomized single-blind trial. Arch Phys Med Rehabil, 98：2364-2370, 2017
9）Hauger AV, et al：Neuromuscular electrical stimulation is effective in strengthening the quadriceps muscle after anterior cruciate ligament surgery. Knee Surg Sports Traumatol Arthrosc, 26：399-410, 2018
10）Vivodtzev I, et al：Functional and muscular effects of neuromuscular electrical stimulation in patients with severe COPD：a randomized clinical trial. Chest, 141：716-725, 2012

11) Dobsák P, et al：Electrical stimulation of skeletal muscles. An alternative to aerobic exercise training in patients with chronic heart failure? Int Heart J, 47：441-453, 2006
12) Shoemaker MJ, et al：Physical Therapist Clinical Practice Guideline for the Management of Individuals With Heart Failure. Phys Ther, 100：14-43, 2020
13) Dobsak P, et al：Intra-dialytic electrostimulation of leg extensors may improve exercise tolerance and quality of life in hemodialyzed patients. Artif Organs, 36：71-78, 2012
14) Valenzuela PL, et al：Intradialytic neuromuscular electrical stimulation improves functional capacity and muscle strength in people receiving haemodialysis：a systematic review. J Physiother, 66：89-96, 2020
15) Routsi C, et al：Electrical muscle stimulation prevents critical illness polyneuromyopathy：a randomized parallel intervention trial. Crit Care, 14：R74, 2010
16) Segers J, et al：Feasibility of neuromuscular electrical stimulation in critically ill patients. J Crit Care, 29：1082-1088, 2014
17) Liu M, et al：Intervention effect of neuromuscular electrical stimulation on ICU acquired weakness：A meta-analysis. Int J Nurs Sci, 7：228-237, 2020
18) Miyamoto T, et al：Effect of percutaneous electrical muscle stimulation on postprandial hyperglycemia in type 2 diabetes. Diabetes Res Clin Pract, 96：306-312, 2012
19) Teschler M, et al：Four weeks of electromyostimulation improves muscle function and strength in sarcopenic patients：a three-arm parallel randomized trial. J Cachexia Sarcopenia Muscle, 12：843-854, 2021
20) Freed ML, et al：Electrical stimulation for swallowing disorders caused by stroke. Respir Care, 46：466-474, 2001
21) Maeda K, et al：Interferential current sensory stimulation, through the neck skin, improves airway defense and oral nutrition intake in patients with dysphagia：a double-blind randomized controlled trial. Clin Interv Aging, 12：1879-1886, 2017
22)「機能障害科学入門」（千住秀明／監，沖田 実，他／編），九州神陵文庫，2010
23) Arene N & Hidler J：Understanding motor impairment in the paretic lower limb after a stroke：a review of the literature. Top Stroke Rehabil, 16：346-356, 2009
24) English C, et al：Loss of skeletal muscle mass after stroke：a systematic review. Int J Stroke, 5：395-402, 2010
25) Shin HK, et al：Cortical effect and functional recovery by the electromyography-triggered neuromuscular stimulation in chronic stroke patients. Neurosci Lett, 442：174-179, 2008
26) Khaslavskaia S & Sinkjaer T：Motor cortex excitability following repetitive electrical stimulation of the common peroneal nerve depends on the voluntary drive. Exp Brain Res, 162：497-502, 2005
27) Riley JD, et al：Anatomy of stroke injury predicts gains from therapy. Stroke, 42：421-426, 2011
28) Jang SH：A review of the ipsilateral motor pathway as a recovery mechanism in patients with stroke. NeuroRehabilitation, 24：315-320, 2009
29) Hayward K, et al：Interventions to promote upper limb recovery in stroke survivors with severe paresis：a systematic review. Disabil Rehabil, 32：1973-1986, 2010
30) Lin Z & Yan T：Long-term effectiveness of neuromuscular electrical stimulation for promoting motor recovery of the upper extremity after stroke. J Rehabil Med, 43：506-510, 2011
31) Inobe J & Kato T：Effectiveness of finger-equipped electrode (FEE)-triggered electrical stimulation improving chronic stroke patients with severe hemiplegia. Brain Inj, 27：114-119, 2013
32) Bender L & McKenna K：Hemiplegic shoulder pain：defining the problem and its management. Disabil Rehabil, 23：698-705, 2001
33) Chae J, et al：Poststroke shoulder pain：its relationship to motor impairment, activity limitation, and quality of life. Arch Phys Med Rehabil, 88：298-301, 2007
34) Blennerhassett JM, et al：Reduced active control and passive range at the shoulder increase risk of shoulder pain during inpatient rehabilitation post-stroke：an observational study. J Physiother, 56：195-199, 2010
35) Paci M, et al：Glenohumeral subluxation in hemiplegia：An overview. J Rehabil Res Dev, 42：557-568, 2005
36) Baker LL & Parker K：Neuromuscular electrical stimulation of the muscles surrounding the shoulder. Phys Ther, 66：1930-1937, 1986
37) Faghri PD, et al：The effects of functional electrical stimulation on shoulder subluxation, arm function recovery, and shoulder pain in hemiplegic stroke patients. Arch Phys Med Rehabil, 75：73-79, 1994
38) Chantraine A, et al：Shoulder pain and dysfunction in hemiplegia：effects of functional electrical stimulation. Arch Phys Med Rehabil, 80：328-331, 1999
39) Kobayashi H, et al：Reduction in subluxation and improved muscle function of the hemiplegic shoulder joint after therapeutic electrical stimulation. J Electromyogr Kinesiol, 9：327-336, 1999
40) Linn SL, et al：Prevention of shoulder subluxation after stroke with electrical stimulation. Stroke, 30：963-968, 1999
41) Wang RY, et al：Functional electrical stimulation on chronic and acute hemiplegic shoulder subluxation. Am J Phys Med Rehabil, 79：385-390；quiz 391-394, 2000
42) Yu DT, et al：Percutaneous intramuscular neuromuscular electric stimulation for the treatment of shoulder subluxation and pain in patients with chronic hemiplegia: a pilot study. Arch Phys Med Rehabil, 82：20-25, 2001
43) Fil A, et al：The effect of electrical stimulation in combination with Bobath techniques in the prevention of shoulder subluxation in acute stroke patients. Clin Rehabil, 25：51-59, 2011
44) Lee JH, et al：Effectiveness of neuromuscular electrical stimulation for management of shoulder subluxation post-stroke ：a systematic review with meta-analysis. Clin Rehabil, 31：1431-1444, 2017

45) Wu FC, et al：Clinical effects of combined bilateral arm training with functional electrical stimulation in patients with stroke. IEEE Int Conf Rehabil Robot, 2011：5975367, 2011
46) Kojima K, et al：Feasibility study of a combined treatment of electromyography-triggered neuromuscular stimulation and mirror therapy in stroke patients：a randomized crossover trial. NeuroRehabilitation, 34：235-244, 2014
47) 村岡慶裕，他：運動介助型電気刺激装置の開発と脳卒中片麻痺患者への使用経験．理学療法学，31：29-35，2004
48) Taub E, et al：Improved motor recovery after stroke and massive cortical reorganization following Constraint-Induced Movement therapy. Phys Med Rehabil Clin N Am, 14：S77-S91, 2003
49) Kaelin-Lang A, et al：Modulation of human corticomotor excitability by somatosensory input. J Physiol, 540：623-633, 2002
50) Celnik P, et al：Somatosensory stimulation enhances the effects of training functional hand tasks in patients with chronic stroke. Arch Phys Med Rehabil, 88：1369-1376, 2007
51) Ikuno K, et al：Effects of peripheral sensory nerve stimulation plus task-oriented training on upper extremity function in patients with subacute stroke：a pilot randomized crossover trial. Clin Rehabil, 26：999-1009, 2012
52) Newsam CJ & Baker LL：Effect of an electric stimulation facilitation program on quadriceps motor unit recruitment after stroke. Arch Phys Med Rehabil, 85：2040-2045, 2004
53) 福井直樹，他：脳卒中後歩行障害に対するトレッドミルエクササイズ時の中殿筋への機能的電気刺激：一事例研究デザインによる予備的研究．理学療法科学，29：515-519，2014
54) Liberson WT, et al：Functional electrotherapy：stimulation of the peroneal nerve synchronized with the swing phase of the gait of hemiplegic patients. Arch Phys Med Rehabil, 42：101-105, 1961
55) Kluding PM, et al：Foot drop stimulation versus ankle foot orthosis after stroke：30-week outcomes. Stroke, 44：1660-1669, 2013
56) Johnston TE, et al：A Clinical Practice Guideline for the use of ankle-foot orthoses and functional electrical stimulation post-stroke. J Neurol Phys Ther, 45：112-196, 2021
57) Everaert DG, et al：Does functional electrical stimulation for foot drop strengthen corticospinal connections? Neurorehabil Neural Repair, 24：168-177, 2010
58) Yan T, et al：Functional electrical stimulation improves motor recovery of the lower extremity and walking ability of subjects with first acute stroke：a randomized placebo-controlled trial. Stroke, 36：80-85, 2005
59) Sabut SK, et al：Functional electrical stimulation of dorsiflexor muscle：effects on dorsiflexor strength, plantarflexor spasticity, and motor recovery in stroke patients. NeuroRehabilitation, 29：393-400, 2011
60) Bowden MG, et al：Anterior-posterior ground reaction forces as a measure of paretic leg contribution in hemiparetic walking. Stroke, 37：872-876, 2006
61) Kesar TM, et al：Functional electrical stimulation of ankle plantarflexor and dorsiflexor muscles：effects on poststroke gait. Stroke, 40：3821-3827, 2009
62) Awad LN, et al：Reducing the cost of transport and increasing walking distance after stroke：A randomized controlled trial on fast locomotor training combined with functional electrical stimulation. Neurorehabil Neural Repair, 30：661-670, 2016
63) 久保田雅史，他：急性期脳梗塞患者に対する歩行中の機能的電気刺激治療が歩容および内側感覚運動皮質のヘモグロビン濃度へ及ぼす即時的効果．理学療法学，41：13-20，2014
64) 高橋宣成：痙縮の定義をめぐる混乱．リハビリテーション医学，53：642-649，2016
65) 鏡原康裕：痙縮の病態生理．BRAIN and NERVE, 66：1019-1029，2014
66) Nielsen JB, et al：The spinal pathophysiology of spasticity--from a basic science point of view. Acta Physiol（Oxf）, 189：171-180, 2007
67)「機能障害科学入門」（千住秀明／監，沖田 実，他／編），p314，九州神陵文庫，2010
68) Hultborn H, et al：On the mechanism of the post-activation depression of the H-reflex in human subjects. Exp Brain Res, 108：450-462, 1996
69) Nielsen J, et al：H-reflexes are less depressed following muscle stretch in spastic spinal cord injured patients than in healthy subjects. Exp Brain Res, 97：173-176, 1993
70) Nielsen J, et al：Changes in transmission across synapses of Ia afferents in spastic patients. Brain, 118：995-1004, 1995
71) Masakado Y, et al：Post-activation depression of the soleus H-reflex in stroke patients. Electromyogr Clin Neurophysiol, 45：115-122, 2005
72) Schieber MH：Chapter 2 Comparative anatomy and physiology of the corticospinal system. Handb Clin Neurol, 82：15-37, 2007
73) Li S, et al：A unifying pathophysiological account for post-stroke spasticity and disordered motor control. Front Neurol, 10：468, 2019
74) Gracies JM：Pathophysiology of spastic paresis. Ⅱ：Emergence of muscle overactivity. Muscle Nerve, 31：552-571, 2005
75)「ニューロリハビリテーション」（道免和久／編），pp261-269，医学書院，2015
76)「脳卒中治療ガイドライン2021」（日本脳卒中学会 脳卒中ガイドライン委員会／編），協和企画，2021
77) Ping Ho Chung B & Kam Kwan Cheng B：Immediate effect of transcutaneous electrical nerve stimulation on spasticity in patients with spinal cord injury. Clin Rehabil, 24：202-210, 2010
78) Stein C, et al：Effects of Electrical Stimulation in Spastic Muscles After Stroke：Systematic Review and Meta-Analysis of Randomized Controlled Trials. Stroke, 46：2197-2205, 2015
79) Mahmood A, et al：Effect of transcutaneous electrical nerve stimulation on spasticity in adults with stroke：a systematic review and meta-analysis. Arch Phys Med Rehabil, 100：751-768, 2019

80) Yamaguchi T, et al：Real-time changes in corticospinal excitability during voluntary contraction with concurrent electrical stimulation. PLoS One, 7：e46122, 2012

81) Oo WM：Efficacy of addition of transcutaneous electrical nerve stimulation to standardized physical therapy in subacute spinal spasticity：a randomized controlled trial. Arch Phys Med Rehabil, 95：2013-2020, 2014

82) 中村潤二，他：脳卒中片麻痺患者の痙縮に対するストレッチングと電気刺激の併用治療の効果の検討：予備的研究．奈良理学療法学，5：11-14，2012

83) Ng SS & Hui-Chan CW：Transcutaneous electrical nerve stimulation combined with task-related training improves lower limb functions in subjects with chronic stroke. Stroke, 38：2953-2959, 2007

84) Baricich A, et al：A single-blinded, randomized pilot study of botulinum toxin type A combined with non-pharmacological treatment for spastic foot. J Rehabil Med, 40：870-872, 2008

85)「生理学テキスト 第5版」(大地陸男／著)，pp91-124，文光堂，2007

86) Vodovnik L, et al：Effects of electrical stimulation on spinal spasticity. Scand J Rehabil Med, 16：29-34, 1984

87)「カンデル神経科学 Principles of Neural Science, 5th Edition」(Kandel ER，他／著，金澤一郎，宮下保司／監)，pp776-796，メディカル・サイエンス・インターナショナル，2014

88) Miller L, et al：The effects of transcutaneous electrical nerve stimulation on spasticity. Physical Therapy Reviews, 10：201-208, 2005

89) Wang YH, et al：Full-movement neuromuscular electrical stimulation improves plantar flexor spasticity and ankle active dorsiflexion in stroke patients：a randomized controlled study. Clin Rehabil, 30：577-586, 2016

90) Han JS, et al：Transcutaneous electrical nerve stimulation for treatment of spinal spasticity. Chin Med J (Engl), 107：6-11, 1994

91) Zhao W, et al：Efficacy and safety of transcutaneous electrical acupoint stimulation to treat muscle spasticity following brain injury：a double-blinded, multicenter, randomized controlled trial. PLoS One, 10：e0116976, 2015

92) Aydin G, et al：Transcutaneous electrical nerve stimulation versus baclofen in spasticity：clinical and electrophysiologic comparison. Am J Phys Med Rehabil, 84：584-592, 2005

93) 辻 哲也，他：脳血管障害片麻痺患者における痙縮評価：Modified Ashworth Scale (MAS) の評価者間信頼性の検討．リハビリテーション医学，39：409-415，2002

94) 竹内伸行，他：Modified Tardieu Scaleの臨床的有用性の検討：脳血管障害片麻痺患者における足関節底屈筋の評価．理学療法学，33：53-61，2006

D）イオントフォレーシス

学習のポイント

- イオントフォレーシスが生体に与える影響と目的を理解する
- イオントフォレーシスの適応と効果，禁忌と注意事項について理解する
- イオントフォレーシスを健常者に対して実施できる

1 イオントフォレーシスとは

- イオントフォレーシスは，直流電流を用いて組織内（主に軟部組織）へ水に溶解した薬剤分子の輸送を促進させる薬剤輸送システムである[1]．薬剤はゲルやローションといった剤形で使用される．
- 経皮吸収剤は，いわゆる“貼り薬”や“塗り薬”であり，われわれは一般に皮膚に「貼る」「塗る」といった形で使用する．経皮吸収剤のみを適用した場合でも皮下への浸透性は十分認められるが，イオントフォレーシスは，その浸透性をさらに増大することが可能である．
- イオントフォレーシスを用いた場合，標的組織により多くの薬剤が吸収され，薬剤が生体におよぼす効果を増大することが期待できる．

2 イオントフォレーシスのメカニズム[2]

- イオントフォレーシスにより薬剤の経皮吸収性は向上する．これには3つのメカニズムが影響している（図1）．
  - 第一は受動拡散である．経皮吸収剤の成分には一時的に角質層（図2）のバリア機能を低下させる物質が含まれているため，薬剤が皮下へ浸透するのを促進する．

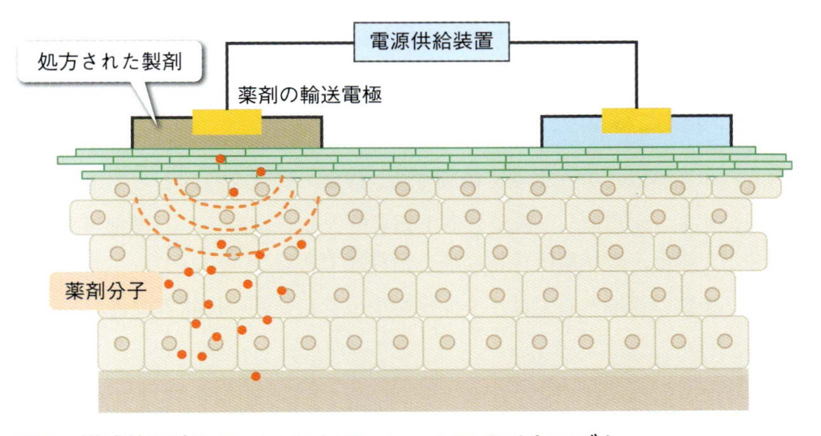

図1　模式的に表したイオントフォレーシスのメカニズム
受動拡散，電気的反発作用，電気浸透流により，薬剤の浸透性が高まる．詳細は本文参照．文献3をもとに作成．

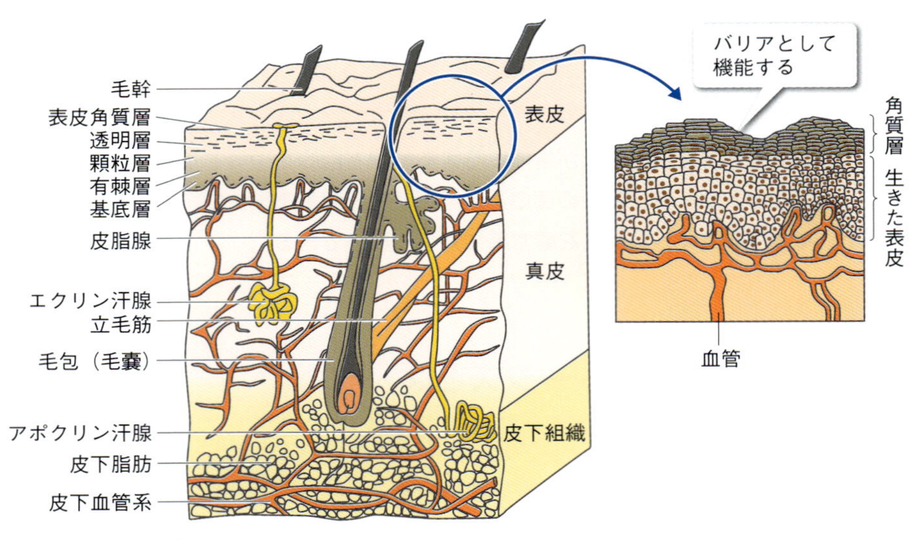

図2 皮膚の構造

角質層はケラチンを多量に含んだ死んだ細胞同士の間を，脂質の層が埋めた構造をしており，基本的にはここが一番のバリアとして機能している．文献4をもとに作成．

- ▶第二は，電気的反発作用である．イオン化された薬剤を，その電荷と同じ符号をもつ電極側に配置させることで生じる反発作用により経皮吸収を促進させる．つまり，プラスの電荷をもつ薬剤であれば，陽極側にその薬剤を適用することで反発作用を発生させる．
- ▶第三は，電気浸透流である．電気浸透流は皮膚に電流を流すことで起こる水分の対流のことであり，この対流を起こすことで薬剤の分子が浸透する．

- イオントフォレーシスにより薬剤が皮下を浸透するルートとしては，特に毛包や汗腺が重要である．また，イオントフォレーシスの適応により角質の細胞間脂質に一時的な乱れが生じ，この間に薬剤が浸透することも指摘されている．

＊毛包や汗腺は比較的電気抵抗の低い部位であるため，イオントフォレーシス実施時に薬剤が浸透しやすい．

3 イオントフォレーシスの適応と効果

1）対象となる機能障害と疾患

- リハビリテーション領域では，疼痛の軽減を目的として用いられることが多い．
- 主な疾患は，上腕骨外側上顆炎※1，足底腱膜炎※2，関節リウマチ，変形性膝関節症，腱板損傷，帯状疱疹後神経痛，術後痛である．
- 他の適応としては，多汗症や手根管症候群の症状の改善が報告されている．

補足

※1　上腕骨外側上顆炎
上腕骨外側上顆部に付着する回外筋と手指伸筋群の炎症であると考えられている．テニスでの前腕の回内・回外運動によくみられるためテニス肘ともよばれる[5]．

※2　足底腱膜炎
足底腱膜は衝撃緩衝作用をもち足部の傷害を防いでいるが，長期間のスポーツ活動による過負荷から踵骨の起始部や足底中央部に疼痛を生じることがある[6]．

2）基礎・臨床研究報告

1 イオントフォレーシスに伴う経皮吸収性の増大

- Gurneyらは半腱様筋腱や薄筋腱の移植が必要な前十字靱帯再建術前の患者にステロイド※3のイオントフォレーシスを実施し，術中に腱の薬剤濃度を調査した．結果，対照群よりもイオントフォレーシス群で腱に薬剤濃度が多く検出されたことを報告している[7]．

2 臨床効果

- 足底腱膜炎患者に対して，Gudemanはステロイドのイオントフォレーシスを，Osborneらは非ステロイド性抗炎症剤※4のイオントフォレーシスを実施し，いずれも疼痛軽減などに有効であったことを報告している[8] [9]．
- Fathyらは，変形性膝関節症患者に対してステロイドのイオントフォレーシスを実施したところ，標準的な運動療法のみを実施した対照群と比較して膝の機能が向上したことを報告している[10]．肥田らは非ステロイド性抗炎症剤のイオントフォレーシスが変形性膝関節症患者の疼痛軽減に有効であったことを認めている[11]．
- Demirtaşらは，上腕骨外側上顆炎患者に対して非ステロイド性抗炎症剤のイオントフォレーシスを実施し，対照群と比較して疼痛が顕著に改善したことを報告している[12]．

補足

※3　ステロイド
副腎皮質ホルモンの1つ．強力な抗炎症作用，鎮痛作用，免疫抑制作用をもつ．一方，副作用が強くその制御が難しい．

※4　非ステロイド性抗炎症剤
プロスタグランジンの生成を抑制することで抗炎症作用を発揮する．副作用に胃腸障害が生じることがよく知られている．

4 イオントフォレーシスの禁忌と注意事項

1）禁忌

- 一般的な電気刺激療法の禁忌事項に該当する場合（第II章-9-A参照）．
  - ▸**心臓ペースメーカーまたは不整脈**
  - ▸**頸動脈洞の上の電極設置**

▶静脈もしくは動脈血栓症または血栓性静脈炎の範囲

▶妊婦

▶創傷が治癒していない箇所

- **使用する薬剤の禁忌事項に該当する場合**：例えば非ステロイド性抗炎症剤は，消化性潰瘍の患者，本薬剤への過敏症の患者への投与は禁忌とされている．

2）注意事項

- **皮膚の損傷や火傷に注意する．**

▶電流強度が強すぎる場合，皮膚の損傷を引き起こす危険がある．電極1 cm^2あたりの電流強度のことを電流密度というが，一般的に推奨されている値は，薬剤の輸送電極が陰極の場合は0.5 mA/cm^2，陽極の場合は1.0 mA/cm^2である．

▶直流電流の適用により，皮膚の生理的pHが一時的に変化する．これが発赤や痒みなどの炎症症状を引き起こす原因となるため注意する．皮膚への副作用を軽減するために，イオントフォレーシス専用電極の使用が勧められる（図3，4）．専用電極を使用しない場合，約20％に皮膚の副作用が生じたという報告がある[13]．

現場のコツ・注意点

イオントフォレーシスを実施する前には電極を設置する皮膚状態の観察を行う．特に高齢者の皮膚は，加齢により本来の機能が減弱している．そのため，十分に皮膚を観察し治療が可能かどうかを判断する必要がある．

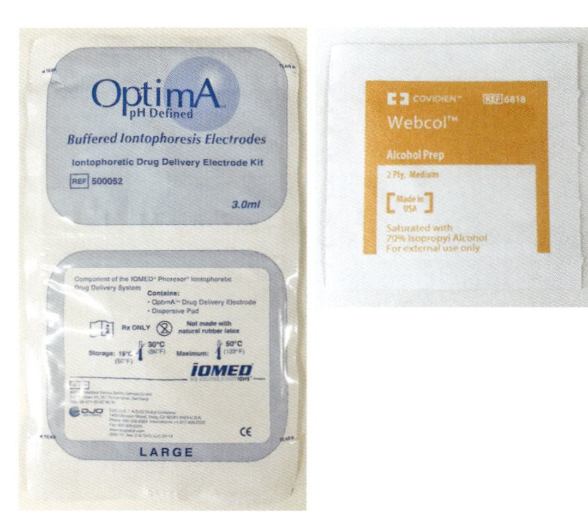

図3　イオントフォレーシス専用電極と付属されているアルコール綿

OptimA large electrodes，IOMED社製．

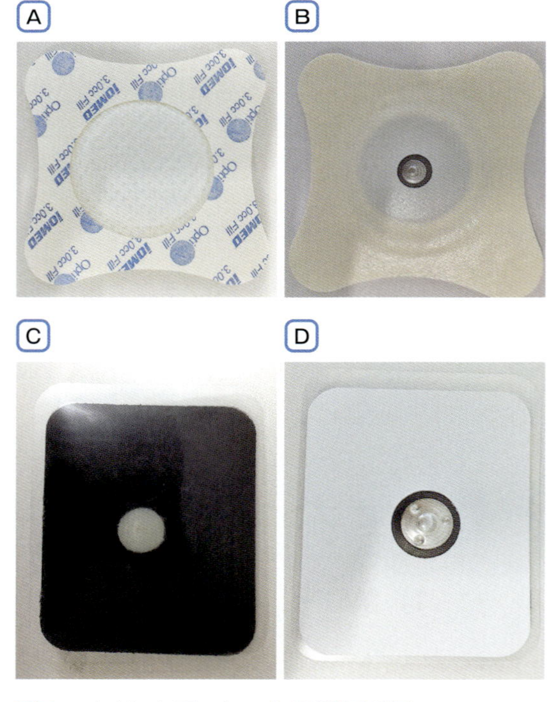

図4　イオントフォレーシス専用電極

A）C）皮膚に接する側．B）D）電流コードにつなぐ側．
Aが薬剤の輸送電極でスポンジの形状部分に薬剤を塗布する．

5 イオントフォレーシスの実際

- 剤形がローションまたはゲルの経皮吸収剤を準備する.
- イオントフォレーシス専用電極に経皮吸収剤を塗布する.
- 治療機器の出力極性（薬剤輸送電極の陽極と陰極）と薬剤の極性（表1）が同一になるよう設定する.
- 電極設置部位は，薬剤の浸透性を高めるため角質を可能な限り除去し，アルコール綿で十分に清拭し乾燥する.
- 治療部位の上には薬剤を塗布した輸送電極を，そこから5～10 cm離してもう一方の電極を設置する．電流の流れ方に依存して薬剤分子が移動するため，治療部位に電流が流れるように電極を配置するのが望ましい．図5は変形性膝関節症に，図6は上腕骨外側上顆炎

表1　イオントフォレーシスで用いられる薬剤

イオン	使用薬品	極性	適応
酢酸	Acetic acid（酢酸）	陰極	カルシウム沈着
塩素	NaCl（塩化ナトリウム）	陰極	表皮硬化
銅	$CuSO_4$	陽極	真菌感染
デキサメタゾン	$DexNa_2PO_3$	陰極	炎症
ヒアルロニダーゼ	wydase	陽極	浮腫軽減
ヨード	—	陰極	瘢痕
リドカイン	lidocaine（リドカイン）1：epinephrine（エピネフリン）50,000	陽極	局所麻酔
マグネシウム	$MgSO_4$	陽極	筋弛緩，血管拡張
サリチル酸	NaSal	陰極	炎症，足底のいぼ
水道水	—	陰極／陽極	水腫
亜鉛	ZnO_2	陽極	皮膚潰瘍，外傷

文献14より引用.

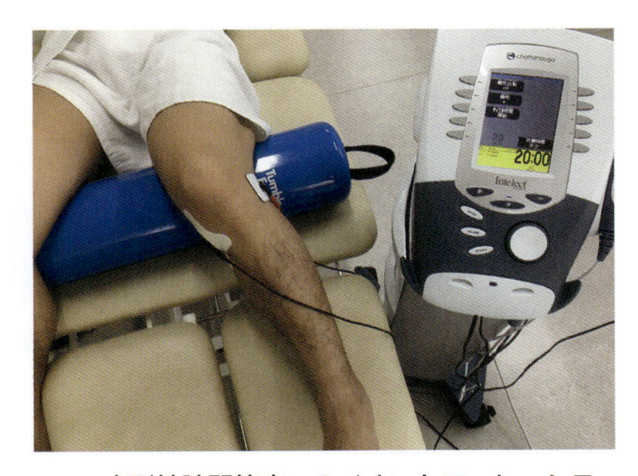

図5　変形性膝関節症へのイオントフォレーシス

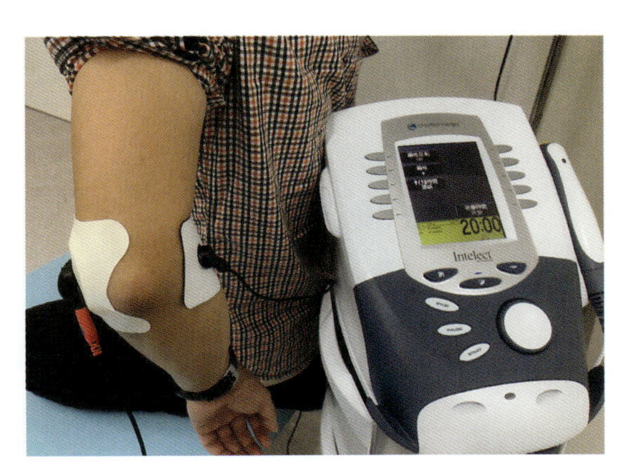

図6　上腕骨外側上顆炎へのイオントフォレーシス

にイオントフォレーシスを実施している場面である．この場合は治療部位をはさみ込むように電極を設置している．

- 治療パラメータを，投与総量※5が40 mA-min以上となるように設定して，治療を開始する．

補足

※5 投与総量

「電流強度」×「時間」＝mA-minの単位であらわされる．例えば1 mAの電流強度で40分間のイオントフォレーシスを適用した場合は，投与総量は40 mA-minとなる．投与総量は40～80 mA-minに設定することが推奨されている[1]．

現場のコツ・注意点

イオントフォレーシスによって鎮痛を得られたなら，運動療法との併用を検討する．

実験・実習

- 実習では膝へのイオントフォレーシスを経験し，電流強度に応じた主観的な感覚と皮膚の状態を記述する．

❶表2のような表を作成する．

❷本実験は，主観的感覚を記述することが目的であるため，薬剤は使用せずイオントフォレーシス専用電極には水を含ませておく．

❸1 mA，2 mA，3 mA，4 mA，5 mAの強度でイオントフォレーシスを各10分間ずつ膝に実施し，実施中の主観的感覚（チクチク，ジリジリなど）を記述する．

❹イオントフォレーシスの終了後には実施部位の写真を撮影するとともに，表3を参考に皮膚状態の観察を行う．

- 一般に理学療法領域での電気刺激療法には交流電流を適用するが，イオントフォレーシスは直流電流を適用する．交流電流とは患者が受ける主観的な感覚が全く異なるため，臨床でイオントフォレーシスを実施する際はあらかじめ対象者に伝えておくとよい．

表2 イオントフォレーシスの電流強度に応じた主観的な感覚と皮膚状態

電流強度	主観的な感覚（カタカナで記述する）	皮膚の状態	
		関電極側（薬剤の輸送電極側）	不関電極側
1 mA			
2 mA			
3 mA			
4 mA			
5 mA			

表3　皮膚の観察

1．視診	a．発疹（皮疹）の認められる部位と範囲 b．形状 c．大きさ d．色調 e．隆起の状態 f．表面の状態 g．周囲との関係（境界鮮明か不鮮明か） h．配列
2．触診	a．硬さ b．深さ c．癒着性
3．自覚症状	a．掻痒（そうよう）の有無，その程度 b．疼痛の有無，その性質と程度 c．しびれ感，知覚障害，レイノー症状の有無

文献15より引用．

文献（第II章-9-Dの文献）

1）「最新物理療法の臨床適応」（庄本康治／編），pp160-172，文光堂，2012
2）Higo N：Recent trend of transdermal drug delivery system development. Yakugaku Zasshi, 127：655-662, 2007
3）Bavaskar K, et al：The Impact of Penetration Enhancers on Transdermal Drug Delivery System：Physical and Chemical Approach. International Journal of Pharma Research & Review, 4：14-24, 2015
4）「標準薬剤学 医療の担い手としての薬剤師をめざして 改訂第2版」（渡辺善照，芳賀 信／編），p280，南江堂，2007
5）「標準理学療法学・作業療法学 専門基礎分野 整形外科学 第3版」（立野勝彦／著），pp59-68，医学書院，2010
6）「標準理学療法学・作業療法学 専門基礎分野 整形外科学 第3版」（立野勝彦／著），pp154-162，医学書院，2010
7）Gurney AB & Wascher DC：Absorption of dexamethasone sodium phosphate in human connective tissue using iontophoresis. Am J Sports Med, 36：753-759, 2008
8）Gudeman SD, et al：Treatment of plantar fasciitis by iontophoresis of 0.4％ dexamethasone. A randomized, double-blind, placebo-controlled study. Am J Sports Med, 25：312-316, 1997
9）Osborne HR & Allison GT：Treatment of plantar fasciitis by LowDye taping and iontophoresis：short term results of a double blinded, randomised, placebo controlled clinical trial of dexamethasone and acetic acid. Br J Sports Med, 40：545-549；discussion 549, 2006
10）Fathy AA & Abd El Rahman SM：The effect of Dexamethasone 0.4％ Iontophoresis in treatment of knee Osteoarthritis. Life Sci J, 13：28-34, 2016
11）肥田光正，他：変形性膝関節症に対するジクロフェナクナトリウムを用いたイオントフォレーシスの鎮痛効果：介入前後比較と一事例研究法による検討．日本物理療法学会会誌，20：54-58，2013
12）Demirtaş RN & Oner C：The treatment of lateral epicondylitis by iontophoresis of sodium salicylate and sodium diclofenac. Clin Rehabil, 12：23-29, 1998
13）Crevenna R, et al：Iontophoresis driven concentrations of topically administered diclofenac in skeletal muscle and blood of healthy subjects. Eur J Clin Pharmacol, 71：1359-1364, 2015
14）「EBM物理療法 原著第4版」（Cameron MH／著，渡部一郎／訳），p294，医歯薬出版，2015
15）「図説・臨床看護医学 改訂版 9 整形外科／皮膚」（日野原重明／監，岡安大仁，他／編），p232，同朋舎，1999

E) バイオフィードバック療法

学習のポイント

- バイオフィードバック療法について理解する
- 筋電図バイオフィードバック療法の適応と効果，禁忌と注意事項について理解する
- 健常者に対して筋電図バイオフィードバック療法を実施できる

1 バイオフィードバック療法とは

- バイオフィードバック療法（biofeedback：BF）は，ヒトが明確に意識することができない生体内で起こるさまざまな生理的現象を，何らかの手段を用いて知覚できる信号に変換することにより，その情報をフィードバックし，生理的現象の随意的操作をすることにより，機能障害や身体の変調を改善させる治療法である．
- つまり，生体情報を知覚しやすいように，視覚的，聴覚的に変換し，それを随意的な制御を行うために（治療のために）用いるというものである（図1）[1]．
- BFは，基本原理としてオペラント条件付け学習[2]を用いており，それを応用して発展してきた[3]．オペラント条件付け学習とは，行動した直後に生じる環境の変化（結果）によって，その行動の出現頻度が変化する学習のことである．
- つまり，オペラント条件付け学習とは，必要な行動を増やしたい場合には，出現頻度の増加に応じてポジティブな報酬を増やしたり，ネガティブな報酬を減らしたりといった手続きが行われ，報酬の量を調節することで，行動の変容をもたらす．これを基本原理とするBFにとって難易度調整が重要な一要素である（図2）[1]．

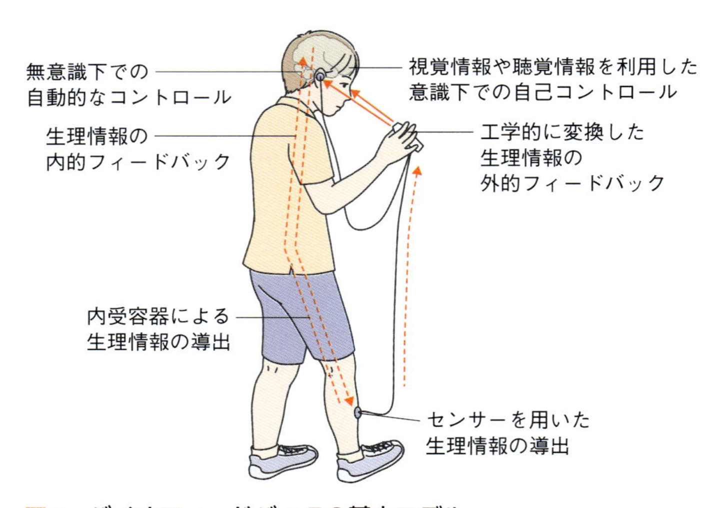

図1　バイオフィードバックの基本モデル

点線は自己の生理情報を示す．実線は工学的に変換した生理情報を示す．変換した生理情報をもとに随意的に運動などを制御する．これをくり返すことで適切な生理情報の内的フィードバックを行い，自動的な制御の獲得をめざす．文献1より引用．

- リハビリテーション医学の分野で，BFには筋電図や角度計，圧力計などが用いられている．また近年では，脳波や近赤外線分光法などの脳機能イメージング装置による治療も検討されている．
- これらのなかでも筋電図による筋電図バイオフィードバック（electromyographic biofeedback：EMGBF）による治療が，多数報告されている．そこで本項では，EMGBF療法を中心に概説する．
- EMGBFは，治療対象筋に対して表面電極を設置し，活動電位を検出し，視聴覚的に確認できるような信号に変換し，その情報をもとに，対象者自身で運動を調整する（図3）（関連動画①）．電極を用いるが，電気刺激を行う治療法ではない．EMGBFは運動療法の補助的手段として用い，適切なフィードバックを与えることにより，運動療法の効果を最大限に得る目的で実施する．

関連動画①

強化手続きへ変換（弱化→強化）

	強化	弱化
正	最も効果的な手続き ポジティブな報酬の増加	ネガティブな報酬の増加
負	ネガティブな報酬の減少	ポジティブな報酬の減少

弱化：モチベーション低下 避けることが望ましい

図2　オペラント条件付け学習の手続き一覧

必要な行動の増加のためには，ポジティブな報酬を増加させ，モチベーションの低下を避けることが望ましい．文献1より引用．

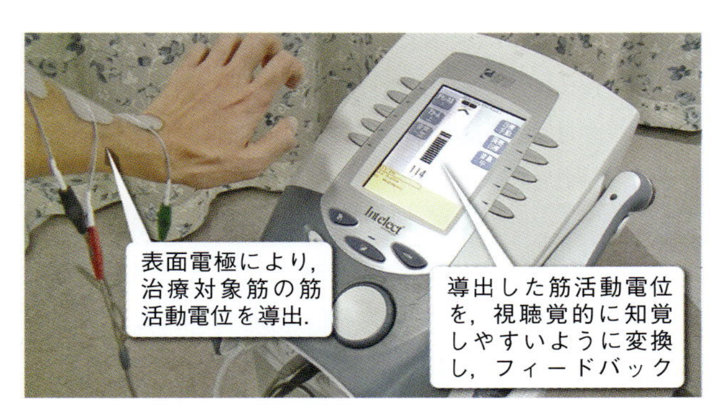

図3　筋電図バイオフィードバック

図中の製品はIntelect Advanced Combo, Chattanooga社製.

2 筋電図バイオフィードバック療法の適応と効果

1）筋電図バイオフィードバック療法の対象となる疾患・機能障害

- EMGBFの適用は広く，中枢神経疾患後の運動麻痺筋の促通や，慢性疼痛などに対するリラクセーション，運動器疾患における術後の筋力増強，失禁に対する骨盤底筋群の協調運動練習などが報告されている（表）[4].
  - ▶筋力低下や運動麻痺などにより随意運動時の筋収縮が乏しい場合には，促通をすることで，筋力増強や麻痺筋の神経筋再教育を行う.
  - ▶筋スパズムなどの異常な筋緊張が生じている場合には，抑制を目的に用いる.
- また筋電図バイオフィードバックと電気刺激を併用した筋電図誘発型電気刺激（electromyography-triggered neuromuscular electrical stimulation：ETMS）という治療がある. ETMSは対象筋の随意的な筋収縮による筋電量があらかじめ設定した刺激閾値を超えると，任意の強度の電流が通電されるというもので，電気刺激療法にEMGBFの要素を付加したものである（図4）.
  - ▶ETMSは電気刺激に先行して麻痺側を動かす随意努力という認知的要素を付加することにより，運動の意図と感覚入力が同期化し，電気刺激の効果をより高めると考えられている[5]. 脳卒中後の運動麻痺に対して用いた報告が多い.
- ETMSに類似したもので，随意運動介助型電気刺激（integrated volitional control electrical stimulation：IVES）というものがある[6]. IVESは活動電位に比例した電気刺激を同期して出力し続けるというものであり，運動療法とともに実施しやすい（図5）.

表　筋電図バイオフィードバック療法の適応と要点

促通練習を対象とする障害	
末梢神経麻痺	徒手筋力テスト1以上で適応
神経・腱移行術後	肋間神経－筋皮神経吻合術後の呼吸運動との分離など
骨関節疾患	廃用性筋萎縮の予防，筋力増強
中枢神経疾患	筋電図誘発型電気刺激（EMG-triggered neuromuscular electrical stimulation）など
排泄コントロール	骨盤底筋群，肛門括約筋など
弛緩練習を対象とする障害	
不随意運動	痙性斜頸，書痙など（心理的アプローチ，ブロック療法を含めた包括的リハビリテーション）
中枢神経疾患	共同運動・同時収縮の抑制（促通練習に先立って実施）
過誤神経支配	分離運動の再教育
疼痛	頭痛・慢性腰痛など
不眠症・不安神経症	生理的ストレス反応のセルフコントロール
運動パフォーマンスの改善	スポーツ・音楽など

文献4より引用.

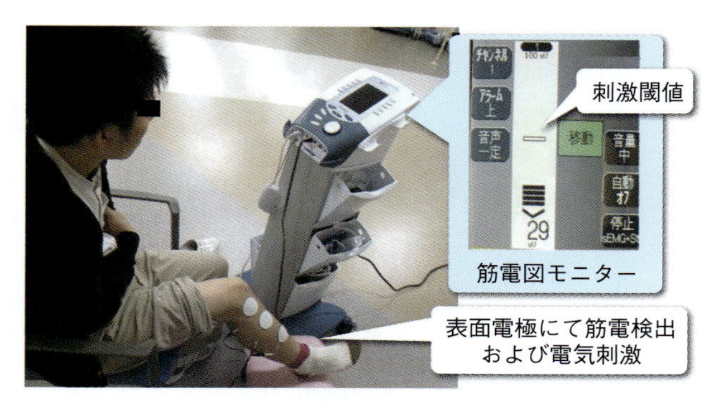

図4　前脛骨筋に対する筋電図誘発型電気刺激（ETMS）の実施場面
ディスプレイの筋電図モニター上に，電極を設置した筋の筋電図が表示される．筋電量が設定した刺激閾値を超えると，任意の強度の電流が通電される．ここでは，足関節背屈運動の促通のために総腓骨神経と前脛骨筋を刺激している．図中の製品はIntelect Advanced Combo, Chattanooga社製．

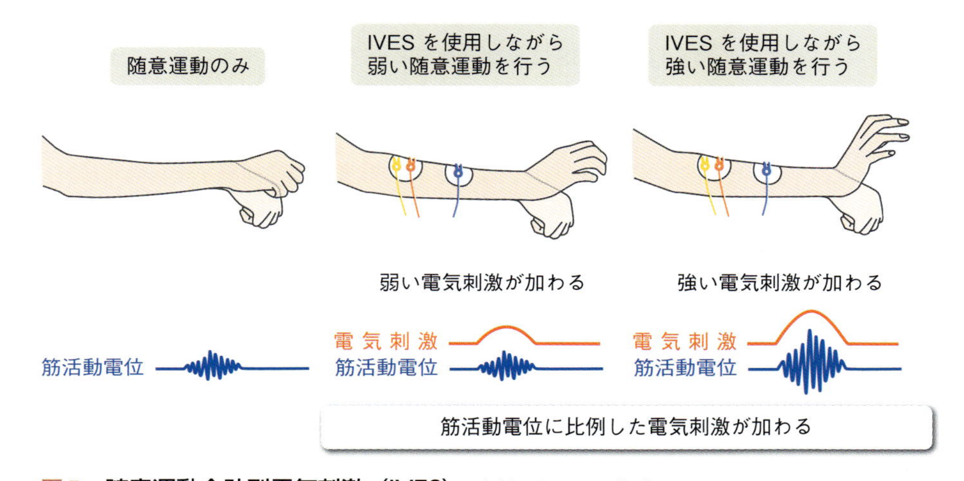

図5　随意運動介助型電気刺激（IVES）　文献7をもとに作成．

2）基礎・臨床研究

1 脳卒中に対して

- 脳卒中ガイドライン2021では，歩行障害に対して，亜急性期においてバイオフィードバックを含む電気機器を用いた練習や部分免荷トレッドミル練習（PBWSTT）を行うことは妥当であるとし，推奨度Bの中等度の推奨，エビデンスレベルは高とされ，筋電図や関節角度を用いたBFが用いられる[8]．脳卒中後の下垂足に対して実施したという報告が多く，これらの報告において，EMGBFの対象となるのは主に前脛骨筋である．
- 足関節背屈の機能改善の効果は，コクランシステマティックレビューにおいても検討されているが，その効果は明確ではないとされ[9]，一定した見解は得られていないのが現状である．
- Dost（ドスト）らは，脳卒中患者の前脛骨筋のEMGBFを従来の治療に加えて，15セッション実施し，足関節背屈の自動運動角度の増加や痙縮の改善がみられたことを報告している[10]．

図6　筋電図誘発型電気刺激（ETMS）とミラーセラピーの併用治療

手関節背屈筋に対してETMSを実施しながらミラーセラピーを行っている．ミラーセラピー中は非麻痺側の運動だけでなく，麻痺側の運動も同期して行う．文献15をもとに作成．

- ETMSに関して，その多くは，上肢の特に手関節，手指の伸展筋群に実施したものである．de Kroon（デ クルーン）らの報告では，ETMSは通常の電気刺激療法よりも治療効果が高い可能性が示されている[11]．
- また小嶌らは，ETMSにミラーセラピー※1を併用することで，上肢機能の向上に効果がある可能性を報告しており[15]，十分な随意運動が困難な症例にも実施可能な方法であるとしている（図6）．
- IVESに関して，山口らは，運動麻痺の軽度な慢性期脳卒中患者の橈側手根伸筋（とうそくしゅこんしんきん），総指伸筋に対してIVESを適用し，上肢機能の改善や筋電図評価での随意性向上や相反抑制促進などを報告している[16]．また原らは単純な随意運動やNMES時に比べて，IVES使用時には障害側感覚運動野の著明な血流増加がみられ，脳の可塑性を賦活して，機能改善に寄与すると推察している[17]．

補足

※1　ミラーセラピー

Ramachandran（ラマチャンドラン）らが切断患者の幻肢痛に対する治療法として最初に報告したものである[12]．ミラーセラピーは，鏡像による視覚フィードバックにより，脳へ錯覚入力を与え，その錯覚により運動感覚を生成し，運動前野や一次運動野，一次体性感覚野での身体表象の再構築に影響を与えるというものである．ミラーセラピーは脳卒中後の運動麻痺に対しても治療効果が検証されており，運動麻痺や動作の正確性などの改善が報告されている[13][14]．

2 運動器疾患に対して

- 運動器疾患領域では，膝関節疾患の大腿四頭筋の治療に用いた報告が多い．
- 膝蓋大腿症候群の運動療法にEMGBFを付加することで，運動療法のみと比べて，有意差はないものの早期に筋力増強や，鎮痛効果が得られる傾向にあることが報告されている[18]．
- 鏡視下半月板部分切除術後では，Akkaya（アッカヤ）らはEMGBF群，電気刺激群，自宅練習群を無作為に割り付け，それぞれの効果をみている[19]．EMGBF群は，自宅練習群よりも術後2週目の膝関節機能が良好であり，内側広筋や外側広筋の筋機能は電気刺激群や自宅練習群よりも良好であった．
- また前十字靱帯再建術後では，大腿四頭筋のEMGBFを通常のリハビリテーションに併用することで，他動的膝関節伸展可動域や，内側広筋の筋活動が早期に改善することが報告されている[20]．
- 人工膝関節置換術後の患者に対するEMGBFの効果を調査した研究では，フィードバックの閾値を最大随意筋力発揮時の筋活動の80％に設定し，随意収縮がその閾値を超えるように練習した．それにより通常の理学療法と比べて筋力に有意な差はなかったが，健康関連QOL評価であるWOMACは有意に改善した[21]．

- 以上のことから運動器疾患に対しては，早期にEMGBFを通常の運動療法に併用することで，リハビリテーションを加速させることができる．

3 慢性腰痛に対して

- 慢性腰痛患者では，腰部筋の左右非対称性があることが報告されている[22]．EMGBFを従来の運動療法に用いて，筋収縮を促したり弛緩させたりすることで，痛みの軽減や[23]，腰部筋の筋力増強[24]が得られることが報告されている．
- 腰痛患者では，屈曲弛緩現象（flexion relaxation phenomenon：FRP）※2が欠如している可能性について報告されている[29]．
- 近年では，慢性腰痛患者のFRPを改善させるために，立位でのストレッチングに腰部傍脊柱起立筋のEMGBFを併用している[30]．数症例での検討ではあるが，腰痛の軽減がみられている[31]．

補足

※2　屈曲弛緩現象（flexion relaxation phenomenon：FRP）

立位にて体幹屈曲をしていくにつれ，脊柱起立筋の筋活動が増大するが，その後，筋活動が消失するとされる．この現象を屈曲弛緩現象（FRP）とよぶ[25]．慢性腰痛患者ではFRPが欠如しており，能力障害[26]や疼痛[27]，疼痛や再受傷に対する恐怖心との関連が報告されている[28]．

4 失禁に対して

- 失禁に対する骨盤底筋群練習は，切迫尿失禁をはじめとする過活動膀胱や骨盤底疼痛症候群，男性の骨盤底障害にも適用され，骨盤底筋群練習にBFを併用することが勧められている[32]．
- 骨盤底筋群練習は，対象者が随意的に肛門挙筋，尿道周囲，膣周囲の括約筋群を収縮させ，これらの筋群を強化，再教育するものであるが，骨盤底筋群は筋収縮が知覚しにくい．そのため，EMGBFを用いて知覚しやすいようにし，再教育を促すというものである．
- 近年のシステマティックレビューにおいても，EMGBFは，前立腺切除術後に失禁をきたした症例に対して，通常の骨盤底筋群練習を補助し，失禁を減らすことができるとしている[33]．

3 筋電図バイオフィードバック療法の禁忌と注意事項

- EMGBFは非侵襲的であり禁忌は特にないが，治療に対する理解，課題や制御する部位への注意の分配など，一定の認知機能や注意機能を必要とするため，これらの障害を有する症例では治療が困難な場合がある．また対象者の積極的な治療への参加や，持続して行えるだけの持久力が必要になる．
- 中枢性および末梢性の運動麻痺の患者を対象とした際に，完全麻痺の症例では，活動電位を検出することが困難であり適応とならない場合が多い．
- ETMSやIVESは，一般的な電気刺激療法と同様の禁忌，注意事項を併せもつ（**第Ⅱ章-9-A**参照）．

4 筋電図バイオフィードバック療法の実際

- EMGBFは，対象者の理解が重要となるため，十分に説明を行い理解を促す．
- まず治療対象となる筋の電極設置部位をアルコール綿で清拭し，皮脂を除去する．これにより筋電図の検出の感度を高めノイズを抑える．
- 次に筋電図検出用の電極を設置する．筋電図を導出する電極は，筋腹の中央に設置し，安定した筋電が導出できるようにサージカルテープなどで固定するとよい．またアース電極の設置が必要な機器では，アース電極は骨の突出部に設置する．
- 筋収縮に伴う筋電図の変化は，機器に表示されたり，ランプの点滅やビープ音の変化によって視聴覚的にフィードバックされる．
- フィードバックされる刺激の閾値は，開始時には低く設定する．過剰な努力なしに筋収縮のコントロールが可能なように段階的に閾値を高くしていくことで，難易度調整を行う．
- 治療肢位は座位から開始し，その後に立位で行うといった段階的な姿勢変更により，難易度を調整する．また歩行などの運動の獲得のためには，静的な姿勢でEMGBFを行うだけでなく，立位でのステップ練習の際に実施するなど課題特異的に実施する．

実験・実習

- 実習では，以下2つのEMGBFを体験してみる．電極の設置，目標値の設定は前述の4を参考にする．

❶前脛骨筋に対する筋電図バイオフィードバック

関連動画②

前脛骨筋に対して筋電図を設置し，座位での足関節背屈運動を行った際の筋電図を確認する．その際に筋収縮の程度を調節し，それに応じた筋電図の違いを確認する（関連動画②）．また立位にて前方へのステップ動作を行う際に併用し，筋電図の程度を確認する．

❷大腿四頭筋に対する筋電図バイオフォードバック

関連動画③

大腿四頭筋に対して筋電図を設置し，大腿四頭筋の収縮時の筋電図の振幅を確認する．その際に筋収縮の程度を調節し，それに応じた筋電図の違いを確認する．またスクワット動作や，セッティングと併用し，筋電図の変化をモニタリングする（関連動画③）．

文献（第Ⅱ章-9-Eの文献）

1）「脳卒中理学療法の理論と技術 改訂第2版」（原 寛美，吉尾雅春／編），pp409-420，メジカルビュー社，2016

2）Skinner BF：The operational analysis of psychological terms. Psychological Review, 52：270-277, 1945

3）Schwartz GE & Shapiro D：Biofeedback and essential hypertension：current findings and theoretical concerns. Semin Psychiatry, 5：493-503, 1973

4）長谷公隆：筋電図バイオフィードバック療法．総合リハビリテーション，32：1167-1173，2004

5）Cauraugh J, et al：Chronic motor dysfunction after stroke：recovering wrist and finger extension by electromyography-triggered neuromuscular stimulation. Stroke, 31：1360-1364, 2000

6）村岡慶裕，他：運動介助型電気刺激装置の開発と脳卒中片麻痺患者への使用経験．理学療法学，31：29-35，2004

7）オージー技研株式会社HP（https://www.og-wellness.jp/product/medical/gd611-612#p-mode）

8）「脳卒中治療ガイドライン2021」（日本脳卒中学会 脳卒中ガイドライン委員会，他／編），pp263-264，協和企画，2021

9）Woodford H & Price C：EMG biofeedback for the recovery of motor function after stroke. Cochrane Database Syst Rev, CD004585, 2007

10）Dost Sürücü G & Tezen Ö：The effect of EMG biofeedback on lower extremity functions in hemiplegic patients. Acta Neurol Belg, 121：113-118, 2021

11）de Kroon JR, et al：Electrical stimulation of the upper limb in stroke：stimulation of the extensors of the hand vs. alternate stimulation of flexors and extensors. Am J Phys Med Rehabil, 83：592-600, 2004

12）Ramachandran VS & Rogers-Ramachandran D：Synaesthesia in phantom limbs induced with mirrors. Proc Biol Sci, 263：377-386, 1996

13）Yavuzer G, et al：Mirror therapy improves hand function in subacute stroke：a randomized controlled trial. Arch Phys Med Rehabil, 89：393-398, 2008

14）Dohle C, et al：Mirror therapy promotes recovery from severe hemiparesis：a randomized controlled trial. Neurorehabil Neural Repair, 23：209-217, 2009

15）Kojima K, et al：Feasibility study of a combined treatment of electromyography-triggered neuromuscular stimulation and mirror therapy in stroke patients：a randomized crossover trial. NeuroRehabilitation, 34：235-244, 2014

16）Yamaguchi T, et al：Effects of integrated volitional control electrical stimulation（IVES）on upper extremity function in chronic stroke. Keio J Med, 60：90-95, 2011

17）Hara Y, et al：The effects of electromyography-controlled functional electrical stimulation on upper extremity function and cortical perfusion in stroke patients. Clin Neurophysiol, 124：2008-2015, 2013

18）Yip SL & Ng GY：Biofeedback supplementation to physiotherapy exercise programme for rehabilitation of patellofemoral pain syndrome：a randomized controlled pilot study. Clin Rehabil, 20：1050-1057, 2006

19）Akkaya N, et al：Efficacy of electromyographic biofeedback and electrical stimulation following arthroscopic partial meniscectomy：a randomized controlled trial. Clin Rehabil, 26：224-236, 2012

20）Christanell F, et al：The influence of electromyographic biofeedback therapy on knee extension following anterior cruciate ligament reconstruction：a randomized controlled trial. Sports Med Arthrosc Rehabil Ther Technol, 4：41, 2012

21）Shan AS & Youssef EF：Effects of adding biofeedback training to active exercises after total knee arthroplasty. Journal of Musculoskeletal Research, 17：1-10, 2014

22）Donaldson S, et al：Randomized study of the application of single motor unit biofeedback training to chronic low back pain. J Occup Rehabil, 4：23-37, 1994

23）Flor H & Birbaumer N：Comparison of the efficacy of electromyographic biofeedback, cognitive-behavioral therapy, and conservative medical interventions in the treatment of chronic musculoskeletal pain. J Consult Clin Psychol, 61：653-658, 1993

24）Asfour SS, et al：Biofeedback in back muscle strengthening. Spine（Phila Pa 1976）, 15：510-513, 1990

25）Floyd WF & Silver PH：Function of erectores spinae in flexion of the trunk. Lancet, 257：133-134, 1951

26）Triano JJ & Schultz AB：Correlation of objective measure of trunk motion and muscle function with low-back disability ratings. Spine（Phila Pa 1976）, 12：561-565, 1987

27）Sihvonen T, et al：Functional changes in back muscle activity correlate with pain intensity and prediction of low back pain during pregnancy. Arch Phys Med Rehabil, 79：1210-1212, 1998

28）Ahern DK, et al：Correlation of chronic low-back pain behavior and muscle function examination of the flexion-relaxation response. Spine（Phila Pa 1976）, 15：92-95, 1990

29）Geisser ME, et al：A meta-analytic review of surface electromyography among persons with low back pain and normal, healthy controls. J Pain, 6：711-726, 2005

30）Neblett R, et al：Correcting abnormal flexion-relaxation in chronic lumbar pain：responsiveness to a new biofeedback training protocol. Clin J Pain, 26：403-409, 2010

31）Moore A, et al：The efficacy of surface electromyographic biofeedback assisted stretching for the treatment of chronic low back pain：a case-series. J Bodyw Mov Ther, 19：8-16, 2015

32）Abrams P, et al：Fourth International Consultation on Incontinence Recommendations of the International Scientific Committee：Evaluation and treatment of urinary incontinence, pelvic organ prolapse, and fecal incontinence. Neurourol Urodyn, 29：213-240, 2010

33）Hsu LF, et al：Beneficial effects of biofeedback-assisted pelvic floor muscle training in patients with urinary incontinence after radical prostatectomy：A systematic review and metaanalysis. Int J Nurs Stud, 60：99-111, 2016

F）創傷治癒のための電気刺激療法

学習のポイント

- 電気刺激療法が創傷に与える影響と治療目的を理解する
- 創傷に対する電気刺激療法の適応と効果，禁忌と注意事項について理解する
- 創傷に対する電気刺激療法の実践モデルを健常者に対して実施できる

1 治療対象となる創傷

- 創傷は，外傷などによる急性創傷と，低栄養・持続する刺激によって発生する慢性創傷に分類される．慢性創傷では治癒が遷延化することが多く，物理療法による治癒の促進が求められる．
- **慢性創傷の病態**
  - 慢性創傷は，糖尿病性潰瘍，静脈性潰瘍，動脈性潰瘍，褥瘡※1に大きく分類される．
  - 動脈性潰瘍では末梢血行障害（peripheral arterial disease）が原因となることが多く，この場合には末梢血行再建術などによる皮膚還流の確保が重要である．静脈性潰瘍では弾性ストッキングなどによる静脈還流の管理が必須となる．したがって，これらの管理が適切に行われていない創傷に対して電気刺激療法が奏効しないことはいうまでもない．
  - 一方，糖尿病性潰瘍や褥瘡は，感覚障害や意識障害によって持続的および反復的に圧迫やずれ力が加わって発生する．そのため，これらの潰瘍に電気刺激療法を行う場合には，マットレスや座面クッション，インソールなどによる接触圧管理（図1）や，臥位姿勢や座位姿勢調整によって接触部位を管理することが同時に求められる．
- 本項では，創傷のなかでも理学療法士が物理療法による介入を行う機会が最も多い褥瘡を例として創傷に対する電気刺激療法の実践方法を解説する．

補足

※1　褥瘡の定義

「身体に加わった外力は，骨と皮膚表層の間の軟部組織の血流を低下，あるいは停止させる．この状況が一定時間持続されると組織は不可逆的な阻血性障害に陥り褥瘡となる」と日本褥瘡学会により定義されている．

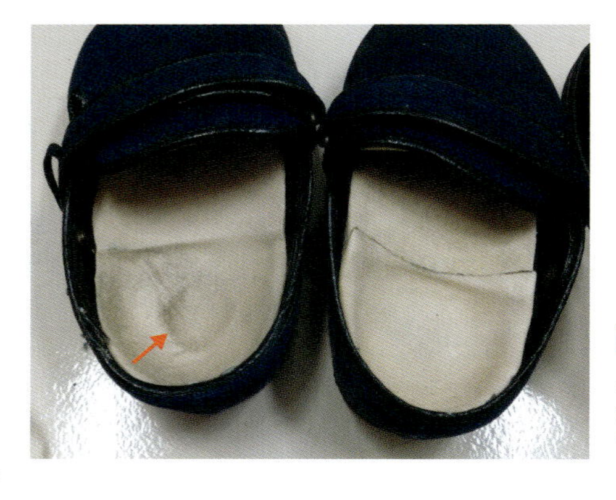

図1　インソールによる創傷の除圧

インソール表面に緩衝材（プラスタゾート）を使用し，創傷接触部位（→）ではその下層をくり抜いて除圧する．

2 褥瘡治癒のための電気刺激療法の適応と効果

1）対象となる褥瘡

- 日本褥瘡学会作成の「褥瘡予防・管理ガイドライン（第4版）」[1] では，電気刺激療法が，褥瘡発生前ケアとして筋萎縮に対して適用すること，発生後のケアとして創の縮小を目的に適用することが推奨されている．
- したがって，褥瘡予防としては脊髄損傷患者や寝たきり患者における筋萎縮，特に殿筋群の萎縮が対象となり，褥瘡治療としては創の縮小を促せる段階にある褥瘡※2が対象となる．
- 褥瘡治療は，感染制御，壊死組織除去，過剰な滲出液などによる不良肉芽などが適切に除去・管理されることが優先され，この管理を創面環境調整という（図2）．
- この創面環境調整が完了した褥瘡が電気刺激療法の対象となる．

補足

※2　褥瘡の重症度・深さ

褥瘡の重症度評価には，米国褥瘡諮問委員会（National Pressure Ulcer Advisory Panel：NPUAP）による分類が用いられる．Stage Ⅱまでの褥瘡は「浅い褥瘡」といわれ真皮までの損傷（真皮がすべて欠損しない）である．Stage Ⅲ以上は深い褥瘡といわれ皮下組織あるいはそれを越える損傷であり，浅い褥瘡とは治癒過程が異なるため治癒に長期間を要する．

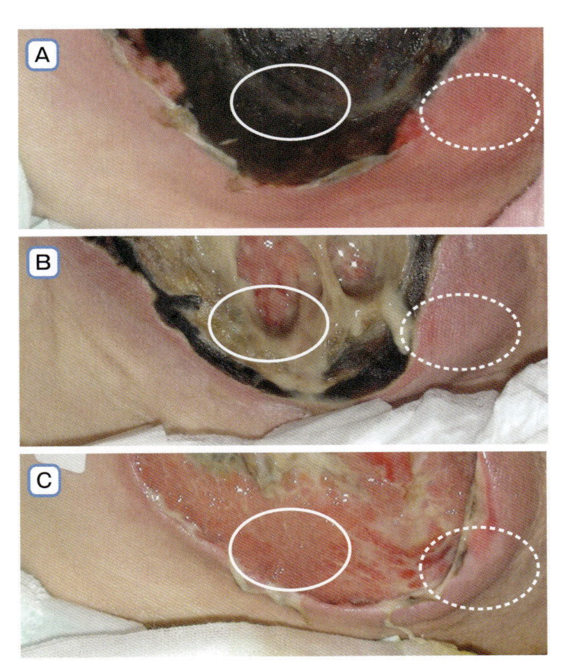

図2　創面環境調整

A）壊死組織除去（外科的デブリードマン）前．B）黒色壊死組織切除後．C）黄色壊死組織除去後．黒色壊死組織，黄色壊死組織が除去されて肉芽が観察されている（白実線）．壊死組織の除去および膿の排出によって感染が制御され，創周囲の発赤が減少してきている（白破線）．

2）基礎・臨床研究報告

- システマティックレビューにて電気刺激療法による創縮小効果の根拠が示されている一方，適用している電気刺激は多岐にわたる[2]．

- 直流電流刺激療法，直流微弱電気刺激療法，高電圧パルス刺激療法などさまざまである．直流電流では100 μA～30 mA，高電圧刺激では50～200 Vと強度設定の幅が広い[2]．
- また，多くの研究では，創部中心と周囲の健常皮膚に電極を設置している．治療過程を通して創部中心を陰極（－）または陽極（＋）で固定している例もあれば，それらを交互に適用している報告もある[2]．
- 多くの報告では，適用されている時間は30分～2時間であるため，30分以上適用した方がよいと考えられる．
- 周波数は30～128 Hzであり，100 Hzを用いている報告が多い．一方，細胞培養研究において，2 Hzにおいて認められる線維芽細胞の細胞遊走促進および細胞増殖効果が16 Hzおよびそれ以上では認められなくなることが報告されている[3]．創治癒に影響を与える細胞は線維芽細胞のみではないため一概にはいえないが，これまでの報告で用いられている条件より低い周波数の適用によってさらなる効果が検出される可能性がある．

3）褥瘡治癒のための電気刺激療法の効果

- 電気刺激療法は，損傷電流による治癒促進を補う有効な手段であると考えられている．電気刺激を行うことにより，線維芽細胞や角化細胞，血管内皮細胞の遊走，線維芽細胞の増殖とコラーゲン産生が促進され，それによって肉芽形成や上皮形成が促進されるといわれている．さらに，炎症過程の促進によって感染制御作用を示すことも報告されている．
- しかし，これらの効果には電気刺激の極性が影響する．創部への陰極刺激が線維芽細胞の増殖や遊走，角化細胞の遊走を促すこと，陽極刺激が感染制御作用を示すことが報告されている[2]．
- そのため，ガイドラインで推奨されている創面環境調整終了後の創の縮小に対する電気刺激療法では創部中心に陰極を設置し，感染制御を目的として実施する場合には陽極を設置することが必要になる．

3 創傷に対する電気刺激療法の禁忌と注意事項

1）禁忌[4]

- 電気刺激療法が禁忌になる病態，部位（**第Ⅱ章-9-A参照**）
- 下層に**骨髄炎**が生じている創傷
- **膿瘍**を形成している創傷
- **結核感染**を起こしている創傷

2）注意事項[4]

- 上記以外の**感染している創傷**に対しては注意して電気刺激を行う．
    - ▶クロス・コンタミネーション（すでに感染している細菌とは別の細菌が感染すること）を防止するために，電極を交換する，または滅菌作業を行う必要がある．感染していない創傷にも細菌が定着しているため，電極の滅菌は必須である．
    - ▶感染が筋，腱におよぶ場合には，関節運動によって細菌感染の領域が拡大しうるため，関節運動が生じないように注意する必要がある．

4 創傷に対する電気刺激療法の実際

1）創傷の洗浄

- 創傷が滲出液や血餅，その他分泌物に汚染されている状態では創面を正確に観察できないため，適切な評価には創傷の洗浄が必要である．
- 水道水，または生理食塩水を用意する．創傷，および周囲の皮膚に多量の水をかける（関連動画①）．シャワータイプのボトルを使用した方が効率がよい．
- 創周囲の皮膚を弱酸性石鹸などの洗浄剤で十分洗浄する．分泌物などが付着している場合には，創面内も洗浄剤で洗った方がよいが，その際には医師・看護師と事前に相談する．
- 創面，および創周囲の余分な水をガーゼにて拭きとる．ティッシュは微細な粉塵を創面内に留置させるため使用しない．
- 肛門周囲の創傷などでは，汚染部を清拭した後にそのガーゼで創面内を拭かないように注意する．

関連動画①

2）電気刺激療法の実施方法

- 電気刺激療法についてのインフォームドコンセントを十分に実施する．治療目的，治療時間と期間を患者または患者家族に説明することが重要である．
- 褥瘡部が圧迫されず，患者が安定する姿勢を保持する．
  - 大転子部の真皮層を越える深さの褥瘡では，関節運動によって褥瘡にポケット※3（図3）を形成するおそれがあるため，過剰に運動させないようにする．創傷を露出する前にカーテンなどによって患者のプライバシーを守る．

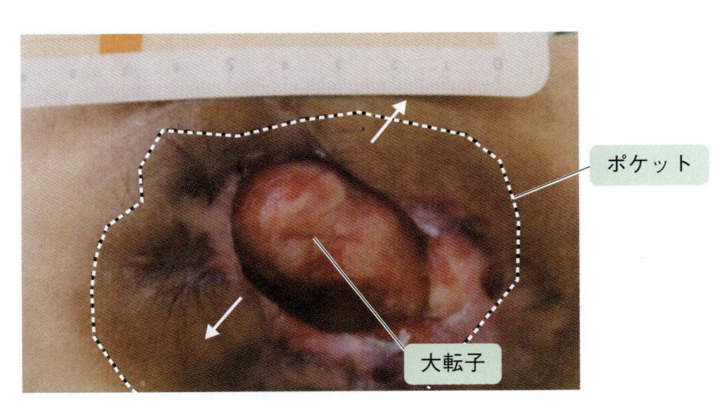

図3　大転子部褥瘡のポケット

股関節内外旋運動により大転子が移動（⇨）し，褥瘡周囲にポケット（空洞）を形成している．図の点線で囲まれた部分の皮膚の下に空洞があり，その部分をポケットという．

補足

※3　褥瘡のポケット

褥瘡創面の周囲の皮膚の下に“洞窟”のような空洞が形成されることがあり，これを褥瘡のポケットという．ポケットが形成されると治癒が遷延化する．

- 褥瘡部，および周囲の健常皮膚に電極を貼付する（関連動画②）．創傷被覆材に電極を挿入する方法を用いる場合は，被覆材の滲出液が吸収されている部位に挿入する．

関連動画②

  ▶本邦で実施されている方法は，創面環境調整が完了した褥瘡に対して，滲出液を吸収したフォームドレッシング材内に陰極の塩化銀電極を刺入して行っているものが多い．当治療方法含め，参考にする臨床研究[2]の対象および実施方法を正しく把握して再現する必要がある．

- 30分以上刺激を継続する．

  ▶本邦の研究[5]では，周波数2 Hz，強度170 μA，パルス幅（パルス時間）250 msの条件で30～60分刺激している例が多い．

- 刺激終了後，刺激電極を外す．

  ▶直流電流刺激を用いている場合には，創傷部の関電極と皮膚に貼付している不関電極を電気線で短絡し（シャント作業）※4，蓄電を除去して放電による影響を除いた方がよいといわれている（関連動画③）．

関連動画③

- 定期的に創傷面積を測定し，治療開始前後で創の縮小が促進されていることを確認する．

現場のコツ・注意点

※4　シャント作業

直流電流通電後に蓄電の放電が発生する．その影響を除くために，電極間を電気線で短絡させる．近年，このシャント機構が機器のシステムに組込まれている機器が販売されている．

実験・実習

- 実習では仲間の1人を褥瘡患者と仮定して，手技を行うものは理学療法士として創傷に対する電気刺激療法を実施すること．

❶肌の露出が行いやすい腓骨頭部の褥瘡患者と仮定して，腓骨頭上にサインペンで褥瘡創面を書き入れる．股関節が外旋しないように膝関節下にクッションを挿入する（図4）．

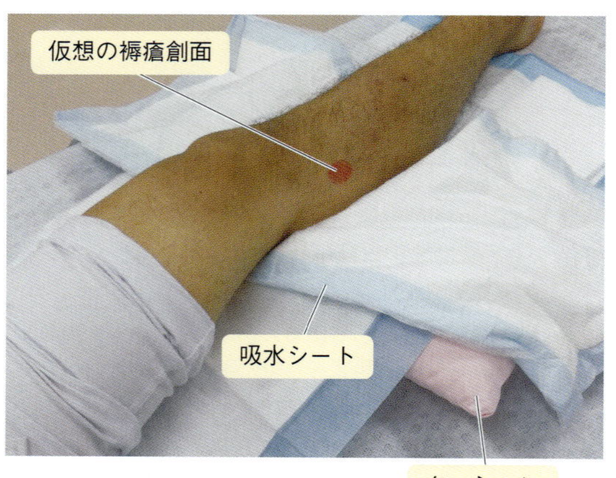

図4　腓骨頭部褥瘡モデルの作成

❷創洗浄を実習するために，下肢とクッションの間に吸水シートを敷く．準備した水道水のボトルをもち，褥瘡および褥瘡周囲に適度に水をかけ，褥瘡および周囲の皮膚を弱酸性石鹸で洗浄する．付着した泡をガーゼでなでるように除去し，さらに多量の水で十分洗い流した後，ガーゼで水を拭きとる．

❸続いて，電気刺激療法を実習するために，褥瘡治療用のフォームドレッシング材を腓骨頭の褥瘡部に貼付する．この際，滲出液吸収のモデルとして，フォームドレッシング材の中心部に水を垂らして吸収させ，非吸収側の色が変化したことを確認する（図5）．創周囲の皮膚に不関電極を貼付する．

❹専用の塩化銀電極を陰極（－）側に連結し，フォームドレッシング材のウレタン部分に挿入する（図6）．被覆材に対して水平に挿入するようにして創傷への接触を避ける．専用電極を準備できない場合には実習上に限って針金，クリップなどの細い金属を代用するとよいが，扱いには十分注意する．

❺前述の4を参照して刺激条件を設定する．実際は30分以上行うが，実習をすみやかに終えるため時間は数分で終了するように設定する．

❻終了後に刺激電極を外し，すぐに電気線で両電極を連結し，蓄電を除去する（図7）．

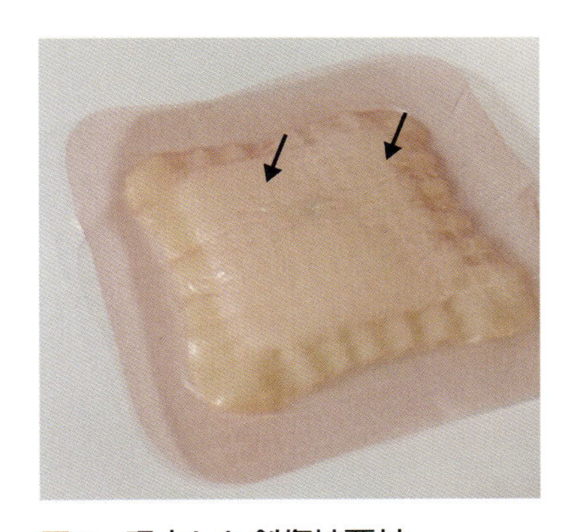

図5　吸水した創傷被覆材

フォームドレッシング材内のウレタン部分が吸水により格子状にピンク色から褐色に変化している（⟶）．

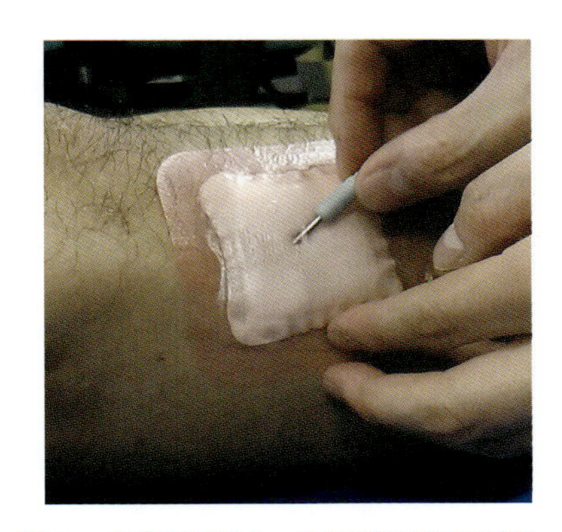

図6　創傷被覆材への刺激電極の挿入

刺激電極を創傷被覆材の吸水したウレタン部分に挿入する．創傷に対して実施する場合には，創傷治療専用の刺激電極の使用が望ましい．

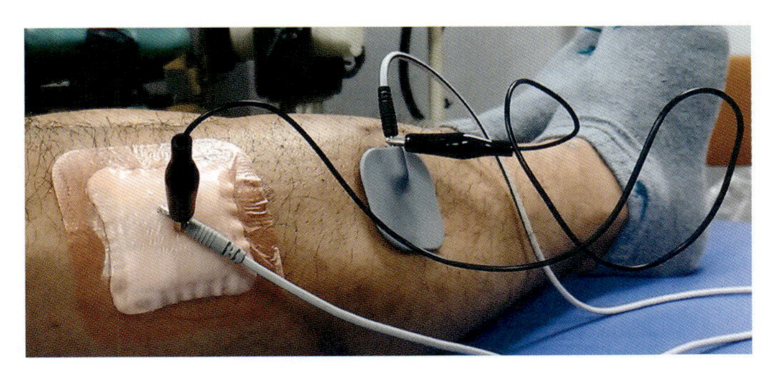

図7　電気線による蓄電の除去

通電終了直後に陽極と陰極を電気線（黒色）で短絡し，直流電流によって蓄積した電圧を除去する．

文献（第Ⅱ章-9-Fの文献）

1）「褥瘡予防・管理ガイドライン（第4版）」(http://www.jspu.org/jpn/info/pdf/guideline4.pdf)，日本褥瘡学会，2015

2）Kawasaki L, et al：The mechanisms and evidence of efficacy of electrical stimulation for healing of pressure ulcer：a systematic review. Wound Repair Regen, 22：161-173, 2014

3）Yoshikawa Y, et al：Monophasic Pulsed Microcurrent of 1-8 Hz Increases the Number of Human Dermal Fibroblasts. Progress in Rehabilitation Medicine, 1：20160005, 2016

4）ELECTROPHYSICAL AGENTS - Contraindications And Precautions：An Evidence-Based Approach To Clinical Decision Making In Physical Therapy. Physiother Can, 62：1-80, 2010

5）吉川義之，他：褥瘡部を陰極とした微弱直流電流刺激療法による創の縮小効果．理学療法学，40：200-206, 2013

10 圧迫療法

学習のポイント

- 圧迫療法が生体に与える影響とその目的について理解する
- 圧迫療法の適応と効果，禁忌・注意事項（医療関連機器圧迫創傷など）について理解する
- 健常者に対して包帯を用いた圧迫療法が実施できる

1 圧迫療法とは

- 圧迫療法は下肢静脈瘤，深部静脈血栓症，リンパ浮腫に対する保存的治療として最も重要な治療法である[1]．
- 圧迫療法は，患部に一定の圧をかけることによりその部分への水分の漏れを抑えて，体の中心部に組織間液の回収を促す目的で行われる．
- 作用機序としては，①浮腫軽減による微小循環改善，②血管径減少で静脈弁の接合性がよくなることによる逆流の減少，③血管径減少による静脈血流速上昇，④筋ポンプ作用の増強，⑤末梢から中枢への水分移動による心拍出量の上昇，が考えられている．
- 圧迫療法の作用機序はいまだに不明な点も多く，疾患によっては十分なエビデンスがない分野もある．
- 圧迫療法には間欠的（パルス）圧迫と持続的圧迫がある．
  - **間欠的圧迫**の代表的な機器には間欠的空気圧迫装置（intermittent pneumatic compression：IPC）があり，上肢や下肢へスリーブを装着させ空気を用いて末梢側から中枢側へ圧迫する（図1）．その他には用手的リンパドレナージ（後述）や下肢マッサージなどがある．
  - **持続的圧迫**は，バンテージ（包帯）や弾性ストッキングを用いて持続的に圧迫する方法である（後述）．
  - 持続的圧迫療法を規定する因子は，圧力（pressure），層（layer），構成要素（component），伸縮性（elasticity）があり，これらはそれぞれ相互に関連している[2]．
  - 持続的圧迫療法を実施する場合は，患者の協力を得てコンプライアンスを高めないと実際の治療効果が得られにくいとされている．

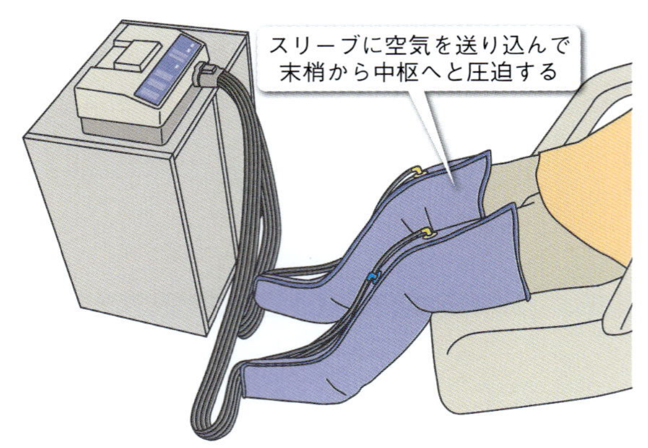

図1　間欠的空気圧迫装置（IPC）

2 圧迫療法の適応と効果

1）圧迫療法の適応

- 臨床現場で理学療法士は，静脈やリンパ管における疾患，および切断後の断端形成に対して圧迫療法を実施することが多いと思われる．

❶ 静脈やリンパ管における疾患

- 静脈やリンパ管における疾患として，臨床でよく遭遇するのは浮腫である．
- **浮腫**は関節可動域制限や筋力低下などの機能障害を引き起こし，体重を増加させ（非対称的な過負荷），皮膚および皮下組織の感染症の発生を促進し，患者の精神や自己認識に悪影響をおよぼす[3]．
- 浮腫の原因は毛細血管内圧上昇，低アルブミン血症，血管透過性の亢進，リンパ管閉塞，粘液水腫などがある．
- 本項では主に，静脈性浮腫とリンパ浮腫について解説する．この2つの浮腫の原因を簡単な図式により説明する（図2，3）．
  - **静脈性浮腫**は静脈内圧上昇による浮腫であり，身体活動の喪失や静脈弁機能障害，腫瘍や炎症による静脈の閉塞により生じる．
  - **リンパ浮腫**は，リンパ管を流れるリンパ液が何らかの原因（腫瘍や手術や，ケガなどによるリンパ管，リンパ節切除など）で流れが滞ることにより生じる浮腫である．
- 静脈瘤や静脈還流異常により生じた静脈性潰瘍に対しては，創部を保護しながら圧迫療法を実施することで潰瘍の治癒が期待できる（図4）．

❷ 切断後の断端形成

- 切断後には，断端包帯法（ソフトドレッシング）といわれる圧迫療法が施行される．伸縮性のある包帯（弾性包帯）を使用して断端の状態や切断レベルに合わせて実施する．
- この圧迫療法は術後の浮腫を抑制し，過剰な体液貯留による軟部組織の伸張を防止することで断端の縮小が促される．
- 弾性包帯を使用した圧迫療法は，患者自身で実施できるように理学療法士が巻き方を指導する必要がある．

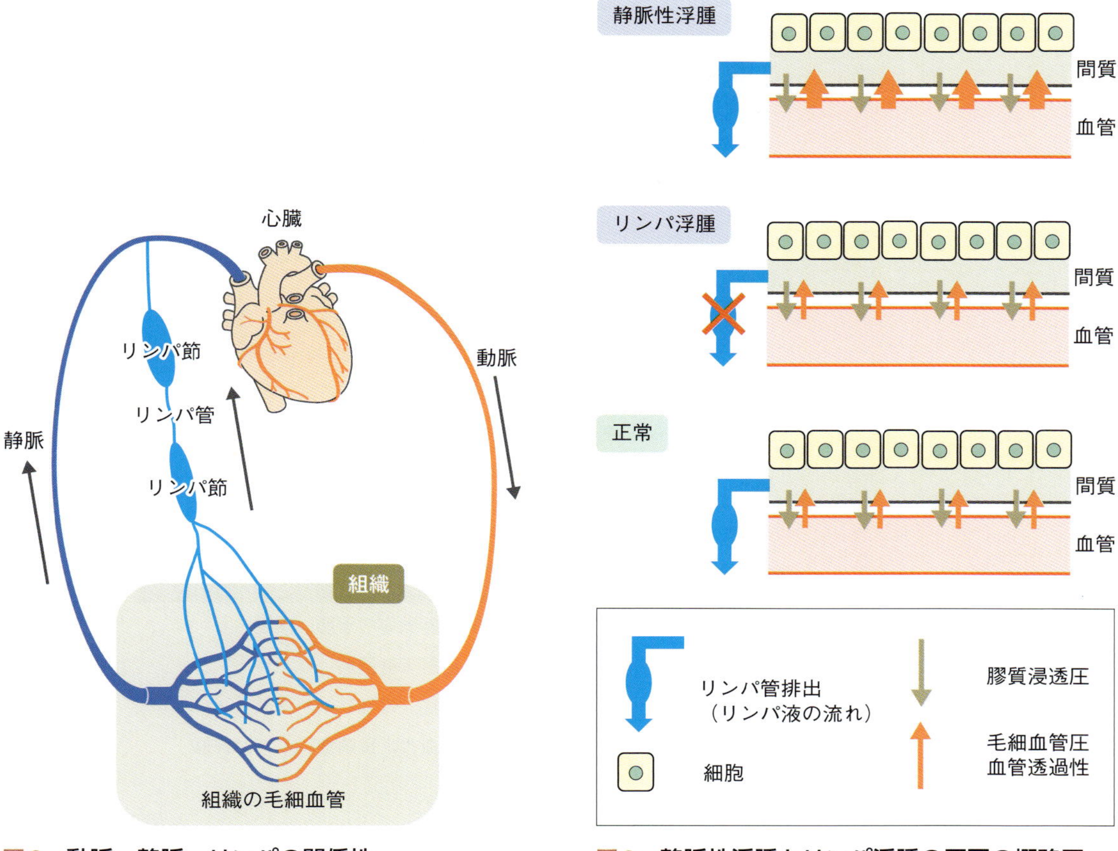

図2　動脈，静脈，リンパの関係性

図3　静脈性浮腫とリンパ浮腫の原因の概略図

2）圧迫療法の効果

- 圧迫療法の効果としては，血行動態と組織に対する効果が期待できる．
- 血行動態に対する効果としては，静脈還流の増大，静脈血のうっ血減少およびそれによる静脈体積の減少，静脈における逆流の減少，静脈圧の低下，微小循環における血流の促進などがある．
- 組織に対する効果としては，浮腫の再吸収，有害物質の排出増加，炎症の軽減，修復過程の維持などである．

3）圧迫療法における知見

- 圧迫療法は下肢静脈瘤，深部静脈血栓症（deep vein thrombosis：DVT）※1，リンパ浮腫など静脈やリンパ管における治療に適応される．

補足

※1　深部静脈血栓症（deep vein thrombosis：DVT）とは

主に下肢（腓腹部や大腿部）または骨盤の深部静脈で血液が凝固し，血栓が形成され静脈血管が詰まる状態である．症状としては，急性に現れる下肢の腫れ（片側性），疼痛，皮膚の色調の変化である．この深部静脈血栓症が原因で肺塞栓症を発症することがある．

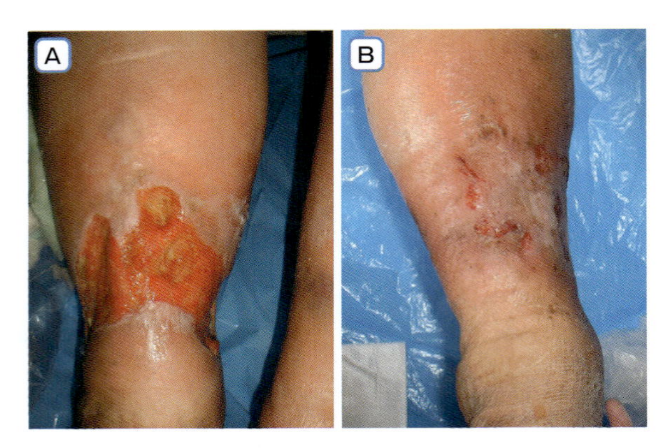

図4　静脈性潰瘍

A）静脈還流異常により生じた静脈性潰瘍．B）創部管理と弾性ストッキングによる圧迫療法により，創の治癒が促進している．

表1　弾性ストッキング使用時の圧力の目安

圧力	病態
20 mmHg以下	血栓症の予防，静脈瘤の予防，浮腫
20～30 mmHg	軽度静脈瘤，高齢者静脈瘤
30～40 mmHg	静脈血栓症後遺症，軽度リンパ浮腫
40 mmHg以上	高度浮腫，静脈血栓症後遺症，リンパ浮腫

- 下肢静脈瘤において圧迫療法は，初期治療として20～30 mmHgの弾性ストッキング（表1）の使用が推奨されているが，静脈瘤の治療に有効かどうかを判断する十分な根拠はない状況である[4]．
- 静脈血栓塞栓症（venous thromboembolism：VTE）治療に圧迫療法が用いられている．これらは下肢挙上や運動療法と組合わせることで効果的とされている[5]．
- 「肺血栓塞栓症および深部静脈血栓症の診断，治療，予防に関するガイドライン」[5]において，血栓後症候群（post-thrombotic syndrome：PTS）に対する圧迫療法は推奨クラスⅠ，エビデンスレベルAとして有効性が示されている．
  ＊推奨クラスⅠ：検査法・手技や治療が有用・有効であるというエビデンスがあるか，あるいは見解が広く一致している．
  ＊エビデンスレベルA：複数のランダム化比較試験，またはメタ解析で有効性が実証されている．
- 静脈性潰瘍形成などの重傷例には弾性包帯，足関節圧30 mmHg以上の弾性ストッキングが有効であり，治療の中心として推奨されている[5]．
- 下腿潰瘍の再発予防に対して実施した圧迫療法では，対象者に合わせながら強めの圧の弾性ストッキングを装着している場合は，弱い圧を装着している場合と比較して再発が減少したと報告されている[6～8]．
- リンパ浮腫についてもシステマティックレビューの結果から，従来から実施されているマッサージ療法，挙上，運動および持続的圧迫療法（35 ± 5 mmHg）が推奨されている[9]．
- 慢性的な浮腫に対して，間欠的空気圧迫装置（IPC）が手の浮腫を大幅に減少したとの報告もある[10]．

3 圧迫療法の禁忌と注意事項

1）禁忌

- **心不全**：全身状態の不安定な心不全では静脈還流量が増加し，心臓への前負荷が過剰となるため．
- **肺水腫**：静脈還流量の増加により肺毛細血管圧が上昇するため．
- **血栓剥離の危険性がある血栓症**（急性深部静脈血栓症，血栓性静脈炎など）：血栓が剥離し塞栓を生じる可能性があるため．
- **循環障害が原因の浮腫***：圧迫により動脈を閉鎖し循環障害の原因となる可能性があるため．
  ＊足関節/上腕血圧比（ankle brachial index：ABI）※2が0.5未満の場合が禁忌となる（表2）．ABI測定による圧迫療法使用時の注意事項について表3に示す．
- **リンパ還流・静脈還流の完全閉塞**：完全閉塞の場合は圧迫療法を実施しても体液還流が改善しないため．
- **急性期の外傷・骨折**：出血や急性炎症を悪化させ骨折を不安定にして，損傷部位に新たな損傷を引き起こす可能性があるため．
- **急性期の皮膚感染**：圧迫療法により湿度や温度を上昇させ，皮膚感染症を悪化させる危険性があるため．
- **動脈再建術後**：圧迫により四肢の血流障害による虚血の危険性があるため．
- **重篤な低タンパク質血漿**：脈管に還流する体液により，さらなる血清タンパク質濃度を低下させる可能性があるため．
- **高度の腎機能障害**：腎臓が余分な体液を排出できないため．

補足

※2　足関節/上腕血圧比（ankle brachial index：ABI）とは

ABIとは，足関節の収縮期血圧を上腕収縮期血圧の高い方で除した値である．正常であれば足関節血圧の方が10～20 mmHg程度高いため，ABIの値は1.0よりも大きくなる．基準値は1.0～1.3であり，0.9以下となれば軽～中等度の閉塞または狭窄の可能性がある．また，1.4以上であれば高度な石灰化の可能性がある．

2）注意事項

- **コントロール不良な高血圧症**：脈管に吸収された体液で血圧上昇をきたす可能性がある．
- **悪性腫瘍**：圧迫による循環改善が腫瘍の成長や転移を促進する可能性があるとしているが，このあたりは専門家により意見が分かれているため医師と相談する．
- **感染**：接触感染に注意する必要がある．
- **繊維に対する過敏症**：接触性皮膚炎などに注意する必要がある．
- **知覚障害**：知覚障害を有する場合は圧迫への注意深い観察が必要となる．
- その他：足背動脈，後脛骨動脈の触知ができない場合，足部冷感，チアノーゼが出現している場合は，ドプラ血流計により足背動脈あるいは後脛骨動脈の血管音を聴取する．聴取できない場合は医師と相談のうえ，実施を検討する．

表2　足関節/上腕血圧比（ABI）※2と圧迫療法実施の目安

ABI	圧迫療法実施時の注意事項
0.9以上	・弾性ストッキング・IPCの併用，または単独使用可能． ・スタンダード予防ケアを実施する（表3）．
0.5～0.9	・弾性ストッキング・IPCを慎重に使用する． 　または，使用については医師に相談する． ・ハイリスク予防ケアを実施する（表3）．
0.5未満	・弾性ストッキングの使用を不可とする． 　または使用については医師と相談する． ・ハイリスク予防ケアを実施する（表3）．

表3　弾性ストッキングおよびIPC使用における注意事項（圧迫創傷予防ケア）

タイミング	ケア項目	スタンダード予防ケア	ハイリスク予防ケア
機器選択	確認事項	・使用する下肢（両側または片側） ・使用製品のタイプ（ストッキングかハイソックスか） ・使用期間	
	注意事項	・取扱説明書に記載のサイズ表に則った下肢の計測と選択 ・サイズ表で境界にある場合は大きいサイズ（または取扱説明書に則ったサイズ）を選択 ・左右測定値が異なる場合は，それぞれに適したサイズを選択 ・浮腫の増減で下肢サイズが変化した場合は，再度測定し再選択	
装着時のケア（フィッティング）	外力低減ケア	【ES】 ・しわ，よじれ，くいこみ，重なり，ずれのないよう着用 ・ESの上端を折り返さない，丸まりを直す ・かかと，ポジションマーカーの位置を合わせる ・モニターホールを適切な位置にする ・無理に引っ張り上げない ・フットスリップ，ストッキングドナーを用いる	
		・ポリウレタンフィルム材，ドレッシング材の貼付 ・くいこみ防止のために，上端に筒状包帯の使用 【IPC単独使用の場合】 ・筒状包帯の使用	左記の使用，種類について，医師と検討
装着中のケア	観察事項	皮膚：発赤，水疱，潰瘍，皮疹，色調の変化など 自覚症状：違和感，疼痛，しびれ，かゆみなど ES・IPC：しわ・よじれ，上端のずり落ち，丸まり，モニターホールからの足のはみ出し，先端のめくれ上がりなど	
	観察の頻度	少なくとも2回/日	4～8時間ごと/日，または医師と検討
	外力低減ケアの頻度	少なくとも2回/日は，ESの履き直し，IPCを外す時間をつくる	履き直し，外す時間は，医師と検討
	スキンケア	・少なくとも1回/日は，清拭または足浴の実施 ・保湿クリームの塗布	
	患者・家族教育	・違和感，疼痛，しびれ，かゆみがあれば訴えるよう説明 ・しわ，よじれ，くいこみ，重なり，ずれが生じた場合は訴えるよう説明	

ES：静脈血栓塞栓症予防用弾性ストッキング．IPC：間欠的空気圧迫装置．文献11より転載．

表4　医療関連機器圧迫創傷（N＝251）

順位	発生率（%）	医療関連機器
1位	15.9	ギプス・シーネ（点滴固定用含む）
2位	14.3	医療用弾性ストッキング
3位	8.8	気管内チューブ（経鼻または経口気管挿管専用チューブ）
4位以下	4位：NPPV（非侵襲的陽圧換気療法）マスク 5位：下肢装具（整形靴，短下肢装具，長下肢装具など） 6位：弾性包帯（弾性包帯・包帯） 7位：抑制帯 8位：上肢装具（指装具，把持装具，肩装具など） 9位：自動血圧計マンシェット 10位：間欠的空気圧迫装置（IPC）	

文献11をもとに作成.

表5　間欠的空気圧迫装置（IPC）による医療関連機器圧迫創傷例

発生部位	骨・関節以外の皮膚の軟らかい部位	骨・腱・関節などの突出部	関節の可動部
具体例	腓腹部	脛骨部，踝部，足趾伸筋腱，アキレス腱	足関節部，足趾関節部
	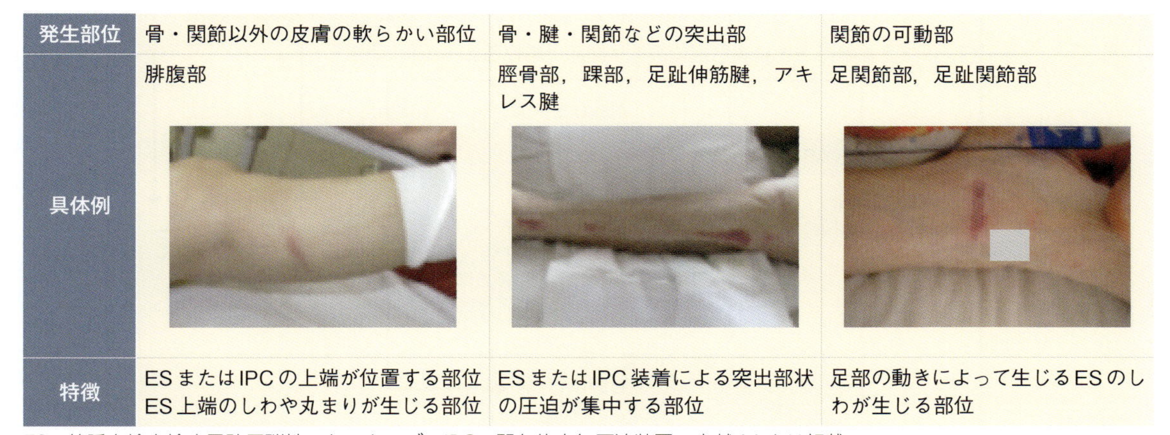		
特徴	ESまたはIPCの上端が位置する部位 ES上端のしわや丸まりが生じる部位	ESまたはIPC装着による突出部状の圧迫が集中する部位	足部の動きによって生じるESのしわが生じる部位

ES：静脈血栓塞栓症予防用弾性ストッキング．IPC：間欠的空気圧迫装置．文献11より転載.

- 手指や足趾末節でのうっ血，しびれ，腫脹，疼痛などの異常がみられた場合は，すぐに圧迫を中止する.

3）医療関連機器圧迫創傷への配慮[11)]

- 創傷発生に関与した医療関連機器のうち，医療用弾性ストッキングは全体の14.3％を占め，ギプス・シーネなどに次いで2番目に多いことが報告されている．また，弾性包帯は6位，IPCは10位となっている（表4）.
- 弾性ストッキングおよびIPCにより医療関連機器圧迫創傷を招く危険性がある（表5）.
- 弾性ストッキングや弾性包帯については，長時間の装着によるしわや包帯のずれにより局所の圧迫が強くなり，創傷発生となる危険性がある.
- 弾性ストッキングおよびIPCの選択とケア選択のためのフローチャートを図5に示した.

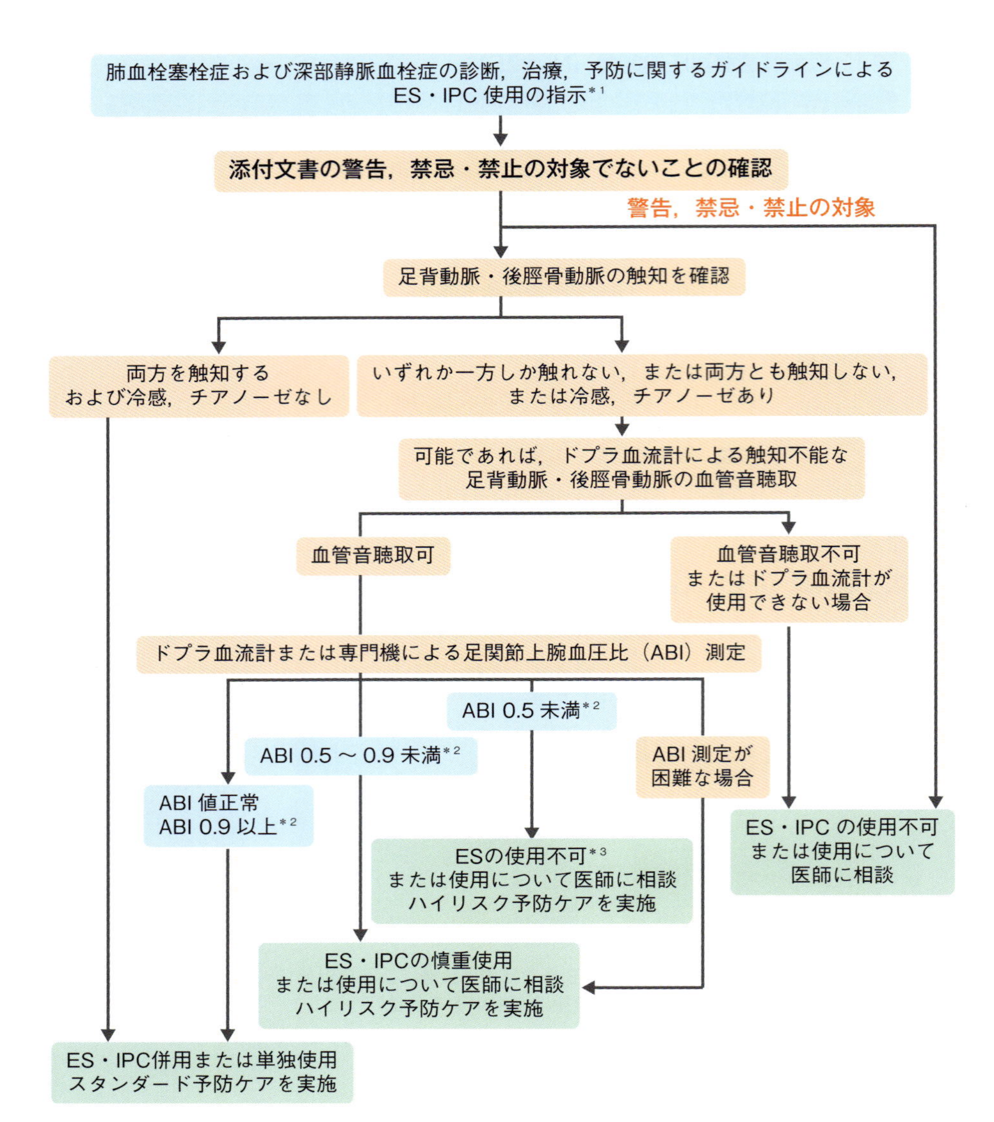

図5　弾性ストッキング（ES）および間欠的空気圧迫装置（IPC）使用時のフローチャート

＊1：肺血栓塞栓症および深部静脈血栓症の診断，治療，予防に関するガイドラインによる適応であることの確認．＊2：上記数値は混合性潰瘍の圧迫療法におけるエビデンス[13]から引用しており，必ずしも静脈血栓塞栓症予防のデータではない．＊3：ESのVTE予防の効果は限定的である[12)～17)]．IPCも同様に高度の動脈閉塞では使用が禁忌である．しかし，中等度以下の動脈閉塞では，十分なエビデンスはないが，圧迫が間欠的であることからESよりも圧迫創傷の危険が少ないと考えられる．ES：弾性ストッキング．IPC：間欠的空気圧迫装置．VTE：静脈血栓塞栓症．文献11より改変して転載．

4 圧迫療法の実際

1）間欠的空気圧迫装置（IPC）（図1）

- 下肢の静脈血，リンパ液のうっ滞を軽減または予防する目的で使用される．

表6　包帯の種類

種類		伸縮性	材質	用途
非伸縮性包帯（巻軸包帯）		非伸縮	綿	各種固定など.
伸縮性包帯	伸縮包帯	高伸縮	綿 レーヨン ポリウレタン	関節などの固定しにくい部位に使用する. ガーゼ，カイロの固定など一般的に多用途で使用される包帯.
	弾性包帯 弾力包帯	低～高伸縮	綿	各種圧迫固定. 運動性の高い関節などの固定しにくい部位に使用する. 巻いた後の締め付けが少ない.
			レーヨン ポリエステル ポリウレタン	各種圧迫固定. 運動性の高い関節などの固定しにくい部位に使用する. 巻いた後の締め付けが強い.

- 使用方法は，浮腫に使用する場合は治療部位を挙上させ，安楽な姿勢でスリーブを装着する．圧力は30～40 mmHgから開始し，30分～2時間程度を連日実施することが望ましい．
- IPCは各メーカーから複数の機器が販売されていて，近年では深部静脈血栓症予防のためにベッドサイドで24時間連続運転が可能な機器も開発されている．
- 圧力については，下腿圧が20 mmHg程度のものから足部圧が130 mmHg程度のもの（venous foot pump：VEP）まで幅広く，また使用時間などについても一定した見解が得られていない状況である．

2）包帯を用いた圧迫療法

- 包帯は，伸縮性包帯（伸縮包帯，弾性包帯，弾力包帯）と非伸縮性包帯（巻軸包帯）に分けられる（表6）．
- 圧迫療法に使用される包帯は伸縮性包帯であり，伸縮包帯や弾性包帯で圧を調整しながら，多層包帯法とよばれる方法で何層にも重ねて圧迫する方法を用いる．
- 圧迫力は，遠位から近位に向かって段階的に弱くなるように巻いていく（段階的圧迫法）．
  * 遠位部に貯留した水分を近位部へ返すため，遠位から近位に向かって圧迫する必要がある．近位部の圧迫が強くなると遠位部の貯留を助長してしまう．
- 圧迫比の目安は，上肢は手指・手関節：前腕：上腕を10：9：7，下肢は足趾・足関節：下腿：大腿を10：7：4とする．
- 手指および足趾に対して包帯を用いる場合は，幅が小さめの伸縮性包帯を使用して手関節および足関節まで巻き，手関節および足関節よりも近位には弾性包帯を使用して多層包帯法で巻いていく（図6）．
- 切断後の断端形成の場合（断端包帯法：ソフトドレッシング）も，断端部から近位に向かって段階的に弱くなるように巻いていく．
- 断端部への弾性包帯を用いた圧迫療法は装着と創部観察が容易で低コストであるため臨床現場で頻繁に実施されているが，弾性包帯を巻くには高度な技術が必要であり，不適切な巻き方をすると不良断端を形成してしまうリスクがある[18]．
- 前述したように切断患者自身に巻き方を指導する必要があるため，適切な方法をまず理学療法士が習得する必要がある．

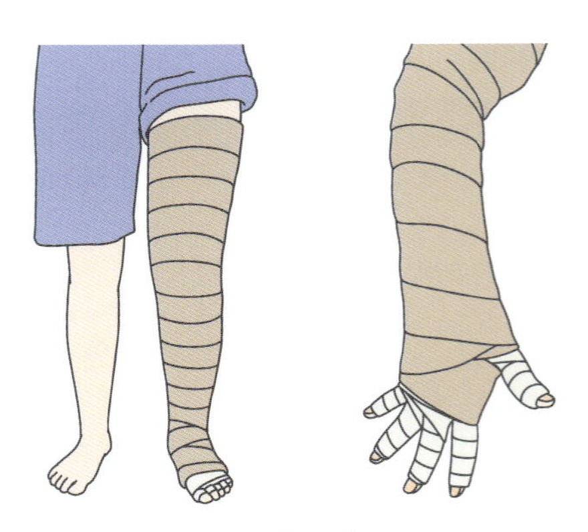

図6　弾性包帯の巻き方

- 切断患者に対しての指導が困難な場合には，圧をかけながら断端を覆う筒状のスタンプシュリンカー（コンプレッションソックス）やシリコンライナーが使用されることがある[19]．
- 包帯を使用する場合は捻じれやズレに注意し，医療関連機器圧迫創傷に注意する．

3）弾性ストッキング

- 弾性ストッキングは使用用途により圧力が分類されている（表1）．リンパ浮腫など静脈やリンパ管における治療に用いられる．
- 弾性ストッキングはサイズが合っていなければ使用する意味がなくなるため，正確なサイズを計測する必要がある．
- 弾性ストッキングは着用しにくいため，患者のコンプライアンスを高めないと治療効果が得られにくい．そのため，高齢者が使用する場合は特に注意が必要であり，家族などへの指導がたいへん重要である．
- 血栓や静脈瘤の予防では20 mmHg以下の比較的軽めの弾性ストッキングを用いるとされているが，有効であるとした十分な根拠はない[20]．
- 臨床上，弾性ストッキングはDVTの予防に用いられているが，動脈血行障害に関してはエビデンスが不十分であるため注意する必要がある[11]（表7）．
- 下腿潰瘍の再発予防やPTSについては有効性が示されている[5]．

4）用手的リンパドレナージ

- 用手的リンパドレナージとは「徒手により貯留した体液を排液する」という意味である．
- 簡便なリンパドレナージの方法は，患肢を心臓よりも高い位置に保持することであり，そのうえで徒手にてリンパの流れに沿ってリンパ節に向かって軽く圧迫する．
- 下肢のリンパ節は膝窩部，鼡径部にあり，上肢は肘部，腋窩部，鎖骨部にある（図7）．まずは貯留しているリンパ液をドレナージするため近位部から開始し，その後，遠位のリンパ液のドレナージを実施する．
- 遠位部から実施しても近位部に貯留したリンパ液の影響によりドレナージが困難なため，近位部→遠位部→近位部といった順序で実施する（図7）．

表7　静脈血栓塞栓症予防における動脈血行障害と合併症に関するエビデンス

著者・出典	発表年	内容
平井	2013	足関節血圧65～80 mmHg未満，ABIが0.7あるいは0.6未満では，圧迫療法を行わない方がよい．
mostiら	2012	動静脈血行障害の混合性潰瘍患者では，ABIが0.5かつ足関節血圧60 mmHgを超えた場合は，低伸縮性圧迫包帯で40 mmHgまでならば，動脈還流を障害しない．
杉山ら	2014	弾性ストッキングだけが直接原因とはいえないが，心不全，糖尿病合併症例で最終的に下肢切断に至った患者を報告している．
ACCPガイドライン第9版	2012	動脈血行障害患者では，弾性ストッキング・IPC装置ともに末梢動脈疾患では相対的禁忌である．
WOCNガイドライン	2014	ABIが0.9以下では，弾性ストッキングの使用，IPC装置の使用，または併用使用か，適応か安全かを専門家へ相談することを推奨する．

文献11より転載．

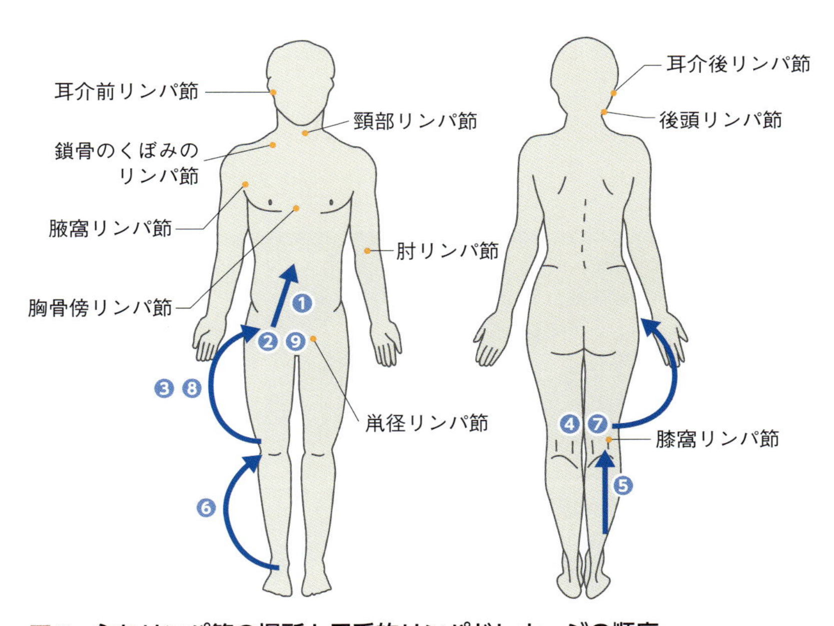

図7　主なリンパ節の場所と用手的リンパドレナージの順序

❶鼡径部から腹部に向かって，❷鼡径部リンパ節を軽く圧迫する．❸膝窩リンパ節（膝裏）から前面に向かって，❹膝窩リンパ節を軽く圧迫する．❺下腿前面および腓腹部から膝窩リンパ節に向かって，❻足背から膝窩リンパ節に向かって，❼膝窩リンパ節を軽く圧迫する．❽膝窩リンパ節（膝裏）から前面に向かって，❾鼡径部リンパ節を軽く圧迫する．

実験・実習

1）上肢のリンパ浮腫に対する包帯を用いた圧迫療法（図8）

- 上肢のリンパ浮腫を想定して，手指から手関節までの伸縮性包帯を用いた圧迫療法，手掌手背部から肘関節周囲部までの弾性包帯を用いた圧迫療法を実施する．

❶まず，メジャーを用いて手掌手背部分と前腕部分の最大周径を測定する．測定する部分は実習終了後にも測定するため，同部位を特定するためにマークしておく．

❷次に，伸縮性包帯を準備し手関節部から小指，小指から手関節部，手関節部から環指，環指から手関節部…の順番にすべての指に包帯を巻いていく（図8①～⑦）．その際，痛みが出ない程度に近位部よりも遠位部で張力を強くする．

❸最後は手関節部で終わるように調整する．

❹次に手掌手背部から肘関節周囲部にかけて弾性包帯を巻いていく．弾性包帯は手関節から前腕部分に向かって巻き上げていく（図8⑧～⑫）．手指部分のときと同様に遠位部で張力を強くする．

❺その後，圧迫部分を心臓よりも高い位置に保持する．可能であれば手指の屈曲伸展運動をくり返す．

❻終了後は包帯を外し，開始前と同部位を計測して変化を観察する．

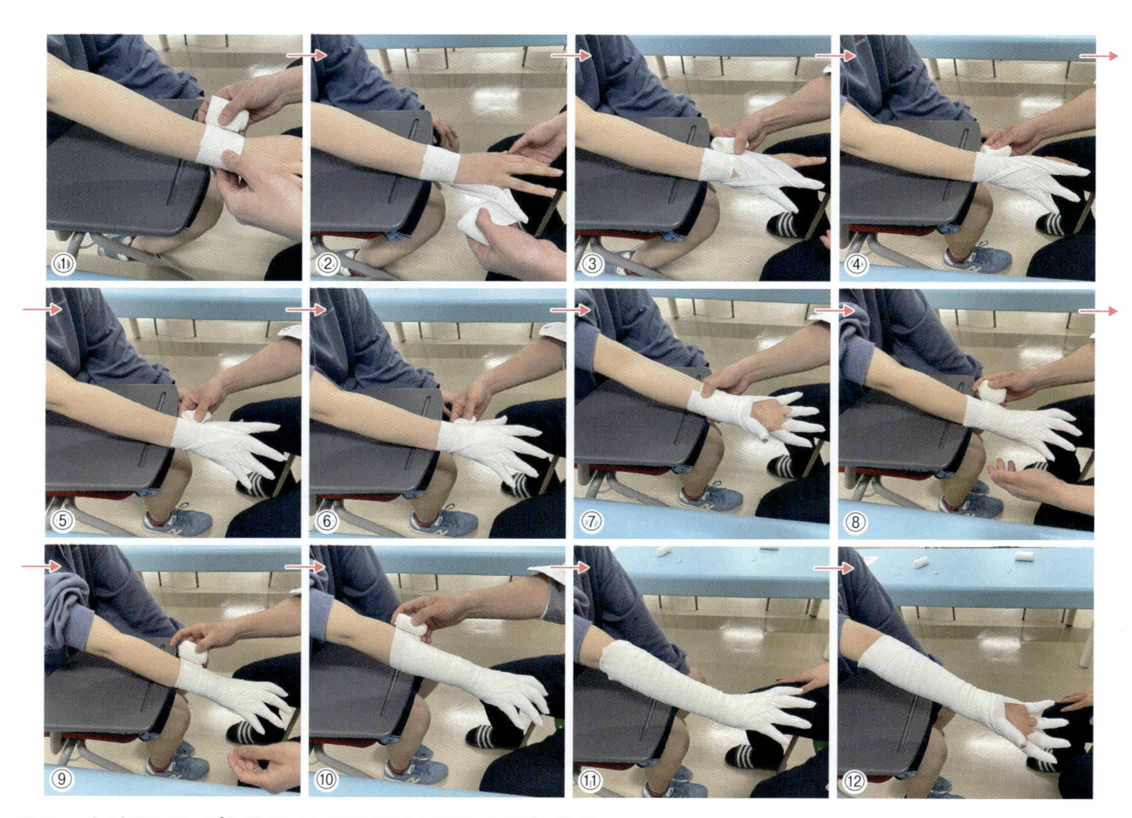

図8　上肢のリンパ浮腫に対する包帯を用いた圧迫療法

2）下肢のリンパ浮腫に対する包帯を用いた圧迫療法（図9）

- 下肢のリンパ浮腫を想定して，足趾から足部までの伸縮性包帯を用いた圧迫療法，足部から下腿までの弾性包帯を用いた圧迫療法を実施する．

❶まず，メジャーを用いて足背部と下腿部の最大周径を測定する．測定する部分は実習終了後にも測定するため，同部位を特定するためにマークしておく．

❷次に，伸縮性包帯を準備し下腿から遠位部をベッドに接しないように位置する．

❸包帯は足背から母趾，母趾から足背，足背から示趾，示趾から足背…の順番にすべての指に包帯を巻いていく（図9①〜⑥）．その際，痛みが出ない程度に近位部よりも遠位部で張力を強くする．

❹最後は足背で終わるように調整する．

❺次に足部から下腿にかけて弾性包帯を巻いていく（図9⑦〜⑫）．

❻弾性包帯は足背部から巻く．足趾部分のときと同様に，遠位部で張力を強くする．足関節捻挫のテーピングとは違い，踵部分も覆いながら弾性包帯を巻いていく．

❼遠位部から近位部方向へ膝窩部分まで巻き上げていく．

❽その後，圧迫部分を心臓よりも高い位置に保持し，10〜30分程度安静にする．

❾終了後は包帯を外し，開始前と同部位を計測して変化を観察する．

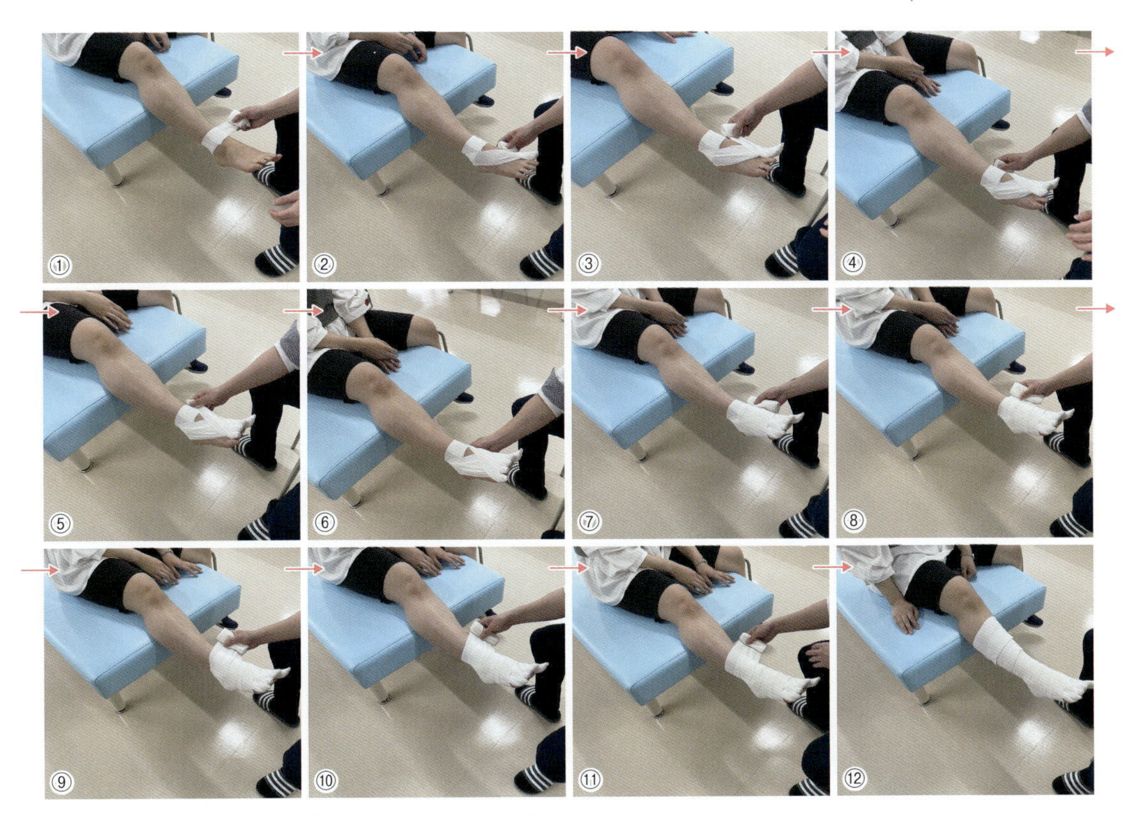

図9　下肢のリンパ浮腫に対する包帯を用いた圧迫療法

文献

1）日本皮膚科学会ガイドライン：創傷・褥瘡・熱傷ガイドライン—5：下腿潰瘍・下肢静脈瘤診療ガイドライン．日皮会誌，127：2239-2259，2017

2）孟 真，他：プラクティカル・フレボロジー 圧迫療法と圧迫圧．静脈学，27：45-51，2016

3）Zasadzka E, et al：Comparison of the effectiveness of complex decongestive therapy and compression bandaging as a method of treatment of lymphedema in the elderly. Clin Interv Aging, 13：929-934, 2018

4）Gloviczki P, et al：The care of patients with varicose veins and associated chronic venous diseases: clinical practice guidelines of the Society for Vascular Surgery and the American Venous Forum. J Vasc Surg, 53：2S-48S, 2011

5）「肺血栓塞栓症および深部静脈血栓症の診断，治療，予防に関するガイドライン（2017年改訂版）」（日本循環器学会，他／合同研究班参加学会，伊藤正明／班長），2018

6）Kapp S, et al：The clinical effectiveness of two compression stocking treatments on venous leg ulcer recurrence: a randomized controlled trial. Int J Low Extrem Wounds, 12：189-198, 2013

7）Nelson EA, et al：Prevention of recurrence of venous ulceration: randomized controlled trial of class 2 and class 3 elastic compression. J Vasc Surg, 44：803-808, 2006

8）Vandongen YK & Stacey MC：Graduated compression elastic stockings reduce lipodermatosclerosis and ulcer recurrence. Phlebology, 15：33-37, 2000

9）Miller LK, et al：Effectiveness of edema management techniques for subacute hand edema: A systematic review. J Hand Ther, 30：432-446, 2017

10）Griffin JW, et al：Reduction of chronic posttraumatic hand edema: a comparison of high voltage pulsed current, intermittent pneumatic compression, and placebo treatments. Phys Ther, 70：279-286, 1990

11）第Ⅱ部医療関連機器別予防・管理 第1章 静脈血栓塞栓症予防用弾性ストッキング、および間欠的空気圧迫装置．「MDRPU ベストプラクティス医療関連機器圧迫創傷の予防と管理」（一般社団法人 日本褥瘡学会／編），pp24-38，照林社，2016

12）「新 弾性ストッキング・コンダクター 静脈疾患・リンパ浮腫における圧迫療法の基礎と臨床応用」（平井正文，他／編），へるす出版，2010

13）臨床応用編．「データとケースレポートから見た圧迫療法の基礎と臨床」（平井正文／著），pp45-113，メディカルトリビューン，2013

14）Mosti G, et al：Compression therapy in mixed ulcers increases venous output and arterial perfusion. J Vasc Surg, 55：122-128, 2012

15）杉山 悟，他：弾性ストッキングの合併症に関するサーベイ．静脈学，25：403-409，2014

16）Kearon C, et al：Antithrombotic therapy for VTE disease: Antithrombotic Therapy and Prevention of Thrombosis, 9th ed: American College of Chest Physicians Evidence-Based Clinical Practice Guidelines. Chest, 141：e419S-e496S, 2012

17）「Guideline for management of wounds in patients with lower-extremity arterial disease」（Wound, Ostomy and Continence Nurses Society：VH.Interventions), pp72-119, Wound, Ostomy and Continence Nurses Society, 2014

18）戸田光紀，陳 隆明：2 最新の周術期管理．J Rehabil Med，55：378-383，2018

19）木村浩彰：教育講座 切断・断端管理と義足の適応．Jpn J Rehabil Med，55：242-248，2018

20）Raetz J, et al：Varicose Veins: Diagnosis and Treatment. Am Fam Physician, 99：682-688, 2019

参考文献

・徳田 裕：4-4 間欠的（パルス）空気圧迫装置．「シンプル理学療法学シリーズ 物理療法学テキスト 改訂第3版」（細田多穂／監，木村貞治，他／編），pp322-332，南江堂，2021

・金原一宏：第13章 マッサージ療法．「イラストでわかる物理療法」（上杉雅之／監，杉元雅晴，菅原 仁／編），pp167-185，医歯薬出版，2019

11 牽引療法

学習のポイント

- 牽引療法の分類，生体に与える影響，目的を理解する
- 牽引療法の適応と効果，禁忌と注意事項を理解する
- 牽引療法を健常者に対して実施できる

1 牽引（けんいん）療法とは

- 牽引療法とは，外力により身体を引っぱり関節や椎体間の離開を行う方法である．
- 牽引療法が使用されるようになったのは1950年代であり，Cyriax（シリアックス）らが，椎間板脱出などによる腰痛や下肢痛に対して牽引療法を推奨したことがはじまりとされている．
- しかし，牽引療法に対する意見は賛否両論である．牽引の臨床研究は質が低く，牽引の有効性については不明なままである．
- 本項では，最新の牽引療法の治療方法やエビデンスについて述べる．

1）牽引力の伝達方法による分類～直達（ちょくたつ）牽引と介達（かいたつ）牽引

- 牽引力の伝達方法には，直達牽引と介達牽引に分類される．
- 直達牽引は，長管骨に対してキルシュナー（Kirschner）鋼線を刺入し， 直接的に牽引を加える方法である（図1A）．
- 介達牽引は，四肢に対して包帯やスポンジ状のゴム，頸椎では吊り革（Glisson（グリソン）型など），腰椎では骨盤ベルトを用いて骨に間接的に牽引を加える方法である（図1B）．

2）力源における分類

1 電動式牽引（図2）

- 電動モーターを使用し，頸椎や脊椎を牽引する方法であり使用頻度も高い．
- 牽引力や牽引時間，休止時間などマイクロコンピュータによる調整が可能であるが，治療の途中で調整することが難しい．
- 頸椎牽引は主に座位姿勢，腰椎牽引は背臥位で行うものが主流であったが， 最近は，腹臥位で行う方法や座位型の腰椎牽引装置も存在する．

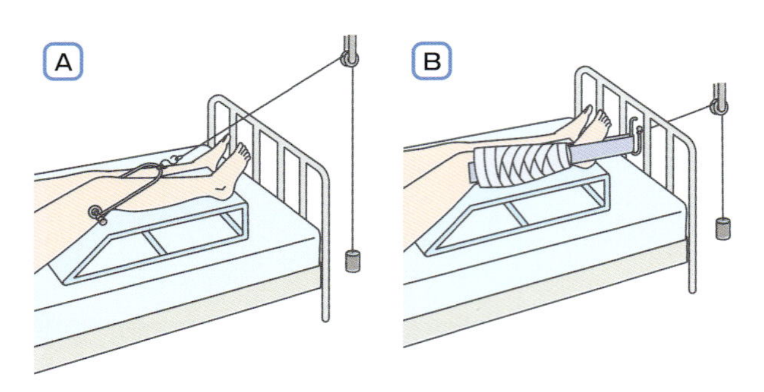

図1　牽引力の伝達方法による分類

A）直達牽引法．B）介達牽引法．なお，AもBも重錘（おもり）を用いた持続牽引にあたる．文献1をもとに作成．

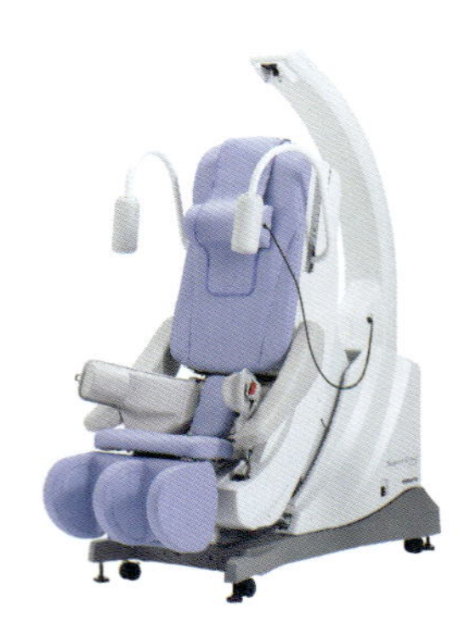

図2　電動式牽引機器

スーパートラック，ST-3CL，ミナト医科学社製，ミナト医科学社より許可を得て掲載．

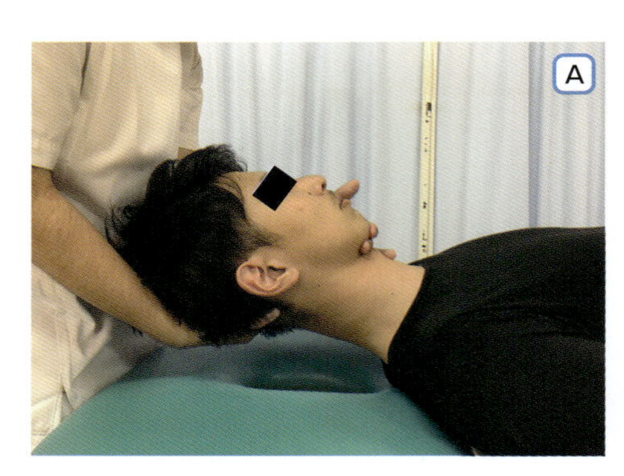

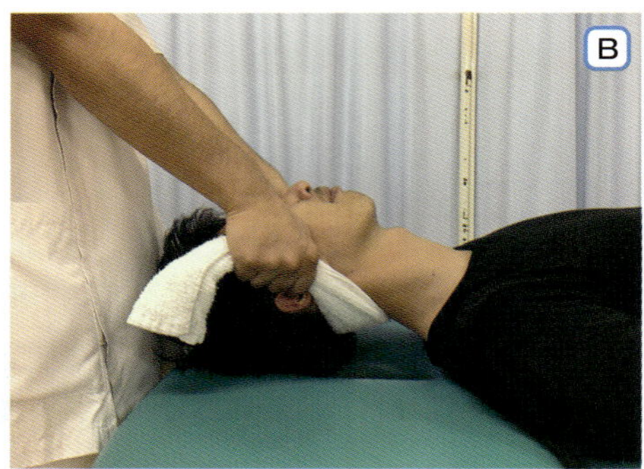

図3　頸椎徒手牽引

A）上位頸椎の徒手牽引であり，右上肢で後頭骨に牽引力を加え，左上肢で下顎を後方へ引くようにしながら頭方へ牽引を行う．B）タオルを用いた頸椎の徒手牽引であり，疼痛がないようにゆっくりと頭方へ牽引を行う．患者がリラクセーションできるように牽引の強度は細心の注意を払う必要がある．

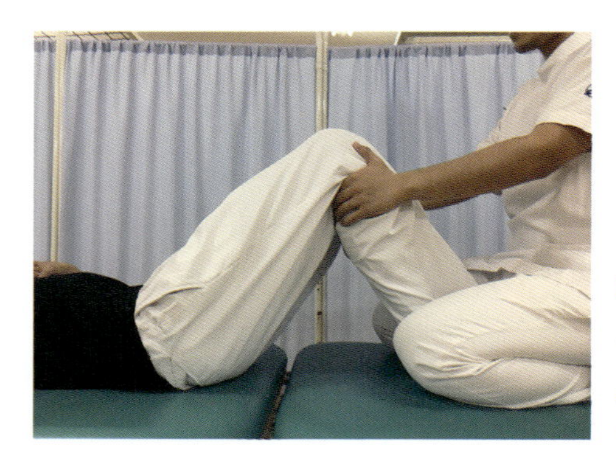

図4　腰椎徒手牽引

腰椎の徒手牽引であり，下腿の近位部から頭尾方向へ牽引を行う．上肢の力だけでなく治療者自身の体重を利用して頭尾方向へ牽引を行うと適切に治療できる．

2 徒手牽引（図3，4）

- 四肢や脊椎に対して徒手で牽引を行う方法である．
- 患者の反応に対して牽引力や牽引方向を調整することが可能であるが，長時間の牽引が難しいなどの欠点がある．

- 治療だけではなく評価としても利用可能である．電動式牽引の使用前に徒手牽引を行うことで牽引力や方向などを検討できる．

3 重錘牽引

- 図1のように重錘（おもり）を用いた牽引方法である．
- 外傷性脊椎疾患後患者や長管骨骨折後の整復などに対して使用し，急性期のベッド上安静を目的に使用する．
- 一般的に病棟で使用することが多く，医師や看護師によって管理される．

4 その他

- 患者の体位を変換することで椎間孔の拡大，椎間関節の離開・すべりを加える体位牽引や，体重を利用して斜面の角度で牽引力を調整する自重牽引などがある．

3）連続性における分類

1 持続牽引

- 長管骨骨折後に対して，手術前の治療として一定の牽引力で長管骨を適切な位置に戻すために，持続的に牽引を行う方法である．
- 長管骨に鋼線を刺入し牽引を行う直達牽引法（図1A）や，下腿部を包帯などで巻いて牽引を行う介達牽引法（図1B）がある．
- Maitland（メイトランド）らは，筋の伸張反射を予防するために持続牽引療法のみを推奨している．さらに，治療が推奨される場合としては，炎症がある場合，運動によって増悪を示す場合，椎間板ヘルニア※1などがあげられる（図5）．

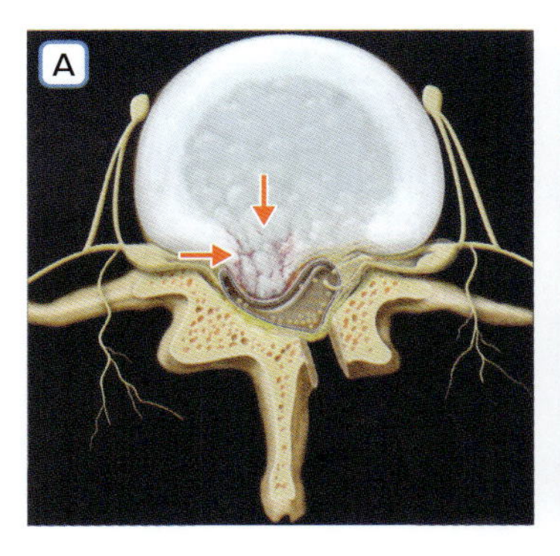

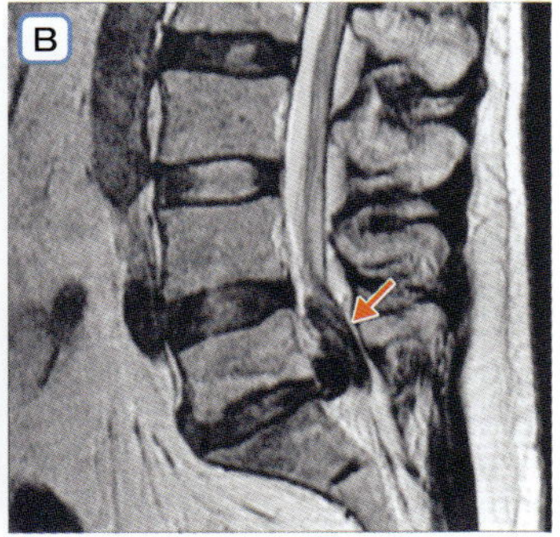

図5　腰椎椎間板ヘルニア

A）腰椎の水平断面図．→のところで髄核が後方に脱出し，神経根への圧迫が認められる．B）腰椎の矢状断面のMRI画像（T2強調像）．→のところで髄核の脱出により後方の神経圧迫が確認できる．AとBともに文献2より引用．

補足

※1　椎間板ヘルニア

椎間板は，椎体（脊椎骨）同士をつなげる円板状の組織であり，弾力性があり，体重を支える．コラーゲン線維からなる線維輪が層状に囲み，中心部には髄核がある．椎間板ヘルニアは，髄核が線維輪を脱出し，後方に突出した状態である．症状としては，神経圧迫により，下肢痛やしびれ，麻痺などの症状を示す．発生高位は，L4/5に最も多く，次いでL5/S1，L3/4に出現がみられる．

2 間欠牽引

- 間欠牽引とは，最大牽引力を加える牽引期と小さい牽引力を加える休止期を交互にくり返す牽引方法である．
- 疼痛軽減を目的に使用されることが多く，牽引時間や休止時間のサイクル調節が可能である．
- Rogoff（ロゴフ）らは，持続牽引と間欠牽引は同等に有用であるが，間欠牽引療法の方が高強度の牽引力に適応可能であると報告している．
- Maitlandらは，牽引期間が長い場合は椎間板ヘルニアに有効であるとしており，牽引期間が短い場合は関節関連による障害に対しての適応を推奨している．

4）牽引部位による分類

1 頸椎牽引（図6）

- 牽引肢位は背臥位で行う場合もあるが，基本的に座位で行う場合が多い．
- 座位で行う場合はリラクセーションがとりづらいため，牽引を行う前にできる限りリラックスした状態をとる必要がある．
- 牽引方向は，頭部直上から前方方向である．上位頸椎の場合は約0～15°，中位頸椎の場合は約15～30°，下位頸椎の場合は約30～40°とされている．

2 腰椎牽引（図7）

- 牽引肢位は基本的に背臥位で行う場合が多いが，最近では腹臥位や座位で行う場合もある．
- 牽引方向は基本的に下肢の方向に行い，股関節屈曲の角度によって牽引角度を調整する必要がある．
- 股関節屈曲角度が小さい場合，牽引方向が大転子部より前方になるため腰椎前弯を増強してしまう危険性がある．

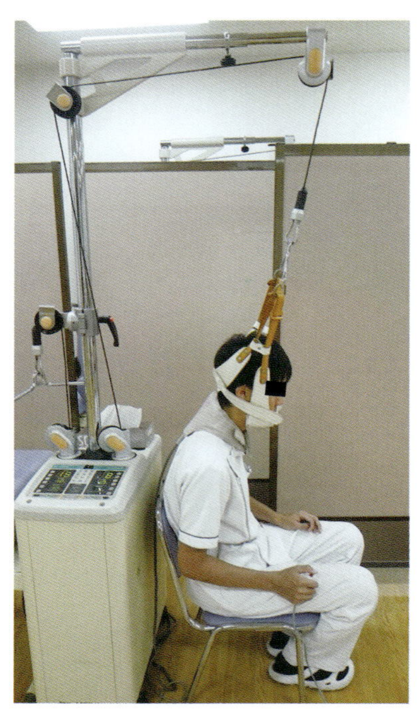

図6　頸椎牽引

電動式牽引機器を用いて頸椎牽引を行っている．上部の棒を伸び縮みさせることで牽引方向の角度を調整可能である．牽引時は頸椎に疼痛や違和感などがないか確認しながら実施する（関連動画①）．

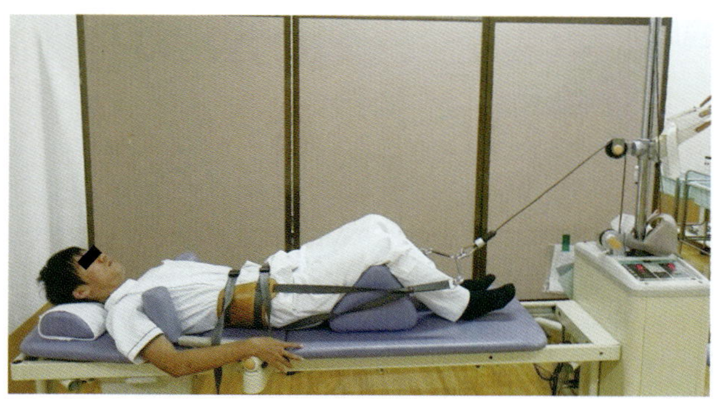

図7　腰椎牽引

電動式牽引機器を使用して腰椎牽引を行っている．三角枕を用いることで股関節の角度を調整可能である．牽引時は腰椎に疼痛や違和感などがないか確認しながら実施する（関連動画②）．

- 牽引角度を決定するためには，腰椎の前弯を評価しながら股関節屈曲の角度を調整する必要がある．三角枕やタオルなどを膝下に挿入して股関節屈曲角度を調整することが一般的である．
- 股関節屈曲角度は，腰椎の目的箇所がL3～L4の場合は約75～90°，L4～L5の場合は約60～75°，L5～S1の場合は約45～60°が推奨されている．

2 牽引療法の適応と効果

1）対象となる機能障害および疾患

- 主に，腰部や頸部の疼痛が対象となる．荷重により疼痛が増悪し，免荷や関節の離開によって疼痛が緩和される場合に有効とされる．しかし，脊椎牽引に対する有用性のエビデンスは多数報告されているが，臨床研究が少ないことから有効性への意見が分かれている．
- 対象疾患は，椎間板突出や椎間板ヘルニア，椎間板変性症，変形性脊椎症，神経根インピンジメント※2，筋スパズム※3などがあげられる．
- 一般に急性期の椎間板ヘルニアなどには禁忌である．急性期には安静が重要である．

補足

※2　神経根インピンジメント

インピンジメントとは衝突や激突という意味である．椎間孔を通る神経根が圧迫されることで神経根インピンジメントを発生し，下肢の疼痛やしびれ，麻痺などの症状を引き起こす．疾患では椎間板ヘルニアや腰部脊柱管狭窄症，脊椎すべり症などにより生じる．

※3　筋スパズム

筋スパズムとは，筋肉の痙攣が生じることで筋内圧が上昇し，血管のスパズムも同時に発生し血管内が虚血状態になることをいう．筋攣縮ともいう．一般的に急性の発症で疼痛が発生するが，慢性化することで筋組織の短縮など機能異常が残存し，疼痛の悪循環を引き起こす場合がある．

2）基礎・臨床研究報告

- Larsson（ラーソン）らは腰痛の軽減において，ホットパックやマッサージ，モビライゼーションよりも脊椎牽引が有効であったと報告している[3]．
- コクランシステマティックレビューやアメリカ理学療法士協会（APTA）では，25ランダム化比較試験（RCT）を含めた2,207人の腰痛患者に対して牽引療法を施行している[4]．結果として，3カ月後および12カ月後において牽引療法のみとプラセボ・シャム・未治療の比較で有意差がなかったと質の高いエビデンスを示した．また牽引療法のみのグループが他の治療のグループと比べて効果がみられたわけではないという中等度のエビデンスを示した．さらに牽引療法に加えて理学療法を施行した場合，有用でなかったと限定的なエビデンスを報告している．
- APTAでは，神経根インピンジメントのある腰痛患者において腹臥位での間欠的な腰椎牽引が効果的であったと報告している[5]．また，急性，亜急性，慢性腰痛患者や非神経根性の腰痛患者に対して腰椎の牽引療法は使用すべきでないとしている．さらに，座骨神経痛を有する腰痛患者に限定すれば有意であるエビデンスが複数存在するが，否定的なエビデンスも存在し，見解が分かれている．

3）効果

1 椎間関節の離開

- Maitlandらは，牽引療法を行うことで関節を離開し，椎間孔の拡大，脊髄神経根の圧を減少させると報告している．これにより関節損傷や炎症，神経根圧迫から生じる疼痛を減少する効果があると考えられている．
- 牽引によって脊髄神経根の圧迫による症状が改善する患者に対しては有効である．
- 頚椎の椎間関節離開には，全体重の約7％の牽引力が必要であり，腰椎の離開には全体重の約50％の牽引力が必要とされている．

2 軟部組織の伸張

- 牽引療法は，椎体と椎間関節面の距離を延長し，筋や腱，靱帯などの軟部組織の伸張を引き起こす．

3 椎間板髄核の脱出の減少

- 牽引によって起こる吸引力により椎間板の脱出部である髄核が中心に戻り，椎間板脱出の減少が起こる（図8）．
- 画像診断による研究では，27～55 kgの腰椎牽引により椎間板脱出を整復し，椎間板ヘルニアを正常に戻すと報告している．
- Cyriaxらは，強い牽引力では椎間板脱出の整復を引き起こすが，弱い牽引力では効果がないと報告しており，27 kg以上の牽引力が必要であると報告している．

4 筋弛緩効果

- 間欠牽引は，ゴルジ腱器官を刺激し，α運動ニューロンの放電によりⅠb抑制を引き起こす．Ⅰb抑制作用により，単シナプス反応の低下が起こり筋弛緩をもたらす．
- Wall（ウォール）らは，間欠牽引により機械受容器（メカノレセプター）を刺激し，ゲートコントロール理論※4により疼痛が減少すると報告している．

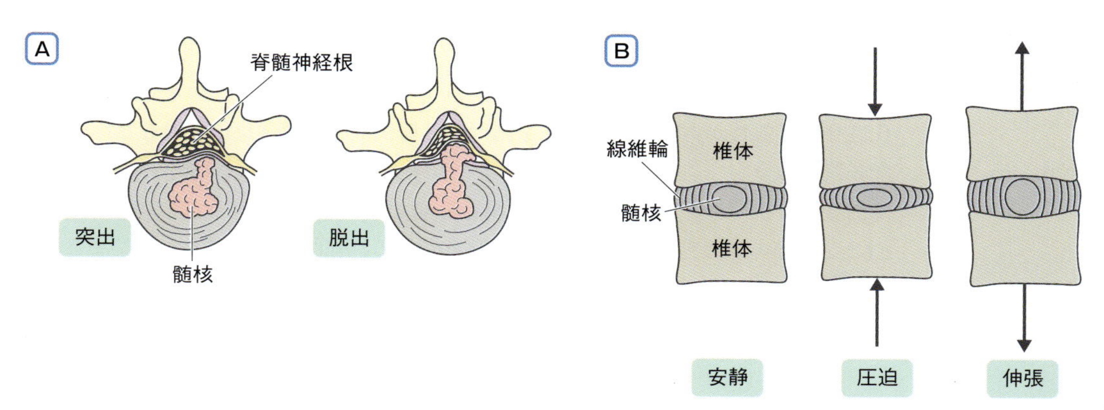

図8　椎間板ヘルニアに対する牽引療法の効果
A）椎間板ヘルニアにおける髄核の突出と脱出．文献6をもとに作成．B）椎体（脊椎骨）の圧迫と伸張に対する髄核の変形．文献7をもとに作成．

補足

※4　ゲートコントロール理論

内因性疼痛抑制系における仮説である．小径の神経線維であるAδ線維（皮膚温感覚），C線維（交感神経）などが興奮すると脊髄後角の膠様質ニューロンであるSG細胞（抑制性介在ニューロン）を抑制し，T細胞を介することで疼痛のシグナルが中枢へ伝わる．同時に太径の神経線維であるAβ（触圧覚）が興奮するとSG細胞がゲートを閉じ，Aδ線維，C線維の情報はT細胞に伝達することなく，疼痛を抑制する（**第Ⅱ章-9-B**参照）．

- 間欠牽引は，数秒間の筋伸張により単シナプス反応の低下が起こり，筋緊張の低下をもたらす．

5 関節モビライゼーション

- 牽引療法により軟部組織の伸張が起こるため，強い牽引力によって関節の可動性が増大する．

3 牽引療法の禁忌と注意事項

1）禁忌

1 運動が禁忌である部位

- 運動が禁忌とされている部位に関しては，牽引療法を行うことで増悪する恐れがあるため適切でない．不安定な骨折，脊髄圧迫症例，脊髄手術直後などがあげられる．

2 急性の損傷や炎症

- 外傷や手術直後，関節リウマチ※5などの炎症性疾患では，急性炎症を引き起こす可能性がある．このようなときに牽引療法を行うと急性炎症の治癒を阻害する場合がある．

補足

※5　関節リウマチ

関節リウマチとは自己免疫疾患の一種であり，軟骨や骨が破壊され関節に炎症が起こり，四肢の関節に疼痛を引き起こす．発症原因は明確ではないが，免疫機能の異常が関連しているとされている．発症のピークは30～40歳代であり，女性に多く，男性に比べて5～6倍の発症である．

3 関節の過可動性・不安定性部位

- 関節の過可動性・不安定性部位に高強度の牽引を行うことで，その可動性を増大させ，悪化させる可能性がある．牽引療法を施行する前に医師や理学療法士のもと，徒手での評価が必要である．
- 関節リウマチ，ダウン症候群※6，環椎横靱帯の変性によるマルファン症候群患者※7ではC1～2関節の過可動性・不安定性の危険性がある．症状の程度によって禁忌となる．

> 補足
>
> **※6　ダウン症候群**
> ダウン症候群は遺伝子疾患であり，第21番染色体の異常により，精神遅滞，小頭，低身長，特徴的顔貌，頸椎の不安定性などを引き起こす．母体血清スクリーニングの異常値により確率的に診断可能であり，羊水穿刺核型分析で確定的に診断できる．
>
> **※7　マルファン症候群**
> マルファン症候群とは，常染色体優性遺伝をする結合組織に障害が起こる先天性の遺伝子疾患である．骨格や眼，心臓，血管，中枢神経系などに異常が発生する．典型的な症状は，腕や指が長い，関節が柔軟，心臓や肺の障害などがあり，明確な治療法はなく，危険な合併症が発生する前に予防的に治療を行うことが必要である．

4 その他

- **高度の骨粗鬆症**
- **脊椎分離症・すべり症**
- **炎症性脊椎疾患**（脊椎カリウス・化膿性脊椎炎・強直性脊椎炎）
- **悪性腫瘍**
- 明らかな**脊髄あるいは馬尾神経の損傷**
- **重篤な心臓疾患および肺疾患**
- **妊婦**：妊娠中期から後期にかけて，お腹が大きくなる際，または，妊婦に苦痛がある場合

2）注意事項

1 脊椎疾患による状態の確認

- 腫瘍や感染，関節リウマチ，骨粗鬆症，長期的なステロイド※8の投与などを行っている患者に対しては禁忌になる場合もあるため，医師と相談のうえ，牽引療法を行う必要がある．

> 補足
>
> **※8　ステロイド**
> ステロイドとは，副腎皮質ホルモンの1つである．体内の炎症や，免疫力を抑制する作用があり，さまざまな治療に使われる．しかし，副作用も多く，長期的にステロイド投与を行っている患者は，易感染性，骨粗鬆症，糖尿病，満月様顔貌などの症状が起こる．

2 高血圧患者

- Utti（ウッティ）らは，40人の高血圧患者に対して体重の10％荷重による牽引を10分間行い，収縮期血圧9 mmHg，拡張期血圧5 mmHg，脈拍数7/分の上昇が起こったと報告している．牽引療法を実施する前には，血圧測定を実施し，投薬管理がされているか確認することが重要である．
- 逆位牽引※9は，投薬管理などされていない高血圧患者で血圧上昇を起こすため，実施すべきでない．

補足

※9　逆位牽引
身体を逆さにすることにより自重を利用し脊椎を牽引する方法である．逆さになるため，循環器への負担が大きく，高血圧患者には注意が必要である．現在，日本ではほぼ使用されていない．

3 骨盤ベルト圧調整の確認

- 腰椎牽引を行う際に使用する骨盤ベルトは，妊婦や食道裂孔ヘルニア※10の患者に対して過度の圧をかける危険性がある．
- 鼡径部にある大腿動脈領域の圧迫は，骨盤ベルトが大腿三角（スカルパ三角）の上方部位になるように固定し，皮膚からずれないように注意が必要である．
- 骨粗鬆症患者に対して，骨盤や肋骨に過度の圧をかけてしまった場合の骨折の可能性を考慮する必要がある．
- 循環器系や呼吸器系疾患のある患者に対しては，胸椎ベルトが呼吸制限になる可能性がある．

補足

※10　食道裂孔ヘルニア
食道裂孔とは，胸腔と腹腔を分ける横隔膜にある，食道や大動脈・静脈が通る穴である．食道裂孔ヘルニアとは，胃の一部が食道裂孔から胸部に脱出してしまうことをいう．原因は肥満や慢性気管支炎などで腹圧が高い状態になることであり，逆流性食道炎などが起こりやすいとされている．

4 内側椎間板脱出の患者への注意（図9）

- 牽引療法により，神経根が内側へ移動し，椎間板の神経根インピンジメントが増悪する恐れがある．
- 内側椎間板脱出の患者では，牽引により症状が悪化した報告もある．
- 内側椎間板脱出の可能性が考えられた場合，MRIやCT所見から評価する必要がある．

5 牽引により激しい疼痛が消失する患者への注意

- 牽引療法を行うことで，神経根への圧迫が軽減でなく増悪している恐れがあり，完全神経ブロックを起こしている可能性がある．
- 牽引療法前に，筋力や感覚，反射などの髄節別の評価を行い，症状を確認しておく．
- 牽引中の患者の変化に注意する．
- 牽引後，激しい疼痛が消失した場合は，筋力や感覚，反射などの再評価を必ず行う．完全神経ブロックの可能性がある場合，中止することが望ましい．

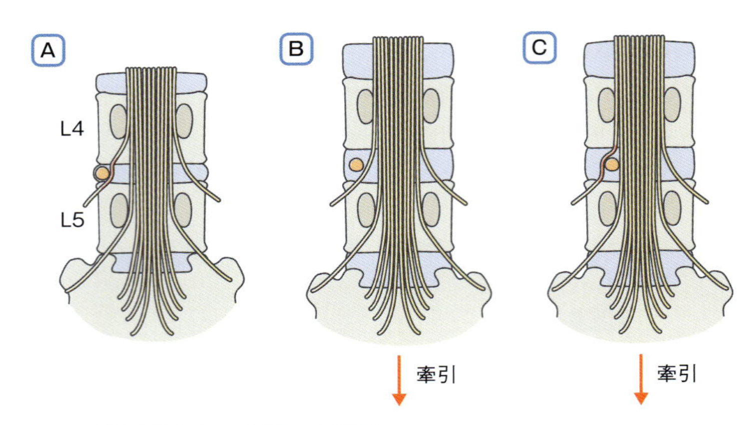

図9　椎間板突出の内側への移動

A）外側の椎間板突出により神経根の圧迫が認められる．B）外側の椎間板突出による神経根の圧迫が，牽引されることで腰椎や神経が伸長されるため軽減を認める．C）牽引により腰椎や神経を伸張することで神経根が内側に移動し，神経根の圧迫が悪化する可能性がある．文献8をもとに作成．

6 頸椎牽引療法の注意点

①側頭下顎関節に異常がある患者

- 下顎と後頭部より圧をかける場合，側頭下顎関節（temporomandibular joint：TMJ）の状態を悪化させる可能性がある．
- 下顎と後頭部の両者の圧はできるだけ避け，後頭部からの圧をかけるようにする必要がある．
- 顎関節症のある患者に対しても適応とならないため注意が必要である．

②義歯を使用している患者

- 義歯を外すことにより，TMJのアライメントが変化し，疼痛を引き起こす恐れがある．
- 義歯を使用している患者には，頸椎牽引中に義歯を装着するように指示する必要がある．

③X線画像での評価

- 環軸関節の不安定性の有無は画像所見による評価が必要である．
- 関節リウマチやダウン症候群の患者の場合，不安定性を生じる危険性がある．

4 牽引療法の実際

1）牽引療法の設定

1 設定の注意事項

- 間欠牽引における牽引期と休止期は，患者の状態に応じて設定する必要があり，不快や痛みなどを感じないように注意が必要である．
- 頸椎牽引の牽引力は，体重の1/15～1/10で開始し1/5程度までの範囲で調整を行う（約4.5～13 kg）．
- 腰椎牽引の牽引力は，体重の1/5で開始し1/2程度までの範囲で調整を行う（約13～30 kg）．一般的に，腰椎牽引力は体重の50 %を超えてはいけないとしている．

- 5～10分間程度から牽引療法を行い，疼痛の変化，不快感など患者に確認しながら施行する必要がある．
- 10分間の牽引で症状に変化がなければ，牽引期や強度，牽引角度を変更し，再度10分間行う場合もある．

2 エビデンスにもとづく障害に対する牽引療法

- Judovichらは，椎間板障害の場合，牽引期を長く約60秒，休止期は短く約20秒を推奨している．また，脊椎関節障害の場合では，牽引期と休止期はともに約15秒としている．
- Meszaros（メーサーロシュ）らは，神経根や椎間関節の圧迫の減少を行う場合，椎間関節を引き離すのに強度の牽引力が必要であり，腰椎では22.5 kgから体重の約60％であると報告している．
- 筋スパズムの減少や軟部組織の伸張などには小さい牽引力で治療が可能であり，腰椎では体重の25％で有効であるとしている．
- 治療時間を変えて効果判定を行った研究はないが，牽引療法をはじめて施行する場合，治療時間は短くすることが推奨されている．
- 椎間板ヘルニアの場合，10分間の短時間を推奨している報告や，20～40分間の長時間を推奨している報告に意見が分かれている．40分間以上の牽引療法は，効果的でないとされている．

2）牽引療法の実施方法

- 牽引開始前に，十分にインフォームドコンセントを行い，治療目的や時間や強度などをわかりやすく説明する必要がある．
- 患者に牽引装具を装着し，装着部位に関して，違和感や疼痛，圧迫などがないか確認する必要がある．
- 治療開始ボタンを押してから開始するが，患者が安全スイッチをもっているか確認する．
- 牽引療法開始時は，理学療法士が近くで確認するようにし，牽引装具のズレや牽引条件の設定が適切であるか確認する必要がある．
- 牽引療法前後での機能障害レベルの評価を行い，治療効果判定を行う必要がある．

実験・実習

- 実習では，理学療法士として頸椎・腰椎それぞれに牽引療法を実施し，患者として実際に体験すること．

1. 牽引療法を施行する前に，指床間距離（finger floor distance：FFD）（図10）や下肢伸展挙上（straight leg raising：SLR）テストを測定しておく．牽引療法施行後にFFDやSLRにどの程度変化がみられたのか評価を行う．
   ＊FFDやSLRの評価の場合，矢状面の写真撮影を行うとわかりやすい．
2. コントロール群として牽引療法のみを行う群と，徒手療法のみを行う群，また牽引療法施行前に徒手療法を行い，その後に牽引療法を行う群に分ける．牽引療法施行後にFFDやSLRに関して評価を行い，変化を捉える．

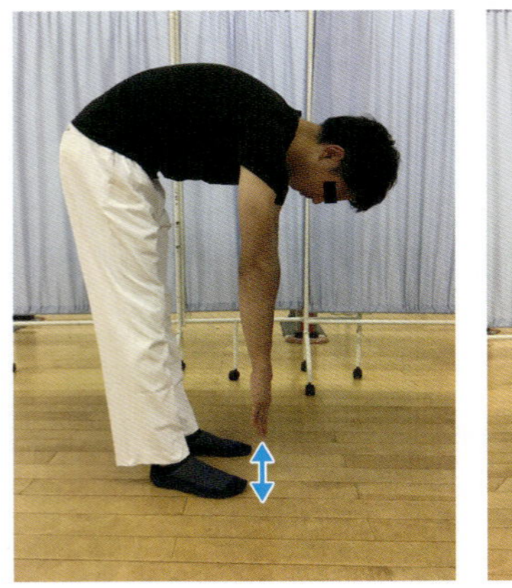
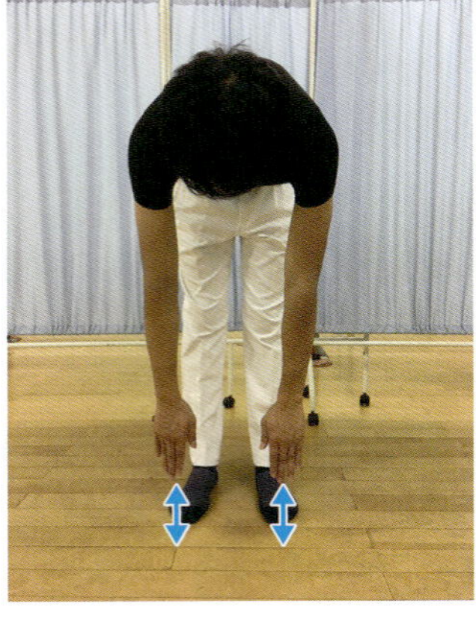

図10　指床間距離（finger floor distance：FFD）

牽引療法施行前にFFDを実施することで，指から床までの距離を計測し，腰椎の柔軟性を評価しておく．

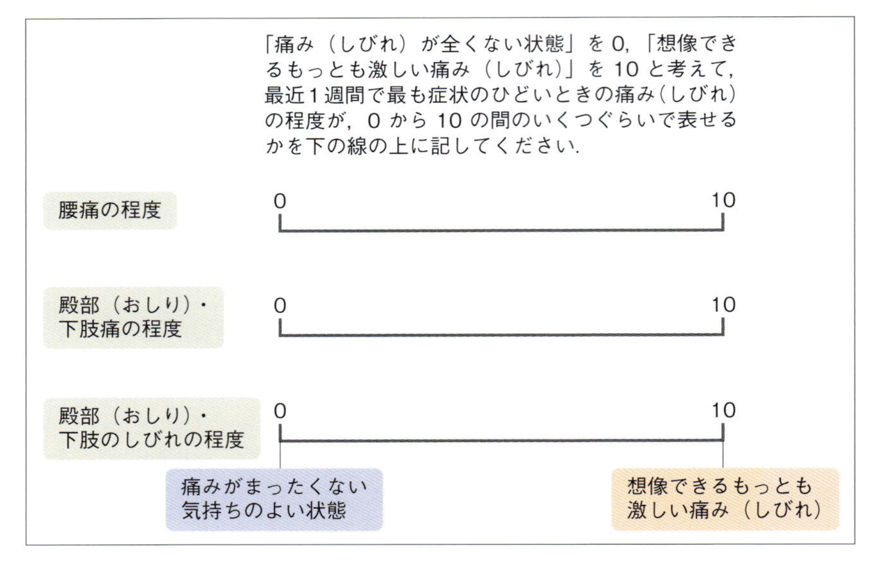

図11　VAS（Visual Analogue Scale）

文献9より転載．

❸腰椎牽引の実習においては，腰痛患者の症例と仮定して，腰椎牽引療法の施行前に疼痛評価〔腰椎JOA（Japanese Orthopaedic Association）スコア，VAS（Visual Analogue Scale）（図11），NRS（Numerical Rating Scale）など〕を行う．牽引療法後に疼痛がどの程度改善しているか評価を行う．

❹筋硬度計や超音波診断装置を用い，牽引療法前の筋の硬さや厚みについて評価を行う（図12，13）．頸椎では僧帽筋や頭板状筋などを対象にし，腰椎では最長筋や腸肋筋などを対象にして評価を行う．その後，牽引療法を行い再評価する．牽引療法では，軟部組織の伸張や筋弛緩効果を期待しているため，筋の硬さや厚みに改善があるか評価を行う．

図12　筋硬度計

筋硬度計，TDM-NA1，トライオール社製，文献10より転載．

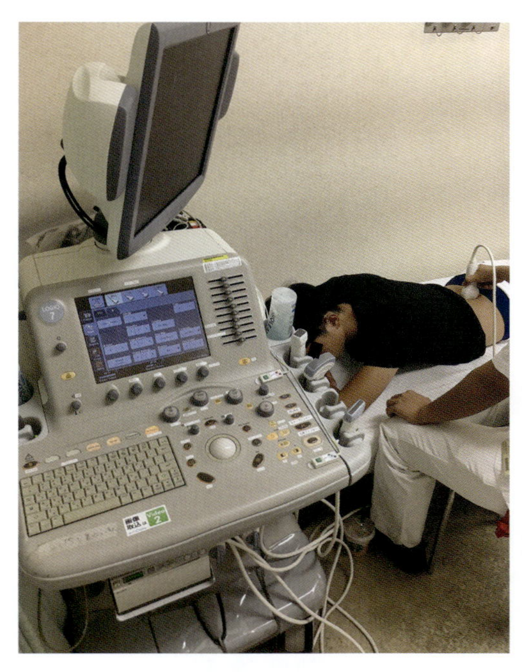

図13　超音波診断装置による評価

超音波診断装置を用いることで筋厚の評価が可能である．牽引療法前に脊柱起立筋などの筋厚の評価を行っておく．

文献

1）「理学療法テキスト 物理療法学・実習（15レクチャーシリーズ）」（石川 朗／総編集，日高正巳，玉木 彰／責任編集），中山書店，2014

2）「Diagnostic Imaging：Spine」（Ross JS, et al/eds），AMIRSYS, 2004

3）Larsson U, et al：Auto-traction for treatment of lumbago-sciatica. A multicentre controlled investigation. Acta Orthop Scand, 51：791-798, 1980

4）「Traction for low-back pain with or without sciatica（Review）」（Clarke JA, et al），The Cochrane Collaboration, 2010

5）Childs JD, et al：Low back pain：do the right thing and do it now. J Orthop Sports Phys Ther, 42：296-299, 2012

6）「標準整形外科学 第12版」（松野丈夫，中村利孝／総編集，馬場久敏，他／編），医学書院，2014

7）「グラント解剖学図譜 第7版」（Agur AM，Dalley AF／著，坂井建雄／監訳，小林 靖，他／訳），医学書院，2016

8）「Physical Agents in Rehabilitation：From Research to Practice, 4th edition」（Cameron MH），Saunders, 2012

9）日本整形外科学会診断・評価等基準委員会 腰痛疾患および頚部脊髄症小委員会：日本整形外科学会腰痛評価質問票JOA Back Pain Evaluation Questionnaire（JOABPEQ）／日本整形外科学会頚部脊髄症評価質問票JOA Cervical Myelopathy Evaluation Questionnaire（JOACMEQ）作成報告書（平成19年4月16日）．日整会誌，82：62-86，2008

10）トライオール社HP（http://www.try-all-jpn.com/neutone/neutone.html）

第Ⅱ章 治療法各論

12 振動刺激療法

学習のポイント

- 振動刺激が生体に与える影響とその目的について学ぶ
- 振動刺激療法の適応と効果，禁忌と注意事項について学ぶ
- 振動刺激療法を健常者に対して実施できる

1 振動刺激療法とは

- 振動とは，物体が1つの中心の周りを，ほぼ一定の周期をもって揺れ動くことである．
- 振動刺激療法には，全身振動刺激療法（whole body vibration：WBV）と局所筋振動刺激療法（focal muscle vibration：FMV）がある（図1）．
- 振動刺激（vibration stimulation：VS）では，パチニ小体やマイスナー小体，ルフィニ終末，メルケル細胞のような皮膚受容器と筋紡錘，ゴルジ腱器官もⅠb求心性神経を通じて反応する（図2）[1) 2)]．
- 筋紡錘は振動に対して最も反応する受容体であり，Ⅰa線維が最も反応性が高い．
- 振動に対する反応は，主に振動の周波数と振幅に依存する[1)]．

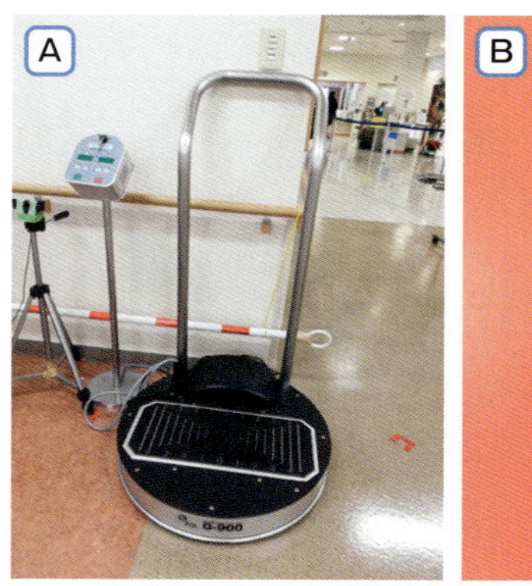

図1　振動刺激療法のための機器

A）全身振動刺激療法機器．治療者に上に乗ってもらって全身を振動させる．Galileo G-900, Novotec Medical社製．B）局所筋振動刺激療法機器．治療部位にあてて振動させる．スライヴ MD-01，大東電機工業社製．

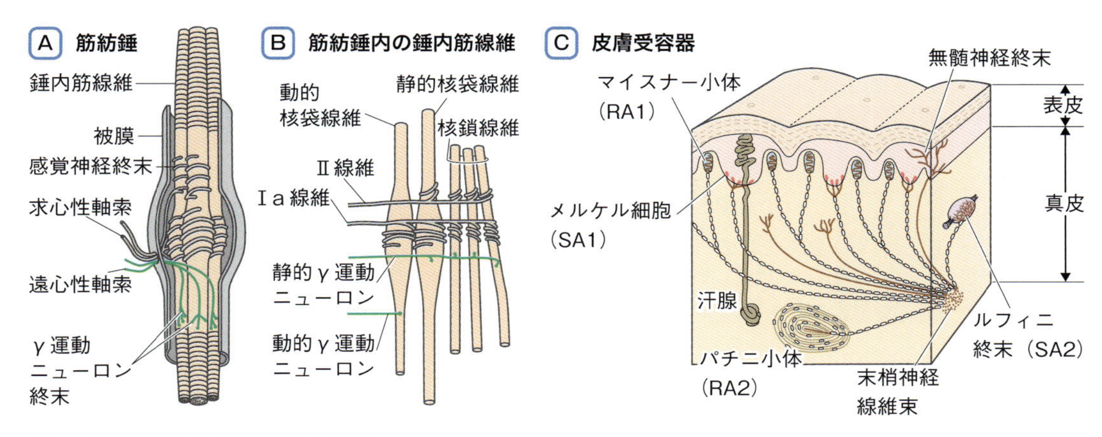

図2　筋紡錘や皮膚受容器の構造

Cは文献2をもとに作成.

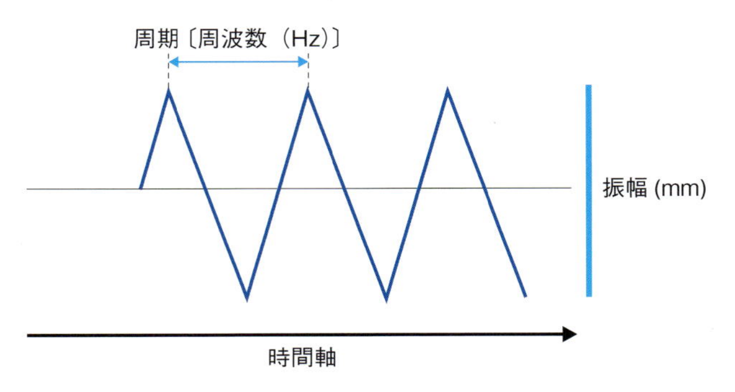

図3　振動刺激のパラメータ

周波数(Hz)は周期数を時間(秒)で割ったもの.

- 周波数(Hz)は1秒あたりの周期数で，振動振幅(mm)は1回の振動の大きさで示される(図3).
- Ⅰa線維は120 Hzまでのすべての周波数に反応し，Ⅱ線維は20～60 Hzの周波数で反応する．150 Hz以上の周波数では，反応は一定しない[1].
- 振幅は，0.2～0.5 mmの低い振幅においてⅠa線維を優先的に動員するのに対し，Ⅰb およびⅡ線維は高振幅に主に反応する[1].
- Ⅰa線維は，伸張や等尺性収縮の際に反応しやすい[1].

2　振動刺激療法の適応と効果

1）対象となる疾患・機能障害

- 振動刺激療法は，痙縮，疼痛，筋力低下やバランス能力低下などが対象としてあげられる.
- 脳卒中後の半側空間無視に対しても適応が報告されている(後述).

表1　局所筋振動刺激による痙縮抑制の刺激パラメータ

周波数	91～108 Hz
振幅	1 mm以上
刺激時間	5～30分間
刺激部位	痙縮筋または拮抗筋 （上肢に対しては拮抗筋が望ましい可能性あり）

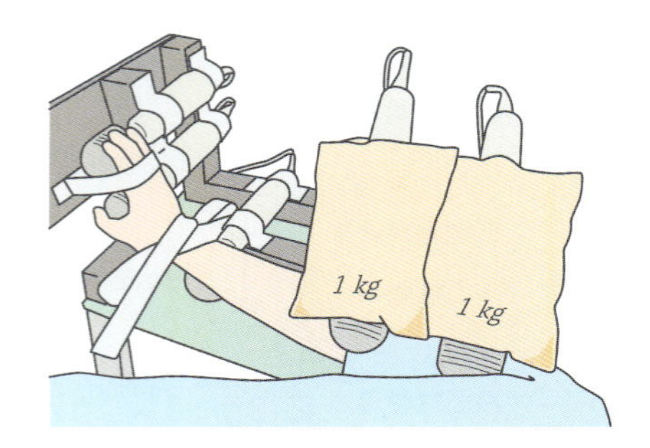

図4　痙縮筋に対する振動刺激

ハンドマッサージャー（FMV用の機器）を用い，重錘にて圧迫することで痙縮筋に振動刺激を加えている．文献7をもとに作成．

2）基礎・臨床研究

1 痙縮

- AHA/SHA脳卒中ガイドラインにおいて，VSは痙縮を一時的に改善させるため，リハビリテーション治療の補助として使用することを考慮してもよいとされる[3]．
- VSに関するアンブレラ・レビュー※1では，脳卒中において，WBVは歩行やバランス能力，痙縮を改善させる可能性が，痙縮筋の拮抗筋へのFMVは痙縮抑制に効果的である可能性があるとしている[4]．
- 痙縮抑制を目的とするVSには痙縮筋または拮抗筋に対するものがある*．

　*脳卒中患者に対するVSは，健常者よりもTVRが強く出現するため，振動開始直後は強い筋収縮が生じるが，数分後には消失し筋緊張の低下がみられる．

- 20～200 Hzの周波数のVSを行うと，緊張性振動反射（tonic vibration reflex：TVR）が生じる[1]．
  - ▶TVRは刺激筋に生じる反射的な筋収縮のことであり，刺激筋の筋紡錘，Ⅰa線維からの入力により，脊髄運動ニューロンを活動させる（関連動画① 下腿三頭筋への緊張性振動反射）．
  - ▶TVRは拮抗筋に対しては相反抑制を生じさせ，痙縮抑制に影響する可能性がある[5]（表1）．

関連動画①

- 痙縮筋へのVSでは，H波[6]※2やF波[7]※3が軽減し，脊髄運動ニューロン興奮性の低下もみられる（図4）[7]，（図5）[8]．
- 痙縮抑制のメカニズムには，Ⅰa線維のシナプス前抑制の増加や，Ⅰa線維の発射閾値の増加，Ⅰa線維端末レベルでの神経伝達物質の枯渇が影響している可能性がある[9]．
- Miyara（ミヤラ）らは，図6のようにFMVを用いて下肢全体にVSを加えることで，下肢全般のModified Ashworth Scale（MAS）（第Ⅱ章-9-C参照）やF波の軽減が20分後まで持続することを報告しており[10]，立位保持が困難な症例にも運動療法前のコンディショニングとして活用できる可能性がある．

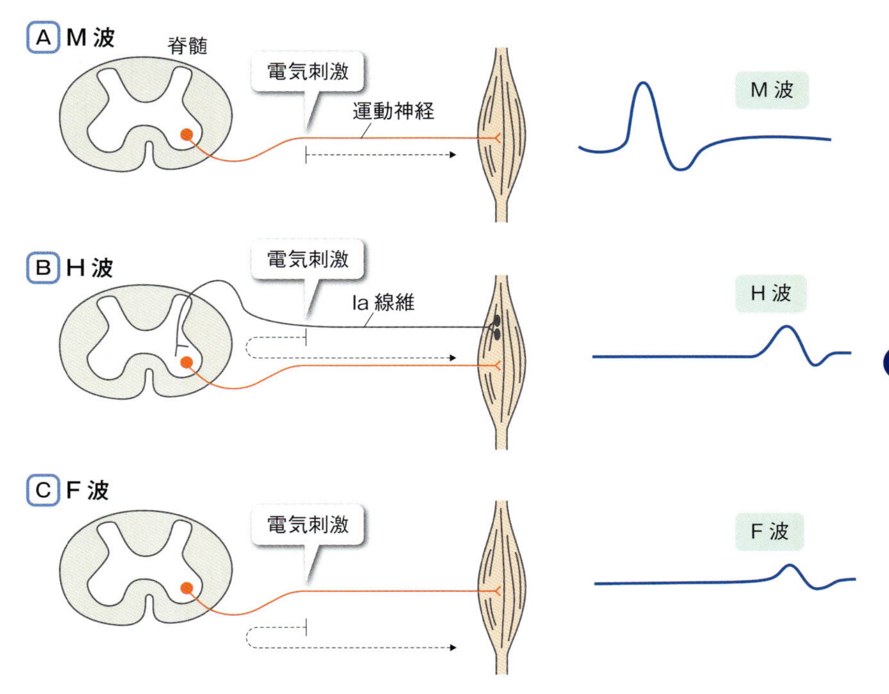

図5　M波，H波，F波

A）M 波：運動神経の電気刺激によって遠心性に生じる筋活動電位．B）H 波：Ⅰa 線維を電気刺激した際に単シナプス性に生じる筋活動電位（運動ニューロンプール興奮性．痙縮評価によく用いられる）．C）F 波：運動神経を電気刺激し，上行したインパルスによって脊髄運動ニューロンを発火させ，下行性に生じる筋活動電位（運動ニューロン興奮性）．文献8をもとに作成．

補足

※1　アンブレラ・レビュー

システマティック・レビューは，特定の問題に絞り，類似した研究論文を検索し，選択，評価して統合する研究手法であり，アンブレラ・レビューは複数のメタアナリシスやシステマティック・レビューのデータを統合的に分析して，その結果をまとめたもののこと．

※2　H波

末梢神経への電気刺激によって最も閾値の低いⅠa線維を刺激し，脊髄でシナプスを介して脊髄運動ニューロンを興奮させた結果，出現する電位である．いわゆる腱反射，単シナプス反射を電気的に誘発し，脊髄運動ニューロンプールの興奮性を神経生理学的に評価するものである．

※3　F波

F波は末梢神経への最大上電気刺激を加えた場合，M波に続いて出現する筋複合波である．電気刺激による興奮が逆行性に上行し，脊髄運動ニューロンに至り，生じた自己興奮が，脊髄運動ニューロンを順行性に伝播して出現するもので，脊髄運動ニューロンの興奮性を示す指標である．

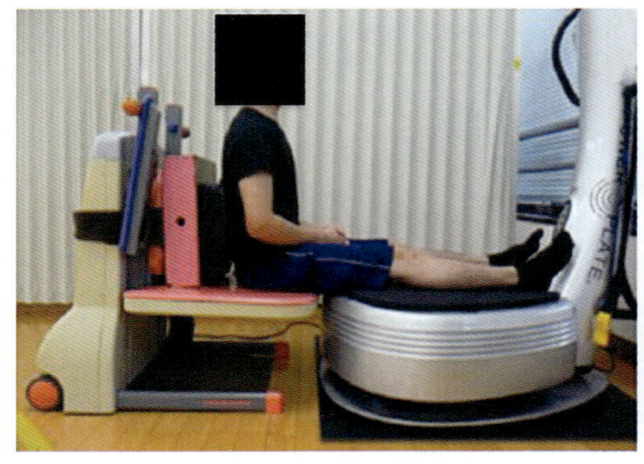

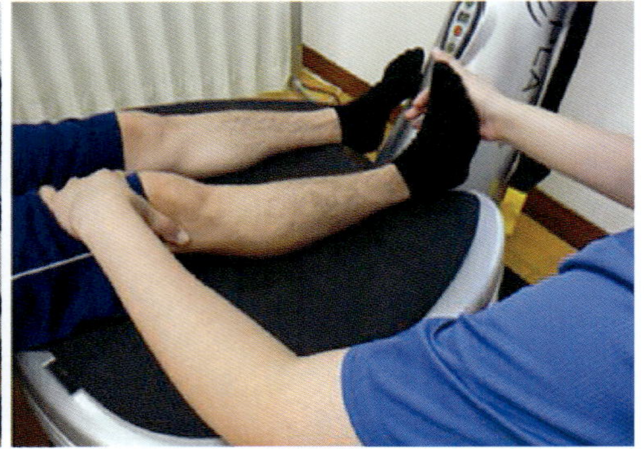

図6　全身振動刺激を用いた下肢筋への刺激

文献10より引用.

2 疼痛

- 筋腱に70～100 Hz程度のVSを加えると，筋紡錘からⅠa線維を興奮させ，刺激筋が伸張されている情報が脳へ入力され，動いているような運動錯覚が惹起される[11]（図7）.
- 振動による運動錯覚時には，刺激側と対側の大脳皮質の運動関連領域の賦活がみられ，運動を行ったときと同程度の活動が生じる．この運動錯覚は対称肢を固定していても生じる[12].
- 健常者において5日間の関節固定中にVSを行い，運動錯覚を惹起させたところ，比較対照群では固定除去後の感覚運動領域の活動の低下が生じていたが，VS群では活動低下が認められなかった[13]．つまり，運動錯覚の惹起によって不動や固定による可塑的変化が予防できるかもしれない.
- 両手掌を合わせた状態で，一側の総指伸筋腱を刺激すると，手関節の掌屈の運動錯覚が惹起されるが，対側の手関節が背屈するといった運動錯覚も惹起される．触覚とVSによる錯覚が組合わさり，対側にも運動錯覚が生じる*.

＊運動錯覚を惹起する場合には，静かな環境で閉眼位でリラックスし，他の感覚情報が入力されないようにする.

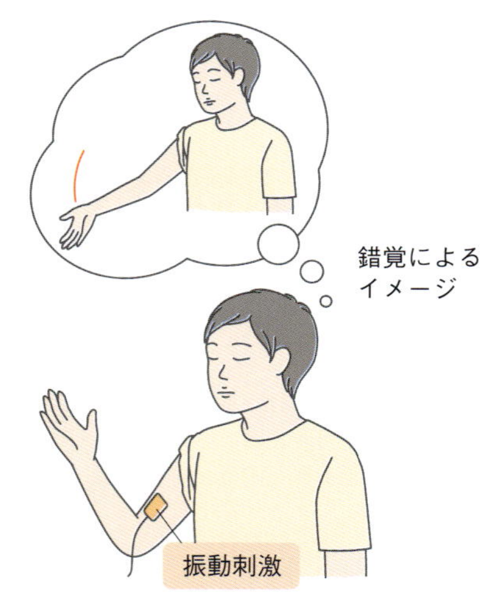

図7　振動刺激による運動錯覚

上腕二頭筋への振動刺激により伸展感覚が生じる.

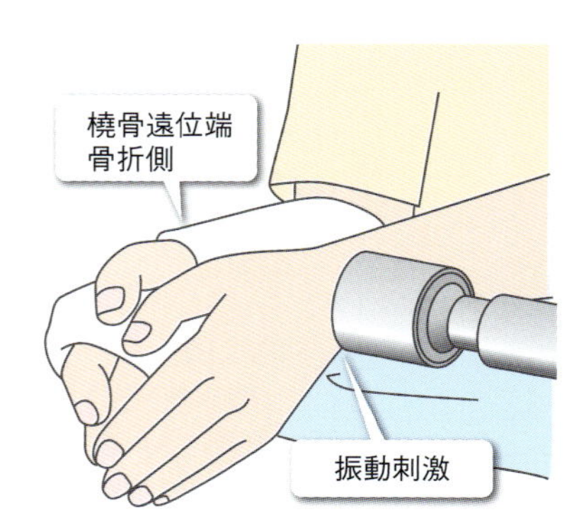

図8　手掌を介した運動錯覚の惹起

両手を合わせ，非術側の手関節総指伸筋腱に振動刺激を行うことで，非術側の手関節が掌屈する運動錯覚が生じるとともに，手術側の手関節が背屈する運動錯覚を惹起する．文献15をもとに作成.

- Imaiらは橈骨遠位端骨折術後患者に対して，この方法を用いることで，安静時痛や運動時痛といった感覚的側面や，不安といった情動的側面，手関節の運動機能改善に効果があり，2カ月後においても持続していたと報告している[14) 15)]（図8）.
- 過度な安静は，感覚運動神経の入出力が低下し，脳の可塑的変化を招き，身体の不活動を生じさせ，疼痛を増悪させる可能性がある．疼痛を誘発させずに運動を知覚できる運動錯覚は有用な可能性がある.
- 慢性腰痛や変形性膝関節症に対するWBVは，4週間よりも長い実施において疼痛を改善させる．しかし，WBV単独と伝統的な運動療法との比較では差はなく[16)]，あくまでも併用して用いる.

3 筋力低下やバランス能力低下に対して

- 高齢者のサルコペニアに対しては筋力増強効果や歩行速度には影響がなく，TUG歩行テストを改善させる効果がある[17)].
- 脳卒中においては，バランスや歩行能力は介入直後に改善するが，3カ月後には持続せず，膝関節伸展筋力は通常の運動療法などのコントロール群と差がない[18)]．しかし別の研究では，筋力やバランス能力，歩行能力に対しては効果量が小さいものの，周波数や病期による差はなく，安全に実施できるトレーニングであると示されている[19)].
- パーキンソン病に対しては，WBVを用いることによってTUG歩行テストの改善に効果があるが，他の動的バランス評価やパーキンソン病の運動症状に対しては有意な効果がないとされる[20)].

4 半側空間無視（関連動画② 左半側空間無視と左同名半盲を呈する脳梗塞症例の歩行）

関連動画②

- 脳卒中後の半側空間無視（unilateral spatial neglect：USN）に対して，VSが実施される.
- USNは，大脳半球病巣と対側空間にある刺激に対して，検出，応答することに失敗する状態と定義される[21)]．つまり，無視空間に注意を向けることが困難となり，線分二等分テストを行うと中心が偏奇したり（図9），食事を一側のみしか食べていないことに気づかないなどの症状がみられる.
- USN患者の無視側の後頸部筋にVS（図10）を併用しながら視覚探索課題を15セッション

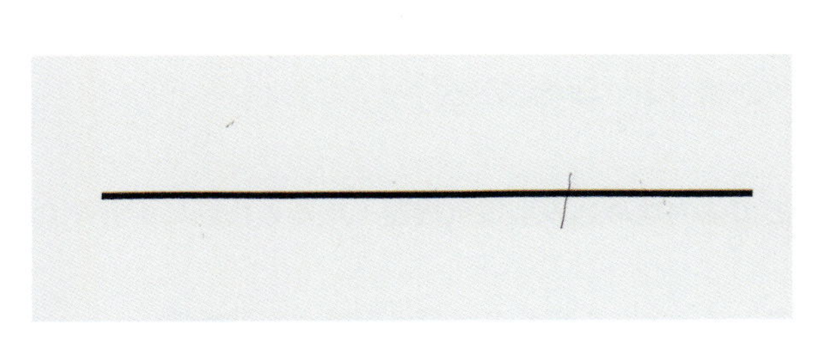
図9　左半側空間無視症例の線分二等分テスト
左側空間を無視してしまうため，線分の重心が右側に偏奇する.

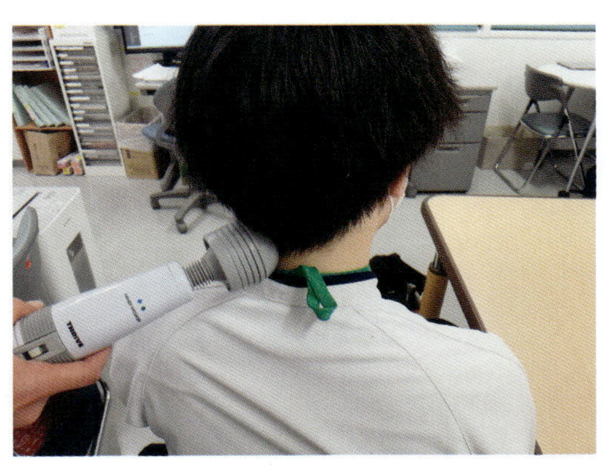
図10　後頸部筋への振動刺激
左半側空間無視の場合には，左側の後頸部筋へ振動刺激を加える.

行った場合，主観的正中定位（subjective straight ahead：SSA）という自己を中心とした水平方向における正中の認識が右偏倚から正中に修正され，ADLにおける無視症状の改善がみられ，8週間後にも持続していたという報告がある[22].

- 頸部へのVSによって，刺激筋が伸張されているという体性感覚入力を加え，運動錯覚を惹起し，視覚，前庭覚，頭頸部の固有受容感覚情報を統合して正中の認識が形成される自己中心参照枠の偏倚が生じたことによる可能性がある.
- 健常者において，左僧帽筋上部への15分間のVSと水平に提示された対象物への指でのポインティング課題によって，SSAが左に偏倚し，少なくとも30分間持続することが示されている．VSによる体性感覚入力と課題による視覚-触覚フィードバックによる内部モデルの再構成や，運動野の可塑性の増強の可能性が考えられている[23].
- USN患者の作業療法の前に，無視側の後頸部筋に5分間のVSを行うことで，無視症状の改善がみられており[24]，リハビリテーションの事前準備として適応できる可能性がある.

5 その他

- WBVを用いることで，血流促進，疲労軽減，骨密度の増加について報告されている[25][26].

3 振動刺激の禁忌と注意事項

- VSは物理療法のなかでも，簡便に適用可能であるため臨床でも用いやすいが，適応に注意する.
- 長期的な高強度のVSへの曝露は，白蝋病※4や，ドリルやチェーンソーなどの作業機械の運転者の腰痛のリスク増加に影響することが知られている.

> 補足
>
> **※4　白蝋病（振動病）**
> 長期間，振動工具の使用やハンドル操作をすることで，四肢の血管性運動神経障害をきたし，手指のレイノー現象，疼痛，しびれ，感覚鈍麻，筋力低下などを起こす.

1）全身振動刺激療法（WBV）

1 禁忌[27]

- **深部静脈血栓症などの血栓症患者**：肺塞栓症の危険性.
- **急性期の不安定型骨折**（骨癒合が得られていない）：再骨折の危険性.
- **金属製インプラントを用いた骨接合術**：違和感，痛みの危険性.
- **椎間板ヘルニア**：症状増悪の危険性.
- **人工股関節**または**人工膝関節**：リスクが明らかではないため.
- **大動脈瘤**：破裂の危険性.
- **ペースメーカーや深部脳刺激装置などの体内埋め込み型電気機器**：機器の作動に影響をおよぼす可能性.
- **ステント術やバイパス術後6カ月以内**：ステントや術後の回復に影響する可能性.
- **妊婦**：胎児や母体に影響を与える可能性.

- **創傷，瘢痕，潰瘍**：症状増悪の危険性．特に糖尿病患者では感覚障害を有している場合もあり注意．

❷ 注意事項

- **慢性腰痛患者**：WBVは，腰痛や坐骨神経痛のリスクを高める可能性[28]．
- **脊椎骨折患者**：症状悪化のリスクがあり，痛みや症状を確認しながら実施する．
- **重度の骨粗鬆症**：骨折のリスクが高いため，パラメータに注意する．
- **ステント術やバイパス歴の既往**．

2）局所筋振動刺激療法（FMV）

- WBVほど全身的な影響はないものの，WBVの禁忌に該当する部位への実施も併せて注意が必要である．

❶ 禁忌

- **創傷，瘢痕，発疹，潰瘍部位**：症状増悪の危険性．
- **ペースメーカーなどの体内埋め込み型電気機器**：機器の作動に影響をおよぼす可能性．
- **刺激周辺部位に金属や透析シャントがある**：金属やシャントに影響をおよぼす可能性．

❷ 注意事項

- **熱傷**：周波数200 Hz，振幅1.5 mmのVSを2分以上実施すると熱が発生し，熱傷のおそれがある[29]．
- **掻痒感，しびれ**：これらが生じた場合には中止し，経過を観察する．
- **脆弱な皮膚**：高齢者の皮膚は容易に損傷しやすい．

4 振動刺激療法の実際

1）治療の準備やパラメータ設定

- FMV，WBVは簡便に実施しやすいが，インフォームドコンセントを得て実施する．
- 実施前には禁忌や注意事項への該当がないか確認する．
- 機器によって周波数，振幅などのパラメータの調整が可能なものもあり，選択的に使用する．WBVを実施する際には，開脚して実施することで，振幅を調整可能である（図11）．
- WBVでは過負荷によって筋肉痛や関節痛をきたす可能性があり，特に高齢者では注意して，負荷を徐々に増加させる[30]．
- WBFでは膝を屈曲させることで，頭部への振動伝達を最小化し，快適に実施することができる．
- 長時間の刺激は筋疲労をきたす可能性もあるため，実施後には動作の変化などに注意する．
- 振動刺激の実施後には皮膚の状態を再度確認する．

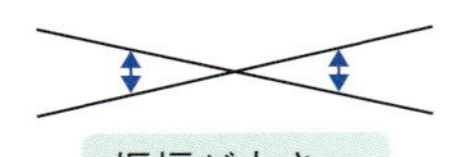

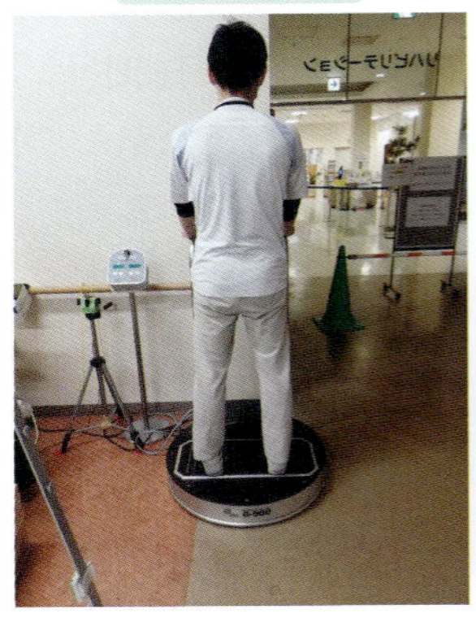
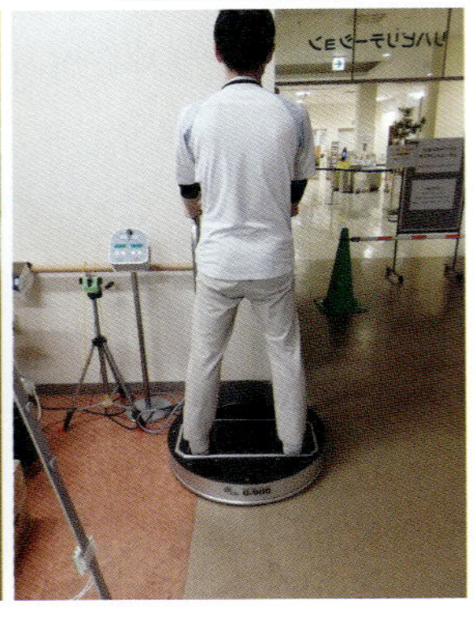

図11　全身振動刺激療法における振幅の調整

2）痙縮抑制に対するFMVの実施例（関連動画③）

- **症例**：70歳代女性.
- **診断名**：脳梗塞（右中大脳動脈）.
- **運動麻痺**：Brunnstrom Recovery stageは下肢でⅢ．Fugl-Meyer Assessmentにて10点.
- **痙縮**：Modified Ashworth Scale（MAS）は1＋．Modified Tardieu Scale（MTS）は，R2（ゆっくりとした速度）は5°，R1（速い速度）は－10°であり，R2－R1の差分が15°で痙縮の反射性要因が強い可能性がある.
- **刺激方法**：前脛骨筋に周波数91 Hz，振幅1 mm，5分，皮膚が軽度陥凹する程度の力で圧迫し刺激した.
- **結果**：刺激直後にMASは変化がなかったが，MTSのR1は－5°程度に軽減し，R2－R1は10°に軽減した．またクローヌスの持続がやや軽減した.

実験・実習

1）痙縮抑制のための振動刺激

脳卒中患者の痙縮抑制のためのFMVを想定して，上腕二頭筋や下腿三頭筋に実施する.

❶被験者に安楽な肢位をとらせる．MASやMTSによる被動抵抗の評価を行う（関連動画③）.

❷被験者の上腕二頭筋や下腿三頭筋，それらの腱に5分間，100 Hz前後のVSを行う（関連動画①）.

❸刺激筋に伸張を加えながら行う（図12）.

❹筋や腱といった刺激部位によるTVRの出現の仕方の違いについても確認する.

❺再度，MASやMTSの評価を行う.

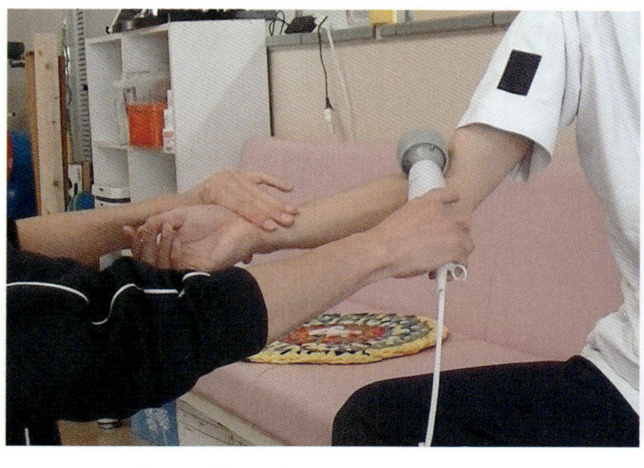
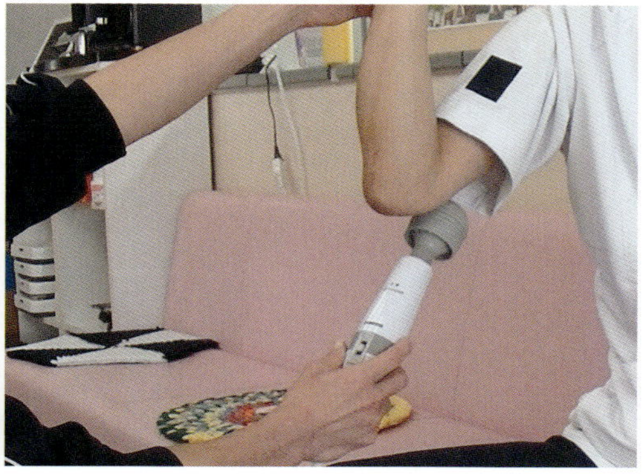

図12　上腕二頭筋，上腕三頭筋へのFMV

2）振動刺激による運動錯覚（半側空間無視軽減のための振動刺激）

左半側空間無視の軽減のためのFMVを想定し，左後頸部筋（僧帽筋上部）にVSを行う（図10）．

❶椅子座位にて安楽な肢位をとらせる．

❷閉眼位にて水平方向での正中位置がどこかをポインティングしてもらい，SSAを評価する．

❸左の左後頸部筋（僧帽筋上部）に5分間，100 Hz前後のVSを加える．他の触覚刺激は加えないように注意する．

❹刺激中は頸部回旋の運動錯覚の有無を確認し，SSAの評価を行う．

文献

1）Souron R, et al：Acute and chronic neuromuscular adaptations to local vibration training. Eur J Appl Physiol, 117：1939-1964, 2017

2）Pearson KG & Godon JE（関和彦／訳）：脊髄反射.「カンデル神経科学 第2版」（宮下保司／監，Kandel ER，他／編），メディカル・サイエンス・インターナショナル，p781，2022

3）Winstein CJ, et al：Guidelines for Adult Stroke Rehabilitation and Recovery: A Guideline for Healthcare Professionals From the American Heart Association/American Stroke Association. Stroke, 47：e98-e169, 2016

4）Moggio L, et al：Vibration therapy role in neurological diseases rehabilitation: an umbrella review of systematic reviews. Disabil Rehabil, 44：5741-5749, 2022

5）Nielsen J, et al：Changes in transmission across synapses of Ia afferents in spastic patients. Brain, 118（Pt 4）：995-1004, 1995

6）Kumru H, et al：Effects of different vibration frequencies on spinal cord reflex circuits and thermoalgesic perception. J Musculoskelet Neuronal Interact, 21：533-541, 2021

7）Noma T, et al：Anti-spastic effects of the direct application of vibratory stimuli to the spastic muscles of hemiplegic limbs in post-stroke patients: a proof-of-principle study. J Rehabil Med, 44：325-330, 2012

8）Kai S & Nakabayashi K：10. Evoked EMG Makes Measurement of Muscle Tone Possible by Analysis of the H/M Ratio.「Electrodiagnosis in New Frontiers of Clinical Research」（Türker H/ed），pp195-212, Intechopen, 2013

9）Wang H, et al：Focal Muscle Vibration for Stroke Rehabilitation: A Review of Vibration Parameters and Protocols. Appl Sci, 10：8270, 2020

10）Miyara K, et al：Effect of whole body vibration on spasticity in hemiplegic legs of patients with stroke. Top Stroke Rehabil, 25：90-95, 2018

11）Naito E, et al：Illusory arm movements activate cortical motor areas: a positron emission tomography study. J Neurosci, 19：6134-6144, 1999

12）Naito E：Sensing limb movements in the motor cortex: how humans sense limb movement. Neuroscientist, 10：73-82, 2004

13) Roll R, et al：Illusory movements prevent cortical disruption caused by immobilization. Neuroimage, 62：510-519, 2012

14) Imai R, et al：Influence of illusory kinesthesia by vibratory tendon stimulation on acute pain after surgery for distal radius fractures: a quasi-randomized controlled study. Clin Rehabil, 30：594-603, 2016

15) 今井亮太，他：橈骨遠位端骨折術後患者に対する腱振動刺激による運動錯覚が急性疼痛に与える効果．―手術後翌日からの早期介入―．理学療法学，42：1-7，2015

16) Dong Y, et al：Whole Body Vibration Exercise for Chronic Musculoskeletal Pain: A Systematic Review and Meta-analysis of Randomized Controlled Trials. Arch Phys Med Rehabil, 100：2167-2178, 2019

17) Lu L, et al：Effects of different exercise training modes on muscle strength and physical performance in older people with sarcopenia: a systematic review and meta-analysis. BMC Geriatr, 21：708, 2021

18) Yang X, et al：The effect of whole body vibration on balance, gait performance and mobility in people with stroke: a systematic review and meta-analysis. Clin Rehabil, 29：627-638, 2015

19) Park YJ, et al：Comparison of the Effectiveness of Whole Body Vibration in Stroke Patients: A Meta-Analysis. Biomed Res Int, 2018：5083634, 2018

20) Marazzi S, et al：Effects of vibratory stimulation on balance and gait in Parkinson's disease: a systematic review and meta-analysis. Eur J Phys Rehabil Med, 57：254-264, 2021

21) Heilman KM & Valenstein E：Mechanisms underlying hemispatial neglect. Ann Neurol, 5：166-170, 1979

22) Schindler I, et al：Neck muscle vibration induces lasting recovery in spatial neglect. J Neurol Neurosurg Psychiatry, 73：412-419, 2002

23) Ceyte H, et al：Perceptual post-effects of left neck muscle vibration with visuo-haptic feedback in healthy individuals: A potential approach for treating spatial neglect. Neurosci Lett, 743：135557, 2021

24) Kamada K, et al：Effects of 5 minutes of neck-muscle vibration immediately before occupational therapy on unilateral spatial neglect. Disabil Rehabil, 33：2322-2328, 2011

25) Park SY, et al：Effects of whole body vibration training on body composition, skeletal muscle strength, and cardiovascular health. J Exerc Rehabil, 11：289-295, 2015

26) Benedetti MG, et al：The Effectiveness of Physical Exercise on Bone Density in Osteoporotic Patients. Biomed Res Int, 2018：4840531, 2018

27) Raschilas F & Blain H：What can we think about whole-body-vibration in elderly people?. Presse Med, 39：1032-1037, 2010

28) Burström L, et al：Whole-body vibration and the risk of low back pain and sciatica: a systematic review and meta-analysis. Int Arch Occup Environ Health, 88：403-418, 2015

29) Collado-Mateo D, et al：Effects of Whole-Body Vibration Therapy in Patients with Fibromyalgia: A Systematic Literature Review. Evid Based Complement Alternat Med, 2015：719082, 2015

30) Brooke-Wavell K & Mansfield NJ：Risks and benefits of whole body vibration training in older people. Age Ageing, 38：254-255, 2009

第Ⅱ章 治療法各論

13 体外衝撃波療法

学習のポイント

- 体外衝撃波療法が生体に与える影響とその目的について学ぶ
- 体外衝撃波療法の適応と効果，禁忌事項と副作用について学ぶ
- 体外衝撃波療法を健常者に対して実施できる

1 体外衝撃波療法とは

- 体外衝撃波療法（extracorporeal shock wave therapy：ESWT）は，ショックウェーブ（衝撃波，圧力波）を用いた物理療法である．
- ショックウェーブは，音速以上の速度で伝播する圧力変化波であり，身近なものでは雷によっても生じ，雷放電によって空気が瞬間的に熱せられることで爆発的に膨張して衝撃波を生じ，雷鳴として聞こえる※1．
- ESWTはこのショックウェーブを体外で発生させ，生体に伝播させることで影響を与えるものである．
- ESWTには，集束型体外衝撃波療法（focused extracorporeal shock wave therapy：fESWT）と拡散型体外圧力波療法（radial extracorporeal shock wave therapy：rESWT）（図1）がある．
- fESWTは高エネルギーを体表面から約12 cmと深部に加えるが，刺激部位が限定され強度が強いために侵襲性が高い．rESWTの方が深達度が約3 cmと浅く[1]，刺激強度は低いため，侵襲性が低く広範な刺激が可能であり，理学療法や作業療法に適している（図2）[2]．
- fESWTの使用は医師に限定したものであり，理学療法士は行うことができないが，rESWTは理学療法士が使用可能である．
- rESWTは圧縮空気を放出し，ピストンを衝撃体に衝突させることで圧力波を発生させている（図3）．

補足

※1　衝撃波と超音波の違い

「音」を超えるという表現で混乱するかもしれないが，衝撃波は音速を超える圧力変化，超音波は周波数が高くて耳に聞こえない音である．また，超音波は狭い帯域で定期的な振幅をくり返す連続波であり，強度を高くすると熱が発生してしまう．衝撃波は単発の波であるため超音波療法よりも熱を発生させずに高い強度を設定することが可能である．

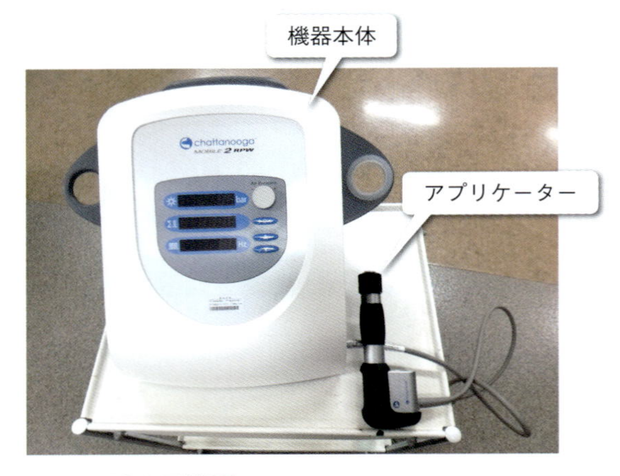

図1　rESWT機器

Intelect RPW Mobile, Chattanooga社製.

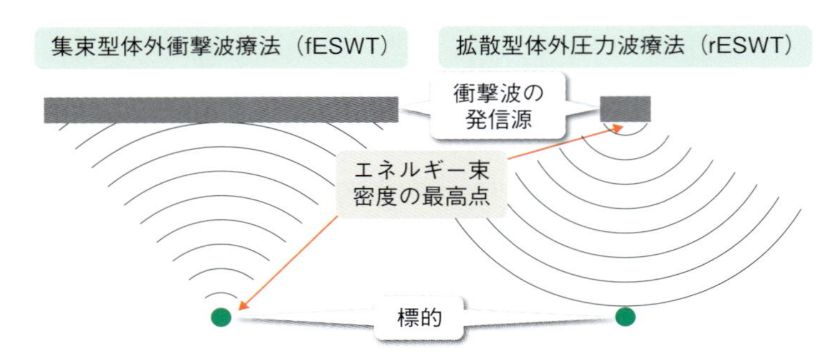

図2　集束型と拡散型の違い

文献2をもとに作成.

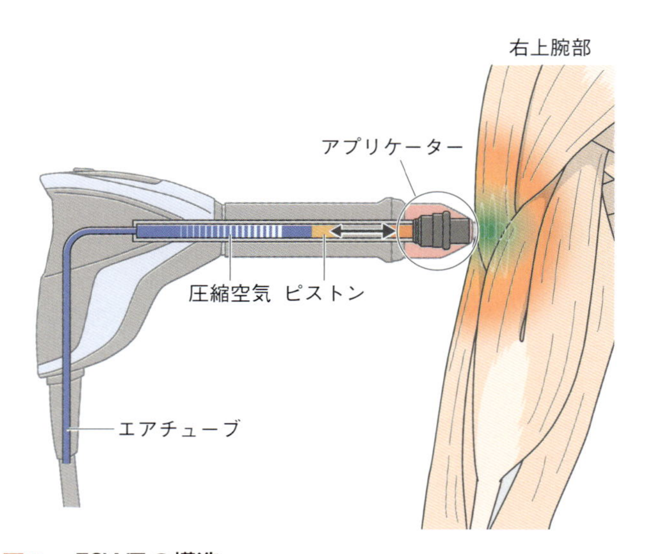

図3　rESWTの構造

フィジオショックマスター，酒井医療社製．文献3より許可を得て掲載.

表1　音響インピーダンス

	音速（m/s）		比重 (g/cm³)	音響インピーダンス (kg/s・m²) × 10⁻⁶	
	最小値	最大値		最小値	最大値
肺	650	1,160	0.4	0.26	0.464
脂肪	1,476	—	0.928	1.370	—
空気	330	343	0.0013	0.000429	0.000446
水	1,492	—	0.998	1.489	—
腎臓	1,570	—	1.04	1.633	—
筋肉	1,540	1,630	1.06	1.638	1.728
骨髄	1,700	—	0.97	1.649	—
骨	2,700	4,100	1.8	4.860	7.380
腎臓結石	4,000	6,000	1.9～2.4	7.600	14.400
鉄	5,100	5,800	7.9	40.290	45.820

文献4より引用.

- 音響インピーダンスとは，組織特有の音に対する抵抗である（表1）[4]．低いほど反射が生じず透過しやすく，高いほど反射が生じる．生体においては，ESWTは脂肪組織や筋肉を通過しやすく，骨表面や腱・靱帯の付着部などの音響インピーダンスの違いが大きい境界部で反射，屈折し，大きなエネルギーを放出する．
- さらに，連続した衝撃波により液体中で圧力差によって短時間に気泡の発生と膨張，崩壊が生じるキャビテーション現象が発生すると考えられる[5]．この崩壊の際に，放出されたエネルギーがさらなる衝撃波を発生させ，組織に影響を与える可能性も考慮されている[6]．
- 刺激強度にはBar（バール）※2やエネルギー束密度（energy flux density：EFD）の単位であるmJ/mm²が用いられる．
- 周波数（Hz）は1秒間に刺激する回数である．
- 刺激数（shots）は総刺激回数のことを示す．
- 刺激による疼痛の程度は，刺激強度や刺激部位によっても異なる．刺激強度が高い方が生体に与える影響は大きくなる可能性がある．すなわち疼痛や皮下出血などを誘発するリスクも高くなる（図4）．

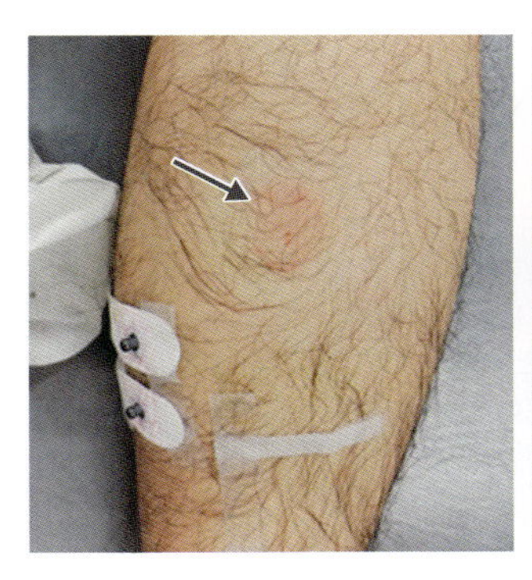
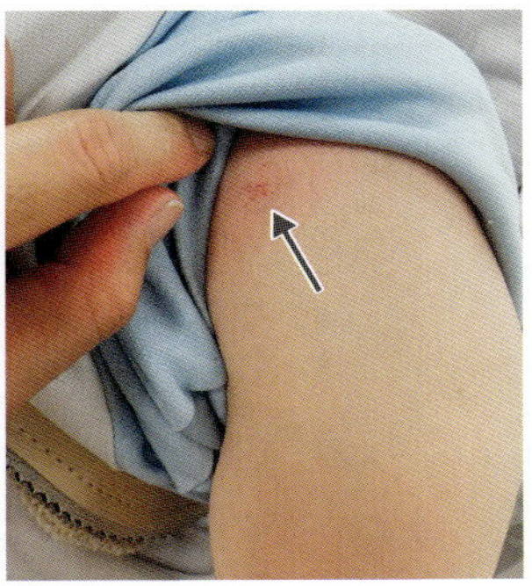

図4　rESWT後の発赤，皮下出血

補足

※2　Bar（バール）

Barは圧力の単位であり，1Barはおおよそ1気圧（10^5Pa）に相当する．

2 体外衝撃波療法の適応と効果

1）対象となる疾患・機能障害

- 従来，ESWTはfESWTを用いて，尿路結石や腎結石の砕石治療に用いられていたが，リハビリテーション医療の分野ではfESWT，rESWTの両者の報告がみられる．
- 整形外科疾患では足底腱膜炎やアキレス腱炎，膝蓋腱炎や上腕骨外側上顆炎，石灰沈着性腱板炎，変形性関節症，離断性骨軟骨炎，皮膚潰瘍などに適応される．
- 脳卒中や脳性麻痺などの中枢神経疾患による痙縮や，脳卒中後の肩関節痛などに対しても実施される．
- impairment（機能障害）レベルでは，疼痛，関節可動域（ROM）制限，痙縮などに対して実施される．

2）基礎・臨床研究

1 疼痛，炎症

- **足底腱膜炎**の治療のネットワークメタアナリシス※3において，ESWTは短期間の疼痛管理に効果的である可能性が高いことが示されている[7]．また，ESWTとコルチコステロイド注射を比較したメタアナリシスでは，治療間での差はなく，3カ月後には痛みや身体機能の改善がみられ[8]，ESWTは薬物療法に代わる治療として期待される（図5）．
- **凍結肩**に対するESWTは，疼痛や肩関節機能改善に対して，通常の理学療法よりも効果が高いことが示されている[9]．また，即時的および短期的（3カ月以内）な鎮痛効果は，通常の治療よりも効果があることが示されている[10]．
- **変形性膝関節症**（膝OA）に対しては，メタアナリシスにおいて，プラセボ治療と比較して有害事象なく，12週時点の疼痛（VAS）や身体機能の改善が示されている[11]．また，軽度から中等度の膝OAに対する中等度の強度（1.5～2.5 Barまたは0.08～0.25 mJ/mm^2）のESWTは，低強度や高強度の刺激よりもVASや身体機能を短期的に（12週間以内）改善させる効果を示している[12]．膝OAに対しては，腓骨神経や血管への照射を避けて膝周囲の圧痛部位に実施されることが多い．

補足

※3　ネットワークメタアナリシス

従来のメタアナリシスが2者の比較に限定されていたのに対して，ネットワークメタアナリシスは3者以上の比較を行うことができる．また従来のメタアナリシスでは，直接比較されていない研究が存在しないと比較することができなかったが，ネットワークメタアナリシスでは，直接比較された他の結果から予測して，直接比較されていないものでも間接比較することができる．

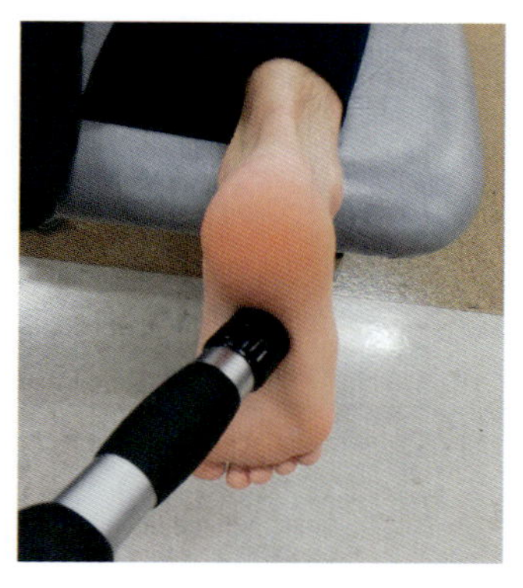

図5　足底腱膜炎に対する rESWT

- **急性腰痛**に対するrESWTの影響をみた研究では，偽刺激と比較して，疼痛や健康関連QOL，腰痛によるADLへの影響に有意な改善はみられなかった[13]．急性痛に対しては適応とならない可能性もあり，さらなる検討が必要である．
- **脳卒中後の肩関節痛**に対して許容可能な最大強度（1.0～5.0 Bar）のrESWTを12 Hz，3,000 shots，週4回を2週間実施した結果，プラセボ群と比較して，治療後や終了から4週間後の疼痛が軽減していた[14]．

2 鎮痛効果のメカニズム

- 衝撃波による鎮痛効果のメカニズムとして，自由神経終末の破壊や，周辺領域における機械的刺激による鎮痛と組織修復作用が関与すると考えられている．
- ESWTによって，ラットの皮下自由神経終末や痛覚伝達に関連する無髄神経線維が破壊されることや（図6）[15]，サブスタンスPやC線維から放出される痛覚伝達物質の伝達抑制が生じるとされる[16]．この鎮痛効果は，1回よりも2回の照射の方が持続することが示されている[15]．

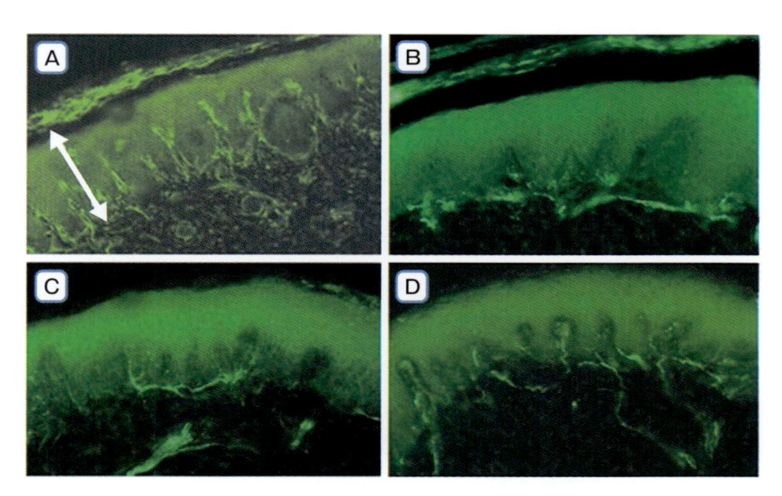

図6　ESWTによるラットの自由神経終末の減少

A）コントロール群：表皮（白矢印）に自由神経終末が侵入している．B）2回照射群 7日後：自由神経終末が減少．C）2回照射群 42日後：ほとんど自由神経終末がない．D）1回照射群 42日後：自由神経終末が増加傾向．文献15より引用．

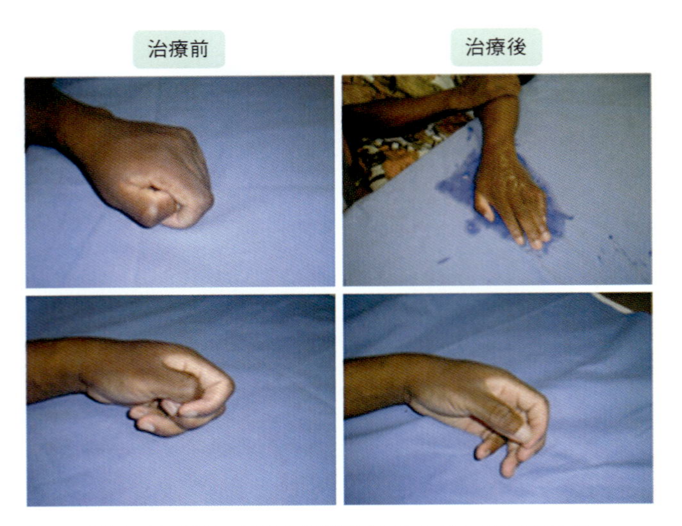

図7　脳卒中患者の上肢の筋緊張亢進に対するESWT

ESWT照射後に手関節，手指の屈曲筋の筋緊張亢進が減少している．文献23より引用．

- ESWTでは，細胞レベルに機械的刺激を直接与えることで，骨形成や血管新生，腱修復反応を促進するとされる[17]．腱細胞においては，トランスフォーミング増殖因子β1やI型コラーゲンの発現増加[18]，血管内皮細胞増殖因子，血管内皮一酸化窒素合成酵素，増殖性細胞核抗原などの血管新生因子の発現増加によって，細胞外基質の分解や炎症を抑制し，腱細胞の増殖を促す[19]．そのため，ESWTは毎日実施するよりも間隔を開けて実施されることが多い．
- ゲートコントロール理論（**第Ⅱ章-9-B**参照）による鎮痛も影響している可能性があるが，明らかではない[20]．

3 痙縮

- **脳卒中後の痙縮**に対しては，メタアナリシスにおいて研究間のばらつきが大きいものの，痙縮抑制効果が示されており[21] [22]，その効果が期待されている（図7）[23]．
- ESWTは，痙縮に対する薬物療法として代表的なボトックスと比較して，非劣性（劣っているわけではない）であることが示されている[24]．
- 痙縮抑制のメカニズムは明らかではないが，一酸化窒素産生の増加による筋・腱の新生血管の増加や，筋粘弾性の改善，組織修復の促進の関与が考えられている[25]．
- ラットにおいては，神経筋接合部※4のアセチルコリン受容体を破壊することで，神経筋接合部の機能不全を引き起こすことが報告されている[26] [27]（図8）．
- ヒトにおいては，脊髄興奮性の低下や末梢神経損傷なしにModified Ashworth Scale（MAS）（**第Ⅱ章-9-C**参照）の軽減がみられ[28]，即時的に粘性依存の抵抗力が軽減することから，痙縮の改善は非反射性要因の改善によるものと考察されている[29]．
- しかし，1症例の報告ではあるが，脳性麻痺症例の腓腹筋にrESWTを実施した結果，シナプス後膜の神経筋伝達の低下をきたす変化がみられた．このことから，ヒトにおいても神経筋接合部に影響を与える可能性も考えられており，明らかではない[30]．

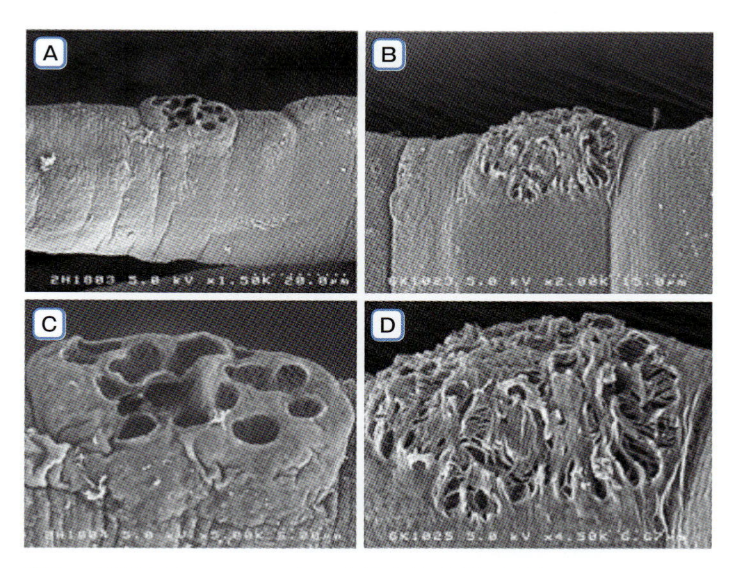

図8　rESWTによるラットの神経筋接合部の破壊

A）C）コントロール群の神経筋接合部．B）D）下腿筋に対してrESWTを照射後，神経筋接合部が破壊されている．文献27より引用．

- 痙縮に対しては，1,500 shotsと4,500 shotsでは抑制の程度に差はなかったとされ[31]，一定の刺激数を超えれば，その影響に差はない可能性がある．

補足

※4　神経筋接合部

運動神経終末と筋の接合部で，神経終板ともいわれる．神経終末からアセチルコリンが放出され，筋細胞内のアセチルコリン受容体で受け取られることで脱分極が引き起こされ，筋収縮が生じる．神経筋接合部が機能しないということは，筋収縮が生じないということである．

3　体外衝撃波療法の禁忌事項と副作用

- 体外衝撃波療法の禁忌に関しては，国際衝撃波治療学会から示されている（表2）[32]．
- また総説論文において，禁忌事項や副作用についても報告されている（表3）[17]．
- ESWTによる重大な合併症は稀であるが，高齢者へのfESWTでは骨損傷，アキレス腱の損傷が2例報告されている[20]．rESWTはfESWTよりも侵襲性は低いが，骨粗鬆症などの骨脆弱性を有する症例に対する実施には注意が必要である．
- また，皮膚の創傷などがある部位や，骨折の術後や人工関節置換術後などでインプラントのある症例にも実施すべきではないと考えられる．

表2　国際衝撃波治療学会が示す禁忌事項

低エネルギーの放射状および集束波	高エネルギー集束波
・治療領域の悪性腫瘍（基礎疾患としてではない） ・治療領域の胎児	・治療領域の悪性腫瘍（基礎疾患としてではない） ・治療領域の肺組織 ・治療領域の骨端線 ・治療領域の脳または脊椎 ・重度の凝固障害 ・治療領域の胎児

ここでは，「放射状」がrESWTを，「収束波」がfESWTを示す．文献32より引用．

表3　禁忌事項と副作用

絶対的禁忌 （すべてのエネルギーでの治療）	活動性感染（骨髄炎など） 悪性腫瘍（収束型衝撃波） 妊婦
相対的禁忌 （高エネルギーでの治療）	脳や神経を治療対象としている 肺または胸膜を治療対象としている 重大な血液凝固障害 骨端線が治療範囲にある
考慮すべき重要点	心臓ペースメーカーなどの植え込み型機器 非ステロイド性抗炎症薬を使用している 抗凝固剤を使用している 副腎皮質ホルモン注射を最近を行った
局所的な副作用	刺激部位の痛み 皮膚の紅斑 皮膚の打撲傷 血腫の形成 しびれや痛みなどの神経刺激 表層浮腫
全身的な副作用	頭痛，片頭痛

文献17より引用．

4　体外衝撃波療法の実際

1）治療の準備やパラメータ設定

- ESWTは疼痛を生じる可能性が高いため，インフォームドコンセントが特に重要である．
- 実施前には禁忌や注意点にかかわる事項がないか，刺激部位の創傷など，皮膚の状態を確認する．
- 設定する刺激パラメータは，刺激強度，周波数，刺激数があげられる．また，アプリケーターヘッドが交換可能な機器では，ヘッドによってエネルギー密度や深度が異なるため，目的や治療対象によって変更する．

- 刺激部位は，対象となる疼痛部位や痙縮筋を選択する．
- 刺激部位とアプリケーターヘッドを密着させるために，超音波療法用ジェルを十分に塗布する．
- 疼痛や不快感の訴えを確認しつつ，刺激強度を徐々に上げていく．
- 刺激中はアプリケーターヘッドを動かすべきか否かは明らかではない．局所的に刺激をする場合には，動かさない方がよいと思われる．一方で，動かすことでエネルギーを分散させ，皮下出血を起こす危険性を軽減できる．ただし，十分なエネルギーを供給できない可能性もある．
- 刺激中の痛みは，徐々に軽減していく場合もある．
- ESWTの刺激間隔は刺激後の損傷組織の回復を考慮し，毎日ではなく，週に1～4セッション程度で実施されることが多い．

2）脳卒中後の肩関節痛に対するrESWTの実施例（関連動画①）

関連動画①

- **症例**：40歳代男性
- **診断名**：脳梗塞（右中大脳動脈）．
- **運動麻痺**：Brunnstrom Recovery stageは左上肢でⅢ．
- **疼痛およびROM**：左肩関節に運動時痛があり，寝返り時にも肩関節の疼痛が生じていた．特に，肩関節外旋時に烏口上腕靱帯の疼痛が生じていた．肩関節外旋（1stポジション）のROMは10°で，その際の疼痛はNumerical Rating Scale（NRS）にて7であった．
- **刺激方法**：rESWTを用い，刺激強度は2 Bar，周波数は10 Hz，烏口上腕靱帯に対して2,000 shots実施しながら，外旋方向へのストレッチングを実施した．実施中はrESWTによる疼痛が非常に強く生じていた．
- **結果**：刺激直後に外旋のROMは増加し，運動時痛は軽減し持続していた（介入直後：ROM 20°，NRS 4→20分後：ROM 20°，NRS 3）．2日後のNRSは3のままであり，寝返り時の疼痛がなくなったとのことであった．再度rESWTを行ったところ，ROMは30°に増加し，NRSは1となった（図9）．刺激中の痛みは強いものの，鎮痛の程度から受け入れは良好であった．

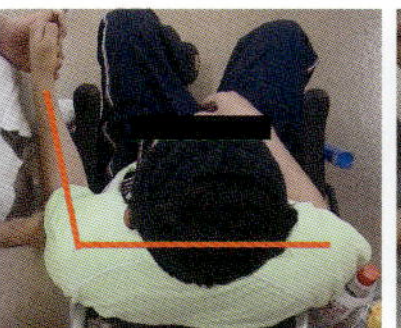

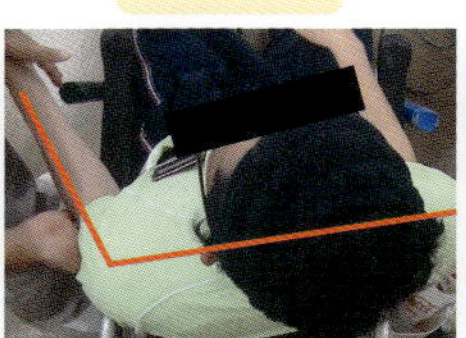

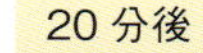

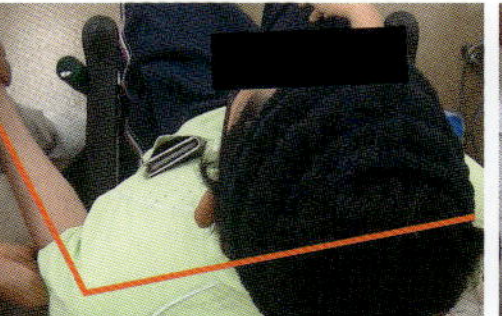

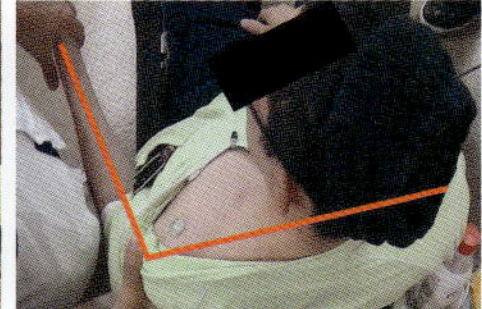

図9　脳卒中症例の肩関節に対するrESWT

実験・実習

1）痙縮抑制のためのrESWT

- **足関節底屈筋の痙縮抑制**のためのrESWTを想定して実施する．

❶刺激部位は腓腹筋に対して実施する．

❷実施前後でModified Ashworth Scale，Modified Tardieu Scaleを計測し，その際のend feelや動作への影響を確認する．

❸刺激前に皮膚の状態を確認する．

❹超音波ジェルを十分に塗布し，ヘッドを腓腹筋筋腹に当てて刺激を開始する．

❺対象者の反応を確認しながら徐々に強度を上げていく（関連動画② 腓腹筋の痙縮に対するrESWT）．

関連動画②

❻刺激強度は不快感なく耐えうる最大強度とし，周波数5 Hz，2,000 shotsとする．

2）鎮痛のためのrESWT

- **変形性膝関節症の鎮痛**のためのrESWTを想定して実施する．

❶刺激は圧痛点に実施されることが多いが，刺激部位を変えることでrESWTによる疼痛の出やすさの違いも確認する．

❷音響インピーダンスの高い筋や脂肪の少ない部位を刺激すると，疼痛が強くなる．刺激強度は2.5 Barとするが，痛みに応じて調整，周波数8 Hz，刺激数は1,000 shotsとする（図10）．

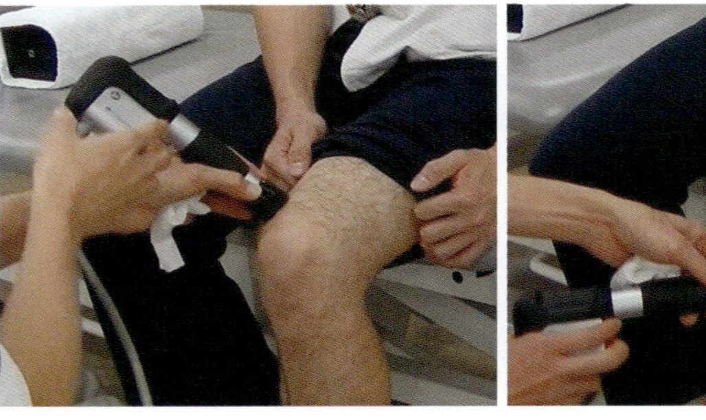
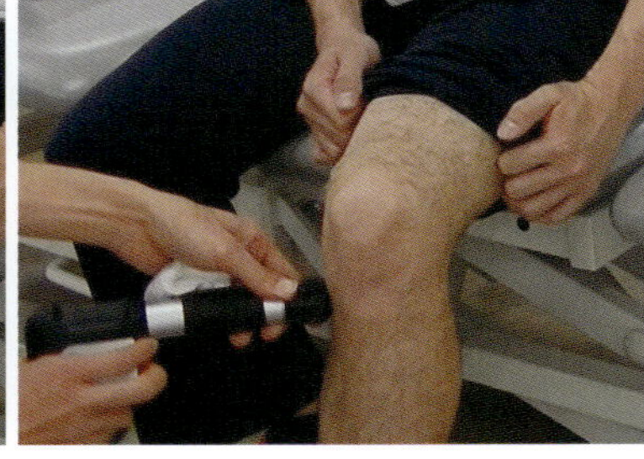

図10　変形性膝関節症に対するrESWT

文献

1）Dymarek R, et al：Shock Waves as a Treatment Modality for Spasticity Reduction and Recovery Improvement in Post-Stroke Adults - Current Evidence and Qualitative Systematic Review. Clin Interv Aging, 15：9-28, 2020

2）Kiessling MC, et al：Radial extracorporeal shock wave treatment harms developing chicken embryos. Sci Rep, 5：8281, 2015

3）拡散型ショックウェーブフィジオショックマスターSHM-S2（https://www.sakaimed.co.jp/rehabilitation/physio-therapy/pressure_wave/physioshockmaster/），酒井医療社HP

4）McClure S & Dorfmüller C：Extracorporeal shock wave therapy: Theory and equipment. Clinical Techniques in Equine Practice, 2：348-357, 2003

5) Császár NB, et al：Radial Shock Wave Devices Generate Cavitation. PLoS One, 10：e0140541, 2015
6) Speed CA：Extracorporeal shock-wave therapy in the management of chronic soft-tissue conditions. J Bone Joint Surg Br, 86：165-171, 2004
7) Babatunde OO, et al：Comparative effectiveness of treatment options for plantar heel pain: a systematic review with network meta-analysis. Br J Sports Med, 53：182-194, 2019
8) Xiong Y, et al：Comparison of efficacy of shock-wave therapy versus corticosteroids in plantar fasciitis: a meta-analysis of randomized controlled trials. Arch Orthop Trauma Surg, 139：529-536, 2019
9) Zhang J, et al：Comparative Efficacy and Patient-Specific Moderating Factors of Nonsurgical Treatment Strategies for Frozen Shoulder: An Updated Systematic Review and Network Meta-analysis. Am J Sports Med, 49：1669-1679, 2021
10) Zhang R, et al：Extracorporeal Shockwave Therapy as an Adjunctive Therapy for Frozen Shoulder: A Systematic Review and Meta-analysis. Orthop J Sports Med, 10：23259671211062222, 2022
11) Ma H, et al：The efficacy and safety of extracorporeal shockwave therapy in knee osteoarthritis: A systematic review and meta-analysis. Int J Surg, 75：24-34, 2020
12) Avendaño-Coy J, et al：Extracorporeal shockwave therapy improves pain and function in subjects with knee osteoarthritis: A systematic review and meta-analysis of randomized clinical trials. Int J Surg, 82：64-75, 2020
13) Lange T, et al：Effectiveness of Radial Extracorporeal Shockwave Therapy in Patients with Acute Low Back Pain-Randomized Controlled Trial. J Clin Med, 10：5569, 2021
14) Kim SH, et al：Effect of Radial Extracorporeal Shock Wave Therapy on Hemiplegic Shoulder Pain Syndrome. Ann Rehabil Med, 40：509-519, 2016
15) Takahashi N, et al：Second application of low-energy shock waves has a cumulative effect on free nerve endings. Clin Orthop Relat Res, 443：315-319, 2006
16) Ohtori S, et al：Shock wave application to rat skin induces degeneration and reinnervation of sensory nerve fibres. Neurosci Lett, 315：57-60, 2001
17) Tenforde AS, et al：Best practices for extracorporeal shockwave therapy in musculoskeletal medicine: Clinical application and training consideration. PM R, 14：611-619, 2022
18) Berta L, et al：Extracorporeal shock waves enhance normal fibroblast proliferation in vitro and activate mRNA expression for TGF-beta1 and for collagen types I and III. Acta Orthop, 80：612-617, 2009
19) Wang CJ, et al：Shock wave therapy induces neovascularization at the tendon-bone junction. A study in rabbits. J Orthop Res, 21：984-989, 2003
20) Reilly JM, et al：Effect of Shockwave Treatment for Management of Upper and Lower Extremity Musculoskeletal Conditions: A Narrative Review. PM R, 10：1385-1403, 2018
21) Cabanas-Valdés R, et al：The effectiveness of extracorporeal shock wave therapy for improving upper limb spasticity and functionality in stroke patients: a systematic review and meta-analysis. Clin Rehabil, 34：1141-1156, 2020
22) Cabanas-Valdés R, et al：The effectiveness of extracorporeal shock wave therapy to reduce lower limb spasticity in stroke patients: a systematic review and meta-analysis. Top Stroke Rehabil, 27：137-157, 2020
23) Manganotti P & Amelio E：Long-term effect of shock wave therapy on upper limb hypertonia in patients affected by stroke. Stroke, 36：1967-1971, 2005
24) Wu YT, et al：Extracorporeal Shock Waves Versus Botulinum Toxin Type A in the Treatment of Poststroke Upper Limb Spasticity: A Randomized Noninferiority Trial. Arch Phys Med Rehabil, 99：2143-2150, 2018
25) Yang E, et al：Recent Advances in the Treatment of Spasticity: Extracorporeal Shock Wave Therapy. J Clin Med, 10：4723, 2021
26) Kenmoku T, et al：Degeneration and recovery of the neuromuscular junction after application of extracorporeal shock wave therapy. J Orthop Res, 30：1660-1665, 2012
27) Kenmoku T, et al：Extracorporeal shock wave treatment can selectively destroy end plates in neuromuscular junctions. Muscle Nerve, 57：466-472, 2018
28) Sohn MK, et al：Spasticity and electrophysiologic changes after extracorporeal shock wave therapy on gastrocnemius. Ann Rehabil Med, 35：599-604, 2011
29) Leng Y, et al：The Effects of Extracorporeal Shock Wave Therapy on Spastic Muscle of the Wrist Joint in Stroke Survivors: Evidence From Neuromechanical Analysis. Front Neurosci, 14：580762, 2020
30) Mori L, et al：Shock waves in the treatment of muscle hypertonia and dystonia. Biomed Res Int, 2014：637450, 2014
31) Oh JH, et al：Duration of Treatment Effect of Extracorporeal Shock Wave on Spasticity and Subgroup-Analysis According to Number of Shocks and Application Site: A Meta-Analysis. Ann Rehabil Med, 43：163-177, 2019
32) International Society for Medical Shockwave Treatment（ISMST）（https://www.shockwavetherapy.org/about-eswt/），2022年8月閲覧

索 引

欧 文

A～C

D～F

G～I

L～N

P～R

S～U

V，W

和文

あ

い

う，え

お

か

き

く

け

こ

さ

し

つ

て

と

な，に，ね

の

は

ひ

ふ

執筆者一覧

※所属は執筆時のもの

編　集

庄本康治　畿央大学健康科学部理学療法学科

執筆者（掲載順）

庄本康治　畿央大学健康科学部理学療法学科
大住倫弘　畿央大学ニューロリハビリテーション研究センター
瀧口述弘　畿央大学健康科学部理学療法学科
吉田陽亮　奈良県西和医療センターリハビリテーション科
安孫子幸子　伊藤超短波株式会社マーケティング・技術研究本部学術部
椰野浩司　関西福祉科学大学保健医療学部リハビリテーション学科理学療法学専攻
加賀谷善教　昭和大学保健医療学部理学療法学科
竹内伸行　高崎健康福祉大学保健医療学部理学療法学科
生野公貴　西大和リハビリテーション病院リハビリテーション部
徳田光紀　平成記念病院リハビリテーション課
中村潤二　西大和リハビリテーション病院リハビリテーション部
肥田光正　大阪河﨑リハビリテーション大学リハビリテーション学部理学療法学専攻
前重伯壮　神戸大学大学院保健学研究科リハビリテーション科学領域
吉川義之　奈良学園大学保健医療学部リハビリテーション学科理学療法学専攻
箕島佑太　和歌山県立医科大学附属病院リハビリテーション部

編者プロフィール

庄本　康治（しょうもと　こうじ）

畿央大学大学院健康科学研究科・教授

畿央大学健康科学部理学療法学科・教授，学科長

物理療法専門理学療法士，認定理学療法士．昭和63年行岡リハビリテーション専門学校（現 大阪行岡医療大学）卒業，理学療法士免許取得．平成16年神戸大学大学院医学系研究科博士課程専攻卒業，博士（保健学）取得．臨床活動は府中病院（大阪），ベルランド総合病院，大阪厚生年金病院（現 JCHO大阪病院）．平成15年～畿央大学健康科学部理学療法学科講師．平成17年～畿央大学健康科学部理学療法学科助教授．平成19年～畿央大学健康科学部理学療法学科教授．平成20年～畿央大学健康科学部理学療法学科学科長，畿央大学大学院健康科学研究科教授．現在に至る．専門研究領域は，超音波療法，電気療法．近年はメーカーと協力して機器作製にも取り組んでいる．書籍，論文は多数あり．

PT・OTビジュアルテキスト

エビデンスから身につける物理療法　第2版

2017年8月 1日　第1版第1刷発行
2022年2月15日　第1版第5刷発行
2023年3月 1日　第2版第1刷発行

編　集　庄本康治
発行人　一戸敦子
発行所　株式会社　羊　土　社
〒101-0052
東京都千代田区神田小川町2-5-1
TEL　03（5282）1211
FAX　03（5282）1212
E-mail　eigyo@yodosha.co.jp
URL　www.yodosha.co.jp/
表紙・大扉デザイン　辻中浩一＋村松亨修（ウフ）
印刷所　広研印刷株式会社

ISBN978-4-7581-0262-9